MANFRED BÖCKL

DER HUND
DES CULANN

Roman

Klett-Cotta

KAPITELVERZEICHNIS

PROLOG

ÐECHTIRE VON EMAIN MACHA

In jenen Tagen versammelten sich die Götter auf einem der Eilande von Tír na n'Og; dem Land des Westens, welches jenseits aller irdischen Horizonte liegt. Dort, im Herzen von Annwn, der Anderswelt, beschlossen die Ewigen, einen aus ihrer Mitte menschliche Gestalt annehmen zu lassen. Dreifach sollte der Erwählte unter dem Himmel Erinns geboren werden: aus dem Kraftquell eines Menhirs, dem Schoß einer Sídh und dem Leib einer Jungfrau königlichen Geblüts.

Drei Namen – einen verborgenen und zwei irdische – würde der menschgewordene Gott im Laufe seines kurzen, aber unerhört ruhmreichen Lebens tragen. Er sollte aufwachsen als das Staunen Erinns, sollte später Taten wie kein Held vor ihm vollbringen; sollte zuletzt einen Tod finden, der ihm und seiner Unsterblichkeit gemäß war.

So wurde es beschlossen in Tír na n'Og, auf dem Eiland im Herzen von Annwn, und nachdem die Entscheidung gefallen war, blickten die Göttinnen und Götter auf Taranis. Ihn, den Stierhäuptigen, den Herrn des Donners und der donnernden Elemente, den Erschütterer und Wandler von Erde und Kosmos, forderten sie auf, das Seinige zu tun.

Taranis erhob sich von seinem Platz, breitete die schwarzzottigen, von sprühenden Lichtblitzen umfunkelten Arme aus, reckte den gehörnten Schädel und ließ seinen tobenden Schrei erschallen. Das tosende Brüllen des Stiergottes durchdrang die Gefilde der Anderswelt und wühlte sie in ihren Tiefen auf; aus den Abgründen der jenseitigen

7

See brachen dunkle und zugleich gleißende Wogen und formten sich unter zuckendem Firmament zu diesseitigen Wellenkämmen um.

Dann, während Taranis' Schrei nachhallte und verklang, fanden die wild gischtenden Wogen ihren Weg, fegten nach Osten und verwandelten sich nahe der Küste von Erinn in tiefhängende, über das gurgelnde Meer peitschende Gewitterwolken; in wirbelnde Wolkenungetüme, welche nun, da sie gegen die schroffen Klippen Erinns prallten, abermals ihre Gestalt veränderten. Riesenhafte flatternde Schatten entstanden aus dem Gewittersturm; sich ballend, verwehend und sich neuerlich halb ausbildend rasten sie weiter gen Sonnenaufgang, bis in der Ferne der Ringwall des Königssitzes von Ulster auftauchte.

Die Warnrufe der Wächter, welche den Aufruhr am westlichen Firmament beobachteten, drangen in die aus mächtigen Balken gezimmerte Halle auf der Kuppe des Festungshügels von Emain Macha. Im nächsten Augenblick eilten der junge König Conchobar und seine Schwester Dechtire, die zusammen mit ihren edelsten Kriegern beim Wein gesessen hatten, nach draußen. Als das königliche Geschwisterpaar am hochaufragenden, mit reichem Schnitzwerk bedeckten Weltenbaum im Zentrum der Burg vorüberkam, bemerkten Conchobar und Dechtire, daß der heilige Eichenstamm trotz der im Ringwall herrschenden Windstille knarrte und bebte, als würde er von unsichtbaren Fäusten geschüttelt.

Erschrocken verhielt der hochgewachsene König von Ulster den Schritt. Seine schöne, noch jungfräuliche Schwester, die den Thron mit ihm teilte, beschwor die Göttin, welche die Festung und das Land behütete: »Macha, gewähre uns Schutz!«

Gleich darauf hatten Conchobar und Dechtire, gefolgt von den Adelskriegern aus der Königshalle, den Palisadenwall erreicht, auf dem die verstört gestikulierenden Wächter standen. Rasch erklommen das Geschwisterpaar und dessen Begleiter die Steigbäume; als sie sich auf die Wallkrone schwangen, erblickten sie durch die Lücken des Palisadenzaunes eine schaurige, zutiefst bedrohliche Erscheinung.

Auf Sturmschwingen heranfegende Finsternis breitete sich rasend schnell über der Ebene von Emain Macha aus. Unheimlich tief über die Erde dahinjagende Wolken schienen ein Getreidefeld um das andere zu verschlingen; die Bauern, die eben noch das reife Korn gesichelt hatten, flohen in Panik auf die Ringburg zu. Mit dem nächsten Lidschlag nahm das alptraumhafte Dunkel Konturen an. Wirbelnde Schwärze gebar riesige flatternde Schatten; einen Moment später wurden diese grauenerregenden Schemen zu peitschenden Schwingen, gesträubtem Gefieder, gierig gereckten Klauen und drohend aufgesperrten Schnäbeln.

Schwarm um Schwarm lösten sich die gespenstischen Schattenvögel aus den brodelnden Gewitterwolken, hetzten die Rudel der Bauern wie todgeweihtes Wild vor sich her – plötzlich aber ließen die Vogelwesen von ihren Opfern ab. Sie stoben zurück ins Innere des über dem Land tobenden Gewitters; doch nur, um sofort wieder daraus hervorzubrechen und jetzt einen um die Hügelfestung sausenden Belagerungsring zu bilden.

Es sah aus, als wollte das Vogelheer den Königssitz von Ulster stürmen und verwüsten. Wie gelähmt verharrten Conchobar, Dechtire und die anderen auf dem Palisadenwall. Dann aber ermannte sich der König. Eben noch hatte er fassungslos dagestanden, nun blitzte Kampfeslust aus seinen Augen, und er rief: »Diese Greife sind eine Heimsuchung der dämonischen Fomorier. Die Molochischen haben das Abscheuliche in ihren Höhlen und Pfuhlen gezeugt. Doch wir werden uns den Kreaturen der Dunkelwelt stellen und sie zu Paaren treiben!«

»Auf diese Weise können wir Ruhm ernten!« stimmte ihm Dechtire eifrig zu. Die Schwester Conchobars schleuderte ihr prächtiges Kupferhaar in den Nacken, berührte den aus Rotgold geformten Drachentorc, den sie ebenso wie ihr Bruder um den Hals trug, und befahl den Adelskriegern: »Folgt uns!«

Während die auf den Wällen zurückbleibenden Wächter weiterhin die um den Festungshügel tobenden Riesenvögel beobachteten und immer wieder die Lanzen gegen sie zückten, eilten das königliche Geschwisterpaar und die Schar der Edlen zum Rüsthaus, das sich gleich neben der Stallung für die Kriegsrösser befand. Conchobar, Dechtire und die Gefolgsleute warfen sich ihre Brünnen über, setzten die Helme auf, gürteten ihre Schwerter und schulterten Speerbündel. Als sie gewappnet wieder ins Freie stürzten, hatten die Stallknechte bereits die Pferde vor die Streitwagen geschirrt.

Dechtire, deren lederner Kriegsmantel mit schimmernden Bronzeschuppen besetzt war, sprang in den größten Kampfwagen und ergriff die Zügel der beiden vorgespannten Hengste. Hinter ihr nahm Conchobar den Platz des Speerwerfers und Schwertschwingers ein. Einen Herzschlag später galoppierten die Rösser los und jagten am bebenden Weltenbaum vorbei. Die übrigen Streitwagen, ein gutes Dutzend an der Zahl, schlossen sich an. Die Wächter am Schanzwerk öffneten die Torflügel, dann donnerten die Kampfwagen hinaus auf die Flanke des Festungshügels von Emain Macha.

Als die Streitwagen aus der Umwallung hervorbrachen, schien noch wütenderer Aufruhr in das Gebrodel aus schwarzen Schwingen und finsterem Gefieder zu fahren. Die Vogelungeheuer ballten sich zu sausenden und saugenden Strudeln; der entsetzte Schrei eines der Wagenkämpfer gellte über die dämmerfahle Hochheide: »Die Dämonen wollen uns verschlingen!«

Im selben Moment jedoch ließ Dechtire die Peitsche über die Rücken der Hengste knallen und hetzte die Rösser mitten hinein ins dichteste Gewirbel der Dunkelvögel. Gedankenschnell schleuderte Conchobar drei Speere hintereinander;

blitzende Bahnen ziehend, trafen die Wurfwaffen drei der tobenden Greife. Unter rasendem Flügelpeitschen verschwanden die verwundeten Finstergefiederten im Nirgendwo – gleichzeitig begann sich die Spiralwolke der übrigen Vogelwesen aufzulösen.

Wie in Panik stoben sie durcheinander, bildeten verschiedene Schwärme und flohen. Teils hoch am Firmament, teils tief über der Erde fegten sie in südlicher Richtung davon; im selben Maß, wie die Finsternis wich, gewann das Sonnenlicht die Herrschaft über die Ringburg und die Ebene von Emain Macha zurück. Die Krieger in den Kampfwagen brachen in Freudenrufe aus und sandten den Greifen eine Speerwolke hinterher; die Pferdelenker trieben ihre Tiere an, um die Verfolgung aufzunehmen.

Erneut preschte der Streitwagen des königlichen Geschwisterpaares den anderen voran. In Windeseile überquerten die feurigen Hengste, denen die jauchzende Dechtire das Äußerste abverlangte, das verlassene Ackerland und erreichten jenseits der Felder die mit Felsbrocken durchsetzte Heide. Als Conchobar dort abermals drei Speere gegen die Riesenvögel sandte, fiederten die Schwärme verstört nach allen Seiten auseinander. Letztes furchteinflößendes Flattern verband sich am Himmel mit rasch herantreibenden Regenbänken und ging darin unter; lediglich drei Greife, die ihren Weg nach Süden fortsetzten, waren jetzt noch erkennbar.

Doch auch die Formation der Kampfwagen hatte sich aufgelöst. Das königliche Gespann war nun weit voraus, in einer Entfernung von mehreren Pfeilschüssen folgte die Kette der übrigen Streitwagen. Dann auf einmal, während Dechtire die Hengste in rasendem Lauf um eine langgezogene Bodenwelle lenkte, schien sich die Ebene im Rücken Conchobars und seiner Schwester unvermittelt zu dehnen. Im selben Moment gerieten die Gespanne der Adelskrieger außer Sicht, schlagartig verstummte das ferne Hufgetrommel. Aber Dechtire und ihr Bruder bemerkten nichts davon; sie trachteten einzig danach, die drei verbliebenen Vogelwesen einzuholen und unschädlich zu machen.

Vom Kampfrausch gepackt setzten sie die Jagd fort; die Hetzjagd auf die drei riesigen Greife, welche das Land, das sie überflogen, gleich Unwetterwolken verdunkelten. Manchmal gelang es dem königlichen Geschwisterpaar, fast bis auf Speerwurfweite an die Schwarzgefiederten heranzukommen – doch jedesmal, wenn Conchobar glaubte, seine Waffen erfolgreich einsetzen zu können, vergrößerte sich der Abstand jäh wieder. Es war beinahe, als wollten die Greife ihre Verfolger narren; schließlich rief Dechtire ihrem Bruder zu: »Ich fürchte, eine Gottheit treibt ihr Spiel mit uns!«

Im selben Augenblick, da sie dies aussprach, schossen die drei Riesenvögel steil zum Firmament empor, bis sie vor der im Zenit stehenden Sonnenscheibe nur noch als winzige Punkte auszumachen waren. Wiederum im nächsten Moment schien der Sonnenball langsam dem Horizont entgegenzugleiten, veränderte dabei sein gleißendes Leuchten zu warmem, rötlichem Schimmer – und aus diesem sanften Glühen heraus tauchten drei Raben auf.

»Lughs Boten!« flüsterte Conchobar.

Seine Schwester zügelte die Hengste; während die Rösser in Schritt fielen, flogen die Raben zu einem nahen Hügel und begannen dort zu kreisen.

»Der Gott will, daß wir seinen Sendboten folgen...« Mühsam faßte sich Dechtire und lenkte die Hengste zu der Bodenerhebung.

Als der Streitwagen am Hügelfuß anlangte, erblickte das Geschwisterpaar wie durch flirrende Nebel hindurch einen weißen Menhir, welcher auf der Anhöhe aufragte. Dechtire brachte die Rösser zum Stehen und stieg vom Wagen, Conchobar tat es ihr nach. Seite an Seite erklommen sie die Hügelflanke; beide hatten beim Hinaufsteigen das Empfinden, als wären ihnen die Erhebung und der Stein zutiefst vertraut. Zuletzt, als sie den Menhir beinahe erreicht hatten, stoben die

Raben empor, um mit dem nächsten Lidschlag nach Westen davonzustreichen, wo die Sonne jetzt fast schon die Erde berührte.

Stumm, wie von einem Traumbild gefangen, schauten der König von Ulster und seine Schwester den schwarzen Vögeln nach, bis sie in die rotglühende Sonnenscheibe eintauchten. Und erst da wurde dem Geschwisterpaar plötzlich bewußt: Durch Zauber hatte sich der Mittag innerhalb kürzester Zeit in Abenddämmerung verwandelt — außerdem lag der vom Hohen Stein gekrönte Hügel in einer Gegend, die volle drei Tagesreisen zu Pferd von Emain Macha entfernt war.

»Wir wurden nach Bruig na Bóinne entrückt!« stieß Conchobar, umherspähend, hervor.

»In der Tat — dies sind die Gefilde der Sídhe!« stimmte Dechtire zu. »Dort drüben erhebt sich der den Göttern sowie dem Hochkönigtum Erinns geweihte Berg von Tara. Und hier unter uns, in der Schleife des Bóinne, des heiligen Flusses der Muttergöttin, liegen die uralten Begräbnisstätten. Den herausragenden Dahingegangenen zum ewigen Gedächtnis errichtete man die Dolmen; gleichermaßen jedoch sind die von den Tuatha dé Danann und anderen Feenwesen behüteten Grabpaläste Tore nach Tír na n'Og.«

»Tore nach Tír na n'Og, die es den Eingeweihten ermöglichen, die verborgene Welt von Annwn zu betreten«, murmelte Conchobar. »Dort halten sie Zwiesprache mit jenen, welche nicht länger im Diesseits leben, sondern auf den westlichen Inseln ihre Wiedergeburt erwarten ...«

Versonnen nickte Dechtire. Sie trat nahe an den weißen Menhir heran, berührte ihn behutsam mit der Linken, der Herzhand, und sagte leise: »Dieser Stein aber, zu dem uns Lughs Raben führten, stellt eine Wegmarke im Reich der Sídhe dar. Sieh hier die Zeichen auf seiner Oberfläche!«

Sanft fuhr Dechtires Fingerkuppe die Linien nach, welche den Menhir überzogen. Conchobar erkannte drei spiralartige Gebilde; eines war im unteren Drittel des Steins eingefurcht, das zweite in der Mitte, das dritte ganz oben. Jeweils dort, wo ihre Ränder sich am nächsten kamen, stellten kunstvoll verflochtene Knoten eine Verbindung zwischen den Spiralkreisen her.

Dann, während die Hand seiner Schwester sich weiter entlang der geschwungenen Eintiefungen bewegte, hatte Conchobar auf einmal das Gefühl, als erklänge ein feines, kaum hörbares Sirren aus dem Gestein. Im selben Augenblick, da der König es wahrnahm, schien sich die Erde am Sockel des Menhirs hochzuwölben. Ein schlangenförmiger Riß barst auf, und aus der Spalte quoll dunkelrot wirbelnder Rauch.

Von heiligem Schrecken ergriffen wichen Dechtire und Conchobar einige Schritte zurück. Rotrauchfäden züngelten am weißen Stein empor. Wiederum einen Augenblick später begann der untere Teil des Menhirs zu pulsen. Vom durchscheinenden Rauch überhaucht, schienen die Spiralfurchen dort zu tanzen. Plötzlich strömte der Rotrauch in ihrem Kern zusammen, drang ein, wuchs und wirbelte wieder nach draußen: die vom Zentrum wegführenden gewundenen Furchen entlang. Am Rand der Spirallinie, wo sie mit der nächsten verknotet war, kam der Rauchwirbel zum Stillstand. Einen Herzschlag lang herrschte Reglosigkeit. Dann durchlief der Rotrauch seine Bahn in umgekehrter Richtung, bis er im Schoß des Spiralkreises verging.

Gleichzeitig jedoch schien sein verblassender Widerschein kurz im Zentrum der zweiten, höherliegenden Spirale aufzuglühen und die vagen Umrisse eines winzigen Lebewesens auszubilden; ganz so, als sei der Funke des einen unkörperlichen Daseins dorthin übergesprungen, um ein weiteres, menschenähnliches zu gebären. Noch einmal schien der Menhir zu pulsieren – dann erhärtete seine Oberfläche wieder, und im nächsten Moment stand der Hohe Stein so fest und unerschütterlich wie zuvor unter dem sich jetzt rasch verdunkelnden Abendhimmel.

Gebannt hatte das königliche Geschwisterpaar das wundersame Geschehen beobachtet. Nun flüsterte Conchobar, seine Betroffenheit abschüttelnd: »Wenn ich mich nicht täusche, ist dieser Menhir, zu dem uns Lughs Raben führten, der Dreifachen Göttin Ceridwen geweiht. Also muß sie es gewesen sein, die durch die Erscheinung zu uns sprach.«

»Die drei verknüpften Spiralkreise sind eines ihrer vielen Zeichen«, bestätigte Dechtire. Langsam trat sie erneut an den Stein heran, nahm mit ausgebreiteten Armen seine Kraft in sich auf, wandte sich wieder ihrem Bruder zu und fuhr fort: »Ich spüre es, ich weiß es: Die verschlungenen Kreise stehen für die Kette der Wiedergeburten, die von Ewigkeit zu Ewigkeit aus Ceridwens Schoß quellen.«

»Und was, glaubst du, wollte die Göttin uns mitteilen?« fragte Conchobar mit belegter Stimme. »Was hat es zu bedeuten, daß sie sich heute mit Lugh verband, um uns von seiner Macht entrücken zu lassen?«

Dechtire bedachte sich, dann erwiderte sie leise: »Ich kann es nicht ausdrücken, nur fühlen ... Dies alles betrifft eher mich als dich ... Es war, als hätte der aus der Erde strömende Rotrauch nicht nur den weißen Stein, sondern auch mein Innerstes berührt ... Und am tiefsten empfand ich diese Berührung unmittelbar vor dem Ende der Erscheinung ... In jenem Augenblick, da sich im Kern der zweiten Spirale das winzige Wesen zeigte, dessen Gestalt halb andersweltlich, halb diesseitig war...«

Verwirrt schüttelte Conchobar den Kopf. Sein Blick irrte zum Menhir und zurück zu seiner Schwester; eben als er zu einer weiteren Frage ansetzen wollte, drang vom Rand der Hügelkuppe ein Geräusch heran.

Der König von Ulster und Dechtire fuhren herum. Aus der Bewegung heraus griff Conchobar unwillkürlich zum Schwert – gleich darauf jedoch entspannte er sich wieder, denn der Fremde, der sich von der südlichen Flanke der Erhebung her näherte, wirkte harmlos.

Es handelte sich um einen auffallend kleinen Mann, der einen schafwollenen Umhang und einen Hirtenstab trug. Nun winkte er dem Paar beim Hohen Stein freundlich zu, trippelte mit seltsam tänzelnden Schritten näher, verneigte sich und sagte: »Ich sah, wie ihr im Streitwagen über die Ebene gekommen seid und diesen heiligen Hügel erklommen habt. Bestimmt hattet ihr ein Anliegen an Ceridwen, deren Geist mit diesem Ort verbunden ist, und vielleicht wird die Göttin euch noch größere Gnade erweisen als die, um die ihr sie gebeten habt.«

»Es ist nicht so, wie du vermutest«, widersprach Conchobar. »Vielmehr wurden wir...«

Er brach ab, rang vergebens nach Worten und warf einen hilfeheischenden Blick auf Dechtire, die ihrerseits stumm auf den Schäfer starrte. Tiefe Stille legte sich über die Hügelkuppe. Nach einer Weile lächelte der zwergenhafte Mann und hob mit schwingender, spielerischer Geste seinen Stab. »Was auch immer geschehen sein mag, eines ist gewiß: Die Nacht sinkt hernieder auf die Gefilde von Bruig na Bóinne, und ihr, die ihr heute sehr weit gereist seid, habt kein Dach über dem Kopf. Erlaubt mir daher, euch in mein Haus einzuladen. Es wird eine Ehre für mich und mein Weib sein, euch zu beherbergen.«

»Wir danken dir«, murmelte Dechtire; wie willenlos nickte Conchobar.

»Gut!« Der Schäfer zwinkerte den beiden zu, dann spitzte er die Lippen und ließ einen zarten Pfiff hören. Kaum war der zirpende Laut verklungen, ertönte Pferdewiehern; einige Augenblicke später trabten die Rösser, welche den Streitwagen zogen, die nördliche Hügelflanke herauf und kamen nahe des Hohen Steins zum Stehen.

Der König von Ulster und seine Schwester bestiegen das Gefährt, der kleine Mann ergriff den Zaum des Hengstes zur

Rechten und führte die Pferde um den Menhir herum. Jenseits des Hohen Steins lenkte er das Gespann in eine Bodenfalte, die sich unversehens zu einer Kluft vertiefte; zu einer Klamm, von der Conchobar und Dechtire zuvor nicht das geringste bemerkt hatten. Tiefer und tiefer senkte sich der gewundene Hohlweg ins Innere des Hügels. An einer Stelle, wo undurchdringliche Dunkelheit herrschte, scheuten die Rösser, aber der Schäfer brachte sie durch beschwörendes Raunen wieder zum Gehorsam. Schließlich erreichte das Gefährt den Ausgang der Kluft; soeben verglühte am Horizont der letzte Schimmer des Abendrots und fand seinen Widerschein im Leuchten eines Herdfeuers, das durch die Türöffnung einer strohgedeckten Steinhütte drang.

Stolpernd, wie von sehr langem Lauf erschöpft, langten die Pferde vor der Kate an. Dort schirrte der Kleine die Tiere aus, führte sie zu einem Pferch und forderte danach seine Gäste auf, ihm in die Hütte zu folgen.

Als Dechtire und ihr Bruder den einzigen, ärmlich wirkenden Wohnraum des niedrigen Gebäudes betraten, erhob sich das ebenfalls zwergwüchsige Weib des Schäfers, das auf einem Schemel bei der Feuerstelle gesessen hatte, und kam ihnen entgegen. Dechtire bemerkte, daß der Leib der Frau aufgewölbt war; mit jedem Schritt, den die Schwangere tat, schien ihr Bauch noch fülliger zu werden. Trotzdem waren ihre Bewegungen leicht, beinahe schwerelos; nun verneigte sie sich vor Conchobar, griff dann nach Dechtires Hand, drückte sie innig und sagte: »Ich freue mich von ganzem Herzen über deine Ankunft, die mir und meinem Gemahl von den Göttern angekündigt wurde.«

Bevor Dechtire etwas entgegnen konnte, sprach die Schäfersfrau weiter: »Seid willkommen in unserem bescheidenen Haus, das sich freilich nicht mit der Königshalle von Emain Macha vergleichen läßt. Dennoch, so hoffen wir, werdet ihr unsere Gastfreundschaft genießen.«

»Wie ihr seht, haben wir bereits Speis und Trank für euch

vorbereitet«, mischte sich nunmehr der Schäfer ein. Er wies in den Hintergrund des Raumes, wo das Herdfeuer loderte – und jetzt wie durch Zauber ein reichgedeckter Tisch sowie vier hohe, mit kunstvollen Schnitzereien verzierte Lehnstühle sichtbar wurden. »Nehmt also Platz, dann wollen wir es uns gemeinsam munden lassen.«

Während Conchobar und Dechtire sich von dem Schäferpaar zur Tafel geleiten ließen, hatten sie das Gefühl, als träten die aus Schieferplatten geschichteten Wände weiter und weiter zurück und verschwände gleichzeitig das Strohdach nach oben. Als sie saßen, vermochten sie die Eingangsöffnung am gegenüberliegenden Ende des nun einer langgestreckten Felsenhöhle ähnelnden Raumes kaum mehr zu erkennen. Aber sie brachten es nicht fertig, nach der Ursache dieser rätselhaften Verwandlung zu fragen; vielmehr verspürten sie im selben Moment, in dem ihnen die Düfte aus den goldenen Schüsseln und kristallenen Pokalen in die Nasen stiegen, solch unwiderstehlichen Hunger und Durst, daß sie alles andere vergaßen.

Der König von Ulster und seine schöne Schwester schmausten, becherten und lachten mit ihren Gastgebern; Scherze flogen hin und her, immer ausgelassener wurde die Stimmung. Stunden verstrichen wie im Fluge, irgendwann war das letzte Bratenstück verzehrt und der letzte Schluck Wein geschlürft. Eben wollte Conchobar sich erkundigen, ob es nicht doch noch einen weiteren Krug gäbe – aber da erhob sich der zwergenhafte Schäfer plötzlich, deutete auf sein Weib und verkündete: »Seht! Ihre Zeit ist gekommen!«

Unmittelbar danach erklang ein Schmerzensschrei. Die Hochschwangere umklammerte Dechtires Arm, rang nach Atem und ächzte: »Steh mir bei! Du bist die Auserwählte, welche die Götter dazu bestimmt haben, mir Geburtshilfe zu leisten.«

Gehetzt schaute Dechtire sich um; sie suchte nach einem geeigneten Platz für die Niederkunft, doch nirgendwo gab es ein Bett. Dann aber wies der Schäfer auf die vom Feuer über-flackerte Felswand neben dem Kamin. Im eben noch festen Gestein entstand eine Grotte; hölzerne, wurzelartig verknotete Stränge bildeten sich in ihrem Inneren aus und formten einen Gebärstuhl nach uralter Art.

Dechtire führte die stöhnende Schäfersfrau zu der vom rötlichen Lichtschein durchfluteten Felsmulde und war ihr behilflich, das Gewand abzustreifen und sich auf den Kreiß-stuhl zu setzen. Unterdessen hoben die beiden Männer einen Kupferkessel von der Kaminwand, füllten ihn aus einer Quelle, die am Saum der Grotte zu sprudeln begann, mit Wasser und hängten ihn über die Feuerstelle. Sofort wallte die Flüssigkeit auf – im selben Moment gellten, rasch aufeinander folgend, drei Schreie der werdenden Mutter, und ihr Leib bäumte sich unter drei wilden Wehen.

Einen Lidschlag später sah Dechtire, die vor der Kreißenden kniete, wie das Köpfchen des Kindes erschien. Sie griff zu, umschloß behutsam den kleinen Schädel und flehte Ceridwen an, der Gebärenden Kraft zu schenken. Die Göttin erhörte sie; erneut spannte sich der Körper der Zwergenfrau dreimal hintereinander, und mit der letzten Wehe glitt das Kleine ganz aus ihrem Schoß. Dechtire fing das Kind auf, erkannte, daß es ein Junge war, und barg ihn an ihrer Brust. Gleich darauf plärrte der Neugeborene kräftig, und die Schwester des Königs von Ulster empfand dabei ein unsagbar tiefes Glücksgefühl.

Dann waren die Männer da und stellten den Kessel ab. Unter den Augen seiner erschöpften, aber froh lächelnden Mutter wusch Dechtire den Säugling. Danach reichte der Schäfer Conchobar einen kunstvoll gearbeiteten Bronzedolch und bat ihn, das Kind abzunabeln. Der König von Ulster durchtrennte die Nabelschnur; der Säugling ertrug den Schnitt, ohne zu zucken – mit dem nächsten Herzschlag schloß sich die Wunde am Leib des Neugeborenen wie durch Zauber.

Dechtire legte das Kind in die Arme der Wöchnerin; kaum

spürte der Säugling die Wärme der mütterlichen Brust, begann er kräftig zu saugen. Fürsorglich hüllte der Schäfer seine Gemahlin in ein weißes, mit roten Borten besetztes Tuch; im selben Moment verwandelte sich der Gebärstuhl und wurde zu einem muschelförmigen Ruhebett. Ihren Sohn an den Brüsten bergend kuschelte sich die Schäfersfrau hinein; gleichzeitig schien samtige Dunkelheit in die Grotte zu strömen und den zwischen den Steinwänden wabernden rötlichen Lichtschein schwarz zu durchweben.

Conchobar und Dechtire spürten, wie unwiderstehliche, fast tödliche Müdigkeit sie übermannte. Die Gestalten der Wöchnerin mit ihrem Kind und des Schäfers verschwammen vor ihren Augen; ehe ihnen die Lider zufielen, glaubten der König von Ulster und seine Schwester noch eine wie aus weiter Ferne heranwehende weibliche Stimme zu vernehmen: »Dank für die Hilfe, die ihr mir gewährt habt... Nun aber schlaft... Findet Ruhe im Wissen, daß alles getan ist, was getan werden mußte...«

Am Morgenhimmel zerrissen die grauen, von Westen herantreibenden Wolkenbänke; ein Sonnenstrahl fingerte über die Gefilde von Bruig na Bóinne. Er traf die Kante des Menhirs auf der Hügelkuppe, flirrte weiter, schoß in eine dreieckige, von behauenen Steinen gebildete Öffnung und berührte das Antlitz Conchobars. Der König von Ulster murmelte im Schlaf, nieste und erwachte. Verwirrt starrte er ins Halbdunkel, das von der flimmernden Lichtbahn durchschnitten wurde – dann setzte er sich jäh auf, packte die Schulter seiner neben ihm liegenden Schwester und rüttelte sie.

Dechtire schrak hoch; das weiße, mit roten Borten besetzte Tuch, in das sie eingehüllt war, glitt von ihrem Oberkörper. Als Conchobar den Säugling gewahrte, den sie im Arm hielt, wurde das, was er bereits geahnt hatte, zu vollem Begreifen;

rauh stieß er hervor: »Der Schäfer und sein Weib haben Magie mit uns getrieben!«

Taumelnd kam Dechtire auf die Beine. Das Kind an ihre Brust pressend, schaute sie sich gehetzt um – und erkannte ebenso wie ihr Bruder, in welch fremdartiger Umgebung sie erwacht waren. Ringsum, lediglich eine schmale Eingangsöffnung aussparend, ragten wuchtige Felsplatten empor und bildeten zusammen mit dem auf ihnen lastenden riesigen Deckstein einen ovalen Raum; seitlich und hinten waren die verschlossenen Zugänge zu weiteren Kammern zu erahnen. Und während der Blick der Königsschwester durch das dämmerige Gewölbe irrte, wurde ihr auch bewußt, wer in den Grabkammern ruhte: halbgöttliche Druiden, von größter Weisheit beseelte Fürstinnen und Fürsten sowie heldenhafte Krieger aus grauer Vorzeit.

»Wir befinden uns in einem der Begräbnistempel von Bruig na Bóinne, die zugleich Tore nach Tír na n'Og sind!« flüsterte Dechtire.

»Tore nach Tír na n'Og – und damit Pfade für diejenigen, welche zuzeiten aus Annwn auftauchen, um uns Sterblichen zu begegnen«, pflichtete Conchobar ihr leise bei. »Bei dem vermeintlichen Schäferpaar handelte es sich zweifellos um Sídhe, und das scheinbar so bescheidene Haus, in welches sie uns lockten, war in Wahrheit dieser Totentempel, in dem die Geister der Abgeschiedenen . . .«

Der König von Ulster brach ab, weil der Säugling lauthals zu brüllen begann. Dechtire bemühte sich um das Kind, doch dessen tobendes Geschrei hielt an – bis es plötzlich wie eine Erleuchtung über Conchobar kam. Er berührte den Säugling, der daraufhin sofort verstummte, und verkündete: »Ich, der ich in Emain Macha herrsche, nehme dich nach dem Willen der Götter als meinen Sohn an. Vater will ich dir sein, so wie meine königliche Schwester dir Mutter sein soll. Dies verspreche ich dir an diesem heiligen Ort, an dem du uns von deinen Eltern aus dem Reich der Sídhe anvertraut wurdest.«

Als Dechtire diese Worte vernahm, rannen Freudentränen aus ihren Augen. Sie küßte das Kind und erinnerte sich dabei an das unsagbar tiefe Glücksgefühl, das sie bei seiner Geburt empfunden hatte. Lange herzte sie den Säugling und flüsterte zärtlich mit ihm, endlich besann sie sich wieder auf ihren Bruder und bat ihn:»Laß uns unverzüglich die Rückfahrt antreten, damit unser Sohn seine künftige Heimat erblickt.«

Conchobar nickte, dann geleitete er seine Schwester, die das nun wieder entschlummernde Kind trug, zum dreieckigen Portal des Begräbnistempels. Draußen umfächelte sie warme, nach Meerhauch und Wildkräutern duftende Luft; einen Pfeilschuß vom Steinkammergrab entfernt stand der Streitwagen, und in seiner Nähe weideten die Rösser. Als die Hengste den König, Dechtire und den Säugling gewahrten, wieherten sie und trabten herbei. Wenig später hatte Conchobar sie eingeschirrt; gleich darauf zogen die Pferde an, der Wagen umfuhr den vom Menhir gekrönten Hügel und rollte auf die Ebene hinaus, die sich jenseits der Erhebung nach Norden erstreckte.

Während der dreitägigen Fahrt wurde der Knabe, den das königliche Geschwisterpaar an Kindes Statt angenommen hatte, sichtlich von den Göttern behütet. Denn jedesmal, wenn Conchobar unterwegs die Rösser tränkte, tauchte wie aus dem Nichts eine Kuh mit silberweißem Fell und prallem Euter auf, die es duldete, daß Dechtire den Säugling an ihren Zitzen trinken ließ. So mußte der Knabe keinerlei Mangel leiden und gedieh prächtig; als der Streitwagen am Ende des dritten Reisetages den Festungshügel von Emain Macha erreichte, war das Kind erstaunlich kräftig geworden.

Unter dem Jubel der Krieger, Knechte und Mägde, die sich arge Sorgen wegen des unerklärlichen Verschwindens Conchobars und Dechtires gemacht hatten, zog das Geschwisterpaar in die Ringburg ein. Dechtire hob den Säugling hoch, um ihn den Männern und Frauen zu zeigen; der letzte Strahl der sinkenden Sonne badete das Gesicht des Kindes dabei in glühendes Rot, und im selben Moment war es den Bewohnern der Hügelfestung, als würde etwas Überirdisches sie berühren.

Später – der Knabe schlief mittlerweile, von einer Amme bewacht, in seiner Wiege – saßen Conchobar und seine Schwester mit ihren vertrautesten Gefolgsleuten in der großen Halle zusammen. Beim Wein berichteten sie den Adelskriegern, welche Abenteuer sie in den Gefilden von Bruig na Bóinne erlebt und wie die Sídhe ihnen das Kind anvertraut hatten.

»Gewiß taten sie dies, um den Ruhm des Königsgeschlechts von Ulster noch zu mehren!« rief Conchobar zuletzt aus. »Denn in den Adern des Knaben fließt andersweltliches Blut. Darüber hinaus wurde er auf unserer Heimfahrt nach Emain Macha ganz ohne Zweifel von der Göttin Boand gesäugt, welche zuweilen die Gestalt einer silberweißen Kuh annimmt – und daher wird er zu einem unübertrefflichen Helden heranwachsen.«

Die Adligen spendeten der Rede des Königs Beifall, anschließend ließen sie auch Conchobars schöne Schwester hochleben. Lächelnd nahm Dechtire die Huldigungen entgegen; plötzlich jedoch war ihr, als schnitte ein scharfer Schmerz durch ihr Herz und schnürte ihr etwas die Kehle zu. Aber sie überwand die jähe Beklemmung und feierte weiter mit ihrem Bruder und den Edelleuten. Erst tief in der Nacht zog Dechtire sich zurück; ehe sie ihre Gemächer aufsuchte, betrat sie noch einmal die Kammer, wo die Amme an der Wiege des Säuglings saß, und betrachtete lange das schlummernde Kind.

Im Lauf der folgenden Wochen und Monate nahm der Knabe weiterhin ungewöhnlich rasch an Größe und Gewicht zu; zur Zeit des Samhain-Festes, da die Herbststürme über Erinn hinwegfegten, wirkte er beinahe schon so kräftig wie ein Einjähriger. Kurz vor der Wintersonnenwende dann fing er an, erste Gehversuche zu machen, und wenige Tage später lief er bereits ohne Hilfe von seinem Bettchen zur Kammertür.

Stolz eröffnete Conchobar daraufhin seinen Gefolgsleuten, daß es nun bald angemessen sein werde, dem Jungen einen wohlklingenden, seine glanzvolle Zukunft beschwörenden Namen zu geben. Mit seiner Schwester kam der König überein, die Feier der Namensverkündung zu Imbolc im neuen Jahr auszurichten. Doch dann wurden alle Hoffnungen des königlichen Geschwisterpaares zunichte – ohne jede Vorwarnung brach fürchterliches Verhängnis über Emain Macha herein.

Es geschah in der Nacht der Wintersonnenwende, da der alte Jahreskreis sich schließt, damit aus seinem Vergehen der nächste entstehen kann. Abends hatte der Knabe noch heißhungrig wie stets an den Brüsten seiner Amme gesaugt und war sodann friedlich eingeschlafen. Wie üblich war die Nährmutter in der Kammer des Kleinen geblieben und hatte sich nach einer Weile auf ihr eigenes Ruhelager gelegt; einige Stunden später schrak sie hoch, weil der Knabe angstvoll zu schreien begonnen hatte.

Als die Amme zu dem Kind hastete, stellte sie fest, daß es schweißgebadet war und vor Hitze glühte. Aufgelöst rief die Nährmutter nach Dechtire, die sofort aus ihrem Gemach herbeieilte. Gemeinsam bemühten sich die beiden verstörten Frauen um den Knaben; sie flößten ihm Kräutersud ein und versuchten, das in seinem Körper wütende Fieber durch kühlende Umschläge zu lindern. Doch all ihre Mühe war vergebens; zusehends wurde das Kind schwächer, und der Atem drang ihm jetzt qualvoll röchelnd aus der Kehle. In ihrer Furcht ließ Dechtire Conchobar holen; kaum hatte der König die Kammer betreten, setzte der Todeskampf des Knaben ein. Seine Glieder zuckten in immer heftigeren Krämpfen, immer panischer rang das Kind nach Luft – dann plötzlich, um Mitternacht, erschlaffte der kleine Leib.

Wild schluchzend brach Dechtire über dem entseelten Knaben zusammen, gleich darauf raubte der ungeheure seelische Schmerz ihr die Besinnung. Conchobar, der seinerseits nur mühsam die Fassung zu bewahren vermochte, ließ seine Schwester in ihre Gemächer bringen. Danach ordnete er an, das so jäh verstorbene Kind zu waschen und es im Totengewölbe der Ringburg aufzubahren.

Während die Leichenstarre den Knaben befiel und wieder von ihm wich, lag Dechtire wie gelähmt auf ihrem Bett. Zwar war sie bald wieder aus ihrer Ohnmacht erwacht; trotzdem schien sie die Anwesenheit der Mägde, die sich um sie bemühten, gar nicht wahrzunehmen. So verstrich der Rest der längsten Nacht des Jahres und anschließend der folgende Tag, dann senkte sich neuerlich Dunkelheit über den Festungshügel von Emain Macha.

Als abermals die Mitternachtsstunde heranrückte, glaubte Dechtire einen fernen Ruf zu vernehmen. Der Laut zwang sie, aufzustehen und ihr Gemach zu verlassen. Langsam, gleich einer Schlafwandlerin, schritt Dechtire an den schlummernden Mägden vorbei nach draußen, überquerte den Burghof bis zur Mitte, umkreiste wie im Traum dreimal den dort aufragenden Weltenbaum und erreichte jenseits des heiligen Eichenstammes das Steingewölbe, in dessen Rund das tote Kind ruhte.

An der Bahre des Knaben, den die Sídhe ihr und Conchobar anvertraut hatten, sank Dechtire auf die Knie. Erneut schien der grausame Schmerz sie übermannen zu wollen – wenig später jedoch drang friedvolle Ruhe in ihr Herz, und im nächsten Moment hörte sie ein feines Wispern. Es war Dechtire, als käme es aus dem Mund des verstorbenen Kindes; sie bemühte sich, die Worte zu verstehen, und nach einer Weile gelang es ihr.

»Du sollst nicht um mich trauern!« raunte der tote Knabe; während er es sagte, wuchs er und wurde zu einem jungen Mann von strahlender göttlicher Schönheit.

Nun legte er den Arm um Dechtires Schultern, barg sie an seiner Brust, umhüllte sie mit überirdischer Wärme und sprach weiter: »Trauere nicht um mich, denn in Wahrheit bin ich unsterblich. Dies ist so, weil ich von den Tuatha dé Danann abstamme, dem Volk der Göttermutter Danu. Von Ewigkeit zu Ewigkeit verflicht sie, Danu, die Knoten des Lebens. Aus Geburt wird Tod, aus dem Tod neue Geburt; so erfüllt sich der Wille Danus. Und aus diesem Grunde muß ich viele Male sterben und wiedergeboren werden, das ist mein Schicksal.«

»Wie lautet dein Name?« stieß Dechtire hervor.

Der Jüngling lächelte und antwortete: »Ich heiße Lugh mac Ethnend.«

»Lugh, Sohn der Ethne!« flüsterte Dechtire. »Der Göttin, welche auch Boand genannt wird.«

»Sie ist meine Mutter«, bestätigte der jugendliche Gott. Gleich darauf umschlang er Dechtire inniger und fuhr fort: »Ethne brachte mich vor sehr langer Zeit, als die Tuatha dé Danann noch in menschlicher Gestalt über die Erde Erinns wandelten, erstmals zur Welt. Du aber – die Jungfrau aus königlichem Geschlecht, die mich bereits aus dem Menhir entstehen sah, mir als Kind der Sídhe ins Dasein verhalf und außerdem meine liebevolle Pflegemutter war – sollst mich jetzt von neuem empfangen und gebären.«

»Wie könnte ... das geschehen?!« stammelte Dechtire.

»Du weißt es und ersehnst es von ganzem Herzen!« entgegnete Lugh. Mit demselben Lidschlag wurde sein leuchtender Leib durchscheinend; er umfloß den Körper Dechtires wie eine Aura, und während dies geschah, vernahm sie noch einmal die Stimme des Gottes: »Wenn du in neun Monaten mit mir niedergekommen bist, sollst du mir den Namen Setanta geben.«

Seit neun Monaten ruhten die sterblichen Überreste des Knaben, den Conchobar und Dechtire aus den Gefilden von Bruig na Bóinne nach Emain Macha gebracht hatten, in einer der Grüfte von Rath Cimbaeth: der nahe des Festungshügels liegenden Begräbnisstätte der Herrschersippe von Ulster. Der Same aber, den Lugh gesät hatte, war nun, da der Herbst das Laub an den Bäumen färbte, ausgereift.

In ihrem Gemach erlitt Dechtire die Wehen, stöhnend wand sich die Kreißende auf ihrem Schmerzenslager. Die greise Hebamme von Emain Macha kniete neben dem Bett, mit kundigen Händen massierte sie den hochgewölbten Leib Dechtires und redete beruhigend auf sie ein. Gelegentlich tauschte die Wehmutter einen Blick mit ihrer Gehilfin, welche den Kessel mit kochendem Wasser über der Feuerstelle bewachte; dann wieder musterte sie verstohlen die beiden Männer, die im Hintergrund des Raumes standen.

Es handelte sich um Conchobar und einen jungen, sehr gut aussehenden Fürsten namens Sualtach mac Roich, und insbesondere diesem galt die Neugier der Hebamme. Denn sie wußte, auf welch aufsehenerregende Weise die Schicksalsfäden der schönen Dechtire und des stattlichen Sualtach im vergangenen Frühling verknüpft worden waren – und wie die anderen Eingeweihten in der Ringburg ahnte auch die Wehmutter, daß dabei wohl die Götter eingegriffen hatten.

Kaum waren im Frühjahr die ersten Anzeichen von Dechtires Schwangerschaft sichtbar geworden, hatten jene unter den Bewohnern von Emain Macha, die es nicht besser wußten, zu tuscheln begonnen. Die Königsschwester, so hieß es, habe sich heimlich mit einem Mann eingelassen und ihm ihre Jungfräulichkeit geopfert. Manche vermuteten, es sei einer der Waffengefährten Conchobars gewesen, welcher Dechtire beigewohnt habe; andere gingen noch einen Schritt weiter und behaupteten, der König selbst hätte sich mit seiner eigenen Schwester vergessen.

Dann jedoch war der strahlende junge Fürst Sualtach mac Roich auf die Hügelfestung gekommen. Im Sattel eines edlen Schimmels und von einem Dutzend adliger Gefolgsleute begleitet, war er in die Ringburg eingeritten und hatte seinen Hengst unter dem Weltenbaum gezügelt. Im selben Moment war ihm Dechtire entgegengetreten – und einige andere hochgeborene Frauen von Emain Macha, die sich ebenfalls näherten, hatten bemerkt, wie ein unvermittelt aus den Wolken schießender Lichtstrahl das Paar umhüllte.

Es war, als hätte der Wille des Sonnengottes die beiden verbunden: den jungen Fürsten mit den goldfarbenen Locken und die kupferhaarige Königsschwester. Wie verzaubert hatten sie sich angesehen; dann war Sualtach vom Pferd gestiegen, hatte die Hand Dechtires ergriffen und ihr, ohne auf die Umstehenden zu achten, gesagt: »Ich erkenne dich als diejenige, die ich für immer lieben muß.«

So hatten Sualtach mac Roich und Dechtire von Emain Macha einander gefunden; unter den Uneingeweihten auf der Ringburg aber war von da an das Gerücht umgelaufen, Sualtach sei der Vater des Kindes, das die Schwester Conchobars unter dem Herzen trug.

Obwohl dies auch dem König zu Ohren gekommen war, hatte dieser sich ebensowenig daran gestoßen wie an den abenteuerlichen Vermutungen, die zuvor zu hören gewesen waren. Viel wichtiger war es ihm offensichtlich, Freundschaft mit dem maßlos in Dechtire verliebten Fürsten zu schließen. Conchobar hatte Sualtach alle nur denkbaren Aufmerksamkeiten erwiesen und ihn dadurch noch ermuntert, um seine Schwester zu werben. An Lughnasad schließlich, dem Sommerfest zu Ehren des leuchtenden Gottes, war in der Königshalle von Emain Macha die Verlobung Dechtires mit Sualtach mac Roich verkündet worden. Sobald seine Schwester entbunden und sich von der Geburt erholt habe, so hatte Conchobar den Festgästen weiter mitgeteilt, sollte die Hochzeit stattfinden.

Und nun, dachte die Hebamme, ist dieser Tag nahe herangerückt. Noch in dieser Stunde wird das Kind, das zwischen Tod und Beisetzung des anderen gezeugt wurde, das Licht der Welt erblicken.

Wieder raunte sie der Kreißenden beruhigende Worte zu. Dechtire umkrampfte die Hand der Greisin; zuckend bäumte sich ihr gepeinigter Körper auf, doch als die Hebamme den besänftigenden Spruch wiederholte, verebbte die Qual. Freilich nur, um wenig später desto ärger zurückzukehren, und von da an kamen die Schmerzwellen in immer kürzeren Abständen – bis die Schreie der werdenden Mutter fast ununterbrochen durch den Raum gellten.

Mit bleichen Gesichtern verfolgten Conchobar und Sualtach das Geschehen; plötzlich sahen sie, wie die Hebamme ihrer beim Feuerplatz stehenden Gehilfin einen Wink gab. Die jüngere Frau tauchte ein Tuch in den Kessel, wrang es aus und hastete an Dechtires Bett. Gleich darauf, während die Greisin sich über den Schoß der Kreißenden beugte, erreichte deren Pein ihren Höhepunkt. Rasch hintereinander durchlitt Dechtire neun, einander überlagernde Wehen, die gleich Messern durch ihren Leib schnitten; dann, mit der neunten Schmerzwoge, erschien das Köpfchen des Kindes. Danach vollendete sich die Geburt rasch und erstaunlich leicht; Conchobar und Sualtach, die unwillkürlich einige Schritte nähergetreten waren, hatten den Eindruck, als spränge das kleine Wesen wie aus eigenem Antrieb in die Hände der Hebamme.

Nachdem das Kind trockengerieben und abgenabelt war, legte die Wehmutter es in Dechtires Arme und sagte: »Es ist ein prachtvoller Sohn, dem du das Leben geschenkt hast. Und daß er mit der neunten Geburtswehe ins Dasein trat, weist darauf hin, daß er dreifach in der Gnade der Dreifachen Göttin Ceridwen steht.«

»Dreimal mußte er geboren werden: aus dem heiligen Stein, dem Schoß einer Sídh und aus meinem Körper«, flüsterte Dechtire wie in Trance. »Und der Name, den er, der in

Wahrheit Lugh mac Ethnend ist, sich für den Beginn dieses Lebens selbst gab, lautet Setanta.«

Die Hebamme und ihre Helferin vernahmen die Sätze; sie behielten aber, weil die Götter es so wollten, einzig den Rufnamen des Knaben im Gedächtnis. Conchobar und Sualtach allerdings wußten längst mehr und erahnten jetzt alles; bedeutungsvoll blickten sie einander an, dann traten sie an das Lager Dechtires und beglückwünschten sie zu ihrem Kind.

Wenig später verkündete der König von Ulster die freudige Nachricht in der großen Halle der Hügelfestung. Sualtach mac Roich hingegen war bei Dechtire und Setanta geblieben, um ihren Schlaf zu bewachen. Stunde um Stunde saß Sualtach sinnend am Bett seiner Verlobten; tief in der Nacht dann, als die Wöchnerin gestärkt erwachte, sprach das Paar lange über seine Hochzeit, die nun bald gefeiert werden sollte.

Schnell erholte sich Dechtire von den Anstrengungen der Geburt, und auch Setanta gedieh prächtig. Es schien, als würde er ebenso wie einst das Kind der Sídhe von der Milch der Göttin Boand genährt; innerhalb der ersten beiden Lebenswochen verdoppelte der Knabe sein Gewicht. Zudem sproß, was ein weiteres Anzeichen seiner göttlichen Herkunft war, verschiedenfarbiges Haar aus seinem Schädel. Ein goldgelber Wirbel wuchs über seiner Stirn, ein brandroter oben auf dem Scheitel und ein dunkelbrauner am Hinterkopf; jede dieser Locken bestand aus drei sich knotenartig ineinanderdrehenden Strähnen. Setantas schwarze Brauen wiederum, die sich ebenfalls bereits in den ersten Lebenstagen abzuzeichnen begonnen hatten, glichen hochgeschwungenen Mondsicheln. Seine strahlenden Augen schließlich, deren dunkelblaue Iris golden gefleckt war, verzauberten jeden, der den Säugling anblickte.

Sowohl Dechtire als auch Sualtach mac Roich, der nach seiner Hochzeit mit der Schwester des Königs von Ulster zum

Pflegevater Setantas werden sollte, waren über die Maßen stolz auf das außergewöhnliche Kind. Während Dechtire ihre Kräfte zurückgewann, schmiedete das Paar Zukunftspläne; noch vor Samhain wollten beide in der Ringburg Sualtachs, die an der Meeresküste lag, die Ehe schließen. Doch dann, am Morgen des Tages, an dem der Knabe seine dritte Lebenswoche vollendete, griffen einmal mehr die Götter ein, welche ihre eigenen Absichten mit Setanta hatten.

Eben hatte Dechtire den Säugling gestillt und legte ihn gerade zurück in sein Bettchen. Plötzlich hörte sie Rufe im Hof der Hügelfestung. Kurz darauf stürzte Sualtach ins Gemach und teilte seiner Braut mit: »Drei Druiden, eine Frau und zwei Männer, sind angekommen. Und sie sagten Conchobar, der sie am Tor empfing, daß sie eine Botschaft für dich hätten.«

Die junge Mutter, die von einer jähen Vorahnung befallen wurde, erbleichte; gepreßt erwiderte sie: »Wenn die Vertrauten der Mächte von Annwn mich sprechen wollen, muß ich gehorchen...«

»Ihr Wille steht höher als der von Fürsten und selbst Königen«, bestätigte Sualtach, dessen Stimme nun ebenfalls befangen klang. Dann bot er seiner Verlobten den Arm, um sie zur großen Halle zu führen.

Dort wurde das Paar schon von Conchobar und den Druiden erwartet. Schweigend musterte Dechtire die neben dem König auf den Ehrenplätzen sitzenden Besucher, die ihr keineswegs fremd waren. Es handelte sich um eine noch junge, sehr schöne Frau mit langem, dunklem Haar, die in ein weißes, mit roten Borten gesäumtes Gewand gekleidet war; sowie einen Mann in der Blüte seiner Jahre und einen bereits Ergrauten, die wollene Umhänge mit heiligen Webmustern trugen.

Schließlich, ehe die Stille lastend werden konnte, räusperte sich Conchobar und sagte zu seiner Schwester: »Du kennst unsere Gäste: Findchaem und ihren Gemahl Amergin, dazu Cathbad, den außerordentlich weisen Vater Findchaems.«

Dechtire nickte; nachdem sie einen Blick mit Sualtach getauscht hatte, wandte sie sich an Findchaem und fragte:»Aus welchem Grunde seid ihr von Dun Tobarce, eurem weit entfernten Wohnort im Südosten, hierher gekommen?«

Anstelle der bezaubernden Druidin antwortete Cathbad: »Du weißt es längst! Denn vorhin, nachdem du soeben Setanta gestillt hattest, teilte dein Bräutigam dir mit, daß wir hier seien, um dir eine Botschaft zu überbringen.«

»Eine Nachricht...« Dechtire schluckte.»Welcher Art?«

»Setz dich zusammen mit deinem Verlobten zu uns, dann werdet ihr es erfahren«, entgegnete nunmehr Amergin.

»Doch vorab sollst du eines wissen«, fügte Findchaem hinzu, wobei sie Dechtire ein mitfühlendes Lächeln schenkte. »Auch wenn es dir zunächst so erscheinen mag, sind wir nicht gekommen, um dir Schmerz zuzufügen. Vielmehr dient das, was geschehen muß, der ruhmvollen Zukunft deines Sohnes.«

»Was verlangt ihr von mir?« stieß Dechtire hervor.

»Nicht wir fordern es, sondern die Götter«, erwiderte Cathbad. Als Sualtach und Dechtire Platz genommen hatten, erklärte der alte Druide, warum er zusammen mit Findchaem und Amergin den langen Weg von Dun Tobarce nach Emain Macha gewandert war.

»Sowohl mir als auch meiner Tochter und ihrem Gatten erschien vor drei Tagen, da wir gemeinsam ein Ritual zelebrierten, der Gott Lugh«, begann Cathbad. »Im Sonnenrund entstand das Antlitz des Leuchtenden. Ein Lichtstrahl bildete sich in seinem Vergangenheit und Zukunft durchdringenden Auge. Der Strahl bahnte sich seinen Pfad durch die Wolken nach Nordwesten; während dies geschah, sprach Lugh zu uns. Der Gott befahl mir, Amergin und Findchaem, der schimmernden Spur zu folgen, bis wir zur Königsfestung von Ulster kämen. In Emain Macha würden wir ein Kind namens Setanta finden, das in der Nacht nach der letzten Wintersonnenwende von ihm, Lugh mac Ethnend, als Wiedergeburt seiner selbst gezeugt wurde. Die Mutter des Knaben, König

Conchobars Schwester, sei uns bekannt; ihr sollten wir folgende Nachricht überbringen: In Tír na n'Og habe der Rat der Götter entschieden, daß Setanta von Emain Macha nach Dun Tobarce gebracht werden müsse, um an diesem Ort heranzuwachsen. Nur so nämlich, wenn der Knabe seine Kindheit in druidischer Obhut verbringe, könne er später die Aufgaben erfüllen, welche der göttliche Ratschluß ihm zugedacht habe.«

Nachdem Cathbad geendet hatte, herrschte tiefes Schweigen; endlich flüsterte Dechtire: »Es wäre vermessen, mich dem Willen Lughs und der anderen Götter zu widersetzen... Trotzdem bricht mir das, was sie verlangen, das Herz...« Sie schluchzte auf. »Setanta ist noch so klein ... und wer würde ihm in Dun Tobarce die Brust geben?«

»Ich selbst will ihn nähren.« Findchaem beugte sich zu Dechtire, zog sie in ihre Arme und fuhr fort: »Vor drei Jahren gebar ich einen Sohn, den wir Conall Cernach nannten. Zusammen mit ihm will ich Setanta säugen. Auf diese Weise können die beiden Milchbrüder und später Freunde werden.«

Ehe Dechtire etwas dazu äußern konnte, murmelte Conchobar: »Ich hörte von Conall Cernach sagen, er sei halb menschlicher, halb andersweltlicher Natur. Denn als er gezeugt wurde, hätte sich Cernunnos, der Hirschgott, mit seinem Wesen verbunden...«

»So ist es«, bestätigte Amergin. »Und dies wäre meiner Ansicht nach ein weiterer guter Grund, warum die Knaben sich die Brüste meiner Gemahlin teilen sollten.«

»Wie du siehst, Dechtire, haben die Götter alles bestens bedacht«, kam es von Cathbad. »Und nun frage ich dich, ob du um Setantas Zukunft willen ihrem Ratschluß zustimmen willst.«

Lange blieb Dechtire stumm, ihre Augen irrten zwischen Sualtach und Conchobar hin und her. Schließlich, als Sualtach nach ihrer Hand griff und ihr mit schmerzlich verspanntem Gesicht zunickte, fand sie die Kraft, Cathbad, Findchaem und

Amergin die Antwort zu geben, die diese von ihr erwarteten: »Ich kann mich weder gegen göttliche noch druidische Weisheit sperren – deshalb muß geschehen, was ihr von mir verlangt.«

Drei Tage später machten sich die Druiden mit Setanta, der Findchaem gleich bei der ersten Begegnung vertrauensvoll die Ärmchen entgegengestreckt hatte, auf den Heimweg nach Dun Tobarce. Zuvor hatten Amergin und Findchaem noch einmal versprochen, Setanta wie den eigenen Sohn aufzuziehen; Cathbad wollte Großvaterstelle an ihm vertreten.

Dechtire, Conchobar und Sualtach schauten den Druiden vom Wall der Hügelfestung aus nach, bis sie nicht mehr zu sehen waren. Herzzerreißend schluchzend floh Dechtire danach in ihre Gemächer – in der Nacht jedoch erschien ihr Ceridwen. Die Göttin umhüllte Dechtire mit tröstender Wärme und gewährte ihr zudem einen Hauch von Vergessen, so daß sie die Trennung von ihrem Sohn von da an leichter zu ertragen vermochte.

Aber auch Sualtach tat alles, um die Wehmut seiner Braut zu lindern. Er malte Dechtire ihr künftiges gemeinsames Leben in seiner Ringburg an der Meeresküste in den verlockendsten Farben aus; schließlich kam der Tag, an dem das Paar dorthin aufbrach, um Hochzeit zu feiern. Mit prachtvollem Gefolge begleitete Conchobar seine Schwester und ihren Bräutigam; in der großen Halle der Küstenfestung sprach der König von Ulster seinen Segen über Dechtire und Sualtach mac Roich und gab beide zusammen.

Bis tief in die Nacht dauerte das Vermählungsfest; ausgelassen schmausten, tranken und tanzten die Gäste. Zuletzt trug Sualtach seine Braut ins Schlafgemach, um die Ehe zu vollziehen; rasch wurden beide von Leidenschaft ergriffen. Und dann, als Sualtach sich ganz mit Dechtire vereinigen wollte,

begriff er, welches Hochzeitsgeschenk ihnen die Götter gemacht hatten – denn obwohl seine Braut Setanta geboren
hatte, fand Sualtach sie nun zu seiner grenzenlosen Freude
jungfräulich.

ERSTES BUCH

DER
KINDKRIEGER

Die Spielwaffen

Unvermittelt zeigte sich der Leprechaun am Rand einer bereits herbstlich eingefärbten Farnwiese unweit des Heiligen Quellenhains von Dun Tobarce. Das halb menschliche, halb wurzelrunige Antlitz des Zwerges, der ein bemoostes Rindenkoller trug, wirkte uralt, dennoch tollte er so behende wie ein übermütiges Geißenjunges zwischen den gefiederten Pflanzenwedeln herum. Sein Kobolzen hatte offenbar den Zweck, die beiden Knaben herauszufordern, welche in der Nähe spielten; kaum hatten Setanta und Conall den Leprechaun erblickt, wurden sie vom Jagdfieber gepackt.

Der fünfjährige Setanta stieß einen jauchzenden Schrei aus und rannte wieselflink auf den Zwerg zu, sein drei Jahre älterer Milchbruder folgte ihm so schnell er konnte. Als sie den Leprechaun fast erreicht hatten, trennten sich die Knaben, um das vorwitzige Wesen in die Zange zu nehmen – der Zwerg jedoch vereitelte ihre Absicht. Blitzartig verschwand er zwischen den wippenden Pflanzenwedeln; mit dem nächsten Lidschlag erklang sein spöttisches Lachen aus dem hohlen Stamm einer Erle, die sich einen Steinwurf entfernt im Rücken Setantas und Conalls erhob.

So begann die erregende Hetzjagd, welche die Knaben den halben Nachmittag in Atem hielt. Wieder und wieder narrte der Leprechaun seine Verfolger; jedesmal, wenn Setanta und Conall glaubten, ihn endlich packen zu können, entwich er ihnen erneut. Der Zwerg schlüpfte durch Weidemauern, und es war, als öffneten sich ihm verborgene Klüfte im scheinbar festen Gestein. Kopfüber tauchte er in Fischteiche, verschmolz tief unten mit Karpfenschwärmen und Schlick und wühlte sich anderswo gleich einem Maulwurf aus der Erde eines Feldes. Der Leprechaun flitzte Ackerraine entlang, duckte sich hinter irgendeiner Krümmung ins Gras und sprang an der gegenüberliegenden Seite der Feldbreite aus einem Strauch oder einem Schober; zwischendurch trieb er seinen Schabernack mit den Knaben, indem er schier schwerelos Felsklötze erklomm und seinen Verfolgern von dort oben Gesichter schnitt.

Auf diese Weise lockte der Zwerg die beiden Knaben mehrmals um den befestigten Bergkamm und den angrenzenden Heiligen Hain von Dun Tobarce. Zuletzt, gerade als Setanta und Conall ermattet aufgeben wollten, wendete sich das Blatt. Radschlagend wirbelte der Leprechaun hinter einer von Schlingpflanzen überwucherten Felswand unterhalb des Quellenhains hervor – plötzlich verfing sich der Fuß des Zwerges in einer Luftwurzel, so daß er stolperte und zu Boden stürzte.

Im selben Moment hatte Setanta das Gefühl, als würde eine göttliche Macht ihn beflügeln. Ein triumphierender Schrei drang aus seiner Kehle; der Fünfjährige überwand seine Erschöpfung und hetzte in weiten Sätzen zu der Stelle, wo der Leprechaun sich bemühte, wieder auf die Beine zu kommen. Tatsächlich gelang es Setanta, den Zwerg am Arm zu berühren – als es geschah, schienen die Geräusche der Natur für einen winzigen Augenblick zu verstummen. Auf dem Antlitz des Leprechauns malte sich ungläubiges Staunen; dann, während das Wasserplätschern, Vogelgezwitscher und Rauschen der Baumkronen von neuem einsetzte, nickte er dem Knaben beinahe ehrfürchtig zu.

Mit dem nächsten Herzschlag aber, weil ein Ast unter den Sandalen des jetzt ebenfalls heranrennenden Conall brach, zuckte der Zwerg zurück. Eben noch hatte er direkt vor Setanta gestanden, nun verschmolz sein Leib mit dem Pflanzengeschlinge an der Felswand und löste sich langsam darin auf. Spurlos und diesmal endgültig verschwand der Leprechaun; lange starrten die beiden Knaben auf die Stelle, wo der Zauberzwerg die Brücke nach Annwn betreten hatte.

Schließlich besann sich Setanta auf seinen Milchbruder, tanzte übermütig vor ihm herum, versetzte ihm einen Schlag gegen die Brust und rief: »Ich habe den Leprechaun angefaßt!

Mir gebührt der Ruhm. Mir und nicht dir, obwohl du drei Jahre älter bist.«

Conall knirschte mit den Zähnen, rollte die Hirschaugen, zog den Kopf mit der breiten Stirn und dem spitz zulaufenden Kinn zwischen die Schultern und ballte die Fäuste, als wollte er sich auf Setanta stürzen. Dann jedoch überwand er seinen jähen Zorn, lachte geringschätzig und erwiderte: »Auch wenn du den Zwerg berührt hast, bedeutet das noch längst nicht, daß die Barden dich jetzt mit Heldenliedern preisen werden. Ich hingegen werde womöglich schon sehr bald von den Sängern gefeiert werden. Denn wie du weißt, breche ich bereits morgen nach Emain Macha auf, um dort in die Kriegerschule König Conchobars einzutreten – während du hier in Dun Tobarce weiterhin Wichtelmännchen und Waldweibchen sowie andere fürchterliche Ungeheuer wie Feldratten oder Fledermäuse zur Strecke bringen darfst.«

Setantas Haar sträubte sich; die goldgelben, brandroten und dunkelbraunen Locken schienen gleich gereizten Nattern gegen Conall zu züngeln. Mit einem gellenden Wutschrei griff der Fünfjährige seinen Milchbruder an; obwohl Conall gut einen Kopf größer war, vermochte er dem Ungestüm Setantas nicht standzuhalten. Der Fünfjährige riß ihn in furiosem Ansturm nieder, gleich darauf wälzten sich die Knaben in wildem Kampf auf der Erde. Einmal lag Conall oben, dann wieder Setanta; mit aller Kraft versuchte der Ältere den Sieg zu erringen, doch es gelang ihm nicht, seinen drei Jahre jüngeren Milchbruder zu überwältigen.

Erst als beide am Ende ihrer Kräfte waren, hielten sie inne, verschnauften und brachen in befreites Lachen aus. Dann halfen sie einander auf die Beine und genossen dabei das Gefühl ihrer tiefen Freundschaft, die sich letztlich auch diesmal wieder bewährt hatte.

Gemeinsam stiegen sie zum Heiligen Hain hinauf und tranken dort durstig aus der von der Göttin Boand gesegneten Quelle. Im Schein der sinkenden Sonne kehrten sie in den

Ringwall von Dun Tobarce heim; kurz bevor sie das reetgedeckte, mit magischem Schnitzwerk verzierte Balkenhaus betraten, wo Findchaem, Amergin und Cathbad sie erwarteten, raunte Setanta Conall zu: »Wenn du in Emain Macha bist, werde ich dich schrecklich vermissen. Aber unsere Trennung wird nicht lange währen, denn schon bald werde auch ich in die Kriegerschule meines königlichen Oheims Conchobar aufgenommen werden.«

Zeitig am nächsten Morgen machte sich Conall Cernach in Begleitung seines Großvaters Cathbad auf den Weg nach Emain Macha. Stumm schaute Setanta seinem Milchbruder und dem alten Druiden nach, bis sie hinter einer Biegung des Pfades unten im Tal verschwanden.

Als die beiden außer Sicht waren, schmiegte sich der Fünfjährige an Findchaem, die zusammen mit Amergin bei ihm auf dem Ringwall stand. Die schöne Druidin, die ihn aufgezogen hatte, streichelte ihm zärtlich über das Haar. Dankbar duldete Setanta die Liebkosung, doch als Findchaem ihn aufforderte, ihr ans Herdfeuer zu folgen, damit sie ihm Honigmilch wärmen könne, entgegnete er: »Laß mich! Ich habe etwas Wichtigeres zu tun.«

Entlang der Wallkrone rannte er davon, zog im Laufen seine silberne Wurfkugel aus der Umhängetasche und schleuderte sie empor. Sonnenblitze fingen sich im schimmernden Metall der von Cathbad in einer Vollmondnacht geformten Kugel; Findchaem und Amergin sahen, wie sie einen hohen Bogen beschrieb und über der Torschneise in der Umwallung von Dun Tobarce wieder erdwärts sauste. Dort fing der heranfegende Setanta sie geschickt auf, um sie sofort erneut gen Himmel zu schnellen und sie auf dem ins Tal hinabführenden Weg abermals zu haschen. Als die Kugel ihren dritten Blitzbogen vollendete, befand sich der Knabe bereits am Fuß des

Bergkammes und schlug nun die Richtung zum Quellenhain ein. Mit dem sechsten Schleuderwurf erreichte Setanta den Heiligen Born, mit dem neunten den Saum der Farnwiese, wo am Vortag der Leprechaun aufgetaucht war.

Hier hielt er inne, umklammerte die vom Sonnenlicht gesättigte mondmetallene Kugel mit beiden Händen und beschwor dabei – wie Cathbad es ihn gelehrt hatte – die Mächte des sichtbaren Diesseits und der unsichtbaren Welt von Annwn. Als er spürte, daß der Geist des Zwerges sich neuerlich mit dem Wiegen und Wippen der Farnwedel verband, rief er: »Gestern konntest du nicht verhindern, daß ich dich berührte. Dies verpflichtet dich, mir heute einen Wunsch zu erfüllen . . .«

Wogende Wirbel bildeten sich im Farn, sprangen hierhin und dorthin, dann erklang die Stimme des Leprechauns: »Was verlangst du?«

»So große Kraft und Geschicklichkeit, daß ich in die Kriegerschule von Emain Macha aufgenommen werden und dort Ehre einlegen kann«, erwiderte Setanta.

»Du willst deinem Milchbruder Conall ebenbürtig werden?« fragte die Zwergenstimme.

»Das bin ich schon«, versetzte Setanta. »Aber es genügt mir nicht.«

»Wenn du mehr erreichen möchtest, mußt du darum kämpfen«, erwiderte die körperlose Stimme.

»Sage mir, wie«, forderte Setanta.

»Du wirst deine Lehrmeister finden«, lautete die rätselhafte Antwort.

Kaum war der Satz verklungen, zog eine schwarze Unwetterwolke am Firmament auf. Eine heftige Bö traf Setanta; während er unter ihrem Anprall taumelte, hörte er noch einmal den Leprechaun: »Schleudere deine Silberkugel gegen den Sturm und jage ihr dennoch weiter nach als zuvor, da du sie mit dem Wind warfst.«

Der Fünfjährige begriff und gehorchte. Mit aller Macht schnellte er die Kugel ins Sturmtosen hinein und sprang ihr

hinterdrein. Wütend heulende Windstöße und wild prasseln-
der Platzregen drohten ihn niederzureißen, doch dank seines
unbeugsamen Willens behauptete er sich und durchbrach die
finstere Wetterwand nicht weniger rasch als die hoch oben im
tobenden Aufruhr dahinsausende Wurfkugel. Jenseits der brodelnden Schwärze fing Setanta die Silberkugel auf; als er zum
Stehen kam und zurückblickte, lag die Farnwiese, wo er seinen Lauf gegen den Sturm begonnen hatte, so weit weg, daß
ein Meisterschütze drei Schüsse mit dem Langbogen hätte tun
müssen, um die Entfernung zu überbrücken.

Setanta jauchzte vor Freude – im selben Moment bildete
sich am Himmel eine zweite Unwetterwolke aus. Noch
schneller als die erste fegte sie heran, und wieder nahm der
Knabe den Kampf gegen sie auf. Erneut schleuderte er die
blitzende Kugel und hetzte ihr, von Windstößen und Wassergüssen gepeitscht, hinterher. Drei Pfeilschüsse weiter er-
haschte er sie – doch nur, um sie fast augenblicklich ins Tosen
des nächsten Sturmwirbels zu werfen. Und so setzte sich das
Spiel fort; das berauschende Spiel, bei dem Setanta seine
Kräfte mit der Macht der Elemente maß. Insgesamt neun
Herausforderungen bestand er, bis sich schließlich die letzte
Wetterwand verzog.

Als Setanta unter nun wieder sonnenklarem Firmament in
die Richtung spähte, wo Dun Tobarce liegen mußte, konnte
er den Bergkamm gerade noch unter dem Horizont ausmachen. Meilenweit war er gegen die Sturmfronten angelau-
fen; erst jetzt spürte er, wie erschöpft er war. Aber auf dem
Heimweg erholte er sich wieder; im Quellenhain trank er aus
dem Heiligen Born, und während er danach den befestigten
Hügel erklomm, hatte er das Gefühl, stärker zu sein als am
Morgen.

In der darauffolgenden Nacht sah Setanta im Traum einen
mächtigen Wasserfall, der einen halben Tagesmarsch von Dun
Tobarce in eine Schlucht schäumte. Schon kurz nach Sonnenaufgang brach der Fünfjährige dorthin auf, statt der Wurfkugel

trug er diesmal seinen sorgfältig geschnitzten Spielger bei sich. Noch ehe die Sonnenscheibe im Zenit stand, erreichte er die Felskluft. Aus schwindelnder Höhe donnerte der Sturzbach mit derartiger Wucht herab, daß die Erde zu beben schien. Setanta indessen ließ sich von der Urgewalt des Wassers nicht einschüchtern, sondern drang bis unmittelbar an die herunterschießende Flut vor. Dann schwang er seinen Wurfspeer mit der im Feuer gehärteten Spitze und schleuderte ihn durch den röhrenden Wasserfall nach oben.

Pfeilschnell zischte der Ger empor; Setantas Wurfkraft reichte freilich nicht aus, um ihn bis zu der Stelle zu jagen, wo der Sturzbach seinen tosenden Fall begann. Auf halbem Weg drehte sich der Speer und wirbelte inmitten der brüllenden Flut wieder nach unten, doch der Fünfjährige gab nicht auf und setzte seinen Kampf gegen den Katarakt fort. Unverdrossen schleuderte er den Ger, jedes Mal flitzte die Spielwaffe eine Handspanne höher – bis Setanta zuletzt, als der Nachmittag bereits zur Hälfte verstrichen war, sein Ziel erreichte. Der Speer durchbrach den Kamm der herabstürzenden Wasserwoge, schoß noch ein Stück weiter, beschrieb einen Bogen, fegte herab und bohrte sich direkt vor den Füßen des Knaben in den Steingrus.

Setantas Siegesschrei schallte durch die Schlucht; anschließend wiederholte er den Wurf noch zwölfmal, bis er ihn am Ende so gut beherrschte, daß der Ger beim Durchdringen der Donnerflut einem schwerelos springenden Lachs glich. Erst dann gab Setanta sich zufrieden; er streifte sein Gewand ab und stellte sich nackt unter den eisigen Wasserfall, damit dieser ihm frische Kraft schenken sollte. Danach legte er den langen Heimweg nach Dun Tobarce ohne eine einzige Rast zurück; im letzten Tageslicht – eben als Findchaem den Ringwall erstieg, um Ausschau nach ihm zu halten – kam er dort an.

Früh am nächsten Morgen verließ Setanta die Hügelburg erneut. Um die Hüften hatte er einen Schlaufengürtel geschlungen, drei Dutzend aus Eschenholz gedrechselte und mit Metallspitzen versehene Wurfpfeile steckten darin. In der Hand trug der Fünfjährige seinen bronzenen Schleuderstab, den Amergin ihm vor knapp drei Monaten zu Lughnasad geschenkt hatte. Während er in Richtung der Nordberge rannte, spürte Setanta die feuchte Kühle des von den Gipfelgraten herabstreichenden Herbstwindes, welcher das nahe Samhainfest ankündigte. Auf der Waldlichtung sodann, die er diesmal im Traum erblickt hatte und auf der sich ein Cromlech aus weißen und schwarzen, dem Mond verbundenen Menhiren erhob, begann der Wind unberechenbar zu wühlen. Feuerrotes und lohfarbenes Laub wirbelte in verwirrendem Tanz aus den Baumkronen: der Erde entgegen, die sich mit dem sterbenden Blattwerk vereinen wollte, damit später neues Pflanzenleben entstehen konnte.

Versonnen betrachtete Setanta, der von Cathbad längst in dieses Mysterium von Vergehen und Werden eingeweiht worden war, das Spiel des von den Windstößen gepeitschten Laubes. Es dauerte eine Weile, ehe er sich auf die Herausforderung besann, die ihn an diesem Tag erwartete – plötzlich aber wurde der Drang, seine Geschicklichkeit an den herumfegenden Eichen- und Buchenblättern zu messen, unwiderstehlich. Er lief zum größten der Hohen Steine; fühlte, wie der breite, klotzige Menhir ihn ermunterte, und kletterte hinauf. Nachdem er festen Stand auf der Kuppe gefaßt hatte, zog er einen Wurfpfeil aus dem Gürtel und legte ihn in die Führungsrinne des am oberen Ende schräg nach hinten gekrümmten Schleuderstabes. Dann, während er den Stab, den er in der Rechten hielt, langsam über dem Kopf kreisen ließ, suchte er sein Ziel: ein in auffälligem Rot glühendes Buchenblatt, das soeben in der Mitte des Steinrings zu Boden segelte.

Kurz bevor das Blatt die Erde berührte, schleuderte Setanta den Pfeil. Das Geschoß pfiff quer über die Lichtung, haargenau auf das Buchenblatt zu. Schon dachte Setanta, daß der Wurfpfeil es an den Erdboden heften würde – doch da trieb der Wind das Blatt noch einmal nach oben, und der Pfeil verfehlte es. Der Fünfjährige atmete tief durch und versuchte sein Glück von neuem, aber auch diesmal verhinderte ein jäher Windstoß einen Treffer. Und so ging es weiter, bis Setanta alle Wurfpfeile verschossen hatte; der letzte allerdings grub sich nur einen Fingerbreit neben dem wirbelnden Ziel in einen morschen Baumstumpf.

Der kleine Erfolg gab dem Knaben neuen Mut; er kletterte vom Hohen Stein, sammelte seine Pfeile ein und bestieg den Menhir erneut. Wieder flitzten die Geschosse von der Kuppe herab; diesmal streiften mehrere von ihnen die Eichen- oder Buchenblätter, auf die Setanta es abgesehen hatte – und mit dem sechsunddreißigsten Wurf gelang es dem Fünfjährigen, eines voll zu treffen. Damit freilich gab Setanta sich noch längst nicht zufrieden. Den ganzen Tag über kämpfte er weiter, wieder und wieder maß er seine Geschicklichkeit und Kraft mit der Unberechenbarkeit der vom Wind aus den Baumkronen gefegten Blätter. Um die Mittagszeit herum hielten Fehlwürfe und Treffer sich die Waage, im Verlauf des Nachmittags fanden immer mehr Pfeile ihr Ziel. Schließlich, als sich bereits der Abend ankündigte, glückte es Setanta, drei Dutzend der feuerroten oder lohfarbenen Irrwische nacheinander aufzuspießen.

Er jubelte vor Begeisterung; dann suchte er zum letzten Mal seine Wurfpfeile zusammen, umtanzte jeden einzelnen der Hohen Steine und dankte ihnen und dem Herbstwind dafür, daß sie ihn gelehrt hatten, das verborgene Gesetz des scheinbar unberechenbaren Laubfalles zu erkennen. Lachend und übermütig tollend kehrte er heim; er durfte sich sagen, daß er innerhalb von nur drei Tagen drei schwere Prüfungen bestanden hatte, und war infolgedessen so stolz auf sich wie nie zuvor in seinem Leben.

Während der folgenden Wochen und Monate übte Setanta regelmäßig mit seiner Silberkugel, dem Spielger und dem bronzenen Schleuderstab. Darüber hinaus fand er weitere

Möglichkeiten, sich zu bewähren; die Natur und der Leprechaun, der sich ihm manchmal auch jetzt wieder zeigte, waren seine Lehrmeister darin. Der kleine Knabe lief mit dem Sturm oder über den Himmel schwirrenden Wildgansketten um die Wette; ebenso mit flüchtigen Bergziegenrudeln, die nicht weniger schnell als der Wind oder die Gefiederten waren. Bei anderen Gelegenheiten schleppte er schwere Steinlasten über regenschlüpfrige Grate zu Berggipfeln empor oder kämpfte sich, der herbstlichen und bald winterlichen Kälte nicht achtend, meilenweit durch reißende Wildbäche stromauf. Wenn ihn Frost und Erschöpfung allzusehr quälten, kroch er in Fuchslöcher oder Dachshöhlen und fand Geborgenheit in der Wärme der Erde. Stets stärkte ihn dies auf ungeahnte Weise, so daß er sich von neuem mit den Elementen und Wildtieren zu messen oder sich mit seinen Spielwaffen zu vervollkommnen vermochte.

Als der Winter seine Kraft verloren hatte und der Frühling die Herrschaft antrat, wurde Setanta von Tag zu Tag unruhiger. Hielt er sich im Ringwall von Dun Tobarce auf, so schien dieser ihn immer unerträglicher zu beengen. Streifte er draußen herum, so hatte er das Gefühl, als sei er auf seltsame Weise nicht länger eins mit dem Land, wo er aufgewachsen war. Aus der Ferne hingegen, von Nordwesten her, drang ständig etwas wie ein lautloser Ruf heran, der eine unbezwingbare Sehnsucht im Herzen des Knaben weckte – und als das Frühjahr zwischen Imbolc und Beltane stand, wußte Setanta eines Morgens, daß er Abschied von Findchaem, Amergin und Cathbad nehmen mußte.

Zusammen mit seinen Pflegeeltern stand Setanta vor dem reetgedeckten Balkenhaus; der Knabe und die beiden Erwachsenen beobachteten einen Schwarm Purpurreiher, der hoch oben am Firmament in keilförmiger Formation dahinzog. Als die Vögel hinter dem leuchtenden Saum eines Wolkenbandes verschwanden, konnte Setanta nicht länger an sich halten. »Die Reiher fliegen nach Emain Macha«, rief er aus. »Zum Königssitz, wohin vor sechs Monaten auch Conall wanderte, um in die Kriegerschule Conchobars einzutreten.« Seine dunkelblauen, golden gefleckten Augen blitzten Findchaem und Amergin an. »Und nun ist es Zeit für mich, meinem Milchbruder dorthin zu folgen!«

Findchaem erbleichte. »Du redest Unsinn!« tadelte sie ihren Ziehsohn. »Mit deinen fünf Jahren bist du viel zu jung. Niemals wärst du den Anforderungen gewachsen, die dich in Emain Macha erwarten würden.«

»Am Tag bevor Conall Abschied nahm, rang ich mit ihm«, entgegnete Setanta. »Unser Kampf endete unentschieden. Conall, der damals bereits reif für die Kriegerschule war, vermochte mich nicht zu besiegen. Und seitdem bin ich noch bedeutend stärker geworden.«

Kaum merklich nickte Amergin, Findchaem indessen versetzte: »Es mag ja sein, daß du kräftiger bist, als dein Alter es vermuten ließe. Trotzdem wirst du dich damit abfinden müssen, hier in Dun Tobarce zu bleiben. Denn ohne die Empfehlung eines erprobten Kriegers kann kein Knabe Mitglied im Bund der Jungkämpfer von Emain Macha werden. So lautet das Gesetz, und jeden, der es übertritt, erwartet schwere Strafe!«

»Conall hatte doch auch niemanden, der sich für ihn verbürgte«, wandte Setanta ein.

»Du täuschst dich!« kam es von Cathbad, welcher in diesem Moment herantrat. Der alte Druide strich Setanta über das Haar und fuhr fort: »Als ich Conall vergangenen Herbst nach Emain Macha brachte, legte ich bei Conchobar das entscheidende Wort für ihn ein. Deshalb wurde Conall in die Kriegerschule aufgenommen: Weil sich ein Vertrauter der Götter für ihn verwendete, welcher in früheren Jahren außerdem zahlreiche Feinde besiegt hat.«

»Wenn es sich so verhält, könntest du ebensogut für mich sprechen!« äußerte Setanta trotzig.

Cathbad wechselte Blicke mit Findchaem und Amergin, dann schüttelte er den Kopf. »Dies ist mir verwehrt«, sagte er mit seltsamem Unterton. »Ich darf es nicht tun, weil dein Schicksal von deinem eigenen Willen bestimmt werden muß.«

Mit gerunzelter Stirn starrte Setanta auf den ergrauten Druiden; plötzlich schien er zu begreifen und wollte etwas entgegnen, doch Findchaem kam ihm zuvor: »Wir verstehen sehr gut, daß du dich nach deinem Milchbruder sehnst, und eines Tages wirst du ihn gewiß wiedersehen. Aber vorerst ist dein Platz hier bei uns. Denn noch nie wurde einem fünfjährigen Knaben gestattet, der Jungkriegerschar des Königs beizutreten – und damit findest du dich besser ab.«

»Nein!« brach es aus Setanta heraus. Er ballte die Fäuste und rief mit zornig funkelnden Augen: »Ich werde nach Emain Macha gehen! Keiner kann mich zurückhalten!«

»Was gibt dir das Recht, dich so ungestüm gegen deine Pflegemutter aufzulehnen?« mischte sich Amergin ein.

Der Fünfjährige senkte die Lider, gleich darauf jedoch heftete er den Blick um so entschlossener auf seine Zieheltern und antwortete: »Cathbads Worte berechtigen mich dazu.«

»Inwiefern?« wollte der alte Druide wissen.

»Weil du vorhin selbst sagtest, daß mein Schicksal von meinem eigenen Willen bestimmt werden müsse«, erwiderte Setanta. »Und damit drücktest du den Ratschluß der Götter aus. Ich spürte es ganz genau!«

Abermals nickte Amergin kaum merklich und legte seinen Arm behütend um die Schultern seiner Gemahlin. Findchaems Augen wurden feucht; für einen Moment sah es so aus, als wollte sie sich wortlos abwenden, doch dann unternahm sie einen letzten Versuch, Setanta umzustimmen. »Der Weg nach Emain Macha ist weit und gefährlich«, flüsterte sie. »So mancher Wanderer ist schon in den Sümpfen versunken, in einen Abgrund gestürzt oder von Raubtieren angefallen worden.

Vor allem aber muß man den Sliab Fuaid überqueren, wo die Geister Hunderter erschlagener Krieger in den Cairns hausen und es selbst im hellsten Sonnenschein nicht geheuer ist.«

»Du jagst mir keine Furcht ein«, entgegnete Setanta. »Cathbad begleitete Conall nach Emain Macha und kehrte unversehrt heim. Warum sollte ich es also nicht schaffen? Mehr noch: Im Gegensatz zu meinem Milchbruder, der den Schutz seines Großvaters nötig hatte, werde ich mich allein auf den Weg machen. Nichts kann mich davon abbringen, denn ich fühle es in meinem Herzen, daß die Götter diese Mutprobe von mir verlangen.«

Findchaem schluchzte auf, Amergin redete tröstend auf sie ein und führte sie weg. Cathbad wartete ab, bis das Paar im Balkenhaus verschwunden war; er betrachtete dabei den mit zusammengepreßten Lippen dastehenden Knaben und fragte schließlich: »Wann willst du aufbrechen?«

»Morgen früh«, erwiderte Setanta.

»Gut«, antwortete Cathbad. »Bis dahin werde ich den Schmerz deiner Pflegemutter gelindert haben. Du aber solltest ihr und Amergin versprechen, sie in Emain Macha nicht zu vergessen – sofern du jemals dorthin gelangst.«

»Du weißt, daß ich imstande bin, alle Hindernisse zu überwinden!« erklärte Setanta.

»Das hast du soeben bewiesen«, nickte der alte Druide. Verschwörerisch zwinkerte er dem Fünfjährigen zu, dann folgten beide Findchaem und Amergin ins Haus.

AM SLIAB FUAID

Als die ersten Sonnenstrahlen des neuen Tages über den Ringwall glimmten, schnallte Setanta seinen Schlaufengürtel mit den Wurfpfeilen um, verwahrte den bronzenen Schleuderstab und die Spielkugel in seiner Schultertasche und ergriff den Ger mit der im Feuer gehärteten Spitze. Danach umarmte er Amergin und Cathbad, küßte Findchaem, die sich mit tränenfeuchten Augen zu ihm niederbeugte, und sagte: »Sobald ich in Emain Macha bin, werde ich Conall die Grüße überbringen, die ihr mir für ihn aufgetragen habt – dies freilich könnte nicht geschehen, wenn ich hier in Dun Tobarce bleiben würde.«

Cathbad und Amergin schmunzelten. Auf Findchaems Gesicht erschien der Anflug eines wehen Lächelns, leise fragte sie: »Du wirst oft an uns denken, ja?«

»Das werde ich«, beteuerte Setanta.

»Außerdem mußt du auf deiner Wanderung sehr vorsichtig sein und dich stets daran erinnern, was wir dir an druidischem Wissen beibrachten!« mahnte Findchaem. »Nur so kannst du die Gefahren der Reise bestehen.«

»Ich werde sie meistern«, versicherte Setanta – und äugte ungeduldig zur Tür. »Doch jetzt muß ich aufbrechen, denn eine eurer Lehren lautet, daß man einen langen Weg beizeiten unter die Füße nehmen soll.«

Wie zuvor schmunzelten die beiden Männer, dann begleiteten sie und Findchaem den mit seinen Spielwaffen gerüsteten Knaben nach draußen. Bei der Torschneise im Ringwall blieben die drei Druiden zurück; sie schauten Setanta nach, wie er den Hügel hinabrannte und die Richtung nach Nordwesten einschlug. Zuletzt, als der Knabe in der Ferne verschwunden war, sprach Cathbad aus, was auch Amergin und Findchaem dachten: »Setanta folgt seiner Bestimmung, die ihm von den Göttern aufgegeben wurde. Und weil dies so ist, hatten wir – ebenso wie einst seine leibliche Mutter Dechtire – kein Recht, ihn bei uns zu behalten.«

Mit aller Kraft schleuderte Setanta die Silberkugel. In hohem Bogen schoß sie himmelwärts, schien auf dem Gipfelpunkt ihrer Bahn kurz zum Stillstand zu kommen und senkte sich wieder der Erde entgegen. Bevor sie sich in den Boden graben konnte, fing der heranfegende Knabe sie auf und warf sie ein paar Schritte weiter erneut ins Graublau des Firmaments. Auf diese Weise brachte Setanta in Windeseile eine Meile um die andere hinter sich; als die Sonne im Zenit stand, hatte er bereits die Hälfte des Weges zum Sliab Fuaid zurückgelegt.

Eben malte er sich aus, wie es sein würde, wenn er in der Abenddämmerung den ersten, von Gespenstern bewohnten Cairn an jenem Berg erblickte – plötzlich strauchelte er und begriff erschrocken, daß er in ein Sumpfloch geraten war. Setanta kam zu Fall, gurgelnd saugte der zähe Schlamm an seinem Körper und zog ihn in die Tiefe. Innerhalb eines einzigen Atemzugs versank der Fünfjährige bis zum Nabel – doch dann gelang es ihm, seinen Spielger über den Kopf zu schwingen und die Spitze am Rand des Morasts in festen Grund zu rammen. Den Speerschaft umklammernd, schnellte sich Setanta aus dem tückischen Loch – kaum jedoch hatte er wieder sicheren Stand gewonnen, vernahm er ein bedrohliches Zischen.

Es drang aus den weit aufgerissenen Mäulern riesiger fahlweißer Nattern, deren Augen in dämonischer Bosheit glühten. Mit bestialischer Wut griffen sie den Fünfjährigen an; angesichts der unsäglich abstoßenden Aura, welche die Schlangen umgab, wurde Setanta klar, daß sie bereits Menschen zu Tode gebissen hatten. Schon schnappten die Kiefer der vordersten Fahlnattern nach seinen Beinen, schon richteten sich andere steil auf, um ihn anzuspringen – da packte der Knabe abermals den Schaft seines noch in der Erde steckenden Gers und setzte mit einem mächtigen Drehsprung über die Schlangenbrut hinweg. Federnd landete er, blitzschnell fuhren die Nattern herum, um den Fünfjährigen erneut zu attackieren – doch bevor sie an ihn herankamen, hagelten ihnen Setantas Wurfpfeile entgegen. Ihre Spitzen durchbohrten die Schlangenschädel und nagelten die peitschenden Leiber an die Erde; machtlos verspritzten die Bestien ihren Giftgeifer und ihr seltsam wäßriges Blut, bis auch die letzte Fahlnatter verendet war.

Nachdem er den Sieg errungen hatte, sammelte Setanta seine Pfeile ein, versenkte die gräßlichen Schlangen im Sumpfloch und suchte nach der Silberkugel, die er beim Sturz in den Morast aus den Augen verloren hatte. Ein Stück entfernt, am Ufer eines Teiches mit klarem Wasser, fand er die Kugel. Dort reinigte er sich und seine Spielwaffen, danach setzte er seinen Weg zum Sliab Fuaid guten Mutes fort. Wie zuvor rannte er der Silberkugel hinterdrein, bis zur Nachmittagsmitte begegneten ihm keine weiteren Gefahren – dann jedoch stieß er auf eine neue Herausforderung.

Setanta, der sich mittlerweile hoch in den Bergen befand, hatte einen Paß erklommen. Auf dem Gipfelpunkt des steilen Pfades angelangt, mußte er feststellen, daß der Abstieg durch eine offenbar erst vor kurzem niedergegangene Steinlawine verschüttet war. Übermannshohe Felsblöcke und zersplitterte Gesteinstrümmer, die in wirrem Durcheinander dalagen, versperrten die schmale Schlucht. An anderen Stellen gab es gefährliche frische Geröllhalden, die bei der geringsten Erschütterung von neuem ins Rutschen geraten konnten.

Nachdenklich betrachtete der Knabe das scheinbar unüberwindliche Hindernis. Während er überlegte, wie es zu bezwingen sei, erblickte er einen Steinbock, welcher die Klamm einen Pfeilschuß weiter unten überquerte. Mit großer Geschicklichkeit setzte das Tier seine Sprünge, schon hatte der Gehörnte zwei Drittel seines Weges zurückgelegt – auf einmal war ein grollendes Geräusch zu vernehmen. Jäh tat sich unter den Hufen des Bocks ein Spalt auf; in Panik versuchte das Tier, beiseite zu springen. Doch es vermochte sich nicht mehr zu retten – das in die Tiefe prasselnde Geröll riß den Gehörnten mit in den Abgrund.

Etwas Ähnliches könnte auch mir zustoßen, wenn ich es nicht sehr schlau anstelle, dachte Setanta. Wieder spähte er angespannt in die Schlucht und rollte dabei geistesabwesend die Silberkugel in den Händen. Dann plötzlich, als ihm bewußt wurde, was er tat, lachte er befreit auf. Dreimal ließ er die schimmernde Kugel senkrecht gen Himmel steigen und fing sie aus einer wirbelnden Körperdrehung heraus jedesmal wieder mit sicherem Griff; während er dieses besondere Spiel spielte, verband er seinen Willen auf druidische Weise mit dem Wesen des glänzenden Metalls. Anschließend beschwor er die Silberkugel mit Hilfe eines singenden, klingenden, schwingenden Bardenspruches, den Cathbad ihn gelehrt hatte; im selben Moment, da der letzte Laut verklang, begann die Kugel fein zu vibrieren.

»Weise mir den Pfad, der dich und mich sicher zum Sliab Fuaid führt!« Mit diesen Worten warf Setanta die Silberkugel – und zwar so, daß sie den ersten Felsblock am Einstieg in die Klamm streifte. Mit glockenreinem Ton prallte die Kugel ab und beschrieb einen Bogen zur nächsten Steinschroffe, federte von dort weg, traf einen dritten Felsen – und fegte auf diese Art, blitzende Kurven und Sprünge beschreibend, in die Schlucht hinein. Mit zusammengekniffenen Augen verfolgte der Knabe den Flug der Silberkugel; er merkte sich jeden Stein, den sie während ihres magischen Dahinsausens berührte, bis die Kugel weit unten am Ausgang der Klamm liegenblieb.

Setanta atmete tief durch und packte seinen Spielger fester, um ihn als drittes Bein bei seinem eigenen Abstieg zu benutzen. Dann sprang und turnte er auf haargenau demselben Pfad, den die Silberkugel genommen hatte, talwärts – und vermied damit all die gefährlichen Stellen, die ihm sonst zweifellos zum Verhängnis geworden wären. Unbeschadet langte der Knabe an der Stelle an, wo die Kugel im Moos bei einer durch einen rötlichen Menhir bezeichneten Quelle lag. Dort stärkte sich Setanta mit einem Trunk aus dem Heiligen Born und tauchte auch die Silberkugel in das von der Muttergöttin gesegnete Wasser. Danach lief er weiter auf den Sliab Fuaid zu, der nun bereits deutlich am nordwestlichen Horizont sichtbar war.

Kurz ehe die Dämmerung hereinbrach, erreichte der Knabe den Berg, vor dem ihn Findchaem so nachdrücklich gewarnt hatte. Gleich an seinem Fuß erblickte Setanta einen jener Cairns, aus dem jederzeit Geisterkrieger auftauchen konnten. Es handelte sich um einen kegelförmigen Haufen dunklen Gerölls, der um den Stamm einer Eibe aufgeschichtet war: des andersweltlichen Baumes, dessen Wurzeln ihre Lebenskraft aus den Gewässern von Annwn sogen, wie der Knabe von Cathbad wußte. Ebenso hatte der alte Druide ihm in der Nacht vor seinem Abschied erklärt, wie dieser und die anderen Cairns entstanden waren: Wann immer während der vergangenen Jahrhunderte keltische Kriegerscharen in den Kampf zogen, legten sie an besonderen Stätten für jeden Mann einen Steinbrocken nieder. Nach ihrer Rückkehr vom Schlachtfeld nahmen diejenigen, welche überlebt hatten, wieder einen Stein fort; jene Brocken aber, die übrigblieben und mit der Zeit den Cairn bildeten, bezeichneten die Zahl der Erschlagenen und dienten hinfort als Wohnstätten für deren Seelen.

Setanta umschritt den Steinkegel dreimal in Richtung des Sonnenlaufs, um die Geister der Toten zu besänftigen. Sodann erklomm er im letzten Tageslicht die Südflanke des Berges und gelangte dabei zu fünf weiteren Cairns, die um Eibenstämme herum erbaut waren und an denen er das gleiche Ritual vollführte. Auf dem Gipfel des Sliab Fuaid entdeckte er unter der Krone eines mehrhundertjährigen Baumes einen siebten Kegel; dieser war größer und augenscheinlich auch sehr viel älter als die übrigen. Abermals umkreiste der Knabe den Cairn; nachdem er die dritte Umschreitung vollendet hatte, dachte er: Das ist der richtige Platz, um mein Lager aufzuschlagen. Denn derjenige, der hier rastet, erntet den meisten Ruhm.

Kaum hatte Setanta mit Hilfe von Flintstein, Stahl und Zunder ein Feuer in der Nähe des Geröllkegels entfacht, senkte sich die Nacht über den Sliab Fuaid. Während der Knabe eine unterwegs gespeerte Wachtel röstete, ihr Fleisch verzehrte und sich dazu das Haferbrot schmecken ließ, das ihm Findchaem mitgegeben hatte, wurde die Dunkelheit um den Cairn immer undurchdringlicher. Dann, eben als Setanta den letzten Bissen hinunterschluckte, drangen furchteinflößende Geräusche an sein Ohr. Es klang wie das Rennen vieler Füße und das polternde Rollen von Streitwagen, in welches sich trommelnder Hufschlag mischte. Der Knabe griff nach dem Schleuderstab, spähte angestrengt in die Finsternis und glaubte, Dutzende schattenhafter Gestalten zu erahnen, die um ihn herumrasten.

Enger und enger zog sich der Ring der Gespensterschar; Speerspitzen, Schwertklingen und Stacheln von Kampfkeulen schienen Setantas Gesicht zu streifen. Der Knabe jedoch, der sofort begriffen hatte, wer die Angreifer waren, ließ sich nicht einschüchtern. Er sprang auf, schwang seinen bronzenen Stab und rief den Geistern der erschlagenen Krieger zu: »Ihr habt kein Recht, mich zu bedrohen! Denn als ich bei eurem Cairn anlangte, besänftigte ich euch.«

»Hättest du das nicht getan, wärst du längst tot«, scholl die Antwort aus der Nacht.

»Mag sein«, erwiderte Setanta. »Mag aber auch nicht sein.«

»Du solltest wissen, daß es sehr leicht geschehen könnte«, rief ein Chor hallender Stimmen.

»Ich habe meine Waffen«, versetzte der Knabe trotzig. »Und nun sagt, was ihr von mir wollt!«

»Mit dir spielen«, erklang es ganz nahe – gleichzeitig fegte ein sausender Hieb Setanta von den Beinen und schleuderte ihn ins Feuer.

Hastig raffte er sich auf und hetzte zur anderen Seite des Lagerplatzes, doch schon traf ihn ein zweiter Schlag. Erneut landete er in der hochstiebenden Glut, gleich darauf ein drittes Mal – dann jedoch griff er in seine Umhängetasche und holte die Silberkugel heraus. Behende um die eigene Achse wirbelnd warf er sie; die Kugel beschrieb einen leuchtenden Kreis, trieb die Gespenster zurück und landete wieder in Setantas Hand.

Ehe die Geisterkrieger neuerlich anzugreifen vermochten, ließ der Knabe die Silberkugel fallen, riß einen Wurfpfeil aus dem Gürtel und schnellte ihn vom Schleuderstab. Am Rand des Lagerplatzes grub sich der Pfeil in den Boden; neun weitere folgten und markierten rings um die Feuerstelle, wo Setanta stand, die Spitzen und Schnittpunkte eines Pentagramms. Im selben Moment, da sich der zehnte Wurfpfeil in die Erde bohrte, erschienen Glutstränge zwischen den Pfeilschäften und machten die vollkommene Figur des druidischen Fünfsterns sichtbar – im gleichen Augenblick wichen die gespenstischen Schatten.

Sie verschwanden zum Cairn und wallten jetzt über dessen Spitze. Setanta seinerseits hütete sich wohlweislich, den beschützten Platz im Zentrum des feurigen Pentagramms zu verlassen. Eine Weile beobachtete er die Geister der Erschlagenen, dann hob er wiederum den bronzenen Stab und rief: »Ich habe euch gebannt! Deshalb müßt ihr mir nun dreimal Rede und Antwort stehen, ohne mich noch einmal zu behelligen!«

»Was willst du wissen?« raunte es vom Steinhaufen her.

»Wird man mich in die Kriegerschule von Emain Macha aufnehmen?« erkundigte sich der Knabe.

»Vielleicht gelingt es dir«, heulte einer der Toten. »Aber bedenke, daß auch so mancher von uns in jenem Waffenhain ausgebildet wurde – und bedenke ferner, welches Ende wir nahmen.«

»Ich fürchte mich nicht vor dem, womit jeder Krieger rechnen muß«, entgegnete Setanta und fragte: »Wie lange wird es dauern, bis ich mich in meinem ersten Kampf als Jungkrieger des Königs bewähren kann?«

»Dies könnte schon bald geschehen«, erscholl es von der Spitze des Cairn. »Doch möglicherweise wirst du dich einem Gegner stellen müssen, der nicht von menschlicher Art ist.«

»Ich traue mir zu, jeden Feind zu bezwingen – gleichgültig ob menschlich oder nicht menschlich«, beteuerte der Knabe, dann stellte er seine letzte Frage: »Könnt ihr in mir einen künftigen Helden erkennen, dessen Ruhm dereinst in ganz Erinn erstrahlt und dessen Taten von den berühmtesten Barden besungen werden?«

»Darauf darfst du von uns keine Antwort erwarten«, verkündeten die Geisterstimmen. »Denn derjenige, der Heldenruhm erringen will, darf niemals auf andere bauen – sondern stets nur auf sich selbst.«

»Das ist ein Wort, das ich gut in meinem Herzen bewahren werde«, murmelte Setanta – im selben Moment bemerkte er, wie die feurigen Glutstränge des Pentagramms zu erlöschen begannen und die Schatten über dem Steinhaufen hoch emporwuchsen. Weil der Knabe fürchtete, daß die Gespenster den Bann überwinden und ihn von neuem angreifen könnten, bückte er sich und tastete nach seiner Silberkugel. Kaum jedoch berührten seine Finger das kühle Metall, befiel ihn lähmende Müdigkeit. Er sank in die Knie und war eingeschlafen, noch ehe sein Haupt den Boden berührte.

Die ersten Sonnenstrahlen des neuen Tages fluteten heran, tauchten den Gipfel des Sliab Fuaid in blutrotes Licht und enthüllten die Veränderung, die mit dem Cairn vorgegangen war. Wo sich gestern noch die regelmäßig geformte Steinpyramide erhoben hatte, lag jetzt ein wüst durcheinandergeworfener Trümmerhaufen; es sah aus, als hätten Riesenfäuste dort gewütet. Zwischen den Brocken schillerte es wie rotbrauner Schleim, in der Luft hing Leichengeruch. Grausam schien der Tod auf dem Berggipfel zugeschlagen zu haben, und es war, als wollte der Cairn anklagend Zeugnis dafür ablegen.

Aber dann plötzlich, als das Sonnenlicht ein Quentchen mehr Kraft gewann, verwandelte sich der Steinhaufen. Wie von Zauberhand wurden die Trümmer in ihrer früheren Ordnung zusammengefügt; Moospolster wuchsen und saugten den Blutschleim auf, der Morgenwind trug den Todesdunst davon. Auf diese Weise bildete sich der Cairn bis hinauf zur Spitze neu; schließlich glitt auch der letzte Steinbrocken mit leisem Schaben wieder an seinen alten Platz – und das Geräusch weckte Setanta, der neben der erloschenen Feuerstelle lag.

Mit einem Satz war der Knabe auf den Beinen und spähte mißtrauisch zur Pyramide. Als er dort nichts Verdächtiges bemerkte, lachte er auf, grüßte die Sonne und rief: »Die Geister der Erschlagenen haben sich nicht noch einmal an mich herangewagt, obwohl mich ein Zauberschlaf befiel. Dies nehme ich als gutes Zeichen für meinen weiteren Weg.«

Er sammelte seine Wurfpfeile ein, verzehrte ein Stück Brot und genoß einen Trunk Wasser, das er in einer Felsmulde fand. Er ehrte die Toten, indem er den Cairn ebenso wie bei seiner Ankunft umschritt; dann warf er die Silberkugel gen Himmel und eilte ihr hinterher: die Nordflanke des Sliab Fuaid hinab, wo es keine Steinkegel mehr gab.

Jenseits des Gespensterberges überquerte der Knabe eine schütter bewachsene Hochebene. Da und dort erblickte Setanta Ruinen von Bauernkaten, Ginster und Nesseln wucherten zwischen den eingestürzten Mauern. In der Vormittagsmitte schoß ein Vielfraß mit borstigem Fell aus seinem Versteck in der Nähe solch einer Trümmerstätte und griff das Kind an, doch Setanta vertrieb das häßliche Raubtier, indem er ihm den Spielger über die Schnauze mit den gelben Fangzähnen hieb.

Später am Tag, als der Knabe ein hügeliges Waldgebiet passierte, erlebte er ein gefährlicheres Abenteuer. Plötzlich stand ein riesenhafter Weißwolf vor ihm, knurrte drohend und duckte sich mit gefletschten Lefzen zum Sprung. Ehe das Untier ihn jedoch niederreißen konnte, schleuderte Setanta die Silberkugel. Das blitzende Geschoß traf das Stirnbein des Wolfes und betäubte ihn für einen Moment; Setanta nutzte die Gelegenheit, um eine Eiche zu erklimmen. Auf einem mistelbewachsenen Ast hockend schnellte er sodann seine kleinen Pfeile nach dem Weißwolf, bis dieser aus zahlreichen Schrammen blutete und floh.

Auch das Kind setzte seine Wanderung fort und fand bei Einbruch der Abenddämmerung eine Höhle, in der es zudem einen Quellteich gab. Das ist ein geeigneter Ort, um eine friedliche Nacht zu verbringen, dachte Setanta und errichtete sein Ruhelager in der Grotte. Tatsächlich schlief er ungestört bis zum Morgen; kaum freilich stahlen sich die ersten Sonnenstrahlen durch den Höhleneingang, erklang draußen tiefkehliges Fauchen.

Der Knabe sprang auf, lugte ins Freie – und sah sich einem gigantischen Bären gegenüber. Tückisch glühten die Augen der Bestie; unter dem fahlen, stellenweise schütteren Fell waren wulstige Narben zu erkennen. Offenbar handelte es sich um einen Einzelgänger, der schon mehrfach die Waffen von Jägern zu schmecken bekommen hatte und deshalb bösartig geworden war – jetzt hatte er es zweifellos darauf abgesehen, Setanta den Garaus zu machen.

Knapp verfehlte ein sausender Tatzenhieb den Knaben; Setanta hastete zu seinem Lagerplatz, ergriff die Silberkugel und warf sie so geschickt, daß sie gleich einem Irrwisch zwischen den Felswänden am Zugang zur Grotte tanzte. Auf diese Weise verwirrte er den Bären, welcher die Kugel vergeblich mit seinen Pranken zu treffen versuchte. Setanta wiederum fand Zeit, mit Hilfe seines Schleuderstabs gedankenschnell hintereinander zwei Pfeile gegen das Raubtier zu senden; die meisterlich gezielten Geschosse bohrten sich in die Augen des Riesenbären und blendeten ihn.

Das Untier brüllte vor Pein und Wut, wild flegelte es mit den Tatzen; der Knabe packte den Spielger und reizte mit der Spitze die rechte Flanke des Bären. Sofort fuhr das Raubtier seitlich herum, so daß Setanta in seinem Rücken aus der

61

Höhle zu huschen vermochte. Dann stach er abermals mit dem Speer zu und lockte den blinden Bären dadurch ein Stück von der Grotte fort; mehrmals wiederholte er seine waghalsigen Angriffe, bis er die Bestie zu einem steil abfallenden Felsgrat getrieben hatte. Dort stürzte das Untier, nachdem Setanta einen letzten Gerstoß angebracht hatte, in die Tiefe und blieb tot in einer Kluft liegen.

Leichtfüßig kletterte der Knabe in den Abgrund, brachte seine Wurfpfeile wieder an sich und murmelte: »Da ich nunmehr gegen die Fahlnattern, den tückischen Bergpaß, die Geisterkrieger auf dem Sliab Fuaid, den Vielfraß, den Weißwolf und den Mörderbären eine ganze Reihe von Siegen errungen habe, werden die Götter wohl vorerst mit mir zufrieden sein.«

Damit sollte Setanta recht behalten, denn auf der restlichen Strecke nach Emain Macha widerfuhr ihm nichts Aufregendes mehr. In raschem Lauf und ohne eine einzige Rast folgte er der Silberkugel, bis die Sonnenscheibe im Zenit stand – und dann erspähte Setanta in der Ferne die mächtige Ringburg seines königlichen Oheims Conchobar.

DER GEBROCHENE GEIS

Während Setanta über die Ebene von Emain Macha wanderte, hatte er das Empfinden, als würde er nach einer sehr langen Reise heimkehren. Die Felder und Weideflächen kamen ihm zutiefst vertraut vor; dasselbe galt für die Königsfestung, deren vom Weltenbaum überragte Ringwälle den Hügel weiter im Norden krönten. Dort drüben also schenkte Dechtire, die schöne Schwester Conchobars, mir das Leben, dachte der Knabe. Er überlegte, ob es aus diesem Grund nicht angebracht wäre, zunächst dem Herrscher von Emain Macha seine Aufwartung zu machen. Doch letztlich erschien es ihm wichtiger, so bald wie möglich zur Kriegerschule zu gelangen. Deshalb blieb Setanta bei einem leeren, aus flachen Steinen geschichteten Schafpferch stehen und schaute sich nach jemandem um, den er nach dem Weg fragen konnte.

Eben als der Knabe in einiger Entfernung einen Reiter wahrnahm, der eine Koppel Pferde trieb, hörte er in seinem Rücken ein Räuspern. Setanta fuhr herum – am Gatter des Pferchs, welcher gerade noch verlassen dagelegen hatte, stand ein auffallend kleingewachsener Mann, der einen wollenen Umhang und einen Hirtenstab trug. Verblüfft starrte der Knabe auf den zwergenhaften Schäfer, der ihn seinerseits forschend musterte. Dann auf einmal lächelte der Winzling Setanta so strahlend an, als hätte er in ihm einen guten alten Freund wiedererkannt; er trippelte näher, berührte sanft die Schulter des Knaben und sagte: »Ich ahne, daß du den Ort suchst, wo die Jungkrieger des Königs ausgebildet werden. Und wenn du erlaubst, will ich dir gerne behilflich sein, dorthin zu kommen.«

»Dafür wäre ich dir dankbar«, entgegnete Setanta, welcher nun plötzlich ein leichtes, aber nicht unangenehmes Schwindelgefühl verspürte.

»Dann los«, forderte ihn der Schäfer auf. »Wir müssen zur gegenüberliegenden Seite der Ringburg, wo sich auch die Gräber von Rath Cimbaeth befinden.«

»Die Totenkammern, in denen die heldenhaften Herrscher von Ulster ruhen?« stieß Setanta neugierig hervor.

»Könige sowie andere hochgeborene Sterbliche ... und vielleicht auch Unsterbliche«, erwiderte der Kleinwüchsige; mit dem nächsten Lidschlag eilte er hurtig davon. Der Knabe folgte ihm; erneut hatte er den Eindruck, als flimmerte etwas vor seinen Augen – gleich darauf wurde er gewahr, daß sich der Festungshügel nun in seinem Rücken erhob.

Verwirrt verhielt Setanta den Schritt – und erlebte eine

zweite Überraschung. Der Schäfer war verschwunden; völlig menschenleer erstreckte sich die Heide, nur der Wind wühlte in den Gräsern und Kräuterbüscheln.

Der Knabe, dessen Kopf jetzt wieder klar war, brauchte eine Weile, um zu begreifen. Schließlich murmelte er: »Man begegnet seltsamen Wesen in Emain Macha, aber der Kleine aus dem Reich der Sídhe war mir eindeutig gut gesonnen, denn er führte mich schneller um die Königsfestung herum als gedacht.«

Damit lief Setanta weiter; es dauerte nicht lange, bis er die Begräbnisstätte von Rath Cimbaeth erkannte, deren Grüfte innerhalb eines mächtigen Erdwerks verborgen waren. Wiederum nach einer halben Meile tauchte die Kriegerschule auf; der Knabe tanzte vor Freude, dann schleuderte er die Silberkugel mit aller Kraft.

Als er die Kugel wieder fing, befand er sich unter einer Eichengruppe am Rand des Areals, wo die mutigsten Adelssprößlinge von Ulster das Waffenhandwerk erlernten. Der Hain war von einem niedrigen, mit hellem Kies bestreuten Erdwall umzirkelt; auf der sanften Erhebung dahinter bildeten rotbemalte Holzpfosten einen weiteren Kreis, und im Zentrum standen drei klotzige schwarze Menhire. Bei diesen Hohen Steinen saßen fünfzig Jungkrieger im Gras, welche ihrem Lehrer lauschten: einem hochgewachsenen Mann, der eine schimmernde Brünne trug und langsam zwischen seinen Schülern auf und ab ging.

Das ist der Meister, welcher mir all jene Geheimnisse der Kampfkunst beibringen wird, die ich bislang noch nicht kenne, dachte Setanta. Er verwahrte die Silberkugel in seiner Umhängetasche, schulterte den Spielger und schickte sich an, die verbleibende kurze Strecke zum Wall zurückzulegen. Aber da huschte plötzlich ein älterer Knabe hinter einer der Eichen hervor und verstellte ihm den Weg. Der Bursche hatte bernsteingelbe Hirschaugen, seine Stirn war ungewöhnlich breit, das Kinn hingegen schmal und spitz.

»Conall!« rief Setanta aus. »Woher wußtest du von meiner Ankunft?«

»Ich sah deine Kugel am Himmel blitzen und dich über die Heide rennen«, erklärte der Sohn Findchaems und Amergins. Er umarmte seinen Milchbruder, dann fügte er bedeutungsvoll hinzu: »Und ich glaube, es war sehr gut, daß ich dich rechtzeitig erspähte...«

Setanta kniff die Brauen zusammen. »Was soll das heißen?«

»Du möchtest den Hain der Jungkrieger betreten, um selbst einer von ihnen zu werden, nicht wahr?« entgegnete Conall Cernach.

»So ist es«, bestätigte Setanta – und zückte seinen Speer. »Doch du hast offenbar die Absicht, dich deshalb mit mir anzulegen...«

»Nein, ich suche keinen Streit«, widersprach Conall. »Aber weil wir beide von derselben Mutter genährt wurden, ist es meine Pflicht, dich zu warnen.«

»Wovor?« fragte Setanta gepreßt.

»Davor, daß du leichtfertig dein Leben in Gefahr bringst!« antwortete Conall. »Denn du kannst nur dann in die Waffenschule aufgenommen werden, wenn ein erprobter Krieger dich begleitet und für dich bürgt. Überschreitest du den Wall jedoch mutwillig, brichst du einen Geis und hast schwerste Strafe zu fürchten.«

»Etwas Ähnliches hörte ich bereits in Dun Tobarce«, versetzte Setanta. »Trotzdem konnte mich nichts daran hindern, nach Emain Macha zu kommen.«

»Du gelangtest unversehrt hierher, weil die Götter dich großmütig behüteten«, entgegnete Conall. »Aber wenn du das Tabu mißachtest, das dir den Zugang zum Hain verwehrt, werden sie dich nicht länger beschützen!«

»Es wird sich erweisen, ob du mit deinen Unkenrufen recht behältst«, erwiderte Setanta. »Und jetzt«, er drückte die Gerspitze gegen die Brust seines Milchbruders, »tritt beiseite und laß mich gehen!«

Conall Cernach erbleichte. »Ich habe getan, was ich konnte, und bin deshalb schuldlos an dem, was geschehen wird«, sagte er mit gepreßter Stimme. Dann gab er den Weg frei.

Setanta schulterte seinen Speer und überquerte den Rasenstreifen jenseits der Eichengruppe. Rasch überwand er den Erdwall, erreichte den Pfostenkreis und schritt zwischen zweien der blutfarbenen Pfähle hindurch. Mit angehaltenem Atem beobachtete Conall, der nach wie vor unter den Bäumen stand, seinen Milchbruder. Nun sah er, wie die fünfzig Jungkrieger bei den Hohen Steinen auf ein Zeichen ihres Meisters hin aufsprangen und nach den Waffen griffen.

Setanta indessen ließ sich davon nicht beirren, sondern tänzelte bis auf ein Dutzend Schritte an die Schar heran. Dann spießte er seinen Ger in den Boden, holte die Silberkugel hervor und warf sie so geschickt, daß sie einmal rings um das Pfostenrund sauste. Aus einem Wirbelsprung heraus haschte der Knabe die Kugel und schleuderte sie erneut; diesmal stieg der glitzernde Ball hoch zum Firmament empor, beschrieb einen Bogen, prallte im Herunterkommen vom größten der schwarzen Menhire ab und sprang wieder in Setantas Hand. Beim dritten Wurf ließ der Knabe die Silberkugel gleich einer Schwalbe um den Schädel des Meisters der Waffenschule schießen – auf einmal streckte der Kriegsmann den Arm aus und fing sie.

Setanta riß seinen Spielger aus der Erde und rannte los, um die Kugel wieder an sich zu bringen. Er kam jedoch nicht an den Hochgewachsenen in der schimmernden Brünne heran, denn plötzlich wurden ihm Speere entgegengereckt. Daraufhin hob der Knabe seinen eigenen Ger und machte Anstalten, die Jungkrieger anzugreifen. Ehe es allerdings zum Kampf kommen konnte, trat der Waffenmeister vor Setanta hin und herrschte ihn an: »Ich, Folloman, verbiete dir, einen Streich zu tun! Ohnehin hast du bereits einen bösen Frevel begangen, weil du es wagtest, hier einzudringen! Aber ich will Gnade vor

Recht ergehen lassen, wenn du um Verzeihung bittest. – Gewiß war dir nicht bewußt, daß du einen Geis verletzt hast, als du über den Wall geklettert bist, um deine Possen zu treiben.«

»Ich, Setanta, machte keine Possen, sondern zeigte ein klein wenig von meinen Kampfkünsten«, entgegnete der Knabe keck. »Und was das Tabu betrifft, so ist es mir wohlbekannt. Doch ich bin nicht bereit, mich dem Geis zu unterwerfen, weil mein Schicksal von meinem eigenen Willen bestimmt werden muß.«

Auf Follomans Stirn schwoll eine Zornader, außer sich schrie er: »Niemandem ist es gestattet, das Tabu dieses Ortes zu mißachten! Wer es trotzdem tut, beleidigt die Götter! Und welche Strafe darauf steht, sollst du auf der Stelle erfahren!« Damit versetzte er Setanta einen Nackenhieb, so daß der Knabe in die Knie brach, und befahl den Waffenschülern: »Züchtigt diesen Frevler und habt kein Mitleid mit ihm! Laßt ihn für sein Verbrechen büßen, selbst wenn es sein Tod ist und sein Blut über mich kommt!«

Sofort prügelten die Jungkrieger mit Speerschäften, Schleuderstäben und Fäusten auf Setanta ein. Drüben bei den Eichen erstarrte Conall Cernach vor Entsetzen – dann rannte er los, um sich Folloman zu Füßen zu werfen und Erbarmen für seinen Milchbruder zu erflehen. Plötzlich aber sah er, wie ein halbes Dutzend der Burschen, die Setanta bedrängten, wie vom Blitz getroffen niederstürzte. Einen Lidschlag später schien mitten im Rudel der Waffenschüler ein Wirbelwind zu toben. Gleich darauf schnellte sich Setanta hoch über seine Gegner empor, überschlug sich im Sprung und landete direkt vor Folloman. Mit raschem Griff riß er dem verdutzten Waffenmeister die Silberkugel aus der Hand, suchte Deckung zwischen den Hohen Steinen und holte zum Wurf aus.

Die Kugel fegte in die Schar der heranstürmenden Jungkrieger, brachte die vordersten zu Fall und kehrte zu Setanta zurück. Der Knabe haschte sie und huschte hinter den östlichen der drei Menhire, so daß er für seine Feinde unsichtbar war. Der älteste Waffenschüler brüllte einen Befehl; die Horde teilte sich, um Setanta hinter dem Hohen Stein einzukreisen. Als die Burschen jedoch dort anlangten, prallte die eine Schar gegen die andere – und der Knabe, welcher jetzt wie durch Zauber vor dem westlichen Menhir stand, verhöhnte sie, indem er ihnen Spottworte zurief und Grimassen schnitt.

Während Folloman ungläubig den Kopf schüttelte, versuchten die Jungkrieger, Setanta bei dem zweiten Hohen Stein in die Enge zu treiben. Der Knabe aber entwischte ihnen erneut. Behende wie ein Eichhörnchen erklomm er den Menhir, drehte sich oben wie ein Kreisel und stieß mit dem Spielger nach denjenigen, die den Steinblock ansprangen, um ebenfalls hinaufzukommen. Dann plötzlich tat Setanta einen gewaltigen Satz auf die Kuppe des mittleren Menhirs. Von dort aus schleuderte er die Silberkugel dreimal hintereinander; jedesmal beschrieb sie unberechenbare schlangenartige Kurven, streifte dabei hart die Schädel, Schultern oder Beine der Waffenschüler und hatte am Ende drei Dutzend von ihnen zu Boden gerissen.

Die übrigen flohen; auch jene, die gestürzt waren, rafften sich hoch und gaben Fersengeld. Obwohl Folloman die Jungkrieger anschrie, standzuhalten, rannten sie in Richtung der Ringburg von Emain Macha davon. Setanta sprang lachend vom Hohen Stein und verfolgte das Rudel der fünfzig Burschen, die er überwunden hatte. Als er an Folloman vorüberkam, führte er einen solch meisterlichen Hieb mit dem Speerschaft gegen das Kniegelenk des Waffenmeisters, daß dieser strauchelte und ebenfalls hinfiel – triumphierend den Ger schwingend, rief der Knabe: »Wie du gesehen hast, durfte ich, Setanta, den Geis sehr wohl ungestraft brechen.«

Danach hetzte er die Horde der Jungkrieger durch den Kreis der rotbemalten Pfosten, über den Erdwall und auf die Heide hinaus. Die Jagd zog sich an der Begräbnisstätte von Rath Cimbaeth vorbei und führte weiter zur Königsfestung. Es wäre Setanta ein leichtes gewesen, die Schar einzuholen, aber er hielt sich zurück und genoß das Gefühl, die Waffenschüler gleich einem in Panik geratenen Hasenrudel über das Heideland stieben zu sehen. Erst als sich die flüchtigen Burschen einem Birkenwäldchen unweit des Burghügels von Emain Macha näherten, beschloß Setanta, sie zu stellen und endgültig zu überwältigen.

Er beschleunigte seinen Lauf; im Nu war er bis auf knappe Speerwurfweite an die Horde herangekommen – und schleuderte seinen Ger. Fauchend fuhr der Speer mit der feuergehärteten Spitze über die Köpfe der Jungkrieger hinweg und traf einen mit Brennholz beladenen Karren, der am Waldrand abgestellt war. Der Aufprall des Gers zerschmetterte den Wagenkasten – die Waffenschüler rannten in einen Hagel herumfliegender Holzscheite hinein. Im nächsten Moment war Setanta über ihnen und kämpfte die Hälfte nieder; dann eilte er hinter dem Rest her, der sich mittlerweile in das Birkenwäldchen gerettet hatte.

Wie ein Wirbelwind raste der Knabe unter den Bäumen dahin und peinigte seine Gegner nunmehr mit Pfeilwürfen – plötzlich geriet er auf eine Lichtung und stutzte überrascht. Mitten in dem kleinen Hain saßen zwei Recken auf prächtig geschnitzten Stühlen; zwischen ihnen stand ein Rundtischchen, auf dem Setanta ein Spielbrett mit roten und weißen Figuren erkannte. Jetzt sprangen beide Männer auf und kamen auf den Knaben zu; der größere Recke, welcher einen goldenen Drachentorc um den Hals trug, packte Setanta mit eisernem Griff am Handgelenk und herrschte ihn an: »Was unterstehst du dich, meine Waffenschüler anzugreifen?«

»Wenn es deine Jungkrieger sind, mußt du König Conchobar sein – und deshalb will ich dir auch Rede und Antwort stehen«, erwiderte der Knabe dreist.

»Du hast es in der Tat mit dem Herrn von Emain Macha zu tun«, sagte der Gefährte des Königs drohend. »Wirf dich also schleunigst auf die Knie und bitte um Vergebung für den Tort, den du seinen Waffenschülern angetan hast!«

»Dazu habe ich keinen Grund!« versetzte Setanta. Mit der freien Hand deutete er anklagend auf die Burschen, welche ihre Flucht unterbrochen hatten und sich am Rand der Lichtung zusammendrängten. »Denn diese Rüpel fielen über mich her, statt mir die Ehre zu erweisen, welche mir als dem Schwestersohn des Herrschers von Ulster gebührt.«

Conchobars Augen weiteten sich erstaunt. Er ließ Setanta los, musterte ihn eindringlich, nickte schließlich und erklärte bewegt: »Es ist wahr! Ich erkenne in deinem Antlitz die Züge Dechtires, welche dich hier in Emain Macha zur Welt...«

Der König brach ab, weil Folloman und dicht hinter ihm Conall Cernach auftauchten; erregt schrie der Waffenmeister: »Halte den von Dämonen besessenen Winzling fest, Conchobar! Er hat den Geis verletzt, der jedem Unbefugten das Betreten der Kriegerschule verbietet.«

»Schone Setanta, Herr! Er ist dein eigen Fleisch und Blut!« erklang es unmittelbar darauf aus dem Mund Conalls.

Conchobar zwinkerte seinem Neffen zu. »Immerhin hast du einen Fürsprecher.«

»Außerdem meine Silberkugel, den Speer und die Wurfpfeile, falls du dich wirklich mit mir anlegen wolltest«, schnaubte der Knabe.

Conchobar schmunzelte. »Wenn es so steht, sollten wir wohl besser nach einer gütlichen Lösung suchen«, sagte er. Dann wandte er sich an Folloman, der unterdessen ganz herangekommen war: »Berichte mir, was geschah.«

Folloman schilderte die Ereignisse im Hain der Jungkrieger. Kaum hatte der Waffenmeister geendet, trat Conall Cernach vor und rief: »Trotzdem ist Setanta unschuldig!«

»Warum?« fragte Conchobar.

Anstelle seines Milchbruders antwortete Setanta: »Weil es der Ratschluß der Götter ist, daß mein Schicksal von meinem eigenen Willen bestimmt werden muß – und mich selbst ein Geis nicht daran hindern kann.«

»Was macht dich darin so sicher?« wollte der König wissen.

»Cathbad tat es mir kund«, entgegnete Setanta. »Aber ich fühle es auch in meinem Herzen.«

Lange stand Conchobar sinnend da. Er dachte an die Herkunft des Knaben aus Annwn sowie an dessen dreifache Geburt aus dem heiligen Stein, dem Schoß der Sídh und dem Leib Dechtires. Endlich legte er Setanta die Hand auf die Schulter, blickte Folloman an und entschied: »Da ich mehr über ihn weiß als du, entlaste ich meinen Schwestersohn von dem Vorwurf, den du gegen ihn erhoben hast. Doch auch dich klage ich nicht an, obwohl du, um Setantas vermeintlichen Frevel zu bestrafen, seinen Tod in Kauf nahmst. Denn du hast in gutem Glauben nach deiner Sicht der Dinge und gemäß der dir auferlegten Gesetze gehandelt.«

Schweigend trat der Waffenmeister beiseite; Conall Cernach eilte zu seinem Milchbruder, um ihn zu umarmen. Setanta ließ es geschehen – dann aber löste er sich abrupt von Conall, richtete die Augen auf den König und erkundigte sich mit kecker Miene: »Erlaubst du, daß ich zum Abschluß bringe, was ich begonnen habe?«

»Du mußt selbst wissen, was dir Gewinn einträgt«, erwiderte Conchobar.

»Und ob ich das weiß!« lachte Setanta, schwang seinen Ger und sauste in Windeseile davon: zum Rand der Lichtung, wo sich die Schar der Jungkrieger befand, die er bislang noch nicht besiegt hatte.

In wildem Ansturm griff er die Waffenschüler an. Reihenweise warf er sie zu Boden, hetzte den Fliehenden unter die Birken nach und überwältigte auch sie. Nachdem sie allesamt bezwungen waren, trieb er sie in die Mitte des Hains und befahl ihnen, sich dort auf die Erde zu setzen. Betäubt gehorchten sie; Setanta wiederum rannte zum gegenüberliegenden Saum des Wäldchens, wo jene ins Dickicht gekrochen waren, die er bereits nach dem Speerwurf auf den Brennholz-Karren überwunden hatte. Setanta scheuchte sie aus ihren Verstecken und jagte sie zu den übrigen. Dann umkreiste er die auf dem

Erdboden kauernden Burschen gleich einem Hirtenhund, indem er mit dem Ger hinter seinem Rücken wedelte und dazu spöttisches Bellen hören ließ.

Eine Weile ließ Conchobar seinen Schwestersohn gewähren, schließlich jedoch mahnte er: »Treibe dein Spiel nicht zu weit, Setanta! Es zeugt von niedriger Gesinnung, besiegte Gegner zu demütigen.«

Der Knabe hielt inne und erwiderte: »Ich will sie nicht entwürdigen, sondern ihnen nur deutlich machen, daß ich derjenige bin, dem sie gehorchen müssen – so wie eine Schafherde dem Wachhund, welcher sie beschützt.«

»Ich dachte, dies sei die Stellung, die mir gebührt«, warf Folloman ein.

»Du sollst vorerst noch über mir stehen, denn in dir achte ich den Waffenmeister von Emain Macha«, antwortete Setanta. Dann sprang er zwischen die fünfzig Jungkrieger und rief ihnen zu: »Seid ihr bereit, mich als den Besten unter euch anzuerkennen?«

Die Waffenschüler zögerten nicht, ihm das zu bestätigen. Als es geschehen war, versöhnte sich Setanta mit jedem einzelnen von ihnen durch Handschlag. Danach kehrte er zum König zurück und blickte ihn herausfordernd an.

Conchobar lächelte und fragte: »Was verlangst du nun als Preis für deine Tapferkeit von mir?«

»Ich möchte als Anführer der Schar, die ich überwältigte, in deine Kriegerschule aufgenommen werden«, erwiderte Setanta.

»Angesichts der Tatsache, daß du dies aufgrund deiner Abstammung und deines Mutes wie kein anderer verdienst, gestehe ich es dir gerne zu«, entschied der König.

»Ich aber will dich alles lehren, was ich selbst weiß«, versprach Folloman.

»Und ich werde dein vertrautester Freund im Waffenhain sein«, kam es von Conall Cernach, der über das ganze Gesicht strahlte.

»Das sollst du, denn du bist der einzige, den ich nicht besiegte«, erklärte Setanta und fügte schalkhaft hinzu: »Das aber bloß, weil du klug genug warst, einen Kampf mit mir zu vermeiden.«

»Sowohl deine Taten als auch dein Wortwitz lassen erkennen, daß du das Zeug zu einem großen Krieger hast«, lobte der Recke, der sich zuvor mit Conchobar beim Figurenspiel vergnügt hatte.

Der König nickte zustimmend. Dann lud er Setanta ein, ihn und seinen adligen Gefährten auf die Ringburg zu begleiten. In der großen Halle wurde die Ankunft von Conchobars Schwestersohn mit einem Festmahl gefeiert. Später zeichnete der Herrscher von Emain Macha den Knaben zusätzlich aus, denn er ließ ihm eine Schlafkammer nahe der Gemächer zuweisen, die er selbst mit seinen Frauen bewohnte.

Vom folgenden Tag an lief Setanta jeden Morgen bei Sonnenaufgang vom Festungshügel zum Waffenhain und übte dort bis Einbruch der Abenddämmerung mit den Jungkriegern. Folloman, welcher den furchtlosen Knaben bald ins Herz schloß, brachte ihm so manche besondere Fertigkeit und dazu bestimmte Kampflisten bei, die er sich selbst in zahlreichen Feldzügen angeeignet hatte. Auch lernte Setanta, mit anderen Waffen als Spielger, Schleuderstab und Kugel umzugehen. Bald führte er Schwert, Kriegsspeer und Schild, gewöhnte seinen Körper an das Gewicht einer Brünne und bemeisterte bei der Fahrt im Streitwagen die ungebärdigen Rosse.

Wenn die Sonne sank, kehrte Setanta zur Ringburg heim, wo er stets Zutritt zum König hatte. Oft saß er nach Einbruch der Nacht mit Conchobar zusammen; manchmal erzählte der Herrscher ihm von seiner Mutter Dechtire, die zusammen mit Sualtach mac Roich an der fernen Meeresküste lebte.

So verstrichen Sommer, Herbst und Winter; als im Frühling die Apfelbäume blühten, wurde Setanta bewußt, daß er jetzt bereits ein volles Jahr in Emain Macha verbracht hatte. Er war in dieser Zeit sehr glücklich gewesen – doch dann geschah etwas, das ihm seelischen Schmerz verursachte. Conall Cernach nämlich, der seine Ausbildung nunmehr abgeschlossen hatte, bereitete sich darauf vor, die Kriegerschule zu verlassen, um auf Geheiß des Königs in den Dienst eines Gaufürsten an der Südgrenze von Ulster zu treten.

Nachdem Conall im Schmuck seiner neuen Waffen, die er aus der Hand Conchobars empfangen hatte, in die Fremde gezogen war, fühlte sich Setanta gleichermaßen bedrückt und zurückgesetzt. Aber schließlich überwand er seinen Abschiedsschmerz und den Neid auf den Milchbruder, welcher ihm immer ein guter Freund gewesen war, und gewann seine Daseinsfreude wieder.

Eifriger denn je übte er im Waffenhain; außerdem fand er in jenen Wochen Lust am Lochspiel, mit dem sich viele der anderen Jungkrieger in den Ruhepausen vergnügten. Bald war Setanta auch in diesem friedlichen Wettkampf mit den hölzernen Bällen zum Meister geworden – das freilich sollte den Sechsjährigen schon wenig später in grauenhafte Bedrängnis bringen.

CULANNS HUND

Eine Wegstunde nördlich von Emain Macha lebte der hünenhafte Culann: ein begnadeter Schmied, der wegen seiner Kunstfertigkeit weithin berühmt war. Sein Gehöft stand auf einem Hügel mit schroffen Flanken und war von einem Palisadenzaun umgeben; unweit des Balkentores rauschte ein Bach zu Tal. Am Ufer des Gewässers hatte Culann eine Reihe bienenkorbförmiger Rennöfen aus Tonziegeln errichtet, in denen er und seine Gehilfen das in der Umgebung reichlich vorkommende Rasenerz schmolzen.

In jenem Frühjahr nun war dem Schmied ein außerordentlich schönes Werk gelungen. Culann hatte für König Conchobar einen Streitwagen gebaut; ein Gefährt von solcher Pracht, daß es in ganz Ulster nicht seinesgleichen hatte. Golden schimmerte der schalenförmige Wagenaufbau; die Platten aus Sonnenmetall zeigten Götterbildnisse, feines Knoten- und Rankenwerk umgab die Gestalten von Lugh, Ceridwen, Boand, Taranis, Cernunnos und Hu-He-Su. Radfelgen und Speichen hatte Culann zu Ehren der Mondgöttin Arianrhod mit Silber ummantelt; die rotbronzene Deichsel wiederum stellte eine sprungbereite Drachenschlange dar, und der Schmied hatte sie in einem einzigen Stück gegossen.

Nachdem Culann den Streitwagen erprobt und ein letztes Mal poliert hatte, sollte Conchobar das prunkvolle Gefährt in Empfang nehmen. Der Schmied sandte daher Nachricht zur Ringburg von Emain Macha und lud den König sowie dessen edelste Krieger zu einem Übergabefest in sein Haus. Gerne sagte Conchobar zu, drei Tage später brachen der König und seine Gefährten zum Hof Culanns auf.

Die Reiterschar kam am Waffenhain vorbei, wo die Jungkrieger kurz zuvor ihre Übungen beendet hatten. Jetzt, da die Sonnenscheibe bereits den westlichen Horizont berührte, befand sich nur noch eine kleine Gruppe von ihnen unter den Eichen am Rand des Hains. Die Waffenschüler, darunter Setanta, wetteiferten miteinander beim Lochspiel; als Conchobar seinen Schwestersohn erkannte, wurde er neugierig und trabte näher.

Die Jungkrieger grüßten den König und sein Gefolge, dann setzten sie ihren Wettkampf fort. Sie schwangen die aus Eschenholz geschnitzten Schläger und bemühten sich, ihre Holzbälle in das Erdloch zu treiben, das Setanta verteidigte. Dieser jedoch wehrte sämtliche Angriffe mit großer Geschicklichkeit ab, so daß keiner seiner Gegner einen Treffer erzielen konnte.

Conchobar war stolz auf das Können seines Neffen; um Setanta auszuzeichnen, rief er ihn zu sich und forderte ihn auf: »Steig hinter mir in den Sattel. Du darfst mit zum Anwesen Culanns reiten und an dem Fest teilnehmen, welches der Schmied für mich und meine Gefährten ausgerichtet hat.«

»Ich weiß die Ehre zu schätzen«, antwortete Setanta. »Aber im Augenblick kann ich hier nicht weg, denn ich bin meinen Kameraden noch ein Rückspiel schuldig. Doch sobald ich sie allesamt besiegt habe und auch meinen letzten Ball gegen ihre Abwehr ins Loch geschlagen habe, will ich zu Culann nachkommen.«

»Ich verstehe«, schmunzelte der König, dann gab er seinem Gefolge das Zeichen zum Weiterritt. In schnellem Galopp jagte die Schar über die Heide davon; mit dem letzten Tageslicht erreichten Conchobar und seine Gefährten den palisadengekrönten Hügel, wo der Schmied lebte. Unter dem Balkentor trat ihnen Culann entgegen und hieß sie willkommen; sodann ergriff er die Zügel des Fuchshengstes, auf dem der König saß, und führte das Roß in den Innenhof.

Kaum jedoch hatte der Hengst das Tor durchschritten, scheute er vor einem riesenhaften Hund, welcher mit bösartigem Knurren aus seiner Hütte schoß. Die wolfsgraue Bestie hatte die Größe eines Jungbullen; ihr Schädel war so mächtig wie der eines Wildebers, und der Rachen mit den hauerartigen Fangzähnen hätte die Halswirbel von Conchobars Pferd zweifellos mit einem einzigen Biß zermalmen können. Ehe das Untier freilich an das Roß des Königs herankam, wurde es von einer Kette mit fingerdicken Gliedern, die um seinen Nacken lag, zurückgerissen. Schäumend tobte der Riesenhund gegen die Eisenfessel; dann aber rief der hünenhafte Schmied, welcher Conchobars Hengst unterdessen gebändigt hatte, der Bestie einen scharfen Befehl zu – und aufjaulend verschwand der Wolfsgraue wieder in seinem Unterschlupf.

Der König und sein Gefolge ritten weiter zur reetgedeckten Wohnhalle Culanns. Nachdem er sich dort vom Pferd geschwungen hatte, sprach Conchobar den Schmied auf den Hund an: »Hätte ich nicht gewußt, was mich erwartet, wäre mir beim Anblick deiner Kampfbestie womöglich das Blut in den Adern gefroren. Wie es scheint, ist das Tier noch wilder und gefährlicher geworden, seit ich es das letzte Mal sah.«

»Damals vor zwei Jahren, als wir einmal mehr gegen die raub- und mordgierigen Connaughter in den Krieg zogen, wurdest du Zeuge, wie mein Hund unter den Feinden wütete«, entgegnete Culann. »Er zerfleischte Dutzende von ihnen, und alle Männer von Ulster waren sich einig, daß es in Erinn nie eine blutrünstigere Kampfbestie gab. Wenn du jedoch meinst, das Tier sei inzwischen ungebärdiger denn je, so stimme ich dir zu.«

»Aber dir gehorcht der Riesenhund nach wie vor?« fragte der König.

»Mir und sonst niemandem«, erwiderte der Schmied. »Doch nun komm mit deinen Gefährten ins Haus, wo meine Leute, das Festmahl und dein neuer Streitwagen warten.«

Die Wohnhalle Culanns maß dreißig Ellen in der Länge und zwanzig in der Breite, frisch geschnittene Binsen bedeckten die Dielen. Die Wände waren bis zur halben Höhe mit Nußbaumholz vertäfelt, die Eichenbalken des unverkleideten Dachstuhles bildeten eine Vielzahl spitz zulaufender Bögen. Im hinteren Drittel des Raumes trugen mit Schnitzwerk verzierte Pfosten einen Zwischenboden, zu dem ein breiter Steigbaum emporführte; dort oben hatte Culanns Weib neben den Schlafstätten ihrer eigenen Familie Ruhebetten für die Gäste aus Emain Macha vorbereitet. Am gegenüberliegenden Ende der Halle gab es eine Plattform, auf welcher quer zur Giebelwand ein ausladender Tisch und lederbezogene Lehnstühle standen: der Hochsitz, wo der Schmied seine edlen Besucher bewirten wollte. Davor – neben dem offenen Herdfeuer, über dem ein Hammel am Spieß brutzelte – war der

Kampfwagen zur Schau gestellt; seine goldenen und silbernen Beschläge sowie die Bronzedeichsel spiegelten auf schier zauberische Weise das Flammenspiel der Feuerstelle wider.

Durch ein Spalier von Knechten und Mägden geleitete Culann den König und dessen Gefolge zunächst zum Streitwagen, damit die Adligen das Gefährt bewundern konnten. Danach führte der Schmied seine Gäste zu den Ehrenplätzen; kaum hatten sie den Hochsitz erstiegen, trat Culanns Frau, flankiert von ihren vier halbwüchsigen Kindern, aus einer Seitenkammer und reichte Conchobar einen Pokal, der mit duftendem Metheglyn gefüllt war. Der König genoß einen kräftigen Schluck des Willkommenstrunks und lobte den Honigwein, anschließend ließ er sich auf dem Thronstuhl in der Tafelmitte nieder. Links und rechts von ihm nahmen der Schmied und sein Weib ihre Plätze ein; die Gefährten Conchobars setzten sich, entsprechend ihres Ranges, auf die übrigen Stühle: die Vornehmsten nahe beim König, die anderen weiter entfernt.

Die Sprößlinge des Gastgeberpaares verschwanden zu einer der Bänke, welche im vorderen Teil der Wohnhalle an den Längswänden aufgeschlagen und für das Gesinde vorgesehen waren. Dort hockten sich jetzt auch die meisten Knechte und Mägde nieder, zwei junge Frauen jedoch versorgten nun Conchobars Gefolge sowie Culann und dessen Gattin mit Getränken. Während dies geschah, ließ der König die Augen nicht von dem Kampfwagen; ganz offensichtlich fand er größten Gefallen an der meisterlichen Arbeit.

Nachdem jeder von Conchobars Begleitern einen vollen Becher in der Hand hielt, brachten sie zuerst einen Trinkspruch auf den König und dann einen zweiten auf den kunstfertigen Schmied aus. Culann tat den Edelleuten Bescheid, gleich darauf spaßte er: »Zwar schmeichelt es mir, mein Lob aus euren Mündern zu vernehmen, doch womöglich wart ihr damit etwas voreilig. Denn noch hat unser Herrscher den Streitwagen nicht ausprobiert – und vielleicht bricht ja die

Deichsel oder gar die Achse, sobald Conchobar seine erste Ausfahrt wagt.«

Die Gefährten des Königs würdigten den Scherz mit heiterem Lachen, Conchobar schlug dem Schmied auf die Schulter und erwiderte: »Angesichts deines Könnens halte ich das für ausgeschlossen. Sollte es aber trotzdem geschehen, so läge es vermutlich an meinen Fahrkünsten, die bekanntlich höchst stümperhaft sind...«

Neuerlich klang auf dem Hochsitz schallendes Gelächter auf; der König wartete ab, bis es wieder abgeflaut war, und rief: »Falls ich also den Kampfwagen in seine Einzelteile zerlegen würde, wäre das allein meine Schuld, und du, Culann, dürftest mich dann mit Fug und Recht zur Verantwortung ziehen.«

»Auf welche Art denn?« ging der Schmied auf den Ulk ein.

»Indem du mich beispielsweise zur Strafe mit deinem Hündchen ringen ließest«, entgegnete Conchobar.

»Das könnte ein Strauß werden, wie es ihn nur sehr selten zu sehen gibt«, äußerte einer der Adelskrieger aufgeräumt.

»Ein Zweikampf, welcher den Stoff für außergewöhnliche Heldengesänge abgäbe«, bestätigte der König schmunzelnd und wandte sich erneut an Culann. »Oder denkst du anders darüber, mein Freund?«

»Einer – entweder du oder meine Riesenbestie – würde bestimmt als Sieger gefeiert werden«, antwortete der Schmied feixend. Im nächsten Moment schien ihm etwas einzufallen, er beugte sich zu Conchobar und erkundigte sich: »Da wir gerade über das Tier reden – kommt von deinen Gefolgsleuten etwa noch einer verspätet zu unserem Gelage?«

»Nein«, erwiderte der König. »Warum fragst du?«

»Weil es inzwischen Nacht geworden ist und ich meinen Hund von der Kette lösen will«, beschied ihn Culann. »Ich pflege ihn stets nach Einbruch der Dunkelheit vor das Gehöft zu bringen. Dort streift er bis zum Morgen um das Palisadentor, und sollte jemand eindringen wollen, so würde er ihn unweigerlich zerreißen.«

»Laß deine Bestie nur los«, forderte Conchobar den Schmied auf. »Um so sicherer können wir uns hier drinnen fühlen.«

Culann nickte und verließ die Tafel. Der König griff nach seinem Pokal und schlürfte einen Schluck Metheglyn – daß er Setanta zum Festmahl geladen hatte, war ihm mittlerweile völlig entfallen.

Bald kehrte der Schmied zurück, setzte sich wieder und befahl, den Hammel aufzutragen. Conchobar bekam das beste Stück: die rechte Hinterkeule samt dem vom Fett triefenden Schwanz und den kroß gebratenen Hoden. Nachdem auch die Gefährten des Königs sowie Culann und sein Weib versorgt waren, begann der Schmaus. Rasch wurde die Stimmung noch ausgelassener als zuvor, immer häufiger mußten die Becher nachgefüllt werden. Und dann fingen die bereits leicht berauschten Männer an, gewagte Geschichten von anderen Gelagen zu erzählen, bei denen sie früher ihr Vergnügen gehabt hatten.

Im schwindenden Tageslicht war es Setanta gelungen, den letzten seiner Gegner beim Lochspiel zu besiegen. Unmittelbar danach hatte er sich zum Anwesen des Schmiedes auf den Weg gemacht; jetzt rannte er, seiner schwach blitzenden Silberkugel hinterher, durch die Dunkelheit.

Obwohl er ebensoschnell über die Heide jagte wie ein galoppierendes Pferd, langte er dennoch erst einige Zeit nach Einbruch der Nacht bei dem Hügel an, auf welchem Culanns Gehöft stand. Am Fuß der schroffen Erhebung verlangsamte Setanta seinen Lauf, horchte in die Finsternis und hörte den Bach rauschen, welcher von dem Anwesen herabkam. Entlang des gurgelnden Gewässers erklomm er die Hügelflanke; als er die oberste Biegung der Bachkluft hinter sich hatte, erblickte er das von einer Fackel beleuchtete Balkentor im Palisadenzaun.

Das Tor war geschlossen, die vom Feuerschein überflackerten Pfosten und Bohlen wirkten abweisend. Während er langsam näher heranging, überlegte Setanta, wie er sich am besten bemerkbar machen konnte – plötzlich vernahm er ein grollendes, zutiefst bösartiges Knurren.

Setanta fuhr herum und sah eine wolfsgraue Bestie heranrasen. Sie hatte die Größe eines Jungbullen, ihr Schädel war so mächtig wie der eines Wildebers, und im weit aufgerissenen Rachen schimmerten hauerartige Fangzähne. Jetzt setzte der Riesenhund Culanns zum Sprung an, um den Knaben niederzureißen und ihn zu zerfleischen – doch gedankenschnell wich Setanta aus.

Die Kampfbestie schoß an ihm vorüber, warf sich aber sofort herum und fegte erneut heran. Wieder schaffte es der Knabe, den riesigen Hund ins Leere rennen zu lassen – dann jedoch änderte das Untier seine Taktik. Mit gefletschten Zähnen vollführte die Bestie Scheinangriffe und trieb Setanta beim Torbau in die Enge.

Nachdem ihm dies gelungen war, duckte sich der Riesenhund, ließ den ruppigen Schweif peitschen, knurrte mörderischer denn je, fixierte den reglos dastehenden Knaben aus blutunterlaufenen Augen – und schnellte sich vom Boden ab.

Ehe die Kampfbestie aber ihr Opfer erreichte, flirrte etwas Glänzendes durch die Luft. Setanta hatte seine Silberkugel geschleudert; gleich einem Blitzstrahl durchschnitt sie die Nacht und krachte in den weit aufgesperrten Rachen des Hundes. Die Fangzähne zersplitterten, eine Blutfontäne spritzte aus dem Schlund der Bestie; drei Schritte vor dem Knaben brach sie röchelnd zusammen.

»Du wolltest es nicht anders haben!« stieß Setanta hervor, dann trat er näher, um das Untier, das er bezwungen hatte, genauer zu betrachten.

Im selben Moment überwand der Hund seine Betäubung, kam halb auf die Beine, spie die Kugel aus und schnappte nach dem Knaben. Mit einem federnden Satz sprang Setanta über die Bestie hinweg, packte sie von hinten im Genick und zerrte sie zu einem der Torpfeiler. Dort riß er den Schädel des Hundes hoch und schmetterte ihn mit solcher Kraft gegen den Eichenpfosten, daß die Hirnschale des Untiers barst.

Kaum hatte der Knabe diese Tat vollbracht, drangen erregte Rufe durch den Palisadenzaun. Gleich darauf öffneten sich die Torflügel; ein Dutzend Männer mit Fackeln, unter ihnen Conchobar und Culann, drängten ins Freie. Als sie die tote Kampfbestie und den Knaben erblickten, blieben sie wie gebannt stehen. Endlich überwand der Schmied seine Erstarrung, deutete mit zitternder Hand auf den Hundekadaver und fragte stockend: »Wie konnte . . . das geschehen?«

»Es war eigentlich nicht meine Absicht, diesen Rauhbauz zu töten«, erwiderte Setanta. »Zunächst wollte ich ihm bloß eine Lehre erteilen, indem ich ihm das Maul stopfte, doch leider nützte das nichts. Denn nachdem er meine Silberkugel zu schmecken bekommen hatte, benahm er sich noch tückischer als zuvor, so daß ich ihm notgedrungen den Garaus machen mußte.«

»Du hast meine Kampfbestie . . .«, keuchte Culann. »Und verspottest mich auch noch . . .« Wutentbrannt wollte er auf den Knaben losgehen.

Der König fiel ihm in den Arm und rief: »Dieses Kind ist mein Schwestersohn, von dem du gewiß schon gehört hast. Jeder, der sich an ihm vergreifen wollte, würde es schwer büßen!«

»Ich müßte dann nämlich ebenso mit ihm umspringen wie mit diesem Schnappmaul, das sich die Zähne an mir ausbiß.« Furchtlos funkelte Setanta den hünenhaften Schmied an. »Du hast dein Hündchen leichtsinnigerweise frei herumlaufen lassen und darfst dich daher nicht beklagen, wenn ihm beim Zusammenstoß mit mir ein kleines Ungemach widerfahren ist.«

»Ein kleines Ungemach?!« Neuerlich machte Culann Anstalten, sich auf den Knaben zu stürzen.

Abermals hinderte Conchobar ihn daran; zwischen den erbosten Schmied und Setanta tretend, erklärte der König: »Dir,

Culann, ist zweifellos großer Schaden entstanden. Doch meinem Neffen ist das nicht anzulasten, da er das Recht besaß, sein Leben zu verteidigen. Vielmehr bin ich derjenige, welcher die Schuld trägt. Denn ich hatte Setanta zum Festmahl eingeladen und es dann dummerweise vergessen.«

Der Schmied bedachte sich, schließlich murmelte er: »Wenn es so steht, wäre es deine Pflicht, mir Sühnegeld zu bezahlen.«

»Dazu bin ich bereit«, seufzte der König. »Obwohl dies bedeutet, daß ich sehr tief in meine Schatztruhen greifen muß.«

»Das wird nötig sein«, nickte Culann. »Darüber hinaus sollte mein Hund angesichts seiner Verdienste im Kampf gegen die Connaughter in Rath Cimbaeth beigesetzt werden.«

Auch dies bewilligte Conchobar; danach schleiften der Schmied und seine Knechte den blutüberströmten Kadaver in den Hof, um ihn dort vorerst mit Fichtenreisern zu bedecken.

Schweigend beobachteten der König, sein Gefolge und Setanta das Tun der anderen. Der Knabe stand mit gerunzelter Stirn da und schien angestrengt über etwas nachzudenken. Nachdem Culann und seine Leute ihre Arbeit erledigt hatten, kam der Schmied wieder zu Conchobar und fragte: »Meinst du, es wäre angebracht, das Fest fortzusetzen, oder sollten wir besser darauf verzichten?«

»Ich glaube nicht, daß noch einmal ausgelassene Stimmung aufkommen könnte«, entgegnete der König. »Deshalb würde ich am liebsten nach Emain Macha zurückreiten. Ich bitte dich aber ausdrücklich, darin keine Unhöflichkeit zu sehen.«

»Deine Rücksichtnahme ehrt dich«, antwortete Culann. »Und was den Streitwagen betrifft, so werde ich ihn dir morgen früh auf deine Ringburg bringen.«

»Du sollst dann sofort den Lohn für deine meisterliche Arbeit erhalten«, versprach Conchobar. »Außerdem wirst du das Gold bekommen, welches ich dir als Sühne für den Tod deines Hundes schulde.«

»Nein!« Der Einwand kam aus Setantas Mund.

Verblüfft blickten Culann, der König und dessen Gefolgsleute auf den Knaben; Conchobar faßte sich als erster und stieß hervor: »Warum sperrst du dich gegen die Abmachung, die ich mit dem Schmied getroffen habe?«

»Ich will nicht, daß du Culann aus deinem Schatz entschädigst«, erwiderte Setanta. »Denn diese Regelung würde mich aus der besonderen Verantwortung entlassen, welche ich zu tragen habe.«

»Dir ist nicht das geringste anzulasten«, versetzte der König. »Und ich dachte, wir hätten das bereits geklärt.«

»Was meinen Strauß mit der Kampfbestie angeht, so kann mir in der Tat niemand einen Vorwurf machen«, gab Setanta zu. »Das Tier wollte mich zerfleischen, und hätte ich es nicht überwältigt, läge ich jetzt an seiner Stelle dort drüben. – Trotzdem bedauere ich nun den unglücklichen Ausgang meines Abenteuers von Herzen, und deshalb widerstrebt mir auch deine Vereinbarung mit dem Schmied. Ich habe nämlich das Gefühl, als müßte ihm für den Verlust seines Hundes, der bestimmt in ganz Erinn nicht seinesgleichen hatte, wertvollerer Schadenersatz als bloß totes Gold angeboten werden.«

»Etwas Kostbareres als Goldstücke?« schnappte Culann. »Was sollte das sein?«

»Ich werde darüber nachdenken«, beschied ihn Setanta. »Und wenn du morgen nach Emain Macha kommst, sollst du erfahren, was ich beschlossen habe.«

»Vorerst treffe immer noch ich die Entscheidungen in Ulster!« tadelte Conchobar seinen Schwestersohn.

»Dies ist mir bekannt«, entgegnete Setanta. »Doch ich ersuche dich, mir in diesem Fall freie Hand zu lassen, denn ich tötete die Kampfbestie, nicht du.«

Nachdenklich musterte der König den Knaben, schließlich sagte er: »Ich gestehe es dir aufgrund deiner Herkunft zu.«

Wenig später bestiegen Conchobar und seine Männer ihre Pferde und verließen das Gehöft des Schmiedes. Setanta saß hinter dem König im Sattel; auf dem Weg zur Ringburg überlegte er angestrengt, welches Urteil in eigener Sache er am folgenden Tag fällen sollte.

Helles Morgenlicht fiel auf den Weltenbaum im Zentrum der Festung von Emain Macha. Beim heiligen, mit reichem Schnitzwerk bedeckten Eichenstamm erwarteten Conchobar, Setanta und die adligen Gefolgsleute des Königs den Schmied; ein Stück entfernt bildeten die übrigen Festungsbewohner einen Halbkreis. Als der von Culann gelenkte Streitwagen durch das Tor der Umwallung rollte, wurden in den Reihen der einfachen Krieger, Knechte und Mägde bewundernde Rufe laut. Die beiden Rösser, welche stolz im Geschirr gingen, wieherten und warfen die Köpfe; gleich darauf brachte der Schmied das Gefährt vor der Welteneiche zum Stehen.

Culann sprang ab, grüßte Conchobar und reichte ihm die Zügel mit den Worten: »Der Kampfwagen, den ich dir hiermit übergebe, möge deinen Ruhm auf dem Schlachtfeld noch mehren.«

»Ich danke dir und werde mich nach Kräften bemühen, deine Kunstfertigkeit durch meine Waffentaten zu ehren«, antwortete der König. Sodann gab er zweien seiner Gefolgsmänner ein Zeichen, worauf diese einen mit Goldstücken gefüllten Kupferkessel herbeitrugen und ihn vor dem Schmied abstellten.

Culann verneigte sich vor Conchobar. »Du bezahlst mich fürstlich, Herr.«

»Gute Arbeit verdient guten Lohn, und wenn du zufrieden bist, freut es auch mich«, entgegnete der König. Er besann sich kurz, dann fuhr er fort: »Aber nun zu der anderen, weniger erfreulichen Angelegenheit, die heute geklärt werden muß ...«

Damit nickte Conchobar seinem Neffen zu. Setanta, der an diesem Morgen auffallend in sich gekehrt wirkte, trat vor den Schmied hin und sagte: »Zunächst möchte ich hier vor allen Leuten noch einmal kundtun, wie sehr ich es bedauere, daß ich dir – wenn auch notgedrungen – durch die Tötung deines Hundes einen kaum wiedergutzumachenden Schaden zufügte. Jahrelang beschützte das unvergleichliche Tier dein Hab und Gut und sorgte nachts, da Räuber und Mörder herumstreifen, für die Sicherheit deiner Familie. In Kriegszeiten gewannst du ferner hohes Ansehen durch die Tapferkeit deines Hundes, denn keiner außer dir vermochte eine den Feinden derart gefährliche Kampfbestie auf die Walstatt zu führen.«

»Das ist wahr!« riefen mehrere Männer. Sie hatten miterlebt, wie der Riesenhund während verschiedener Schlachten zum Schrecken der barbarischen Connaughtkrieger geworden war, welche die Grenzen Ulsters seit Menschengedenken bedrohten.

»Weil es sich jedoch so verhält, Culann, war ich schon gestern der Meinung, du müßtest besseren Schadenersatz als kaltes Gold bekommen«, nahm Setanta den Faden seiner Rede wieder auf. »Nur wußte ich vergangene Nacht noch nicht, was dir statt dessen angeboten werden könnte – aber nun, nachdem ich angestrengt darüber nachgedacht habe, sehe ich in dieser Sache klar. Und deshalb bin ich jetzt imstande, einen gerechten Schiedsspruch zu verkünden, durch den meine Tat gesühnt werden soll...«

Der Knabe stutzte, weil plötzlich ein seltsames Ächzen aus dem Holz des Weltenbaumes drang. Im nächsten Moment war es, als zerflösse eine der halb menschlichen, halb pflanzlichen Schnitzfiguren; Lichtblitze sprühten aus ihr und verdichteten sich zu silbrigem Nebel. Wiederum einige Herzschläge später wurde die flirrende Aura zu einer menschlichen Gestalt – und vor dem Eichenstamm stand Cathbad.

Ebenso wie die übrigen brauchte Conchobar eine Weile, um seine Erstarrung zu überwinden. Endlich schluckte er und redete den grauhaarigen Druiden an: »Was führt dich so unverhofft zu uns?«

»Neugier trieb mich herbei«, erwiderte Cathbad. »Ich bin äußerst gespannt auf das Urteil, welches der Knabe, den ich, Findchaem und Amergin erzogen, über sich selbst fällen wird.«

»Du sollst es gleich vernehmen, und ich hoffe, du wirst zufrieden mit mir sein«, erklärte Setanta.

Dann wandte er sich neuerlich dem Schmied zu und sagte: »Du sollst den bestmöglichen Ersatz für deinen Hund erhalten, sobald dieser beigesetzt ist. Denn ich will an die Stelle des Getöteten treten und dein Gehöft während der Nächte so lange hüten, bis du dir eine andere Kampfbestie herangezogen hast.«

Culanns Augen leuchteten auf. »Das ist ein Handel, bei dem ich wahrhaftig mehr gewinne als Gold.«

»Eine hochsinnigere Entscheidung hättest du nicht treffen können«, lobte der König seinen Schwestersohn. »Sie trägt dir und damit auch dem Herrschergeschlecht von Ulster, aus dem du stammst, Ehre ein.«

Cathbad umarmte Setanta, danach sprach er: »Du hast großen Gerechtigkeitssinn bewiesen, und ich bin sehr stolz auf dich. Weil du aber so gehandelt hast, will ich dich belohnen und dir einen neuen Namen geben. Von dieser Stunde an sollst du Cúchulainn, Hund des Culann, heißen.«

Aufmüpfig schürzte der Knabe die Lippen. »Es wäre mir lieber, man würde mich weiterhin Setanta nennen. Denn dank meiner Taten hat dieser Name mittlerweile überall im Königsgau von Emain Macha einen recht guten Klang.«

»Dies mag sein«, antwortete der Druide. »Doch Cúchulainn steht für Höheres als das, was du bereits geleistet hast. Unter Umständen könnte dieser Name dereinst ganz Erinn und dazu Alba mit seinem ruhmvollen Nachhall erfüllen.«

Der Knabe forschte in Cathbads Antlitz, dann sagte er: »Weil du mir dies in Aussicht stellst, will ich mich deinem Willen fügen.«

Cathbad und Conchobar nickten einander zu; gleich darauf gab der König den Burgleuten ein Zeichen, und aus hundert Kehlen erscholl der neue Name, den Setanta aufgrund druidischen Ratschlusses bekommen hatte: »Cúchulainn!«

Zwei Tage später ritten Conchobar, Cathbad und Cúchulainn mit einer Kriegerschar im Gefolge nach Rath Cimbaeth. Am Zugang zur Begräbnisstätte warteten bereits der Schmied sowie dessen vier älteste Knechte. Auf einer Eichenbahre lag die Kampfbestie, welche unterdessen einbalsamiert worden war und das stachelbewehrte Brustgeschirr trug, in dem sie auf den Schlachtfeldern unter den Feinden Ulsters gewütet hatte.

Schwarzvögel stoben empor, als Cathbad, der König, Cúchulainn und der Schmied die Bahre durch den Toreinschnitt ins Innere des mächtigen Erdwerks brachten. Einer der Krieger aus Emain Macha, die sich zusammen mit Culanns Männern anschlossen, flüsterte: »Caillech entbietet dem tapferen Tier, das ein solch außergewöhnliches Ende fand, ihren Gruß.«

Entlang eines mehrfach umlaufenden, von Steinsetzungen gesäumten Pfades schritt die Prozession zum Zentrum der Anlage; hier gähnten die dunklen Öffnungen der Felsgrüfte, in denen die verstorbenen Könige und hochgeborenen Helden ruhten. Ein Stück entfernt war eine weitere Grablege zu erkennen, welche den nichtmenschlichen Toten vorbehalten war. Am Eingang dieser Gruft blieben die Krieger und Knechte zurück; nur der Druide, Conchobar, Cúchulainn und der Schmied begaben sich hinein.

Drinnen stellten sie ihre Last kurz ab, damit Cathbad eine Fackel aus geharzten, auf seltsame Weise miteinander verschlungenen Mistelzweigen entzünden konnte. Dann schleppten sie die Eichenbahre in die Mitte der kreisrunden Gruft und ließen sie dort zwischen drei Säulen, welche die aus Bruchsteinen gefügte Decke des Gewölbes trugen, abermals nieder. Im Schein des Feuerbrandes erkannte Cúchulainn ringsum die Pforten zu den eigentlichen Begräbniskammern; eben als er sich fragte, welche Wesen wohl in ihnen liegen mochten, hörte er den Druiden raunen: »Bevor wir die Kampfbestie beisetzen, wollen wir zunächst den übrigen Tieren, deren Geist von hier aus nach Annwn gewandert ist, unsere Aufmerksamkeit schenken.«

Langsam ging Cathbad den anderen zur ersten Kammer voran; als der Druide die Fackel hob, traute Cúchulainn seinen Augen nicht. In der Seitengruft war das Skelett eines riesigen Widders zu sehen; jedes der gewundenen Hörner hatte die Ausmaße eines Wagenrades, und der Leib mußte einst wenigstens fünf Ellen gemessen haben. Noch eindrucksvoller waren die sterblichen Überreste eines gigantischen Rossepaares in der nächsten Grabhöhle. Conchobar flüsterte seinem Neffen zu, daß diese Hengste halb irdischer, halb fomorischer Abstammung gewesen seien und in uralter Zeit den turmhohen Streitwagen eines der ersten Ulsterkönige gezogen hätten. In der dritten Kammer ruhte der mumifizierte Körper einer Kreatur, die Cúchulainn zunächst für einen kolossalen Stier hielt, ehe er auf das Hirschgeweih aufmerksam wurde, welches aus dem klobigen Schädel ragte.

»Dieses Zwitterwesen, das Cer-Taran genannt wird, weidete vor Jahrhunderten in einem heiligen Hain, welcher den Göttern Cernunnos und Taranis gleichermaßen geweiht war«, erläuterte Cathbad dem Knaben. »Und ebensolch geheimnisvolle Lebewesen sollst du in den beiden letzten Seitengrüften zu sehen bekommen.«

Damit schritt der Druide zur vierten Begräbniskammer. Dort enthüllte das Licht des Feuerbrandes einen offenen Sarkophag aus Basalt, in dem ein eher graziles, kaum pferdegroßes Tier mit vollständig erhaltenem schneeweißen Fell lag. Aus seiner Stirn wuchs eine schlanke, drei Ellen lange Spirale aus Elfenbein, und seine Hufe glänzten wie Silber. Hingerissen stieß Cúchulainn hervor: »Ein Einhorn, das sich aus den

Gefilden von Tír na n'Og in die Diesseitswelt verirrt und hier seinen Tod gefunden haben muß.«

»So ist es«, bestätigte Conchobar. »Von den wundersamen Ereignissen aber, die sich zutrugen, als das Sídhetier vor Äonen durch Erinn wanderte, werde ich dir bei anderer Gelegenheit erzählen.«

Lange betrachteten der Knabe und die Männer das zauberhafte Wesen aus Annwn, dessen Schönheit selbst nach Jahrtausenden noch unversehrt war. Schließlich deutete Cathbad auf das fünfte Grabgewölbe und warnte Cúchulainn: »Die Bestie, welche dort beigesetzt wurde, ließ einstmals ganze Heere vor Furcht erstarren!«

»Wenn dies geschah, waren die Krieger nicht von jenem Kampfgeist beseelt, wie er in meinem Herzen wohnt«, erwiderte der Sechsjährige unerschrocken, dann begab er sich zu der Kammer mit dem ungewöhnlich hohen Zugang.

Als der Fackelschein allerdings einen Schädel von ungeheuren Ausmaßen mit faßgroßen Augenhöhlen und schenkelstarken Reißzähnen aus der Dunkelheit schälte, verspürte selbst Cúchulainn für einen Moment Beklommenheit. Gleich darauf jedoch trat er näher an das auf den Felsboden gebettete Drachenskelett heran und betastete die monströsen Knochen sowie die zackigen Hornschuppen, die sich entlang des Rückgrats erhalten hatten. Ebenso untersuchte er die gewaltigen, messerscharfen Klauen und die fahlweißen Reste der Panzerhaut, welche da und dort noch an den Gebeinen hingen.

Endlich kehrte der Knabe zu seinen Begleitern zurück und sagte stockend: »Ich erinnere mich genau… Es war in einem früheren Dasein, sehr lange vor der gegenwärtigen Zeit… Damals stand ich seinesgleichen mit einer aus Bronze gegossenen Waffe gegenüber…«

Auf dem Gesicht des Schmiedes malte sich Erschütterung; Conchobar und der Druide tauschten einen wissenden Blick, dann äußerte Cathbad: »Es gibt in der Tat Bardengesänge, die von Zweikämpfen zwischen halbgöttlichen Helden und solchen Weißdrachen berichten.«

Cúchulainn wollte etwas entgegnen, doch der Druide kam ihm zuvor: »Nun aber sollten wir uns um die Grablegung von Culanns Hund kümmern. Ich denke, wir betten ihn in das Gewölbe, wo der Widder ruht. Denn ähnlich wie der Riesenhund verbreitete einst auch dieser Gehörnte Angst und Schrecken unter den Mörderhorden aus Connaught.«

»Falls die Geister der beiden reckenhaften Tiere einander in der Samhainnacht begegnen und die Wälle von Rath Cimbaeth entlangstreifen, werden sie sich vertragen«, bekräftigte Conchobar. »Und jetzt laßt uns der Kampfbestie die letzte Ehre erweisen.«

Die Männer und Cúchulainn gingen hinüber zu den Säulen, wo die Eichenbahre stand, hoben sie hoch und trugen sie dreimal in Richtung des Sonnenlaufes um das Rund der Gruft. Auf diese Art besänftigten sie die Seele des getöteten Hundes und brachten sie in Einklang mit dem Frieden der Erde. Danach stellten sie die Bahre auf dem Boden der bewußten Grabkammer nieder und setzten die Kampfbestie in ihrem stachelbewehrten Brustgeschirr neben dem Riesenwidder bei. Anschließend stimmte Cathbad einen rituellen Sprechgesang an, mit dem er die Taten des einzigartigen Hundes noch einmal würdigte; zuletzt löschte der Druide den aus Mistelzweigen geflochtenen Feuerbrand und ließ die Überreste in der Begräbnishöhle zurück.

Durch die Finsternis tasteten sich Cúchulainn und seine Begleiter zum Gruftausgang, draußen verkündete Cathbad den wartenden Kriegern und Knechten: »Die Kampfbestie Culanns wurde ehrenvoll bestattet, so wie König Conchobar es versprach.«

»Und ich werde mich heute bei Sonnenuntergang auf dem Gehöft des Schmiedes einfinden, um es von nun an ebensogut zu bewachen wie der Hund, den ich zu meinem Leidwesen erschlug«, erklärte Cúchulainn.

Der Knabe reichte Culann die Hand, dann verließen er und die Männer die Begräbnisstätte. Am Toreinschnitt bestiegen Conchobar, Cathbad und die königlichen Gefolgsleute ihre Rösser und sprengten nach Emain Macha davon; auch der Schmied und dessen Knechte traten den Heimweg an. Cúchulainn aber galoppierte zum Waffenhain, um sich dort wie jeden Tag zusammen mit seinen Gefährten in der Kriegskunst zu üben.

Die weissagung

Eifrig vervollkommnete Cúchulainn seine Waffenkünste in der Kriegerschule; wenn die Sonne sank, eilte er zum Anwesen des Schmiedes, um diesem während der Nacht als Torwächter zu dienen. So verstrichen fünfzehn Monate, und der Welpe, den Culann auf Vermittlung Conchobars von einem Züchter an der Meeresküste bekommen hatte, wuchs zu einem stattlichen Junghund heran. Es war jetzt bereits zu ahnen, daß sich das Tier zu einer ebenso wilden Kampfbestie entwickeln würde wie diejenige, die in Rath Cimbaeth ruhte; mit dem inzwischen siebenjährigen Cúchulainn jedoch war der Hund gut Freund.

In einer mondlosen Frühsommernacht dann stellten beide eine Horde Connaughter Räuber, welche in das Gehöft einzudringen versuchten; Cúchulainn überwältigte fünf Schurken, der Junghund zwei. Nachdem Culann mit seinen Knechten herbeigeeilt war, erfuhr er von dem Knaben, wie der Kampf verlaufen war; daraufhin lobte Culann den mutigen Hund über die Maßen und sagte zu Cúchulainn: »Ich habe den Eindruck, als würde ich deine Dienste nicht mehr allzu lange benötigen.«

»Falls es sich so ergäbe, wäre ich nicht böse«, antwortete der Knabe. »Denn ich spüre, daß nun bald ernsthaftere Herausforderungen auf mich zukommen werden.«

Während der folgenden sechs Wochen freilich geschah nichts dergleichen; erst im Hochsommer erfüllte sich Cúchulainns Vorahnung – und einmal mehr hatte dabei der alte Druide von Dun Tobarce seine Hand im Spiel.

Wie üblich war Cúchulainn an diesem Morgen vom Hof des Schmiedes zum Waffenhain unterwegs. Schon erblickte er die drei schwarzen Menhire, die auf dem höchsten Punkt der sanften Erhebung emporragten; da vernahm er plötzlich aus einem Haselnußgehölz seitlich des Pfades Geräusche. Neugierig blieb er stehen und horchte. Dann drang er leise ins Strauchwerk ein, bis er auf eine Lichtung inmitten der Haselstauden spähen konnte. Dort erkannte Cúchulainn eine achtköpfige Schar von Druidenschülern mit geflochtenen Nackenzöpfen, die im Kreis um ihren Lehrer saßen – und der grauhaarige Weise, welcher sie unterrichtete, war Cathbad.

Er muß sich auf einer seiner Wanderreisen mit ausgewählten Zöglingen befinden, dachte Cúchulainn. Seit der Druide vor fünfzehn Monaten nach Dun Tobarce zurückgekehrt war, hatte er ihn nicht mehr gesehen; um so mehr freute er sich über das unverhoffte Zusammentreffen.

Er machte bereits Anstalten, aus dem Gehölz zu treten – auf einmal jedoch befahl ihm sein Instinkt, es zu unterlassen. Cúchulainn erstarrte in der Bewegung; gleich darauf, weil der Wind sich drehte, hörte er einen der Druidenschüler sagen: »Wir haben nunmehr den Flug der Vögel am Firmament beobachtet, Meister, und wurden Zeugen, wie Adler, Falken und Habichte ihre Himmelsbahnen beschrieben. Aber allein du kannst uns erklären, welch geheimnisvolle Bedeutung diese

Zeichen für den heutigen Tag haben, und darum möchte ich dich im Namen von uns allen bitten.«

Cathbad ließ den Blick über die Lichtung schweifen; für einen Moment beschlich Cúchulainn das Gefühl, als hätte der Grauhaarige ihn entdeckt. Doch dann nickte der Druide dem Zögling zu, der gesprochen hatte, und erwiderte: »In der Tat sind die Vorzeichen des Vogelfluges rätselhaft – aber nur für den, der sie lediglich mit körperlichen statt mit geistigen Augen verfolgt. Dem Ovaten hingegen, welcher die Kunst der Zukunftsschau beherrscht, enthüllen sie das Verborgene – und daher bin ich imstande, dies zu prophezeien: Wenn heute ein Knabe Speere, Schwert und Schild eines Kriegers empfinge, so würde aus ihm ein gefeierter Held. Allerdings müßte er einen Preis dafür bezahlen, denn sein Leben würde nicht lange währen. Der Ruhm jedoch, den ein solcher Jüngling erwerben könnte, würde seinen Tod bis in die fernsten Zeiten überdauern.«

Mit angehaltenem Atem hatte Cúchulainn der Weissagung gelauscht; kaum war Cathbad verstummt, wußte der Knabe, was er zu tun hatte.

Er verließ sein Versteck, hastete durch die Haselsträucher zurück auf den Pfad und rannte in Windeseile zum Waffenhain. Gleich einem Hirsch übersprang er den Erdwall, fegte zwischen den blutfarbenen Pfählen hindurch und erreichte die Hohen Steine, wo sich die Jungkrieger soeben um ihren Lehrer Folloman versammelten.

Als der Waffenmeister und dessen Schüler sahen, wie der Siebenjährige seine Silberkugel aus der Umhängetasche holte, wichen sie erschrocken beiseite. Cúchulainn aber hatte nicht vor, sie anzugreifen; vielmehr legte er die Kugel am Sockel des mittleren Menhirs nieder. Ebenso verfuhr er mit seinem bronzenen Schleuderstab und dem Schlaufengürtel, in welchem die Wurfpfeile steckten; zuletzt stieß er seinen Ger tief in die Erde.

Folloman wartete ab, bis der zitternde Schaft zur Ruhe gekommen war, dann fragte er Cúchulainn: »Was bezweckst du mit deinem Tun?«

»Ich habe mich meiner Spielwaffen entledigt, weil ich sie nicht mehr benötige«, antwortete der Knabe. »Hinfort sollen sie hier bei den Hohen Steinen an mich erinnern – ich selbst jedoch werde noch heute die Ausrüstung eines vollwertigen Kriegers erhalten.«

Ehe Folloman etwas entgegnen konnte, sauste Cúchulainn davon und verschwand unter den Eichen jenseits des Walles. Wenig später eilte er den Weg an der Flanke des Festungshügels von Emain Macha empor; als er in die Ringburg stürmte, gewahrte er Conchobar, welcher gerade seine Gemächer verlassen hatte, um sich zur großen Halle zu begeben.

Nahe des Weltenbaumes traf Cúchulainn auf den König, stellte sich herausfordernd vor ihn hin und erklärte: »Die Zeit ist gekommen, da du mich als deinen Waffengefährten anerkennen und mir zum Zeichen dafür Speere, Schwert und Schild übergeben sollst.«

Unwillig runzelte Conchobar die Brauen. »Ich fürchte, deine Forderung ist allzu vermessen.«

»Keineswegs«, beharrte der Knabe. »Ich bin sehr wohl dazu berechtigt.«

»Inwiefern?« wollte der König wissen.

»Weil mein Wille im Einklang mit dem Ratschluß der Götter steht«, erwiderte Cúchulainn. »Sie führten mich nämlich vorhin zu einem Haselgehölz, in dem ich Cathbad erblickte. Er unterrichtete acht Druidenschüler, so daß er und seine Zöglinge die heilige Versammlung der Neun bildeten. Und dann vernahm ich aus Cathbads Mund die Weisung, wonach ich am heutigen Tag die Waffen eines Kriegers empfangen müsse, damit ich zu einem gefeierten Helden werden könne.«

Conchobar besann sich, schließlich entschied er: »Wenn das die Worte des Druiden waren, kann ich dir nicht verweigern, was du von mir verlangst.« Unvermittelt lächelte er, umarmte seinen Schwestersohn und forderte ihn auf: »Komm mit zum Rüsthaus. Dort darfst du dir Speere, Schwert und Schild selbst aussuchen.«

An der Seite des Königs schritt Cúchulainn zu dem aus Stein errichteten Gebäude, welches sich gleich neben der Stallung für die Kriegsrösser befand. Im Eingangsraum des Rüsthauses steckten Dutzende halblanger Eisenklingen in Holzgestellen; an den Wänden lehnten Bündel von Wurfspeeren, dazwischen hing eine Vielzahl lederbespannter Kampfschilde.

»Das sind die Waffen für die gewöhnlichen Krieger«, erläuterte Conchobar seinem Neffen, dann führte er Cúchulainn in eine zweite, kleinere Kammer. Dort gab es aus Stahl geschmiedete Breit- und Langschwerter, kunstvoll verzierte Speere mit Bronzespitzen und polierten Schäften sowie eisenbeschlagene Schilde, deren Stoßbuckel zu scharfen Dornen ausgeformt waren. »Hier siehst du Ausrüstungsstücke, wie sie jene tragen, die auf dem Schlachtfeld an meiner Seite fechten«, erklärte der König. »Diese Waffen wurden von den besten Handwerkern Ulsters gefertigt – und nun wähle die Stücke, welche dir am meisten zusagen.«

»Ich will sehen, ob Schwert und Wehr darunter sind, die für mich taugen«, versetzte Cúchulainn. Er ergriff eine der langen Klingen, schwang sie dreimal um den Kopf und hieb sie gegen einen der Schilde. Die Schneide des Langschwerts biß sich in den eisernen Schildrand und zerschmetterte die Schutzwaffe, die Schwertklinge brach klirrend auseinander.

Der Knabe warf die unbrauchbar gewordene Waffe weg und packte eine andere, diesmal ein Breitschwert. Erneut schlug er mit aller Kraft zu; abermals ging der getroffene Schild in Trümmer, und die Klinge zersprang. Ähnlich war es, als Cúchulainn die übrigen Schwerter und Eisenschilde prüfte. Kein einziges Waffenstück hielt seinem Ungestüm stand; zuletzt wandte er sich an Conchobar und äußerte: »Wie du zugeben mußt, hätte ich mich auf dem Schlachtfeld besser auf mich selbst statt auf solches Spielzeug verlassen. Doch vielleicht finde ich jetzt wenigstens einen Kampfspeer, der meinen Ansprüchen genügt.«

Der König, welcher wie erstarrt von der Kammertür aus zugesehen hatte, murmelte etwas Unverständliches. Gleich darauf wurde er Zeuge, wie sein Neffe den stärksten der Wurfspeere an sich nahm: eine gewaltige Waffe mit Widerhakenspitze und um den Schaft geschmiedeten Bronzeringen.

Cúchulainn wog den Speer in der Hand; dann bat er Conchobar, zur Seite zu treten – und schleuderte die Wurfwaffe gegen die Tür. Krachend barst die Eichenpforte, fast gleichzeitig dröhnte es draußen wie von einem gigantischen Hammerschlag. Als der König in den Vorraum eilte, erkannte er, daß auch das Außenportal des Rüsthauses schweren Schaden davongetragen hatte; der mächtige Kampfspeer aber war ebenso wie zuvor die Schwertklingen und Schilde zerbrochen.

Vor dem Gebäude strömten aufgestörte Burgleute zusammen; Conchobar herrschte sie an, sich zurück an ihre Arbeit zu begeben. Während die Knechte und Mägde hastig das Weite suchten, vernahm der König Cúchulainns Stimme: »Ein Speer, welcher gleich beim ersten Wurf splittert, nützt wenig auf der Walstatt. Dies muß ich leider über die Waffe sagen, die ich erprobte – und was die übrigen dort hinten in der Kammer angeht, so sind sie zweifellos noch untauglicher, weshalb ich sie gar nicht erst versuchen will.«

»Wäre mir deine Abstammung unbekannt, müßte ich dich angesichts dessen, was du angerichtet hast, für einen mit den Connaughtern verbündeten Dämon halten«, knurrte Conchobar. Er hob die verbogene Speerspitze mit dem Schaftrest daran auf, musterte das Fragment kopfschüttelnd, warf es wieder weg und fügte versöhnlicher hinzu: »Da ich es jedoch besser weiß, will ich dir nichts nachtragen. Allerdings frage ich mich, wie die von dir geforderte Waffenübergabe nun eigentlich vonstatten gehen soll, nachdem vom besten Rüstzeug, das sich in Emain Macha befand, kaum etwas heil blieb.«

»Soweit mir bekannt ist, gibt es hier in diesem Steinhaus noch einen dritten Raum«, entgegnete Cúchulainn. »Und die Kriegswaffen, die dort aufbewahrt werden...«

»Sind meine eigenen, du Unhold!« fiel ihm der König empört ins Wort.

»Gerade deshalb würde ich sie gerne einmal betrachten«, beharrte der Knabe.

»Betrachten?« schnaubte Conchobar. »Gesteh, daß du auch mit ihnen wie ein Besessener wüten möchtest!«

»Fürchtest du etwa um dein Schwert, deinen Schild und deine Speere?« Listig funkelten Cúchulainns Augen. »Obwohl es doch heißt, sie hätten in ganz Ulster nicht ihresgleichen.«

»Meine Waffen werden dir widerstehen, darauf kannst du Gift nehmen!« entfuhr es dem König – im selben Moment wurde ihm klar, daß er jetzt nicht mehr zurückkonnte.

Zuerst war er wütend, weil er in die Falle getappt war. Dann aber nickte er seinem Schwestersohn beinahe anerkennend zu und ging mit ihm in die bewußte Rüstkammer.

In einer Nische gleich neben der Pforte hingen Brünne und Helm Conchobars, die Mitte des Raumes wurde von einem Edelholzschragen eingenommen. An diesem Gestell lehnten zwei Speere mit breiten, wellenförmig geschliffenen Blättern; die Schäfte waren von oben bis unten mit Bronze überzogen. Der Schild wiederum, welcher neben den Kampfspeeren stand, war aus purem Silber gefertigt und mit goldenen Ornamenten verziert; die Ecken sowie das Zentrum trugen Dreifachstacheln. Das Königsschwert schließlich, das schräg auf dem Schragen lag, steckte in einer purpurnen Scheide. Als Cúchulainn die Klinge herauszog, schien gleißendes Licht aus dem makellosen Stahl zu sprühen; während er die Waffe prüfend im Kreis schwang, sirrte und sang die Luft.

»Dieses Schwert könnte mir gemäß sein«, bemerkte der Knabe. »Auch dein Prachtschild, Oheim, sieht nicht übel aus. Freilich täuscht der erste Eindruck manchmal; daher wäre es gut, wenn du die Wehr einmal aufnehmen würdest.«

Nach kurzem Zögern ergriff Conchobar den Schild, deckte sich dahinter und warnte seinen Neffen: »Ich brauche dir wohl nicht zu sagen, daß du auf die Stacheln achten mußt, wenn du mich angreifst.«

»Achte du nur auf die Klinge!« erwiderte Cúchulainn – dann führte er einen sausenden Schlag gegen den König. Ohrenbetäubendes Klirren ertönte; der Hieb ließ Conchobar an die Wand taumeln – doch sowohl das Schwert als auch die Schutzwaffe waren unversehrt geblieben.

»Endlich eine Klinge und ein Schild, die für das Schlachtfeld geeignet sind«, schmunzelte der Knabe. »Ob dies aber gleichermaßen für die Speere gilt, muß sich erst zeigen.«

Damit vertauschte Cúchulainn das Schwert mit den beiden Wurfwaffen und fragte den König: »Wärst du bereit, dich mir noch einmal entgegenzustellen?«

»Ich vermute, es wird mir nichts anderes übrigbleiben«, seufzte Conchobar.

Kaum hatte sich der König hinter den Schild geduckt, schleuderte Cúchulainn die Speere gedankenschnell hintereinander. Der erste Wurf bewirkte, daß Conchobar in die Knie brach; der zweite entriß ihm die Schutzwaffe. Doch wie zuvor hatte der Schild die Probe bestanden; dasselbe galt für die Kampfspeere, bei keinem war der Schaft gebrochen oder die Spitze verbogen.

Zufrieden hob Cúchulainn die Speere und die Schildwehr auf und lehnte sie wieder an den Schragen, dann forderte er vom König: »Du sollst mich mit deinem Schwert, deinem Kampfschild und deinen Wurfspeeren zum vollwertigen Krieger ausstatten. Denn wie du dich überzeugen konntest, ist allein dieses Rüstzeug für mich tauglich.«

»So verhält es sich in der Tat«, entgegnete Conchobar gepreßt. Er gab sich einen Ruck und fügte hinzu: »Und da ich dir erlaubte, die Kriegswaffen, die du künftig tragen wirst, selbst zu wählen, muß ich deinem Ansinnen wohl stattgeben.«

»Das verlangt deine und meine Ehre«, erwiderte Cúchulainn. Sodann ordnete er sein Gewand, straffte den Körper und wartete darauf, daß der König das Zeremoniell der Waffenübergabe an ihm vornahm.

Conchobar schob das Schwert zurück in die Purpurscheide und händigte es seinem Schwestersohn aus. Danach reichte er Cúchulainn die Speere und hängte ihm den Schild über die Schulter. Nachdem er seinen Neffen auf diese Weise dreifach gerüstet hatte, sprach der Herrscher von Ulster: »Von dieser Stunde an bist du Königskrieger in Emain Macha und damit denen gleichgestellt, die in der Schlacht an meiner Seite fechten.«

»Es ist schön, daß ich diesen Recken nun vom Rang her ebenbürtig bin«, versetzte Cúchulainn. »Aber womöglich werden meine Waffentaten die ihrigen schon bald übertreffen.«

Conchobar wollte etwas entgegnen – doch da hörte er in seinem Rücken ein Räuspern und fuhr herum.

Unbemerkt war Cathbad in den Raum getreten, jetzt schritt der Druide langsam näher und redete den König in vorwurfsvollem Ton an: »Cúchulainn trägt dein Kampfschwert, deine Wurfspeere und deine Schildwehr! Was in aller Welt bewog dich dazu, den Knaben derart auszuzeichnen?«

»Wieso fragst du?« erwiderte Conchobar verblüfft. »Du selbst warst es schließlich, welcher die Anordnung erteilte, daß Cúchulainn heute die Waffen empfangen müsse.«

»Davon ist mir nichts bekannt.« Verwundert schüttelte nunmehr Cathbad den Kopf. »Wie sollte das zugegangen sein?«

»Mein Schwestersohn sagte mir, er sei dir in einem Haselhain begegnet«, erklärte der König. »Dort hätte er den Befehl aus deinem Mund vernommen.«

»Jetzt verstehe ich . . .«, murmelte der Druide. Mit gerunzelter Stirn musterte er den schweigend dastehenden Cúchulainn und fuhr fort: »Ich befand mich diesen Morgen tatsächlich in jenem Hain. Im Rund der Haselsträucher unterrichtete ich aber nur meine acht Schüler. Ich deutete ihnen die Zeichen des Vogelfluges und prophezeite, daß ein Knabe, der am heutigen Tag zum Krieger erhoben werde, Heldenruhm erwerben könne. Freilich müsse er als Preis dafür…«

»Du sprachst also lediglich zu deinen Zöglingen?« unterbrach Conchobar. »Nicht zu meinem Neffen?«

»So war es«, bestätigte Cathbad.

Daraufhin fuhr der König den Knaben an: »Du aber machtest mir auf ränkevolle Art vor, die Weissagung hätte dich betroffen! Mehr noch: Durch deine Lüge brachtest du mich dazu, dir meine Waffen zu übergeben!«

»Nein!« verteidigte sich Cúchulainn. »Ich spann keine Ränke und gebrauchte keine Lüge. Denn die Prophezeiung galt zweifelsohne mir, niemandem sonst.«

»Was gibt dir das Recht zu dieser Behauptung?« schnaubte Conchobar. »Wieso beziehst du ein Orakel, das für die Ohren anderer bestimmt war, auf dich selbst?«

»Weil ich zur richtigen Zeit am richtigen Ort war«, entgegnete Cúchulainn. »Ich wurde zum Haselhain geleitet, damit der Wind, der unvermittelt in meine Richtung wehte, mir die Weissagung zutragen konnte. Und auch wenn Cathbad nichts von meiner Anwesenheit bemerkt haben sollte, so wußten fraglos die Götter, warum sie mich zu dem Platz führten, wo ihr Vertrauter sprach.«

Beschämt senkte Conchobar die Lider. Cathbad berührte das Schlangenei, das er an einer neunfach geflochtenen Schnur um den Hals trug; sinnend stand der Druide da, dann sagte er: »Du, Cúchulainn, wurdest heute durch den Willen derer, die in Tír na n'Og leben, zum Königskrieger. Aber das Schwert, das du aus der Hand Conchobars entgegennahmst, ist, wie du weißt, zweischneidig. Zwar kannst du nun zu einem gefeierten Helden werden, doch sofern du diesen Weg gehst, wirst du einen hohen Preis dafür bezahlen müssen. Dein Leben nämlich würde in einem solchen Fall nicht lange währen.«

»Das erwähntest du bereits im Hain, aber deine Warnung schreckt mich nicht«, erwiderte Cúchulainn. »Selbst wenn mir bloß noch ein Tag und eine Nacht blieben, um Ruhm zu ernten, würde ich mein Schicksal annehmen. Denn wichtig ist allein, daß die Barden später Heldengesänge über mich dichten und so die Erinnerung an meine Taten wachhalten.«

»Du redest wahrhaftig wie einer, der das Zeug zu einem Unsterblichen hat«, rief der König freudig aus. Er umarmte seinen Schwestersohn, dann fügte er hinzu: »Ich schäme mich, weil ich vorhin an dir zweifelte, doch jetzt bin ich um so stolzer auf dich. Und damit du siehst, daß ich nicht nur leere Worte mache, sollst du zusätzlich zu den Waffen ein weiteres Geschenk erhalten. Folge mir zur Stallung der Kriegsrösser, dort kannst du es in Empfang nehmen.«

Zusammen mit Conchobar und Cathbad verließ Cúchulainn das Rüsthaus; als die Männer und der blutjunge Königskrieger das weiträumige Stallgebäude betraten, schlug ihnen eine Wolke warmen Pferdedunstes entgegen.

Zur Rechten stampften sechsunddreißig feurige Hengste in ihren Verschlägen, linker Hand waren entlang der Wand achtzehn Streitwagen mit hochgestellten Deichseln aufgereiht. Conchobar führte seinen Neffen und den Druiden zu einem davon, deutete auf das Gefährt und beschied Cúchulainn: »Dieser Kampfwagen gehörte bis vor kurzem einem verdienten Krieger namens Tibraic aus Alba, gewiß entsinnst du dich dieses Recken. Vergangenen Monat aber kehrte Tibraic in seine Heimat jenseits des Meeres zurück, um ein Weib aus seinem Clan zu freien. Daher braucht der Streitwagen einen neuen Besitzer, und ich glaube, für dich wäre er genau...Ich meine, du könntest...Falls du...«

Der König wirkte plötzlich verwirrt; lautlos bewegte er die Lippen und kniff die Augen zusammen, als hätte er Sehschwierigkeiten. Cathbad wiederum beschrieb mit drei Fingern seltsame Figuren in der Luft und zwinkerte dabei Cúchulainn zu. Im selben Moment, da dieser begriff, daß der

Druide einen Zauber über Conchobar geworfen hatte, rüttelte Cathbad den König am Arm und erkundigte sich teilnahmsvoll: »Ist dir nicht gut, mein Freund?«

»Ganz im Gegenteil!« strahlte Conchobar. »Ich fühle mich prächtig, nachdem ich beschlossen habe, meinem Schwestersohn die freie Wahl unter den Kampfwagen von Emain Macha zu überlassen.«

»Das hat dein jüngster Krieger nach dem Ratschluß der Götter in der Tat verdient«, äußerte der Druide lächelnd.

»Meine Rede!« bekräftigte Conchobar, sodann wandte er sich an Cúchulainn und forderte ihn auf: »Prüfe die Streitwagen und nimm den besten für dich.«

»Ich danke dir für deine Großherzigkeit, Oheim.« Einen verschwörerischen Blick mit Cathbad tauschend, verneigte sich der Knabe vor dem König. »Und was dein Angebot angeht, so brauchst du mich nicht zweimal zu bitten.«

Mit dem nächsten Lidschlag führte Cúchulainn einen scheinbar spielerischen Speerstoß gegen die bronzebeschlagene Kanzel des Gefährts, neben dem Conchobar stand. Metallkreischen hallte durch die Stallung; der Kampfwagen prallte gegen die Balkenwand, und die getroffene Bronzeplatte hatte sich tief eingebeult. Ähnlich war es bei den anderen Streitwagen, welche der Knabe, den Kriegsspeer schwingend, auf ihre Tauglichkeit untersuchte.

Nachdem Cúchulainn schließlich siebzehn Kampfwagen mit Dellen und Scharten bedeckt hatte, hielt er inne und sagte: »Es ist leider so, wie ich vermutete. Mit keinem dieser Streitwagen würde ich Ehre auf dem Schlachtfeld einlegen. Doch immerhin ist noch einer übrig – und bei diesem habe ich das Gefühl, als könnte er für meine Zwecke geeignet sein.«

Damit schritt er zum letzten Gefährt in der Reihe, das von einer mit Ornamenten bestickten Decke verhüllt war. Ohne auf das verhaltene Seufzen des Königs zu achten, entfernte der Knabe das wertvolle Tuch – darunter kam ein Kampfwagen von außergewöhnlicher Pracht zum Vorschein. Golden schimmerte der schalenförmige Aufbau; die Platten aus Sonnenmetall zeigten Götterbildnisse, feines Knoten- und Rankenwerk umgab die Gestalten von Lugh, Ceridwen, Boand, Taranis, Cernunnos und Hu-He-Su. Radfelgen und Speichen waren zu Ehren der Mondgöttin Arianrhod mit Silber ummantelt, die rotbronzene Deichsel stellte eine sprungbereite Drachenschlange dar.

Es handelte sich um den Streitwagen, den Culann dereinst für Conchobar gebaut hatte. Jetzt betrachtete Cúchulainn das Prunkgefährt ausgiebig von allen Seiten, sodann tippte er mit der Speerspitze leicht gegen das Abbild des Gottes Lugh und richtete das Wort an den König: »Da ich weiß, welch unübertrefflicher Meister diesen Kampfwagen schuf, kann ich guten Gewissens auf eine Prüfung verzichten. Zweifellos würde der Streitwagen meinen Stößen mit dem Kriegsspeer widerstehen; deshalb ist er, wie ich ohnehin schon vermutete, der einzige, welcher für mich taugt. Und aus diesem Grund will ich ihn gerne als Geschenk von dir annehmen, Oheim.«

Aus Conchobars Kehle drang ein gequälter Laut; auf der Stirn schwoll ihm eine Ader, und er ballte die Fäuste. Als ihm aber Cathbad wie von ungefähr seine Hand auf die Schulter legte, beruhigte sich der König. Mit verkniffenem Antlitz nickte er dem Knaben zu und murmelte: »Nachdem du schon mein Schwert, meinen Schild und meine Speere dein eigen nennst, ist es nur recht und billig, wenn dir von nun an auch mein Kampfwagen gehört. Ich hoffe freilich, damit bist du endlich zufriedengestellt und verlangst nicht auch noch die Krone von mir.«

»Für den Goldreif hätte ich auf der Walstatt kaum Verwendung«, erwiderte Cúchulainn. »Wenn du mir allerdings in deiner Großmut eine letzte Gunst erweisen würdest...«

»Was für eine?« schnappte Conchobar.

»Ich möchte gleich mit meinem Streitwagen ausfahren«, entgegnete Cúchulainn. »Dazu aber müßtest du erlauben, daß die geeigneten Rösser vorgespannt werden und mir auch dein Pferdelenker zur Verfügung steht.«

»Hoffentlich brichst du dir den Hals!« knurrte der König. Abrupt drehte er sich um, hastete zum Tor der Stallung und herrschte einen draußen vorbeikommenden Knecht an: »Hol auf der Stelle Ibar her.«

Wenig später erschien der Wagenlenker Conchobars: ein in zahlreichen Schlachten bewährter Kämpe, auf dessen sehnigen Unterarmen je ein Flügelroß eintätowiert war.

Höflich begrüßte Ibar den Druiden, musterte erstaunt den im vollen Waffenschmuck dastehenden Cúchulainn und fragte den König: »Was befiehlst du, Herr? Willst du zusammen mit deinem Schwestersohn einen Jagdausflug unternehmen?«

»Nein, es geht um Cúchulainn allein«, erwiderte Conchobar. »Du sollst ihn fahren, damit er mit dem Kampfwagen und den Hengsten vertraut wird.«

»Die Rösser hatten in den vergangenen Tagen wenig Bewegung«, sagte Ibar nachdenklich. »Daher ist es wohl am besten, ich tummle sie zunächst eine Weile auf der Weide, ehe ich deinen Neffen zu mir in die Wagenkanzel nehme.« Er blinzelte Cúchulainn zu. »So können sich die ungebärdigen Hengste austoben, danach lassen wir sie rennen, wohin du willst.«

Doch der Knabe widersprach: »Heute bin ich, wie du unschwer an meinen Waffen erkennen kannst, zum Königskrieger erhoben worden. Deshalb wäre es eine Schande für mich, mit Pferden über Land zu fahren, denen es womöglich an Feuer fehlt.«

»Daran ist etwas Wahres«, kam es von Cathbad.

Ibar warf einen hilfeheischenden Blick auf Conchobar. Als dieser aber lediglich die Achseln zuckte, begab sich der Wagenlenker ohne ein weiteres Wort zu dem Verschlag, in welchem die königlichen Kampfrosse stampften. Die beiden Hengste waren von außergewöhnlicher Größe; ihr Fell schimmerte tiefschwarz, die Köpfe jedoch waren dunkelrot und schneeweiß gescheckt.

Nicht ohne Mühe zwängte Ibar den Pferden die Gebiß-
stangen in die Mäuler, schnallte die Zäume fest und legte den
Tieren die Joche mit den Zuggurten um. Dann führte er die
Kopfschecken auf den Stallgang, um sie an den Streitwagen zu
schirren, den Cúchulainn unterdessen herbeigezogen hatte.
Kaum waren Ibar und der Knabe in die Wagenkanzel gestiegen, drängten die Hengste mit Macht zum Stalltor und
preschten ins Freie. Draußen ließ Ibar die Rösser im hellen
Schein der Vormittagssonne dreimal um den Weltenbaum galoppieren. Auf diese Weise brachte er die Hengste in seine Gewalt; danach lenkte er die Kopfschecken zum Burgtor, wohin
sich mittlerweile Conchobar und Cathbad begeben hatten,
und zügelte sie dort auf einen Wink des Königs hin.

»Fahr Cúchulainn erst zum Hain der Jungkrieger, damit
seine ehemaligen Gefährten sehen, daß er die Waffen von mir
empfangen hat«, wies der König Ibar an. »Anschließend könnt
ihr die Rösser auf der Ebene südlich von Emain Macha ausgreifen lassen. Doch überanstrengt sie nicht und kehrt beizeiten zurück.«

»Ich will deine Befehle gewissenhaft befolgen, Herr«, versprach der Wagenlenker. »Noch vor Sonnenuntergang werde
ich dir die Kopfschecken und deinen Schwestersohn heil
heimbringen.«

»Gut«, nickte Conchobar und gab den Weg frei.

Ibar wollte die Pferde wieder antreiben, doch sie gehorchten ihm nicht. Mit rollenden Augen schauten sie auf den
Druiden, der an der Drachendeichsel stand und ihnen etwas
zuzuraunen schien. Gleich darauf klopfte Cathbad den Hals
des einen Rosses und trat beiseite – wie im Einverständnis mit
dem Druiden wieherten die Hengste, bäumten sich auf und
jagten durch den Torschlund davon.

DIE SÖHNE DES NEACHT

Im Nu waren die Rösser bei der Kriegerschule angelangt. Ibar ließ die Hengste den Erdwall entlanggaloppieren; geschickt federte Cúchulainn die Stöße des Streitwagens ab, schwang seine Waffen und rief den Jungkriegern um Folloman zu: »Wie ihr seht, habe ich wahrgemacht, was ich euch am Morgen ankündigte. Ich trage Schwert, Schild und Speere aus des Königs eigener Rüstkammer und fahre im goldenen Kampfwagen, der von Conchobars berühmten Kopfschecken gezogen wird. Jetzt ziehe ich aus, um Ruhm zu ernten. Bald, das schwöre ich euch, sollt ihr von meinen Taten hören.«

Die Waffenschüler bejubelten Cúchulainns Worte; dieser schleuderte seine Kampfspeere hoch in die Luft, fing sie in voller Fahrt wieder auf und drängte Ibar: »Laß die Hengste schneller rennen! Ich kann es gar nicht erwarten, unbekannte Gefilde zu erreichen.«

Kaum hatte der Knabe die Sätze hervorgestoßen, beschleunigten die Kopfschecken ihren Lauf. Sie entfernten sich vom Waffenhain und donnerten mit derartiger Geschwindigkeit dahin, daß brüllender Sturmwind das Gefährt zu umtosen schien. Vergeblich versuchte Ibar, die Rösser zu zügeln; unentwegt raste der Kampfwagen inmitten einer wirbelnden Staubwolke nach Süden – erst als die Sonne im Mittag stand, wurden die Hengste von selbst langsamer.

Nachdem die Kopfschecken in Trab gefallen waren und die Sicht wieder klar wurde, blickte sich Ibar mit bleichem Gesicht um und keuchte: »Cathbad muß die Tiere verzaubert haben... Anders kann ich mir nicht erklären, was geschah... Wir sind eine volle Tagesreise von Emain Macha entfernt...«

»Beruhige dich«, versetzte Cúchulainn. »Und sag mir, wo wir uns befinden.«

Der Wagenlenker, der allmählich zu Atem kam, deutete nach Südwesten. »Der Berg dort drüben ist der Sliab Fuaid. Ein Stück weiter östlich liegt die Furt der Grenzwache.«

Der Knabe spähte in die angegebene Richtung. »Die Furt der Grenzwache? Was für ein Ort ist das? Warum trägt er diesen Namen?«

»Weil ein auserwählter Krieger dort die Südgrenze Ulsters hütet«, erklärte Ibar. »Der Kämpfer steht im Dienst des in dieser Gegend herrschenden Gaufürsten und hat eine doppelte Aufgabe zu erfüllen. Kommen fremde Barden zum Flußübergang, so empfängt sie der Grenzkrieger im Namen des Königs mit ausgesuchter Freundlichkeit. Er sorgt dafür, daß sie nach Emain Macha und nicht anderswohin reisen, um ihre Gesänge zuerst in der großen Halle Conchobars vorzutragen. Kehren die Barden danach zur Furt zurück, um wieder außer Landes zu gehen, überreicht jener Kämpe ihnen wertvolle Geschenke, damit sie Ulster in guter Erinnerung behalten.«

»Und was ist die zweite Pflicht des Grenzhüters?« wollte Cúchulainn wissen.

»Wenn Kriegsleute in feindlicher Absicht nahen, stellt er sich ihnen entgegen, fordert den Stärksten heraus und kämpft mit ihm«, erwiderte Ibar. »Auf solche Weise verteidigt er in dieser Gegend den Zugang nach Ulster und trägt infolgedessen große Verantwortung.«

»Ein Krieger, dem eine derart wichtige Aufgabe anvertraut wurde, muß sehr gewandt im Umgang mit den Waffen sein«, äußerte der Knabe nachdenklich. »Du kennst nicht zufällig seinen Namen?«

»Derzeit hält Conall Cernach, der hirschäugige Sohn Findchaems und Amergins, die Wache an der Grenzfurt«, entgegnete Ibar.

Freudige Überraschung malte sich auf Cúchulainns Antlitz. »Mein Milchbruder, den ich seit beinahe eineinhalb Jahren nicht mehr gesehen habe. Bring mich zu ihm!«

Ibar zögerte kurz, dann entschied er: »Gut, ich will es tun. Denn ich glaube, es war Cathbads Wille, euch eine Begegnung zu ermöglichen. Deswegen trieb er wohl seine Magie mit den Kopfschecken.«

»Zweifellos«, bestätigte Cúchulainn lächelnd und schnalzte mit der Zunge. Wiehernd galoppierten die Hengste erneut an; Ibar lenkte sie nach Südwesten, und bald wurde in der Ferne die Niederung sichtbar, durch welche sich der Grenzfluß schlängelte.

Auf einem Pfad, der an Wiesen von Riesenfarn und Gruppen kugeliger Kopfweiden vorbeiführte, legten die Rösser das letzte Wegstück zurück. Als der Streitwagen die Talsenke erreichte, wurde der Boden sandig; wenig später erblickte Cúchulainn die Furt, welche durch eine Reihe ins Flußbett gerammter Pfähle gekennzeichnet war. An ihrem nördlichen Ende erhob sich innerhalb eines Erdwalles ein aus Steinen errichteter Rundturm, an den eine kleine Stallung angebaut war. Eine gewundene Holztreppe klomm zu der hoch oben liegenden Turmpforte empor – und noch ehe der Kampfwagen ganz heran war, erschien Conall Cernach auf der Balkenplattform vor dem Portal.

Der halbwüchsige Grenzwächter trug einen Helm, aus dessen Schläfenplatten die Geweihstangen eines Junghirsches ragten; dazu eine mit Bronzeschuppen beschlagene Brünne sowie Schwert, Schild und Speer. Nun schwang er die Wurfwaffe und rief: »Im Namen des Königs von Ulster und seines Gaufürsten fordere ich euch auf, die Pferde zu zügeln und mir Auskunft über euer Woher und Wohin zu geben.«

Während Ibar die Kopfschecken am Zugang des Walls zum Stehen brachte, kletterte Conall vom Turm. Plötzlich verharrte er, spähte mit zusammengekniffenen Brauen zum Streitwagen und stieß hervor: »Ist es möglich? Bist du es tatsächlich, Setanta?«

»Hast du mich endlich erkannt, Milchbruder.« Behende sprang Cúchulainn vom Wagen, lief Conall entgegen und fügte hinzu: »Freilich erhielt ich von Cathbad mittlerweile einen neuen Namen, den du eigentlich schon vernommen haben solltest.«

»Richtig«, versetzte Conall. »Ich hörte von der Heldentat, durch welche du zum Hund des Schmiedes Culann wurdest.«

Im nächsten Moment war der Jüngere bei ihm; sie umarmten sich – auf einmal jedoch ließ Conall von Cúchulainn ab, wies auf dessen Schwert und stellte fest: »Du bekamst nicht nur einen Ehrennamen, sondern trägst auch eine Schlachtklinge und fährst in einem prunkvollen Kampfwagen. Ganz so, als ob du ein herausragender Krieger wärst.«

»Zweifelst du etwa daran, daß mir dieser Rang gebührt?« fragte Cúchulainn herausfordernd.

»Allerdings«, erwiderte Conall. »Schließlich bist du noch ein Knabe und kannst unmöglich bereits die Kriegswaffen erhalten haben. Wahrscheinlich hast du das Schwert dem Schmied abgeschwatzt, und was den Streitwagen angeht...«

»So gehört er ebenso mir wie die Stahlklinge und außerdem die Speere und der Stachelschild, welche du auf dem Gefährt siehst«, unterbrach Cúchulainn den Älteren. »Waffen, Wehr und Wagen empfing ich von Conchobar – damit wurde ich zum Königskrieger und stehe höher als du, der du bloß einem Gaufürsten dienst.«

Conall Cernach preßte die Lippen zusammen, dann schritt er zum Kampfwagen, wo Ibar wartete, und erkundigte sich bei dem Rosselenker: »Ist es wirklich wahr, daß Cúchulainn in die Schar der engsten Waffengefährten Conchobars aufgenommen wurde?«

Nachdem Ibar dies bejaht hatte, kehrte Conall zu seinem Milchbruder zurück, stützte sich auf den Speerschaft, musterte Cúchulainn ausgiebig von oben bis unten und spottete schließlich: »Wenn der König einen Knirps wie dich vor der Zeit in den Kriegerstand erhob, dann bestimmt nur deshalb, weil du sein Schwestersohn bist. Eine wichtige Aufgabe aber, wie ich sie hier an der Grenzfurt erfülle, wurde dir nicht anvertraut. Daher stünde es dir gut zu Gesicht, mir gegenüber etwas bescheidener zu sein. Dies um so mehr, als ich im Gegensatz zu dir bereits mehrere Zweikämpfe siegreich bestanden habe – und zwar gegen menschliche Feinde, statt gegen Hunde.«

Erbost ballte Cúchulainn die Fäuste. »Wenn du es darauf anlegen möchtest, können wir sehr schnell herausfinden, wer von uns beiden der bessere Kämpfer ist. Welche Waffe wählst du? Schwert oder Speer?«

Conall erstarrte. Für einen Moment hatte es den Anschein, als wollte er den Fehdehandschuh aufnehmen, doch letztlich beherrschte er sich, atmete tief durch und sagte: »Krieger, wie wir beide es sind, dürfen sich nicht zu vorschnellen Taten hinreißen lassen. Das lernten wir von Meister Folloman.«

»Du hast recht«, lenkte nunmehr auch Cúchulainn ein. »Es könnte Ulster wahrlich nur zum Schaden gereichen, wenn ausgerechnet du und ich übereinander herfallen würden.« Er zwinkerte Conall versöhnlich zu. »Trotzdem würde ich gerne wissen, welch neue Waffenkünste du erlernt hast, seit wir uns trennten. Aus diesem Grund schlage ich vor, daß du deinen eigenen Streitwagen besteigst, der dort im Stallgebäude steht, und wir sodann jenseits der Furt gemeinsam nach Feinden Ausschau halten.«

»Es tut mir leid, doch mein Platz ist hier am Turm«, wehrte Conall ab. »Zudem hat der Gaufürst mir derartige Abenteuer verboten.«

Cúchulainn wiegte den Kopf. »Ich kann dich nicht überreden?«

»Nein«, beteuerte Conall Cernach. »Und wenn ich dir raten darf, so solltest du ebenfalls diesseits des Flusses bleiben. Denn auf der anderen Seite könntest du in große Gefahr geraten.«

»Gerade die reizt mich«, lachte Cúchulainn. »Deshalb werde ich Ibar wohl bitten müssen, mich hinüberzufahren.«

Bevor Conall ihn aufzuhalten vermochte, rannte der Knabe zum Kampfwagen, sprang hinauf, riß dem Rosselenker die Zügel aus den Händen und rief den Kopfschecken einen Befehl zu.

Sofort galoppierten die Hengste an, preschten zur Grenzfurt und jagten durch das hoch aufspritzende Wasser. Gleich darauf gewann das Gespann den jenseitigen Uferhang; obwohl Ibar lauthals protestierte, trieb Cúchulainn die Rösser weiter nach Süden: einer Bergkette entgegen, die sich viele Meilen entfernt am Horizont abzeichnete.

Freilich forderte der Siebenjährige den Kopfschecken nicht das Äußerste ab; gelegentlich hemmte er sie sogar ein wenig in ihrem Lauf und spähte dann stets über die Schulter nach hinten. Offenbar hielt Cúchulainn nach etwas Ausschau – worauf er wartete, wurde deutlich, als nach einer Weile Conall Cernach in seinem von zwei braunen Pferden gezogenen Streitwagen auftauchte.

Cúchulainn grinste und ließ die Hengste in Trab fallen; Ibar benutzte die Gelegenheit, um neuerlich aufzubegehren: »Ich bin der Rosselenker und verlange, daß du mir auf der Stelle die Leitriemen zurückgibst!«

»Einem Königskrieger kannst du nichts befehlen!« wies ihn Cúchulainn zurecht; geschickt umfuhr er dabei eine Felsschroffe, die aus einem Flecken Heidekraut aufragte.

Einen Augenblick später galoppierten Conall Cernachs Braune an der anderen Seite des Steinriegels vorüber und schlossen zu den Kopfschecken auf. Conall zügelte seine Pferde, so daß sie im Stechtrab neben den Geschecken gingen; Cúchulainn rief: »Wie schön, Milchbruder, daß du dich doch noch entschlossen hast, zusammen mit mir ins Unbekannte vorzudringen.«

»Ich bin dir nur gefolgt, weil es unverantwortlich wäre, dich im Grenzgebiet ohne Schutz zu lassen«, antwortete Conall.

Das Antlitz Cúchulainns verspannte sich. »Wenn es so steht, kehrst du besser rasch wieder um. Einen Aufpasser habe ich nicht nötig.«

»Du machst dir keine Vorstellung, welche Fährnisse dir zustoßen könnten«, beharrte Conall Cernach.

»Die einzige Gefahr für mein Fortkommen, die ich zu erkennen vermag, geht von dir aus«, versetzte Cúchulainn zornig; dann ließ er die Hengste erneut angaloppieren.

Daraufhin schwang auch Conall die Peitsche und schrie:
»Ich bleibe bei dir, ob du willst oder nicht.«

»Versuch es«, brüllte Cúchulainn und gab den Kopfschecken die Zügel frei.

Conall Cernachs Braune indessen hielten Schritt; nebeneinander preschten die beiden Kampfwagen über die Heide –
plötzlich aber lenkte Cúchulainn sein Gespann scharf nach
links. Jäh vergrößerte sich die Distanz zwischen den Streitwagen, gleichzeitig zückte Cúchulainn einen seiner Speere
und führte einen flachen Hieb gegen den Erdboden. Das
Speerblatt traf einen faustgroßen Stein, in hohem Bogen flog
der Brocken empor. Im Dahinjagen fing der Knabe ihn auf –
und schleuderte ihn mit aller Kraft auf Conalls Gefährt. Krachend zerbrach die Deichsel; ihr Stumpf bohrte sich in die
Erde, die Geschirre der wild auskeilenden Pferde zerrissen,
und Conall Cernach stürzte aus der Wagenkanzel.

Während Cúchulainns Hengste langsamer wurden und
wendeten, kam Conall wieder auf die Beine. Er packte die
Zäume der scheuenden Braunen und bändigte sie; nachdem
er es geschafft hatte, schrie er Cúchulainn, der ihn jetzt in
sicherem Abstand umkreiste, an: »Bist du von allen guten Geistern verlassen? Warum hast du mich derart hinterhältig angegriffen?«

»Ich kämpfte nicht unehrenhaft, sondern gebrauchte lediglich eine Kriegslist«, erwiderte Cúchulainn

»Und wieso fühltest du dich dazu berechtigt?« schäumte
Conall.

»Du unterstelltest mir, daß ich ohne deinen Schutz hier
draußen nicht bestehen könnte«, beschied ihn Cúchulainn.
»Deshalb war es meine Ehrenpflicht als Königskrieger, dir das
Gegenteil zu beweisen und dich vom Wagen zu holen.«

»Schmach und Gift über dich!« fluchte Conall Cernach.

»Ich hätte das Genick brechen können, nur weil ich meine Bruderpflicht an dir erfüllen wollte. Aber nun werde ich keinen Finger mehr für dich krumm machen. Renn du doch in dein Unglück, wenn dir der Sinn danach steht. Es wird sich schon ein Connaughter oder ein anderer Unhold finden, der dir den Kopf vom Rumpf schneidet.«

»Sollte irgendein Vorwitziger das versuchen, würde er es bitter bereuen«, lachte Cúchulainn. »Und jetzt wünsche ich dir einen geruhsamen Spaziergang heim zu deinem Turm, Conall. Ich selbst hingegen will die Berge, welche dort im Süden liegen, näher in Augenschein nehmen.«

Ein Zungenschnalzen des Knaben ließ die Kopfschecken davonrasen. Wie auf Sturmschwingen verschwand der goldene Kampfwagen; verblüfft starrte Conall Cernach der sich unglaublich schnell entfernenden Staubwolke nach, bis auch sie unsichtbar wurde.

Erst nahe der Gebirgskette, die Cúchulainns Ziel war, fielen die Hengste in gewöhnlichen Galopp, dann in Trab. Ibar blickte zur Sonne, welche schräg im Westen stand, und sagte mit belegter Stimme: »Wiederum haben wir innerhalb weniger Stunden eine volle Tagesreise zurückgelegt.«

»Anders wäre es unmöglich gewesen, den Bergzug noch heute zu erreichen«, entgegnete Cúchulainn. »Und nun, da wir fast bei ihm angelangt sind, möchte ich ein wenig mehr über ihn erfahren. Wie lautet beispielsweise der Name des Gipfels, der dort drüben höher als alle anderen emporragt?«

»Der Berg heißt Sliab Moduirn«, antwortete Ibar.

Cúchulainn beschattete die Augen mit der Hand und spähte hinüber, dann wollte er wissen: »Was hat es mit dem hellen Schimmer auf sich, den ich auf seiner Kuppe erkenne?«

Ibar zögerte, bevor er Auskunft gab: »Die Spitze des Sliab Moduirn trägt einen aus weißen Steinen errichteten Cairn.«

»Seltsam«, versetzte der Knabe. »Gewöhnlich sind die Steinkegel, in denen die Geister erschlagener Krieger wohnen, von dunkler Farbe.«

»So ist es Brauch in Ulster«, erwiderte Ibar. »Zu Ehren der Dreifachen Göttin, die in ihrer dritten Gestalt als Fährfrau nach Annwn ein schwarzes Gewand trägt, werden bei uns dunkelfarbene Cairns errichtet. Aber der Kegel auf dem Sliab Moduirn beherbergt die Schatten von Kämpfern, die nicht Ceridwen, sondern ihrem bösartigsten Widersacher dienten. Ich spreche vom Weißen Drachen, welcher immerfort verheeren und zerstören will – und um ihm willfährig zu sein, wurde der Cairn aus hellem Geröll aufgehäuft.«

»Dann gehen also tote Connaughter auf dem Berggipfel um?« vermutete Cúchulainn.

»Nein«, entgegnete Ibar in gepreßtem Tonfall. »Es handelt sich um ehemalige Gefolgsleute des schrecklichen Neacht. Des finsteren Fomoriersprosses, welcher einst mit äußerster Grausamkeit in dieser Gegend herrschte.«

»In früheren Zeiten mag Neacht hier seine Hände in Blut gebadet haben«, äußerte daraufhin der Knabe. »Heute jedoch kann er mich nicht daran hindern, meinen Streitwagen auf die Kuppe des Sliab Moduirn zu lenken.«

Cúchulainn machte Anstalten, die Kopfschecken neuerlich anzutreiben, aber Ibar fiel ihm in den Arm. »Laß es bleiben, ich bitte dich! Die Sonne wird bald sinken, und ich gab Conchobar das Versprechen, dich bis heute abend nach Emain Macha heimzubringen. Es wäre vielleicht gerade noch zu schaffen, falls die Hengste ebensoschnell sind wie auf dem Herweg.«

»Unser Ziel ist der Berggipfel«, beharrte der Siebenjährige – im selben Moment preschten die Kopfschecken davon.

Wenig später fegte der Kampfwagen die Nordflanke des Sliab Moduirn hinauf und kam beim Cairn auf der Kuppe des Berges zum Stehen. Ohne auf Ibars Vorhaltungen zu achten, rückte Cúchulainn sein Schwertgehänge zurecht, ergriff den Schild, schulterte die Speere und sprang aus der Wagenkanzel.

115

Als er sich dem Weißkegel näherte, begannen die Steinbrocken zu beben und zu knirschen; zorniges Knurren schien
aus dem Inneren des Cairn zu dringen. Der Knabe indessen
ließ sich nicht einschüchtern. Er zückte die Wurfwaffen und
verkündete: »Ich, Cúchulainn, bin Königskrieger von Ulster
und diene dem Roten Drachen, dem Verbündeten Ceridwens, welcher dereinst den Weißen Drachen besiegen wird.«

Kaum waren diese Worte erklungen, schnellten zwölf
scharfkantige Brocken aus dem Kegel und wirbelten fauchend
gegen Cúchulainn. Dieser jedoch duckte sich hinter seine
Schutzwehr und gebrauchte die Speere so geschickt, daß er
sämtliche Steine zerspellte.

Wütendes Heulen erscholl vom Cairn, Cúchulainn aber
übertönte es durch seinen Ruf: »Ihr könnt mir nichts anha-
ben, weil ich unerschütterlichen Mut besitze.«

Das Geheul wurde zu zischelndem Flüstern. Cúchulainn
lief ganz an den Weißkegel heran und umtanzte ihn dreimal in
Richtung des Sonnenlaufes. Er schwang dabei seine Waffen und raunte druidische Beschwörungen, auf diese Weise
bannte er die Geister der erschlagenen Gefolgsleute Neachts.
Nachdem der Knabe die dritte Umkreisung vollendet hatte,
schien der Cairn ein wenig in sich zusammenzufallen, und
über den Gipfel des Sliab Moduirn senkte sich Stille.

Cúchulainn schritt zum Streitwagen, zwinkerte Ibar zu,
welcher mit bleichem Antlitz neben den Kopfschecken stand,
und erklärte: »Die Unholde sind machtlos, solange ich mich in
ihrer Nähe aufhalte. Wir beide können deshalb jetzt die Aussicht von diesem Berg genießen.«

»Sie ist alles andere als anregend«, murmelte der Rosselenker. »Ringsum gibt es bloß kahle Hänge, dürre Heide und
tückische Felsklüfte.«

»Dennoch will es mir scheinen, als würden sich dazwischen fruchtbare Talböden mit menschlichen Ansiedlungen
erstrecken«, erwiderte Cúchulainn. »Insbesondere da drüben
im Süden liegt doch eindeutig reiches Acker- und Weide-

land – und ich bin gewiß, der Name dieser Fluren ist dir nicht fremd.«

»Nun ja ... man nennt jenen Landstrich wohl Mag Breg«, kam es von Ibar.

»Die Ebene von Breg«, wiederholte der Knabe sinnend, dann bat er: »Sei so freundlich und zähle mir die Gehöfte und Ringburgen auf, welche dort zu sehen sind.«

Ibar seufzte. »Die drei größten Höfe heißen Temair, Taltin und Cletech. Die Festung auf dem Hügelsporn im Südosten ist Cnogba, und die andere, westlich davon, müßte Brug Mic in Oc sein.«

Damit wollte Ibar sich abwenden, aber Cúchulainn hielt ihn zurück. »Warum verschweigst du mir den Namen der dritten und stärksten Burg am Nordrand von Mag Breg?«

»Weil sie ...« Der Rosselenker schluckte. »Weil sie von den Göttern verflucht ist.«

»Erkläre dich genauer«, forderte Cúchulainn.

»Der Ort heißt Dun mac Neacht«, sagte Ibar leise. »Begreifst du, was das bedeutet?«

»Festung der Söhne des Neacht!« stieß der Knabe hervor. »Auf dieser Ringburg also hausen die Erben des grausamen Fomoriersprosses.«

»Richtig«, nickte Ibar. »Und wie du bestimmt schon in Emain Macha gehört hast, brüsten jene drei Ungeheuer sich bei jeder Gelegenheit, mehr Männer, Frauen und Kinder aus Ulster erschlagen zu haben, als noch am Leben seien.«

»Möglicherweise finden sie bald ihren Meister.« Mit einem einzigen Satz war Cúchulainn auf dem Kampfwagen. »Los, Ibar. Wir werden Dun mac Neacht einen Besuch abstatten.«

Erschrocken wehrte der Rosselenker ab: »Was du vorhast, ist allzu vermessen! Wollten wir uns mit den Neachtsöhnen anlegen, so fänden wir zweifellos ein grauenhaftes Ende.«

»Wenn du allein hier beim Cairn bleibst, könnte dir ebenfalls etwas Entsetzliches widerfahren«, drohte der Knabe.

Daraufhin bestieg auch Ibar widerstrebend den Streitwagen; Cúchulainn ließ die Zügel schnalzen, und wie der
Wind sauste das Gefährt die Südflanke des Sliab Moduirn
hinab.

Noch ehe der sinkende Sonnenball ganz hinter den
Höhenzügen im Westen verschwunden war, erreichte der
Kampfwagen den nördlichen Ausläufer der Ebene von Breg.
Die Kopfschecken galoppierten an armseligen Feldern und
halbverfallenen Bauernkaten vorüber; die wenigen Menschen,
die sich zeigten, wirkten verängstigt wie Sklaven. Nach einer
Weile wurde der Boden fruchtbarer; jetzt wechselten fette
Ackerbreiten mit saftigen Weiden ab, und hinter den Koppel-
mauern grasten große Rinderherden, die offenbar den Herren
von Dun mac Neacht gehörten.

Schließlich, nur noch eine Meile von der Ringburg entfernt, preschten die Hengste auf einen Anger. An seinem Saum
schlängelte sich ein Bach entlang, welcher in Richtung der
von einem Wassergraben umgebenen Hügelfestung floß – und
am Ufer des Bachlaufes erspähte Cúchulainn einen fahlweißen Menhir. Dorthin lenkte er die Kopfschecken; als er sie
einige Schritte vor dem Hohen Stein anhielt, erkannte er, daß
an dem Menhir ein Holzreif hing.

Der Knabe sprang vom Streitwagen, reckte sich an dem
Stein empor und holte den Ring herunter. Nun sah er die
Zeichen in Ogham-Schrift, welche den Reif bedeckten; laut
las er den Satz: »Wer immer die Bachaue von Dun mac
Neacht betritt, soll sie nicht wieder verlassen, ohne einen
der Söhne Neachts zum Zweikampf herausgefordert zu haben.«

Kaum hatte Ibar diese Worte vernommen, rief er: »All diejenigen aber, die taten, was der Ring verlangt, verloren hier auf
diesem Anger ihr Leben!«

»Vermutlich war keiner von ihnen ein Königskrieger«, erwiderte der Knabe – und warf den Holzreif in das zur Festung
strömende Gewässer. Rasch trugen die Wellen den Ring da-

von; Ibar schaute ihm wie erstarrt nach, dann flüsterte er: »Dein Mutwille, Cúchulainn, wird uns beiden den Tod bringen!«

»Warum unkst du bloß ununterbrochen?« tadelte ihn der Knabe. »Habe ich denn nicht schon mehrmals bewiesen, daß ich den Fährnissen, die auf mich zukommen, durchaus gewachsen bin?«

»Du begreifst nicht, welche Bedrohungen jetzt auf uns lauern!« stöhnte Ibar. »Ich flehe dich an, mir bloß dieses einzige Mal nachzugeben. Laß uns von hier verschwinden, solange noch Zeit dazu ist.«

»Meiner Meinung nach sind wir heute weit genug gefahren«, entgegnete Cúchulainn. »Und wenn ich ganz ehrlich sein soll, so hat die lange Reise mich doch etwas ermüdet. Nimm also die Pferdedecken aus dem Wagen und breite sie am Bachufer aus, damit ich ein Schläfchen tun kann.«

»Wir befinden uns tief im Feindesland, und du willst dich zum Schlummer niederlegen...«, keuchte Ibar.

»Solche Kaltblütigkeit steht einem Krieger gut an, das solltest du wissen«, beschied ihn der Knabe.

Dann wartete er, bis Ibar die Decken gebracht hatte, streckte sich auf ihnen aus und war kurz darauf eingeschlafen.

Riesig hing der Vollmond über dem Anger; der schwefelfarbene Nebelhof, der das Gestirn umgab, schien Unheil auszubrüten. Noch immer schlummerte Cúchulainn; der Rosselenker hingegen kauerte beim Kampfwagen, in dem der Knabe seine Waffen zurückgelassen hatte, und spähte zum finsteren Schattenriß der Ringburg, welcher sich vor dem südlichen Horizont abzeichnete.

Plötzlich, weil dort drüben zuckender Fackelschein sichtbar wurde, sprang Ibar auf. Zuerst war er versucht, Cúchulainn zu wecken; im nächsten Moment aber beschloß der

Rosselenker, es besser zu lassen. Das Ungestüm des Knaben würde alles noch schlimmer machen, dachte er und trat zu den Kopfschecken. Auch die Hengste witterten, daß Böses drohte; Schauer zitterten über ihr Fell, nervös schnaubend sogen sie die Nachtluft ein. Ibar klopfte den Pferden die Hälse und raunte beruhigende Worte in ihre Ohren; unterdessen kam das rote Glühen des Feuerbrandes stetig näher – dann vernahm der Rosselenker gedämpften Hufschlag.

Das Mondlicht schälte die Umrisse eines hünenhaften Reiters aus der Dunkelheit; als er sein Tier hart vor dem Streitwagen zügelte und aus dem Sattel sprang, scheuten die Kopfschecken vor der Fackel in seiner Linken zurück.

Während Ibar die Hengste bändigte, erklärte der Hüne, welcher eine eisenbeschlagene Brünne, Helm und Breitschwert trug, in barschem Tonfall: »Ich bin Foill, einer der drei Söhne des Neacht. Und ich will wissen, wem dieser Kampfwagen und die Kopfschecken gehören.«

»Pferde und Wagen stammen aus Emain Macha«, antwortete Ibar und fügte rasch hinzu: »König Conchobar überließ das Gespann einem Knaben, den er in sein Herz geschlossen hat und den du dort schlafen siehst.«

Foill mac Neacht schaute zum Bachufer, wo Cúchulainn auf seinen Decken lag, runzelte die Stirn und fuhr den Rosselenker an: »War es etwa dieser Knirps, welcher den Holzreif zur Burg sandte?«

»Ich vermochte ihn dummerweise nicht daran zu hindern«, entgegnete Ibar. »Und nun bitte ich um Nachsicht für das Kind.«

Foill spuckte aus. »So wie du redest, dienst du dem Säugling wohl als Amme.« Neuerlich blickte er zu Cúchulainn hinüber, dann knurrte er: »Einer Mannestat ist der Knabe jedenfalls nicht fähig. Deshalb will ich Gnade vor Recht ergehen lassen und ihn schonen. Wäre er jedoch groß genug, um die Waffen zu führen, so hätte er sein Leben verspielt, und du müßtest seine Leiche nach Emain Macha heimbringen.«

»Der Kleine ist bestimmt zu keiner Waffentat imstande«, beteuerte Ibar. »Er zählt ja gerade erst sieben Jahre.«

»Also gut«, versetzte Foill mac Neacht. »Aber im Morgengrauen verschwindet ihr auf Nimmerwiedersehen.«

Der Hüne machte Anstalten, sein Pferd zu besteigen – im selben Moment jedoch sprang Cúchulainn auf. Zornig starrte er Foill an, maß ihn von oben bis unten und fuhr auf ihn los: »Du bist gewiß einer der Unholde von Dun mac Neacht, und wenn du glaubst, du könntest mich von deiner Bachaue vertreiben, täuschst du dich!«

»Bist du irrsinnig, du Zwerg?« brüllte Foill. »Begreifst du nicht, daß es mir ein Leichtes wäre, dich wie eine Laus zwischen meinen Fingern zu zerquetschen?«

»Großmaul!« höhnte Cúchulainn. »Wage dich heran, dann wirst du dir an mir die Zähne ausbeißen.«

»Jetzt hast du dein Todesurteil gesprochen!« Foill mac Neacht rammte den Feuerbrand in die Erde und zog das Schwert.

»Flieh, Cúchulainn!« rief Ibar entsetzt. »Es heißt von diesem Riesen, daß ihn weder Klinge noch Speer verwunden kann.«

»Und das ist die reine Wahrheit.« Foill hämmerte den Schwertknauf gegen seine Brust, dunkles Metalldröhnen erklang. »Denn meine Brünnenplatten wurden aus fingerdickem Stahl geschmiedet.«

»Wie du siehst, stehe ich dir waffenlos gegenüber und fürchte dich trotzdem nicht«, spottete Cúchulainn. »Und nun los! Greif mich schon an, damit ich dich dafür bestrafen kann, daß du Dutzende von Männern, Frauen und Kindern erschlugst und die friedlichen Bauern von Mag Breg versklavtest.«

Der Hüne stieß einen heulenden Wutschrei aus, schwang das Breitschwert und stürmte auf den Knaben zu. Ehe er Cúchulainn freilich erreichte, erklomm dieser flink den Menhir, an dem der Holzring gehangen hatte, und schnellte sich von

121

dort aus in hohem Bogen über den heranrennenden Foill mac Neacht hinweg.

Federnd landete er beim Streitwagen, sprang in die Kanzel und riß den Deckel eines an die Wagenwand genieteten Behältnisses auf. Mit dem nächsten Lidschlag stand Cúchulainn auf der Kruppe eines der Kopfschecken und schleuderte die stachelbesetzte Wurfkugel, welche er an sich genommen hatte.

Das Metallgeschoß wirbelte durch den Lichtkreis der im Boden steckenden Fackel – und traf den Kopf des herbeirasenden Hünen. Das Gesicht von Foill mac Neacht zerplatzte zu einer blutigen Masse; der Hüne stürzte und blieb tot vor den Füßen des wie gelähmt wirkenden Rosselenkers liegen, Foills Helm kollerte noch ein paar Schritte weiter.

Unmittelbar darauf fiel ein Schatten über den ungeschlachten Körper; es war Cúchulainn, der jetzt sein Schwert in der Hand hielt. Mit einem einzigen Hieb trennte der Knabe Foills Haupt vom Rumpf, hob es triumphierend dem Mond entgegen und rief: »Auch wenn der Neachtsohn gegen Klingen und Speere gefeit war, so schützte ihn dennoch nichts vor dem Stahlapfel, der sich im goldenen Gefährt fand.«

Danach befestigte Cúchulainn den Schädel außen am Kampfwagen; gerade als er den letzten Knoten in die Haarsträhnen knüpfte, vernahm er die Warnung Ibars: »Es naht abermals ein Feind!«

»Offensichtlich werden die Abkömmlinge des Fomoriersprosses durch Schaden nicht klüger«, erwiderte Cúchulainn. Dann lehnte er sich an den Streitwagen und wartete, bis der Reiter aus der Dunkelheit auftauchte.

Er war noch größer, als Foill gewesen war, und ebenfalls mit Brünne, Helm und Breitschwert bewaffnet; zudem trug er einen schweren Schild. Als er das Haupt am Wagen erblickte, zog er blank und brüllte Ibar an: »Ich bin Tuachall mac Neacht und werde den Tod meines Bruders fürchterlich an dir rächen!«

»Nicht mein Rosselenker erschlug Foill, sondern mir gebührt der Ruhm«, stellte Cúchulainn richtig und zeigte seine blutrote Klinge.

»Wenn du der Schuldige bist, sollst du mit deinem eigenen Koboldschädel bezahlen!« schrie Tuachall. Er sprang vom Pferd, deckte sich hinter seiner Wehr, zückte das Schwert und herrschte den Knaben an: »Komm her, tückischer Balg! Zweifellos konntest du meinen Bruder nur deshalb überwinden, weil du hinterrücks über ihn herfielst – doch in mir wirst du deinen Meister finden.«

»Vorsicht!« rief Ibar. »Wenn du Tuachall nicht mit dem ersten Hieb tötest, kannst du ihn niemals überwinden, denn er ist ein höchst fintenreicher Kämpfer.«

»Gut zu wissen«, versetzte Cúchulainn und ließ die Klinge wie spielerisch über seinem Kopf kreisen. Dann forderte er seinen Gegner noch zusätzlich heraus: »Warum willst du, daß ich angreife? Bist du etwa selbst zu feige dazu?«

»Hundsfott!« brüllte Tuachall und stürmte vorwärts.

Im selben Moment wirbelte das Schwert aus den Händen des Knaben. Direkt vor Tuachalls Beinen bohrte es sich in die Erde, so daß dieser strauchelte – wiederum einen Herzschlag später hatte Cúchulainn einen seiner Speere vom Kampfwagen gerissen und schleuderte ihn mit aller Kraft.

Die Spitze durchdrang Schild, Brünne und Brustkorb des Neachtsohnes und fuhr ihm ins Herz. Stöhnend sank der tödlich Verwundete in die Knie; sofort war Cúchulainn bei ihm, brachte seine Klinge wieder an sich und schlug Tuachall das Haupt ab.

Ibar hob den Schädel auf und reichte ihn Cúchulainn. »Du hast es wahrhaftig beim ersten Zusammenstoß geschafft.«

»Ich befolgte nur deinen Rat«, grinste der Knabe. »Daran kannst du erkennen, daß ich dir stets gerne zu Willen bin.«

Sodann hängte Cúchulainn den Kopf des Tuachall mac Neacht an den Wagen, spähte nach Süden und äußerte: »Vermutlich wird nun alsbald auch der dritte Unhold erscheinen.«

In der Tat dauerte es nicht lange, bis neuerlich Hufschlag

erscholl. Als der riesenhafte Reiter im Mondlicht sichtbar wurde, raunte der Rosselenker: »Dort kommt Fandle mac Neacht. Ihn mußt du vor allem wegen seiner Behendigkeit fürchten. Denn er bewegt sich hurtig wie ein Wiesel zu Land und schneller als eine Forelle im Wasser.«

»Wie du allmählich wissen solltest, kenne ich keine Furcht«, erwiderte Cúchulainn. Dann schwang er das Schwert und rief dem herangaloppierenden Fandle zu: »Die Schädel deiner Brüder, die du hier vom Streitwagen baumeln siehst, heißen dich willkommen. Sie können es kaum erwarten, deinen Kopf als den Dritten im Bunde aufzunehmen.«

Fandle mac Neacht riß sein Roß so hart in die Hanken, daß es auf der Hinterhand einknickte. »Wer bist du?« schrie er. »Wie war es dir Zwerg möglich, Foill und Tuachall zu erschlagen?«

»Finde es heraus!« gab Cúchulainn zurück. »Steig vom Pferd und stell dich mir.«

Fandle glitt aus dem Sattel, zog die breite Klinge und hob den Schild – aber plötzlich besann er sich anders. »Du willst mich zum Zweikampf auf dem Anger verlocken, weil du wahrscheinlich Fußangeln hier versteckt hast. Einzig auf diese hinterhältige Weise kannst du meine Brüder zu Fall gebracht haben, und jetzt möchtest du das gleiche feige Spiel mit mir versuchen. Doch ich gehe dir nicht auf den Leim – vielmehr verlange ich, daß du mir im Bachbett gegenübertrittst.«

»Ob ich dir das Haupt auf festem Grund oder im Wasser nehme, bleibt sich gleich«, entgegnete Cúchulainn. »Und nun komm zum Bach, wo du die Strafe für deine beleidigenden Worte erhalten wirst.«

»Wer wen bestraft, wird sich herausstellen«, feixte Fandle mac Neacht. Blitzschnell huschte er davon – und stand auch schon mitten in dem vom Mondlicht beschienenen Gewässer.

Cúchulainn indessen war noch rascher gewesen; jetzt tauchte er im Rücken seines Gegners aus einem Strudel auf und versetzte Fandle einen Flachhieb gegen die Schulter, so daß dieser ausrutschte und einige Schritte stromab taumelte.

Wutentbrannt fuhr der Neachtsohn herum – mit dem nächsten Herzschlag war der Schwertkampf in vollem Gange. Eine tobende Wasserhose schien kreuz und quer über das Bachbett zu rasen; aus den schrill singenden Klingen stoben Funkenkaskaden, und geraume Zeit sah es so aus, als sei Fandle dem Knaben gewachsen.

Am Ende aber führte Cúchulainn drei meisterliche Hiebe, welche dem Neachtsohn Schildarm, Schwertarm und Schädel raubten. Mit einem Freudenschrei packte der Knabe das abgetrennte Haupt bei den Haaren, warf es ans Ufer und schleifte den leblosen Körper an Land; dann trug er Fandles Kopf zum Streitwagen, um ihn neben den beiden anderen zu befestigen.

Stumm wartete Ibar ab, bis Cúchulainn den letzten Knoten geschlungen hatte; schließlich sagte er mit bewegter Stimme: »Was du in dieser Nacht geleistet hast, wird sehr bald durch Bardengesänge gefeiert werden. Denn du bist wahrlich ein Königskrieger und hast in ganz Ulster – Conchobar vielleicht ausgenommen – nicht deinesgleichen.«

»Mein Sieg über die Neachtsöhne war nur der Anfang«, erwiderte Cúchulainn. »Noch nämlich steht ihre Ringburg, und mein Heldenblut, das vom dreifachen Kampf erhitzt ist, schreit danach, Dun mac Neacht zu stürmen und zu zerstören. Laß uns also unverzüglich dorthin aufbrechen, damit die Raben, welche über die Ebene von Breg fliegen, mehr Nahrung als bloß die Kadaver von Foill, Tuachall und Fandle finden.«

DER KAMPFRAUSCH

Cúchulainn lenkte die Kopfschecken in langsamem Trab zur Ringburg; Ibar hielt die Fackel hoch, welche Foill mac Neacht mit auf die Bachaue gebracht hatte. Auf diese Weise glückte es den Angreifern, die Festungswächter zu täuschen. Die Bewaffneten am Torbau glaubten, es seien die Neachtsöhne, welche zurückkehrten – bis sie mit einemmal den goldenen Streitwagen gewahrten.

Im selben Augenblick stieß Cúchulainn, dessen Antlitz vor Kampfbegierde glühte, einen gellenden Kriegsschrei aus. Die Hengste streckten sich, rasten über die Grabenbrücke und preschten den Burghügel hinauf. Cúchulainn schleuderte vier Stachelkugeln und ließ seine beiden Wurfspeere folgen; alle sechs Wächter, die sich beim Tor befunden hatten, stürzten tot zu Boden. Im Vorbeijagen riß der Knabe die Speere wieder an sich; mit schmetterndem Wiehern galoppierten die Kopfschecken ins Innere der Festung – und jetzt begann die eigentliche Schlacht.

Ein Dutzend Bogenschützen versuchte den Streitwagen aufzuhalten; fauchend fiederten die Pfeile heran, doch Cúchulainn fing die Geschosse teils mit dem Schild ab, teils zerhieb er sie mit dem Schwert in der Luft. Dann prallten die Hengste gegen die Kriegerschar und zerstampften mehrere Männer unter ihren Hufen. Die übrigen starben unter sausenden Schwertschlägen, die aus dem Wagen heraus geführt wurden; Cúchulainn spaltete die Schädel von sieben Kriegern, Ibar tötete zwei.

Kaum war der letzte Bogenschütze gefallen, flog das Tor der Stallung auf, und vier Streitwagen donnerten ins Freie. »Endlich stellen sich mir ernstzunehmende Feinde!« jubelte Cúchulainn und griff erneut in den Behälter mit den Stahläpfeln. Unter dem Aufschlag der Wurfkugeln zersplitterten die Räder zweier gegnerischer Wagen; der dritte kippte um, weil Cúchulainn beide Pferde durch einen einzigen Speerwurf fällte. Im nächsten Moment setzte er den vierten Kampfwagen außer Gefecht, indem er sich, seinen Schild vor der Brust, aus dem eigenen Gefährt hinüberschnellte, die Feinde niederriß und sie mit den Dreifachstacheln seiner Wehr durchbohrte.

Einen Lidschlag später stand Cúchulainn wieder in der

Kanzel des goldenen Wagens und hetzte nun die überlebenden Gefolgsleute der Neachtsöhne kreuz und quer durch die Ringburg. Keiner entkam den Klingen des Siebenjährigen und seines Rosselenkers; erst als sie alle in ihrem Blut lagen, zügelte Cúchulainn die Kopfschecken.

Vor der Balkenhalle im Zentrum der Festung brachte der Knabe die Hengste zum Stehen, reinigte sein Schwert und stieß es in die Scheide. Dann rief er den Frauen und Kindern, welche auf die Dächer der Wohngebäude geflüchtet waren, zu: »Laßt das Jammern und Kreischen, ihr habt nichts zu befürchten. Denn ich, ein Königskrieger von Ulster, lehne es ab, mich an Schwachen zu vergreifen. Foill, Tuachall und Fandle jedoch sowie die Raub- und Mordkrieger, die ihnen dienten, begingen derartige und viele weitere Verbrechen, deshalb wurden sie von mir und meinem Gefährten bestraft. Ihr aber könnt in Frieden abziehen – freilich rate ich euch, keine Zeit zu verlieren, weil Dun mac Neacht noch vor Morgengrauen in Flammen aufgehen wird.«

Eilends kletterten die Witwen und Waisen von den Hausdächern, trugen ihre Habe zusammen, luden Kleiderbündel, Bettzeug und Kornsäcke auf Karren und verschwanden aus der Ringburg. Sobald sie nicht mehr zu sehen waren, scheuchten Cúchulainn und Ibar die noch lebenden Gespannpferde weg, schoben die Streitwagen der Besiegten in die Halle und warfen sämtliche Waffen dazu, die sie fanden. Danach steckten sie das hohe Gebäude in Brand, bestiegen ihren goldenen Wagen und verließen die Festung ebenfalls.

Aus sicherer Entfernung beobachteten sie, wie das Feuer um sich griff. Funkengarben flogen auf die Strohdächer der anderen Häuser; bald stand die ganze innere Burganlage in Flammen, zuletzt loderten auch die umgebenden Palisaden sowie der Torbau im Ringwall auf. Weit leuchtete die Feuersbrunst über die Ebene von Breg hin, dann verband sich ihr flackernder Schein mit dem ersten Strahl der Morgensonne, der im Osten über einen Bergkamm schoß.

Purpurnes Licht glühte auf Cúchulainns Antlitz; es war, als würde der Knabe selbst brennen. Er ist noch immer vom Kampfrausch besessen, der in seinem Blut tobte, dachte Ibar; gleich darauf hörte er Cúchulainn sagen: »Lughs Gestirn begrüßt unsere Tat. Freude herrscht in Tír na n'Og, weil das Mordnest zerstört wurde. Doch ich bin rastlos und kann hier, wo meine Aufgabe erfüllt ist, nicht länger verharren.«

Damit trieb er die Rösser an, in gestrecktem Galopp preschten sie nach Norden davon. Auf dem Anger, wo bereits Raben über den Körpern von Foill, Tuachall und Fandle mac Neacht schwirrten, steigerte sich das Huftrommeln der Kopfschecken zu rasendem Stakkato – und ehe die Sonne ihren Mittagsstand erreicht hatte, wurde in der Ferne die Furt der Grenzwache sichtbar.

Beim Steinturm erwartete Conall Cernach den Kampfwagen. Nachdem das Gefährt schleudernd zum Stillstand gekommen war, starrte der Hirschäugige ungläubig auf die Schädel der Neachtsöhne, dann wandte er sich an seinen Milchbruder und bekannte: »Ich tat dir unrecht, Cúchulainn. Offenbar warst du durchaus imstande, dich jenseits der Grenze ohne meine Hilfe zu behaupten. Du hast, wie die drei Köpfe bezeugen, eine außergewöhnliche Heldentat vollbracht. Ich bin sehr stolz auf dich, der du wahrhaftig zum Königskrieger wurdest.«

Conall trat ganz an den Wagen heran, um seinen Milchbruder zu umarmen. Da aber spürte er den Anhauch der Hitze, welche von Cúchulainns Leib abstrahlte. Er fuhr zurück und versetzte: »Bei den Mächten Annwns! Du glühst ja wie eine Schmiedeesse.«

»Das Kampffeuer brennt nach wie vor in mir«, erwiderte Cúchulainn. »Ich bin wild, bin gepeitscht von unwiderstehlichem Tatendurst. Deshalb kann ich nicht länger verweilen. Ich muß die Hengste hetzen, damit der heulende Wind mir Linderung verschafft.«

Die Kopfschecken bäumten sich auf und jagten davon;

kaum war der goldene Wagen weg, begriff Conall Cernach, daß er Cúchulainn einen Freundschaftsdienst leisten mußte.

Dreimal beschwor er Cernunnos, mit dem er seit seiner Zeugung verbunden war – nach der dritten Anrufung bemerkte Conall die Gegenwart des Gehörnten. Rings um den Rundturm wallte der Sand hoch, unsichtbar dahinstiebende Hufe zeichneten eine Hirschfährte auf die Erde. Gleichzeitig vernahm der Grenzwächter die röhrende Frage des Gottes und antwortete: »Ich bitte dich, Cernunnos, meinem Milchbruder auf deine Art beizustehen. Denn sonst könnte aufgrund seines zügellosen Dranges nach beispiellosen Waffentaten schwerer Schaden in Ulster zu beklagen sein.«

Sofort zogen sich die Hufspuren zu einem Streifen Auwald unweit der Furt. Aus dem Gehölz heraus ertönte es wie das Wetzen von Geweihstangen, dann brach ein Rudel mächtiger Rothirsche ins Freie und fegte nach Norden: in dieselbe Richtung, welche der Streitwagen genommen hatte.

Rasch holte das von göttlicher Kraft durchdrungene Hirschrudel den goldenen Wagen ein. Erstaunt sah Cúchulainn, wie die Tiere mühelos an den Hengsten vorbeipreschten und ein Stück weiter vorne in tollen Sätzen zu kapriolen begannen; ganz so, als wollten sie die Besatzung des Kampfwagens necken.

»In diesen Hirschen wirkt ein Zauber«, rief Ibar. »Und er ist noch stärker als der, den Cathbad über die Kopfschecken warf.«

»Das muß sich erst herausstellen.« Cúchulainn trieb die Hengste an, verlangte ihnen das Äußerste ab – in der Tat kamen sie nahe an die Rothirsche heran, welche nun wieder in langen Fluchten liefen. Doch plötzlich verdoppelten die Wildtiere ihre Geschwindigkeit, rasten einen Berghang empor, verschwanden in einem Waldstück – und erschienen wenige Herzschläge später auf der Kuppe eines benachbarten Hügels. Dort verharrten sie, bis der Streitwagen in Speerwurfweite war, und fegten neuerlich blitzschnell davon.

Mehrere Male wiederholte sich dieses Spiel; schließlich verlor Cúchulainn, den längst unbezähmbare Jagdlust gepackt hatte, die Geduld. Er warf Ibar die Zügel zu, sprang mit einem halsbrecherischen Satz aus dem Wagen und hetzte dem Hirschrudel zu Fuß hinterdrein. Über drei Bergrücken hinweg verfolgte er die Tiere; mehr und mehr verringerte sich der Abstand zwischen ihm und den Rothirschen, zuletzt gelang es Cúchulainn, die beiden stärksten Hirsche an den Geweihstangen zu packen.

Während der Rest des Rudels in eine Felskluft floh, zwang der Knabe die widerspenstigen Tiere zu Boden und wartete, bis Ibar mit dem Kampfwagen zur Stelle war. Sodann schlang er Lederriemen um die Nacken der Rothirsche und band den einen links, den anderen rechts an das Gefährt. Danach landete er mit einem federnden Satz an Ibars Seite und erklärte lachend: »Möglich, daß in den Gehörnten tatsächlich stärkere Magie steckt als in den Gescheckten, aber mir sind sie dennoch nicht gewachsen.«

Der Rosselenker hatte den Eindruck, als würde ein Glutstrom aus dem Mund des Siebenjährigen schlagen; gleich darauf ließ ein gellender Schrei Cúchulainns die Hengste weitergaloppieren. Mühelos hielten die Hirsche Schritt; unaufhaltsam donnerte das seltsame Gespann über die Heide oder an Ackerbreiten vorüber, und die auf den Feldern arbeitenden Bauern trauten ihren Augen nicht.

Um die Nachmittagsmitte tauchte in der Ferne die Ringburg von Emain Macha auf. Ibar wollte den Knaben mahnen, den Lauf der Kopfschecken zu hemmen, doch im selben Moment griff Cúchulainn von sich aus in die Zügel. Allerdings nur, um die Hengste scharf herumzureißen und sie nach Westen preschen zu lassen.

»Was soll das?« stieß der Rosselenker hervor.

Cúchulainn deutete zum Himmel – jetzt erspählte auch Ibar die Kette majestätischer Schwäne, die über das Firmament zog.

Nun beschrieben die Vögel einen Bogen und strichen näher; vor Jagdeifer bebend rief der Knabe: »Die Gefiederten fordern mich ebenso heraus wie zuvor die Gehörnten.«

»In den Lüften wirst du ihnen aber schwerlich beikommen können«, äußerte der Rosselenker.

»Warte ab!« Eine feurige Aura schien um Cúchulainns Körper zu flirren, sein Gesicht schimmerte rotgolden wie geschmolzene Bronze. Er ließ die Zügelriemen knallen, die Hufe der Kopfschecken und Hirsche trommelten die Erde; im Nu hatte der Streitwagen die Stelle erreicht, wo die Vögel jetzt kreisten. Dort zwang Cúchulainn die Zugtiere in eine halsbrecherische Kehre; der Wagen schleuderte dermaßen heftig herum, daß ein fauchender Staub- und Sturmwirbel zum Himmel emporstieg.

Die tosende Windhose rüttelte die Schwingen der Schwäne; einige taumelten, peitschten hilflos mit den Flügeln – fast sah es so aus, als hätte die List des Knaben Erfolg. Doch dann überwanden die Vögel den Aufruhr, schraubten sich wieder höher und zogen ihre Kreise so ruhig wie zuvor.

»Du versuchst das Unmögliche.« Ibar wischte Schmutz aus seinen Augen. »Laß uns nach Emain Macha heimkehren. An den Köpfen der Neachtsöhne und den eingefangenen Rothirschen hast du Beute genug.«

»Zu den Schädeln und Zauberhirschen gehören die Schwäne«, widersprach Cúchulainn und trieb die Hengste von neuem an.

Gleich einem goldenen Blitz schoß der Kampfwagen über die Heide; auf einmal hatte Ibar den Eindruck, als berührten die Räder kaum noch den Erdboden. Im selben Augenblick packte Cúchulainn seinen Schild, hielt ihn waagrecht vor die Brust und schnellte sich aus der Wagenkanzel.

Brüllend griff der Fahrtwind unter die Wehr und riß den Knaben empor. Sich an den schimmernden Schild klammernd, segelte Cúchulainn hoch in die Luft; plötzlich aber geriet er ins Trudeln und drohte abzustürzen. Doch da sprühte eine gabelförmige Lichtgarbe aus der Sonne, umfloß Cúchulainn und wurde zu einer heulenden, wieder dem Sonnenball entgegentobenden Sturmbö. Auf ihr reitend raste der Knabe höher und höher – bis er die Schwäne erreichte, die nun zu fliehen versuchten.

Cúchulainn rauschte ihnen hinterher; inzwischen flach auf der Schildwehr liegend, schwang er in der Rechten eine lange Lederschnur, deren Ende er vor seinem Sprung aus dem Streitwagen um den Leib geknotet hatte. So geschickt war sein Wurf, daß die Leine acht Schlingen bildete, welche sich um die Hälse von ebensovielen Vögeln zusammenzogen. Und diese gefesselten, eng nebeneinander fliegenden Schwäne zwang der Knabe jetzt dazu, ihn in weiten Kreisen zurück zur Erde zu tragen.

Hart neben dem Kampfwagen, den Ibar mittlerweile zum Stehen gebracht hatte, landete Cúchulainn. Er entledigte sich des Schildes und band die Großvögel, ihrer ungebärdigen Flügelschläge nicht achtend, an das Gefährt. Zuletzt flatterten sie allesamt über den Rothirschen und den Kopfschekken; ihre knallenden Schwingenhiebe reizten die Hirsche, so daß diese unentwegt mit den Geweihen nach ihnen forkelten.

Als Cúchulainn seinen Platz neben dem Rosselenker einnahm, setzte Ibar mehrmals vergeblich zum Sprechen an, endlich brachte er heraus: »Mit deinem Himmelsflug ... hast du die Götter versucht!«

»Mag sein«, entgegnete Cúchulainn. Heißer denn je umwaberte ihn die verzehrende Glut, feurige Lohe schien aus seinen Augen zu züngeln. »Aber vielleicht war es umgekehrt. Womöglich war ich es, der von den Bewohnern Tír na n'Ogs herausgefordert wurde, damit ich Gelegenheit fand, ihnen meinen Mut nicht nur am Erdboden, sondern auch in den Lüften zu beweisen.«

Bevor der Rosselenker etwas erwidern konnte, galoppierten die Hengste los. Von den Gehörnten und den Gefiederten begleitet jagte das Gespann der Königsburg entgegen, wo die wilde Fahrt Cúchulainns und Ibars tags zuvor ihren Ausgang genommen hatte.

In einer Grotte am Fuß der Hügelfestung von Emain Macha lebte seit vielen Jahren Leborcham: eine Ovatin, deren Blick Raum und Zeit zu durchdringen vermochte. An diesem Nachmittag stand die weise Frau inmitten des Ringwalles und hielt Zwiesprache mit dem Weltenbaum – auf einmal zuckte sie zusammen und spähte nach Süden. Weit entfernt, noch kaum sichtbar, erkannte Leborcham einen Staubwirbel; im selben Moment, da sie ihn gewahrte, erlebte die Ovatin eine Vision.

Leborchams Schrei gellte durch die Burg. Knechte und Mägde rannten herbei; unter dem Portal der großen Halle erschienen Conchobar sowie eine Gruppe von Adelskriegern und edlen Frauen, welche dem Herrscher an der Tafel Gesellschaft geleistet hatten. Auf halbem Weg zwischen Weltenbaum und Hallenbau trafen der König und die Ovatin zusammen; besorgt fragte Conchobar: »Warum hast du gerufen?«

»Weil Emain Macha Gefahr droht!« erwiderte Leborcham. »Ein Streitwagen naht: ein Gefährt, wie keines Menschen Auge es je erschaute. Rotglühende Aura umhüllt den leprechaunartigen Recken, der das Gespann lenkt. Drei blutüberströmte Häupter hängen an der Wagenkanzel. Hirsche mit gewaltigen Geweihen rennen daneben einher, Schwäne mit schwirrenden Schwingen toben über den Gehörnten.«

»Ein Krieger so klein wie ein Leprechaun – das kann nur Cúchulainn sein«, vermutete Conchobar.

»So ist es«, bestätigte die Ovatin. »Doch heute mußt du deinen Schwestersohn fürchten. Er hat seine Hände in dampfendes Blut getaucht, er ist von Raserei befallen und brennt im Kampfrausch. Allzu leicht wäre es möglich, daß sein Tatendurst entsetzliches Unheil in Emain Macha anrichtet. Dutzende tapferer Männer könnten sterben, wenn die in Cúchulainn wütende Glut nicht abgedämpft wird.«

»Wozu ratet ihr?« wandte sich der König an die Umstehenden.

Eine der jungen Edelfrauen, die in den Nächten Conchobars Lager teilten, schlug vor: »Vielleicht ist weiches, duftendes Fleisch imstande, die Brunst des Wagenkämpfers zu löschen. Laß uns Frauen hinaus vor den Wall gehen, dort wollen wir die Gewänder ablegen und Cúchulainn nackt empfangen.«

Der König überlegte, dann nickte er. »Versucht es. Alle Männer jedoch bleiben in der Festung und wappnen sich für den Fall, daß mein Neffe euren Reizen widersteht.«

Rasch liefen die Edelfrauen zum Torbau, eilfertig folgten ihnen Scharen von Mägden. Am Fuß des Burghügels nahmen die Frauen, insgesamt einhundertfünfzig an der Zahl, zu beiden Seiten des nach Süden führenden Weges Aufstellung. Als der Streitwagen nahe genug herangekommen war, lösten sie die Gewandspangen und ließen ihre Kleider fallen.

Wenig später bog der Wagen um die letzte Kehre vor dem Anstieg zur Festung. Kaum sah Ibar die nackten Burgfrauen, stieß er einen Freudenruf aus und machte Anstalten, Cúchulainn die Zügel aus der Hand zu reißen, um den Lauf der Kopfschecken zu hemmen. Der Knabe aber, auf dessen Antlitz sich jäh grenzenlose Scham malte, verhinderte die Absicht des Älteren. Er trieb die Hengste zu noch schnellerem Galopp an und bedeckte die Augen mit der Hand, während das Gespann an den Frauen vorüberjagte.

Schleudernd raste der Kampfwagen durch das Festungstor; ein Stück vor dem Weltenbaum brachte Cúchulainn die Kopfschecken zum Stehen, ließ sie steigen und brüllte wütend zu Conchobar hinüber: »Es ist eine Schande, daß ein Königskrieger, der einzigartige Siege errungen hat, bei seiner Heimkehr von blöde kichernden Weibern begrüßt wird!«

»Gemach!« mahnte Conchobar. »Die Frauen wollten dir auf ihre Art für deine Taten danken, doch leider...«

»Für den Schimpf, der mir angetan wurde, verlange ich auf der Stelle Genugtuung!« fiel der Knabe dem König ins Wort – gleichzeitig sprang Ibar vom Wagen, weil er die sengende Hitze in Cúchulainns Nähe nicht länger ertrug.

»Du sollst bekommen, was du nötig hast«, versetzte Conchobar doppeldeutig.

Im selben Moment stürzten sich drei Dutzend Adelskrieger auf Cúchulainn und rissen ihn aus der Wagenkanzel – freilich gelang ihnen dies nur mit Cathbads Hilfe, welcher unvermittelt aus dem Stamm des Weltenbaumes heraus Gestalt annahm und einen lähmenden Zauber über Cúchulainn warf. Aus diesem Grund vermochte der Knabe lediglich mit der Kraft von fünf Männern Widerstand zu leisten, so daß es den Kriegern glückte, ihn zu einem hohen, mit eiskaltem Wasser gefüllten Bottich zu schleppen, den der König auf Leborchams Rat hin hatte aufstellen lassen.

Als Cúchulainn in den Zuber getaucht wurde, begann das Eiswasser zu kochen; einen Herzschlag später platzten die Eisenreifen vom Bottich, und die Dauben fielen auseinander. Aber sofort hoben die Adelskrieger den Knaben in einen zweiten Zuber. Wieder wallte das Wasser auf, zischend quollen Dampfwolken empor, doch diesmal hielt der Bottich der brodelnden Glut stand. Die Krieger warteten, bis die sprudelnden Luftblasen kleiner wurden, dann setzten sie Cúchulainn in einen dritten Zuber. In diesem schließlich kühlte der Knabe so weit ab, daß keine Gefahr mehr von ihm ausging und seine Überwinder ihn loslassen konnten.

Triefend stieg Cúchulainn aus dem Bottich, schüttelte sich, sog die Luft tief in die Lungen und erklärte fröhlich: »Ich fühle mich prächtig. Außerdem habe ich Hunger wie ein Wolf.«

»Es wird noch in dieser Stunde ein Festmahl für dich ausgerichtet werden«, versprach Conchobar. »Und du sollst den Ehrenplatz an der Tafel einnehmen, denn deine erste Feindfahrt als Königskrieger trug Ulster großen Ruhm ein.«

»Bald werden die Barden ganz Erinns denjenigen besingen, der den schrecklichen Neachtsöhnen die Schädel nahm«, verkündete Leborcham.

Cathbad aber umarmte den Knaben, wobei er ihm zuraunte: »Bei Gelegenheit mußt du erzählen, was du empfandest, als du mit Cernunnos' Hirschen um die Wette ranntest, und wie deine Gefühle beim Flug auf dem von Lughs Kraft gelenkten Schild waren.«

»Gut, daß du mich an die Tiere erinnerst«, entgegnete Cúchulainn. »Wenn ich es recht bedenke, ist es Zeit, ihnen die Freiheit zurückzugeben.«

Damit schritt er zum Kampfwagen und löste zunächst die Leinen der Schwäne. Dreimal umkreisten die Vögel den Knaben, ehe sie sich hoch in die Lüfte schwangen und nach Westen davonflogen. Anschließend befreite Cúchulainn die Rothirsche, klopfte ihnen die Hälse und führte sie zum Torbau. Draußen schien er sich kurz mit ihnen auszutauschen; dann preschten die Gehörnten den Hang hinab – und erregten wilden Aufruhr unter den nun wieder bekleideten Frauen, die soeben den Pfad zur Ringburg heraufkamen.

Grinsend schlenderte Cúchulainn zurück zum Streitwagen; während er die Mähnen der Kopfschecken kraulte, bat er Ibar, die Hengste in die Stallung zu führen und ihnen reichlich Kornfutter vorzuwerfen.

Kaum hatte der Rosselenker das Gespann in Bewegung gesetzt, trat Conchobar zu seinem Neffen und sagte: »Dein Gewand wurde durch das Bad in Mitleidenschaft gezogen. Deshalb sollst du, bevor wir uns an der Tafel niederlassen, neue Kleider bekommen.«

»Dagegen ist nichts einzuwenden«, schmunzelte Cúchulainn, um Conchobar sodann in dessen Gemächer zu folgen.

Dort legten die Edelfrauen dem jungen Königskrieger ein feingewebtes Untergewand an, das mit Goldfäden durchwirkt war; danach warfen sie ihm einen prachtvollen grünen Umhang über, welcher durch eine Silberfibel geschlossen wurde. Auch kämmten die Frauen Cúchulainns Haar und flochten

Bänder in seine goldgelben, brandroten und dunkelbraunen Locken.

Nachdem Cúchulainn das Schwert gegürtet, die Speere geschultert und den Schild ergriffen hatte, schritt er an Conchobars Seite zur großen Halle; Adelskrieger und Edelfrauen gaben dem König und dessen Schwestersohn das Geleit. In der Festhalle, wo bereits ein feister Stier am Bratspieß gedreht wurde, führte Conchobar seinen Neffen zum Hochsitz am Kopfende der mit kostbarem Geschirr gedeckten Tafel. Cúchulainn nahm zur Rechten des Herrschers Platz; zu ihnen gesellten sich Cathbad und Leborcham, und über dem Lehnstuhl des jungen Königskriegers hingen die Häupter der von ihm besiegten Neachtsöhne.

Conchobar brachte den ersten Trinkspruch auf Cúchulainn aus, nach ihm hoben die Adligen ihre Pokale und priesen die tapferen Taten des Knaben. Dann wurden die Vorspeisen aufgetragen: duftendes Weißbrot, Happen von Salmen, Hechten und Forellen in scharf gewürzten Tunken, dazu Fasanenbrüste und Rebhuhnschenkel sowie Lebern und Herzen von Schweinen, Schafen, Ziegen und Rindern. Reichlich floß der Metheglyn, rasch verbreitete sich ausgelassene Stimmung in der Königshalle von Emain Macha.

Schließlich gab Conchobar Befehl, den gebratenen Stier vom Feuerbock zu nehmen und ihn zum Hochsitz zu bringen. Eigenhändig schnitt der Herrscher das beste Stück aus der Lende des Tieres, spießte die kroß gerösteten Bullenhoden daran fest, hielt den Dolch, an dem die Leckerbissen steckten, hoch und rief: »Wem gebührt die Ehrenportion?«

»Unbestreitbar deinem Schwestersohn, welcher bei seiner ersten Fahrt ins Feindesland unerhörten Mut bewies«, antwortete der Älteste unter den Adelskriegern; begeistert pflichteten ihm alle übrigen Anwesenden bei.

»Du hast dein Lob aus den Mündern der edelsten Männer von Ulster vernommen!« wandte sich Conchobar an Cúchulainn, dann legte er die Bratenstücke auf dessen goldenen Teller.

»Dies ist meine erste Ehrenportion, jedoch gewiß nicht die letzte«, äußerte der Knabe.

Die Festgäste bejubelten seine Worte, und auch später, als Ibar ausführlich von den Abenteuern berichtete, die Cúchulainn und er bestanden hatten, ließen die Krieger und Edelfrauen den jungen Helden immer wieder hochleben.

Erst lange nach Mitternacht endete die Feier. Zusammen mit Cathbad, Conchobar, dessen vertrautesten Gefolgsleuten sowie einer Schar hochgeborener Frauen begab sich Cúchulainn zu den königlichen Gemächern. Dort suchte er seine Kammer auf; während er aus den Kleidern schlüpfte, vernahm er durch das offene Fenster ein zweifaches Wiehern und erkannte die Stimmen der Kopfschecken.

Cúchulainn lächelte, tastete noch einmal nach dem Griff seines Schwerts und sandte den Hengsten eine geistige Botschaft: Ihr ruft mich nicht vergebens. Bald werdet ihr erneut vor dem goldenen Wagen rennen, um zusammen mit mir Abenteuer zu suchen, das verspreche ich euch.

Im Lauf der folgenden Jahre vollbrachte Cúchulainn eine ganze Reihe ruhmvoller Taten; mit der Zeit gelang es ihm auch, die Glut zu bemeistern, die nach den Kämpfen in seinem Blut tobte. Bereits kurz nachdem er den Sieg über die Neachtsöhne errungen hatte, lehrte er die Raub- und Mordbanden, welche Ulster durchstreiften, das Fürchten. Wochenlang jagte er die Gesetzlosen, bis er Dutzende von ihnen getötet hatte und der Rest über die Grenzen geflohen war. Als Cúchulainn das Land von den Verbrecherhorden gesäubert hatte, entband ihn der Schmied Culann von der Aufgabe, nachts anstelle der in Rath Cimbaeth ruhenden Kampfbestie vor seinem Hoftor zu wachen; ohnehin war der Jungrüde, den Culann aufgezogen hatte, inzwischen zu schreckenerregender Größe herangewachsen.

Einige Monate nach seinem achten Geburtstag nahm Cúchulainn erstmals an einem Kriegszug teil. Das Heer Conchobars fiel in Connaught ein und stürmte dort mehrere Festungen; stets war der Schwestersohn des Königs in der vordersten Angriffsreihe zu finden und sammelte mehr Köpfe als jeder andere Recke.

Wiederum ein Jahr später gelangte die Kunde nach Emain Macha, daß die Ringburg am Meer, wo Dechtire und Sualtach mac Roich lebten, von Feinden bedroht wurde. Sofort brach Cúchulainn im goldenen Streitwagen auf, um seiner Mutter und ihrem Gemahl zu Hilfe zu eilen. Im Land an der Küste errang er Sieg um Sieg; zuletzt hatte er die gegnerischen Kampfhaufen restlos aufgerieben, und nur wenigen Überlebenden gelang es, über die See nach Alba zu fliehen.

Um Dechtire und Sualtach eine Freude zu machen, blieb Cúchulainn längere Zeit bei ihnen. Wenn es ihm auf der Klippenfestung zu langweilig wurde, bestieg er zusammen mit einer Schar erprobter Krieger eine Segelbarke, um Piraten aus versteckten Inselbuchten zu scheuchen und ihre Schiffe auf den Meeresgrund zu schicken.

Als Zwölfjähriger kehrte Cúchulainn über Dun Tobarce, wo er einige friedliche Wochen zusammen mit seinen Zieheltern Findchaem und Amergin genoß, nach Emain Macha zurück. Während er allmählich zu einem jungen Mann heranwuchs, bewährte er sich in vielen weiteren Schlachten und Scharmützeln.

Längst wurden seine Taten überall in Erinn von den Barden besungen   dann, im Alter von achtzehn Jahren, begegneten Cúchulainn zwei Herausforderungen, vor denen jeder andere Recke angstvoll zurückgewichen wäre. Der Held von Ulster jedoch stellte sich den Ungeheuern, deren Namen die Menschen nur flüsternd auszusprechen wagten.

ZWEITES BUCH

DIE AMAZONEN VON ALBA

GOLL UND GARB

»Bleib«, flüsterte die junge Frau in Cúchulainns Ohr. Ihre Zungenspitze reizte ihn, das goldblonde Haar der Schönen streichelte seine Brust. »Bleib noch ein wenig bei mir. Ich möchte dich im Schein der Morgensonne lieben. Ihr Licht soll über unsere nackten Körper spielen, während du mir das gleiche Entzücken schenkst wie in der vergangenen Nacht.«

Der achtzehnjährige Königskrieger lächelte. »Du bist unersättlich, weißt du das?«

»Wenn ich in deinen Armen liege, ja«, bekannte die Blonde. Ihre Lippen suchten seinen Mund; rasch wurde der Kuß leidenschaftlich – doch plötzlich erstarrte Cúchulainn, horchte zum Fenster und sprang aus dem Bett.

»Was ist los?« fragte die Frau verblüfft.

»Ein Reiter galoppiert in die Burg«, erwiderte Cúchulainn. »Und ich ahne, er bringt schlechte Botschaft.«

Eilig fuhr er in seine Kleider und verließ die Kammer. Beim Weltenbaum sah er den Berittenen, dessen abgehetztes Roß schaumbedeckt war. Der Mann, ein einfacher Krieger, wankte im Sattel; aufgestörte Knechte bemühten sich um ihn.

Als der Reiter Cúchulainn erblickte, glitt er vom Pferd, taumelte ihm entgegen und keuchte: »Dich habe ich gesucht… Allein du kannst helfen…«

Cúchulainn fing den Erschöpften auf. »Worum geht es? Wer sendet dich?«

»Die Menschen des westlichen Grenzlandes«, stieß der Mann hervor. »Ein fürchterlicher Unhold treibt dort sein Unwesen… Goll lautet sein Name…«

»Komm mit zum König«, befahl Cúchulainn.

In den Gemächern Conchobars faßte sich der Bote so weit, daß er Einzelheiten zu berichten vermochte: »Goll ist ein Riese mit Fomorierblut, welcher die Stärke von zweihundert Männern besitzt. Sein einziges Auge, das auf der Stirn glüht, schleudert tödliche Feuerblitze. Ursprünglich lebte der Ungeheuerliche auf einer Insel vor der nordwestlichen Küste Connaughts. Kürzlich aber, vermutlich von der Arglist unserer Erzfeinde angestachelt, brach Goll nach Osten auf. Vor einer Woche erreichte er Ulster und zertrampelte gleich diesseits der Grenze die Hütten eines ganzen Dorfes unter seinen Füßen. Seitdem watet er ununterbrochen im Blut, Dutzende weiterer Ansiedlungen fielen ihm bereits zum Opfer, und...«

»Habt ihr den Riesen denn nicht bekämpft?« unterbrach Conchobar den Unglücksboten.

»Wir versuchten es sehr wohl«, entgegnete dieser. »Unter Führung des Gaufürsten zogen wir ins Feld, um Goll unschädlich zu machen. Das Heer zählte fast ein halbes Tausend Fußkämpfer, dreizehn Streitwagen kamen hinzu. Doch es war uns unmöglich, den Unhold zu besiegen, so tapfer wir auch fochten. Goll erschlug mehr als die Hälfte von uns, die meisten anderen wurden verwundet. Nur eine Handvoll Krieger, darunter ich, entkam unverletzt. Zusammen mit dem Fürsten, der im Kampf einen Arm verlor, retteten wir uns auf die Bergfestung Dun Taran. Und von dort sandte mich mein Herr vor drei Tagen aus, um Hilfe in Emain Macha zu erbitten.«

»Wird Dun Taran, die mächtigste Burg des Westlandes, etwa von dem Riesen belagert?« wollte der König wissen.

»Ja«, bestätigte der Bote. »Goll wirft hausgroße Felsen und uralte Eichen samt den Wurzelballen gegen die Wälle. Darüber hinaus lauert er mit seinem Glutauge auf alles, was sich außerhalb bewegt. Bis zu meinem Aufbruch hatte er schon Dutzende Bauern getötet, die aus den Weilern in der Umgebung der Festung in die Wälder flüchten wollten.«

»Und wie entkamst du seinem Wüten?« fragte Cúchulainn.

»Die Götter beschützten mich«, lautete die Antwort. »Ein Sonnenstrahl blendete das Ungeheuer, als ich Dun Taran durch eine Mauerbresche verließ. Bevor der Riese wieder klar zu sehen vermochte, war ich in eine Wildbachklamm gesprungen. Vom wirbelnden Wasser ließ ich mich davonreißen, später fand ich das Roß, das mich hierher trug.«

»Du bist ein mutiger Mann«, lobte Conchobar den Boten. »Ebenso steht außer Zweifel, daß die Menschen an der Grenze dringend Hilfe brauchen. Ehe ich allerdings ein genügend großes Heer zusammengezogen und es nach Dun Taran geführt habe, wird mindestens eine Woche vergehen.«

»Bis dahin hat Goll das gesamte Westland entvölkert.« Cúchulainns Antlitz leuchtete vor Kampflust. »Und angesichts dessen gibt es nur eine Lösung. Ich werde allein nach Dun Taran aufbrechen. Im goldenen Wagen kann ich noch heute bei Sonnenuntergang dort anlangen.«

Der König nickte seinem Neffen erleichtert zu. »Ich hoffte, du würdest diesen Vorschlag machen.«

Nachdem die Entscheidung gefallen war, verlor Cúchulainn keine Zeit mehr. Er rannte zum Rüsthaus, warf sich seine schimmernde Brünne über, gürtete das Schwertgehenk um die Hüften, packte die Speere und ergriff den Schild. Als er wieder ins Freie trat, stand der Streitwagen bereit; Conchobar hatte den Pferdeknechten die nötigen Anweisungen gegeben. An der Deichsel des Gefährts stampften zwei feurige vierjährige Hengste, die aus derselben Zuchtlinie wie die mittlerweile altersschwachen Kopfschecken stammten. Cúchulainn klopfte ihnen die muskulösen Hälse, dann sprang er in die Wagenkanzel.

Die Rösser zogen an; der Kampfwagen rollte zum Torbau, wo sich inzwischen die Kriegsleute von Emain Macha – unter ihnen der betagte Ibar – um den König versammelt hatten. Hochrufe erklangen, als Cúchulainn ihnen zum Abschied zuwinkte; im nächsten Moment streckten sich die Hengste, der Streitwagen donnerte durchs Tor und den Festungshügel hinab.

Kaum spürten die Rösser den federnden Boden der Ebene von Emain Macha unter ihren Hufen, verdoppelten sie freiwillig ihre Geschwindigkeit. In weitem Bogen lenkte Cúchulainn die Hengste nach Westen; nachdem sie erkannt hatten, wo ihr Ziel lag, vernahmen sie aus dem Mund des Königskriegers einen magischen Satz. Vor Jahren hatte Cathbad seinem Schützling die Beschwörung verraten, wie stets wirkte sie auch jetzt. Augenblicklich rasten die Rösser schnell wie der Sturmwind davon, und der goldene Wagen fegte gen Sonnenuntergang.

Den ganzen Frühsommertag jagten die Hengste unermüdlich über Heideflächen und Berghänge. Als allmählich die Abenddämmerung hereinbrach, erblickte Cúchulainn die ersten von Goll zerstörten Gehöfte. Bald mehrten sich die Anzeichen für das bestialische Wüten des Unholds; schließlich wurden auf einem schroffen Gebirgsgrat, an dessen Flanke ein Wasserfall zu Tal stürzte, die Wälle von Dun Taran sichtbar.

Cúchulainn zügelte die Rösser; der Kampfwagen verschwand im Schutz einer Felsgruppe, von wo aus der Königskrieger ungefährdet zur Festung spähen konnte. An verschiedenen Stellen quollen rötlich durchflackerte Rauchsäulen zum Himmel, in dem aus Blausteinquadern errichteten Frontwall der Burg klafften mehrere Breschen. Soeben bemühte sich eine Schar Männer, die tiefste dieser Mauerlücken mit Balken und Schutt aufzufüllen – plötzlich orgelte ein Felsklotz von der Größe eines Bauernhauses durch die Luft.

Das gigantische Geschoß zerschmetterte einen Abschnitt der Wallkrone; Steinquader barsten, menschliche Körper wirbelten von der Mauer. Unmittelbar darauf erscholl infernalisches Freudengeheul. Es drang aus einem von Urwald umgebenen Geklüft am Hang eines Berges, der sich etwa eine halbe Meile westlich der Festung erhob.

»Dort drüben also steckt Goll!« murmelte Cúchulainn grimmig, und schon preschten die Hengste weiter.

Sie rasten in Richtung der zerklüfteten Bergflanke; kaum gewahrte der Riese den Streitwagen, begann er, entwurzelte Bäume nach dem Gefährt zu schleudern. Einige Male vermochte der in halsbrecherischer Fahrt dahinsausende goldene Wagen nur mit knapper Not auszuweichen; letztlich aber gelang es Cúchulainn, bis auf Speerwurfweite an den Hang heranzukommen.

Zwischen himmelstürmenden Felsnadeln und turmhohen Eichen machte der Königskrieger den Unhold aus. Weil die Dunkelheit nun rasch einfiel, erkannte er jedoch keine Einzelheiten; er sah lediglich einen ungeschlachten Schatten und roch die scharfe, animalische Ausdünstung Golls. Außerdem drohte hoch oben, halb hinter der Krone eines mehrhundertjährigen Baumes verborgen, das Fomorierauge des Riesen: ein Abgrund an Tücke und Bösartigkeit, in dem es jetzt zornig aufglühte.

»Rennt schneller!« schrie Cúchulainn die Rösser an – gleichzeitig fuhr ein Feuerstrahl aus dem Auge Golls.

Obwohl die Hengste sofort gehorchten, streifte der schwefelfarbene Blitz die Brünne des Königskriegers. Die Bronzeschuppen über Cúchulainns rechter Schulter schmolzen; an der Stelle, wo sich der Streitwagen gerade noch befunden hatte, barst die Erde. Einen Herzschlag später fauchte ein zweiter Feuerblitz aus dem Eichenwipfel und ließ das Geröll weiter oben an der Bergflanke verdampfen – aber der goldene Wagen war bereits in eine enge, tief in den Hang eingeschnittene Kluft gedonnert.

Von den steilen Klammwänden geschützt, erreichte das Gespann den Berggipfel. Auf der Anhöhe stand ein dreisäuliger Dolmen, in dem – wie Cúchulainn wußte – dereinst ein Druide von halbgöttlicher Herkunft beigesetzt worden war. Der Königskrieger lenkte die Rösser unter den gewaltigen Deckstein des Grabmals, breitete die Arme aus und beschwor den Geist des Toten: »Ich, der ich ein Kämpfer des Roten Drachen bin, bitte dich, Hengste und Wagen zu behüten!«

In seinem Herzen vernahm Cúchulainn die Antwort; er dankte der Macht aus Annwn, packte Speere und Schild und sprang aus der Kanzel des Streitwagens. Während er vom Dolmen wegeilte, breitete sich wallender Nebel über das Hochgrab und entrückte es samt dem Gespann aus der Diesseitswelt. Kopfgroße Felsbrocken, die auf den Platz niederhagelten, trafen lediglich noch die nackte Bergspitze – und die Furchen, die sie pflügten, schlossen sich wie durch Zauber wieder.

Rachsüchtiges Brüllen des Riesen ertönte; Cúchulainn lachte und rannte quer über den Gipfelhang zu einem Geröllfeld oberhalb einer Klippe, die ihm Schutz vor weiteren Geschossen bot. Dort benutzte er seinen Schild als Schaufel, scharrte einen Haufen Steine zusammen, schichtete sie hastig zu einem mannshohen Kegel in Form eines Cairn auf und stemmte sich rücklings dagegen. An der Felsschroffe vorbei prasselte die Lawine zu Tal, riß unterwegs eine Menge losen Gerölls mit und traf das Geklüft, in dem Golls Fomorierauge glühte.

Ein infernalischer Wutschrei erscholl. Unter dem tobsüchtigen Stampfen des Riesen erbebte die Erde; ein Feuerblitz sprengte die Klippe entzwei, hinter der Cúchulainn sich verborgen hatte. Dann brach Goll zwischen den Felsnadeln und Urwaldbäumen hervor. Eine entwurzelte Eiche schwingend, stürmte er den Berg empor; im Nu hatte er den Gipfel erreicht und ließ seine gigantische Keule auf die ohnehin schon gespaltene Felsschroffe donnern.

Die Klippe zerbarst in tausend Trümmer. Gierig nach Blut und Menschenfleisch beugte sich der Riese nieder und wühlte im Schutt – doch Cúchulainn war längst anderswo.

Einer der Speere des Königskriegers zischte durch die mittlerweile fast völlig hereingebrochene Finsternis. Das Speerblatt schlitzte Golls Unterschenkel auf; heulend fuhr der Riese herum, sein Schlag erschütterte die Stelle, wo Cúchulainn gestanden hatte. Der Königskrieger aber war seiner Wurfwaffe gedankenschnell gefolgt, um sie im Flug aufzufangen. Nun schleuderte er sie von der anderen Seite her; wieder riß der Speer eine Wunde in Golls Fleisch, erneut ging der Unhold zu einem blindwütigen und deshalb fruchtlosen Angriff über.

Viele Male attackierte Cúchulainn den Riesen und brachte ihm blutende Schrammen bei. Unermüdlich hetzte der Königskrieger den Unhold über die Bergkuppe, lockte ihn hinab ins Tal und neuerlich hinauf auf den Gipfel, bis Goll aus zahlreichen Speerwunden blutete, immer zielloser um sich schlug und allmählich Anzeichen von Erschöpfung zeigte.

Dann, als die Silberscheibe des Vollmondes am Firmament erschien, suchte Cúchulainn die Entscheidung. Einmal mehr brachte er es dahin, daß der Riese den Berghang hinabpolterte; während Goll am Urwaldrand auf ein Gebüsch eindrosch, in dem er seinen Feind vermutete, lief Cúchulainn wieder nach oben. Auf der Gipfelkuppe angelangt, schnürte er die Schäfte seiner Speere mit einem Riemen zusammen und klemmte einen kopfgroßen Zackenstein zwischen die Spitzen.

Die seltsame Waffe emporhebend und ins volle Mondlicht tretend, rief der Königskrieger mit weithin schallender Stimme den Namen des Riesen. Goll fuhr herum; im selben Moment, da er Cúchulainn ausmachte, schoß ein Feuerstrahl aus seinem Auge. Purpurne Lohe umhüllte den Berggipfel, der Königskrieger indessen hatte sich durch einen blitzschnellen Sprung in Sicherheit gebracht.

Jetzt, da der Unhold seinen glühenden Blick hin und her zucken ließ, stand Cúchulainn im Mondschatten. Sausend schwang er die zusammengebundenen Speere, die er an den Schaftenden festhielt, im Kreis; immer schneller, bis die Luft rauschte. Goll vernahm das Geräusch, erneut flammte das Fomorierauge mordlüstern auf – gleichzeitig tat Cúchulainn einen Satz vorwärts.

Der Steinbrocken löste sich von der Schleuderwaffe, wirbelte talwärts und schmetterte gegen die Stirn des Riesen. Das ungeheuerliche Auge Golls zerplatzte; sein Todesschrei röhrte durch die Nacht, im Zusammenbrechen riß der Riese Bäume nieder – schließlich trat Stille ein.

Cúchulainn trennte die Speere voneinander, barg den einen hinter dem Schild, zückte den anderen und stieg den

Hang hinab. Als er die Stelle erreichte, wo Goll gefallen war, konnte er den im fahlen Licht des Mondes daliegenden Riesen erstmals genau erkennen. Der mit Blutschleim besudelte Schädel des Unholds war so massig wie ein Stierleib; Hornschuppen bedeckten die grauenerregende Fratze, aus dem verzerrten Rachen ragten ellenlange Hauer. Ein zottiger, bestialisch stinkender Pelz überwucherte den gigantischen Körper Golls; seine prankenartigen Hände und Füße waren mit Sichelkrallen von der Stärke eines menschlichen Unterarms bewehrt.

Schaudernd betrachtete Cúchulainn den Leichnam des abgründigen Wesens, das er nach stundenlangem Kampf besiegt hatte. Dann zog er das Schwert, um Goll das Haupt abzuschlagen. Drei Hiebe waren nötig, ehe die Nackenwirbel des Riesen brachen und der mächtige Schädel zur Seite kippte.

Sorgsam reinigte der Königskrieger die Klinge, hob sie in Richtung des Berggipfels gen Himmel und beschwor den Geist des Druiden: »Die Ausgeburt des Weißen Drachen ist überwunden. Der Kämpfer des Roten Drachen war stärker. Das Westland ist von der Heimsuchung durch das Böse befreit.«

Kaum waren diese Sätze erklungen, umflirrte silberner Nebel die Spitze des Berges, bildete einen Wirbel und verwich wieder. Der Dolmen stand an seinem alten Platz; aus dem Inneren des Hochgrabes trabten die Hengste hervor und zogen den goldenen Wagen dorthin, wo Goll in seinem Blut lag.

Cúchulainn holte eine lange Eisenkette aus dem Streitwagen, schlang sie um das Haupt des Riesen, knebelte sie fest und hängte ihr Ende an die Achse seines Gefährts. Dann bestieg er den Wagen und trieb die Rösser an. Die Hengste legten sich ins Geschirr; mühsam zogen sie den Kampfwagen samt dem hinterdrein schleifenden Kopf Golls aus dem Wald und weiter zu einem Pfad, der nach Dun Taran führte.

Auf halbem Weg zur Festung kam dem Gespann eine Kriegerschar mit blanken Klingen und Fackeln entgegen. Die Burgbesatzung hatte den Todesschrei des Unholds vernommen und einen Spähtrupp ausgesandt. Als die Männer Cúchulainn mit seiner Trophäe erblickten, brach lauter Jubel los; der Anführer rief: »Dich sandten die Götter! Nur der Held von Ulster konnte es wagen, einem Ungeheuer wie Goll im Einzelkampf gegenüberzutreten.«

»Wenn ich ehrlich sein soll, so hielt mich der Riese eine Zeitlang ziemlich in Bewegung«, entgegnete der Königskrieger mit rauher Stimme.

»Aber am Ende hattest du den längeren Atem«, versetzte einer der Männer von Dun Taran.

»Letztlich ja«, nickte Cúchulainn.

»Dafür sind wir dir zutiefst dankbar«, erklärte der Befehlshaber der Schar. »Ohne dein Eingreifen hätte niemand auf der Festung den morgigen Tag überlebt, und Tausende Menschen im Hinterland wären dem Wüten Golls schutzlos ausgeliefert gewesen.«

Der Anführer drückte Cúchulainns Hand, seine Männer taten es ihm nach. Sodann unterzogen sie den Schädel des Riesen einer gründlichen Untersuchung; nachdem sie ihre Neugier gestillt hatten, gaben sie dem goldenen Wagen das Geleit nach Dun Taran.

Im größtenteils zerstörten Burghof kam der Streitwagen mit seiner Last zum Stehen. Weitere Krieger rannten herbei, Frauen und Kinder folgten ihnen; ihre Freude kannte keine Grenzen. Schließlich lösten einige beherzte Männer das Haupt des Unholds vom Wagen; zwei Dutzend Bewaffnete zerrten den gigantischen Kopf zu einem flachen Schutthaufen an der Festungsmauer und losten sodann aus, wer von ihnen die Trophäe bewachen sollte.

Cúchulainn wiederum ließ sich zu dem schwerverwundeten Gaufürsten führen, welcher zusammen mit zahlreichen anderen Verletzten in einem Gewölbe lag. Das Erscheinen des Königskriegers schenkte den Bedauernswerten neue Kraft; auf die Bitte des Fürsten hin erzählte Cúchulainn, wie es ihm gelungen war, Goll zu besiegen.

»Jetzt könnt ihr euch erholen und genesen«, schloß er – gleich darauf gähnte er selbst und fügte hinzu: »Doch auch mir wird ein wenig Ruhe nicht schaden.«

Da sämtliche Wohnhäuser der Burg eingestürzt oder abgebrannt waren, bereitete sich Cúchulainn ein Lager im Freien bei seinen Hengsten. Kaum hatte er sich in die Decken gehüllt, fielen ihm die Augen zu. Bis zur Morgendämmerung lag er in tiefem Schlaf zwischen den Rössern; als die Sonne aufging, schien er auf einmal schwer zu träumen – dann plötzlich weckte ihn ein gellender Schrei.

»Grauenhaftes geschieht!« erklang es von der Festungsmauer her aus dem Mund eines Wächters. »Der Schädel des Unholds glüht und zuckt. Es sieht aus, als würde die Lebenskraft in Golls Haupt zurückströmen.«

Mit einem Satz war Cúchulainn auf den Beinen. Hastig schnallte er den Schwertgurt um und rannte zu der Stelle, wo sich der Kopf befand; erschrockene Krieger folgten ihm. Am Schutthaufen bei der Mauer angelangt, prallten die Männer entsetzt zurück. Einzig Cúchulainn trat bis auf wenige Schritte an den Riesenschädel heran – und konnte die dämonische Verwandlung, welche mit dem Haupt vorging, daher aus nächster Nähe beobachten.

Wie purpurne Lohe flackerte es unter der schuppigen Gesichtshaut, krampfartige Schauer liefen über die mächtigen Muskelstränge der Kinnbacken. Im nächsten Moment blähten sich die Nüstern; von den Raubtierhauern, die aus dem halb geöffneten Rachen ragten, troff Speichel. Wiederum einen Herzschlag später platzte die schwarze Blutkruste, welche die Stirnwunde bedeckte, und aus der leeren Augenhöhle quoll ein dunkler, rötlich durchschossener Rauchwirbel.

Cúchulainns Hand fuhr zum Schwert – aber da vernahm er Golls dröhnende Stimme: »Laß deine Waffe stecken, Held von Ulster. Es droht dir keine Gefahr.«

Scharf sog der Königskrieger die Luft ein. »Was bezweckst du dann mit deinem Zauber?«

»Weil du mich durch deinen Heldenmut überwunden hast, möchte ich dir dienen«, lautete die Antwort.

»Wie sollte das möglich sein?« fragte Cúchulainn.

»Durch die Vereinigung unserer Köpfe.« Golls Tonfall wurde beschwörend. »Wenn du mein Haupt gleich einem Helm auf deines setzt, wird die Kampfstärke, die ich besaß, deinen Körper erfüllen. So vermagst du unermeßlichen Ruhm zu gewinnen und kannst dir ganz Erinn unterwerfen.«

»Der Sinn meines Daseins liegt nicht darin, eine Gewaltherrschaft über die Stämme der Insel zu errichten«, versetzte Cúchulainn.

»Nimm an, was ich dir biete!« drängte die Stimme des Riesen. »Nie wieder wird dir ein solches Geschenk dargebracht werden – und falls du es ausschlägst, ziehst du dir den Zorn der Götter zu.«

Der Königskrieger kniff die Brauen zusammen. Er schien mit sich zu ringen, endlich äußerte er: »Da du es von mir verlangst, Goll, will ich deinen Fomorierschädel noch einmal vom Erdboden erheben.«

Freudig grinste das Riesenhaupt; Cúchulainn packte den ungeheuerlichen Schädel, stemmte ihn hoch – und pflanzte ihn auf einen Steinpfeiler, der neben dem Schutthaufen emporragte.

Haßerfülltes Heulen drang aus Golls Rachen, seine Gesichtszüge verzerrten sich in bestialischer Wut; aus dem Halsansatz des Hauptes quoll giftgrüner Schleim und floß am Stein herab. Ätzender Gestank ließ nun sogar Cúchulainn zurückweichen; mit angehaltenem Atem beobachteten er und die anderen, wie der Giftschleim kochende Blasen warf und den Pfeiler zerfraß, bis dieser knirschend in vier Stücke zersprang.

Golls Schädel stürzte zur Erde. Kaum hatte das Haupt den Boden berührt, begann sein Fleisch mit unheimlicher Schnelligkeit zu verwesen; nach kurzer Zeit war nur noch nacktes Gebein übrig.

Stumm starrten die Krieger auf den Totenkopf, schließlich

stieß einer hervor: »Es wäre dir wie dem Pfeilerstein ergangen, Cúchulainn, wenn du dem Ansinnen des Scheusals nachgegeben hättest.«

»Zweifellos«, erwiderte der Königskrieger. »Doch die verderbliche Macht, die Goll mir anbot, wollte ich nicht – deshalb blieb ich am Leben.«

Mit diesen Worten verließ Cúchulainn den Ort, wo er den Riesen zum zweiten Mal besiegt hatte. Er begab sich zu den Verwundeten und sorgte dafür, daß sie an einen sonnigen Platz auf dem Burgfelsen getragen wurden, damit die Wärme ihre Genesung förderte. Später erteilte er den unverletzten Kriegern Anweisungen, wie sie die Schäden an der Festung am besten beheben konnten, und versprach ihnen, Hilfe aus Emain Macha zu senden.

Gegen Mittag dann schirrte Cúchulainn die Hengste vor den Streitwagen, schnürte Golls Schädel in Lederdecken und kettete ihn an die Achse des Gefährts. Unter den Hochrufen der Burgleute lenkte der Königskrieger den goldenen Wagen durch das Tor von Dun Taran, draußen raunte er den Rössern den magischen Satz zu.

In Windeseile preschten die Hengste davon, um Mitternacht erreichte der Kampfwagen Emain Macha. Dort erregte die Trophäe, die Cúchulainn mitbrachte, höchstes Aufsehen. Nachdem der Sieg des Königskriegers über den Riesen mit dem Fomorierauge ausgiebig gefeiert worden war, entschied Conchobar, daß Golls Totenkopf in Rath Cimbaeth beigesetzt werden sollte. Cathbad leitete die Zeremonie, und zwischen den Klauen des Weißdrachen fand der Schädel seine letzte Ruhestätte.

Während der folgenden Monate verbreiteten Barden die Kunde von Cúchulainns neuester Heldentat in ganz Erinn, auf der Ringburg von Emain Macha wiederum genoß der

Königskrieger die Gunst der jungen Frauen. Neben der Blonden, bei der er in der Nacht vor seinem Aufbruch nach Dun Taran gelegen hatte, gab es zahlreiche andere, die ihm ihre Kammertüren nur zu gerne öffneten – und manche legten es auch darauf an, ihn am hellichten Tag zu verführen. So etwa eine entzückende Schwarzhaarige mit smaragdgrünen Augen, welche Cúchulainn eines herrlichen Spätsommermorgens überredete, mit ihr einen Spaziergang zu einem kleinen See unweit der Festung zu unternehmen.

Kaum hatten die beiden das Gewässer erreicht, tänzelte die Rabenlockige einige Schritte am Ufer entlang und ließ das Gewand fallen. Ihre Brüste waren makellos, ihr dunkel beflaumter Schoß lockte unwiderstehlich – Cúchulainn konnte nur noch eines denken: die junge Frau auf der Stelle zu lieben.

Doch da lachte sie plötzlich perlend, sprang geschmeidig wie eine Nixe ins Wasser und schwamm weg. Sofort warf auch Cúchulainn seine Kleider ab und folgte ihr; in der Mitte des Sees, wo das Gewässer bei einem Eiland flach wurde, holte er sie ein. Spielerisch wehrte sie sich gegen seine Umarmung, reizte ihn dadurch noch mehr; auf einmal gab sie ihm nach, umschlang ihn und suchte seinen Mund. Ihr Kuß berauschte ihn; er hob die Nackte hoch, um sie zur Insel zu tragen. Dort sank das Paar ins Moos; wild liebten sie einander, bis ihre Leidenschaft gestillt war.

Erst bei Sonnenuntergang kehrten sie auf die Ringburg zurück, die folgenden Nächte verbrachte Cúchulainn in der Kammer der Schwarzhaarigen. So verstrich eine volle Woche – dann kam eine weitere gefährliche Herausforderung auf den Königskrieger zu.

Sendboten aus dem Südosten des Königreiches meldeten, daß in jener Gegend Menschen auf rätselhafte Weise verschwanden. Kinder, die man zum Beerensammeln in die Wälder geschickt habe, seien nicht mehr heimgekehrt. Bauern wären aufs Feld gegangen und nie wieder gesehen worden. Einsame Katen, in denen Hirten oder Torfstecher gehaust hätten, stünden plötzlich verwaist da. Entweder sei ein böser Zauber an der Heimsuchung schuld, oder es treibe ein dämonischer Unhold sein Unwesen. Auf jeden Fall seien die Bewohner des Landstriches hilflos, und nur einer könne ihnen Rettung bringen: Cúchulainn.

Sofort erklärte sich der Königskrieger bereit, den Unglücklichen beizuspringen. Ehe er allerdings die Hengste vor den goldenen Wagen schirrte, ging er zur Grotte der Ovatin Leborcham am Fuß des Burghügels. Die Seherin war mittlerweile sehr alt geworden, aber nach wie vor vermochte ihr Blick das Verborgene zu erkennen. Scharf musterte sie das Antlitz Cúchulainns und sagte: »Du kommst, weil du eine Fahrt in die Ferne planst – das genaue Ziel freilich ist dir noch fremd.«

»Ich hoffe, du kannst es mir nennen«, entgegnete der Königskrieger.

»Ich will es versuchen.« Die Ovatin wies Cúchulainn einen Platz bei der Feuerstelle an; während er sich setzte, nahm Leborcham einen Eisenkessel von der Höhlenwand. Fingerhoch füllte sie ihn mit feinem Rotsand aus einem schwarz und weiß gemusterten Schnabelkrug, anschließend hängte sie den Kessel an einen Dreifuß und stellte diesen über die Herdglut. Bald begann der Sand leise zu knistern; die Ovatin wartete, bis das Geräusch lauter wurde, dann breitete sie die Arme aus und raunte einen Druidenspruch. Kaum war das letzte beschwörende Wort verklungen, wallte die Rotsandschicht auf. Gleich darauf zogen ihre Ränder sich zusammen und bildeten auf dem Kesselboden eine Form, die an ein Eiland erinnerte.

»Erinn«, murmelte Leborcham. Ihre erhobenen Hände beschrieben eine magische Figur, erneut veränderten sich die Umrisse der Sandschicht. Cúchulainn glaubte die Grenzen Ulsters zu erkennen, und die Ovatin bestätigte es: »Conchobars Reich.« Wenig später, nachdem Leborcham eine dritte Beschwörung vorgenommen hatte, erschienen auf dem Boden des Kessels die Konturen der Südostküste von Ulster mit den dahinterliegenden Bergzügen: das Land, aus dem die Unglücksboten gekommen waren.

Gespannt beobachtete der Königskrieger den Rotsand. Abermals hörte er, wie die Ovatin einen Spruch flüsterte; dreimal wiederholte Leborcham die Dreierreime – plötzlich entstanden Oghamzeichen im Sand. Ein Buchstabe reihte sich an den anderen, zuletzt entzifferte Cúchulainn halblaut die Wörter: »Coill Draighneach.«

»Das ist dein Ziel«, erklärte die Ovatin. »Im Wald der Dornen wirst du deinen Mut beweisen müssen. Doch verlange nicht, daß ich dir mehr eröffne. Denn es ist dein Schicksal, dem lichtscheuen Scheusal vom Coill Draighneach ohne schützende Vorwarnung gegenübertreten zu müssen.«

»Ein Feind, welcher das Sonnenlicht meidet«, murmelte der Königskrieger. »Immerhin gabst du mir dies zu verstehen...« Er erhob sich, umarmte Leborcham und fuhr fort: »Ich danke dir für deine Hilfe. Nun kann ich aufbrechen, um den Menschen, die in der Umgebung des Dornenwaldes siedeln, Beistand zu leisten.«

Noch in der nämlichen Stunde jagte Cúchulainns Streitwagen nach Südosten. Schon am frühen Nachmittag erreichte der Königskrieger das Grenzland am Meer; im ersten Dorf, auf das er stieß, fragte er nach dem Coill Draighneach.

Die Bauersleute erbleichten. Zunächst wollte keiner Auskunft geben; endlich deutete ein älterer Mann auf einen tiefen Einschnitt zwischen den Bergen in Richtung der Küste und sagte mit belegter Stimme: »Der Dornenwald liegt dort drüben. Aber ich warne dich davor, ihn zu betreten, denn böse Mächte hausen in ihm.«

»Weißt du mehr über das Bedrohliche?« erkundigte sich Cúchulainn.

Neuerlich zögerte der Bauer, bevor er antwortete: »In Überlieferungen, die sehr lange in die Vergangenheit zurückreichen, ist die Rede von finsteren Schlünden und Abgründen im Inneren der Erde. Einstmals, so heißt es, hausten dort Drachen. Und wir glauben, daß deren Geister bis heute im Coill Draighneach umgehen.«

Nachdenklich nickte der Königskrieger, dann äußerte er: »Doch ihr habt jenen gespenstischen Schatten vermutlich niemals nachgespürt, oder?«

»Kein vernünftiger Mensch wagt sich in den Wald der Dornen«, rief eine Frau. »Der Tod lauert dort, das ist allen bekannt.«

»Wo Gefahr droht, kann Ruhm erworben werden«, versetzte Cúchulainn; mit dem nächsten Lidschlag ließ er die Zügel schnalzen, und die Hengste galoppierten davon.

Je näher der Königskrieger dem Coill Draighneach kam, desto einsamer wurde das Land; am Sockel des Bergmassivs gab es nirgendwo mehr ein Anzeichen menschlicher Besiedelung. Mühsam überquerten die Rösser einen fast überall von Dickicht bewachsenen Hangrücken; jenseits der Erhebung wurde das Gestrüpp völlig undurchdringlich, so daß Cúchulainn gezwungen war, vom Kampfwagen zu steigen.

Er führte die Hengste zu einem Schlehengebüsch, band sie fest und nahm seinen Schild, einen Kurzspieß sowie eine Fackel aus der Wagenkanzel. Den Feuerbrand steckte er in den Schwertgurt, den Spieß barg er hinter der Schildwehr, dann zog er seine Klinge und drang in das Dickicht ein.

Anfangs mußte er sich seinen Weg mit Hilfe des Schwerts bahnen; nach ein paar Dutzend Schritten jedoch stieß er auf einen von der Seite kommenden Pfad, der offensichtlich zu dem Bergeinschnitt führte, wo der Dornenwald lag. Auf der Erde erkannte Cúchulainn seltsame Tatzenabdrücke und Schleifspuren; als er mit gezückter Klinge weiter vordrang, sah er einen blutbesudelten Stoffetzen an einem abgebrochenen Zweig hängen. Später fand der Königskrieger noch mehrmals Hinweise darauf, daß er der richtigen Fährte folgte; schließlich erreichte er den Rand des Coill Draighneach – und erblickte eine alptraumhafte Welt.

Fahlweiße Moose, schleimtriefende Sumpfpflanzen und geil wuchernde Giftpilzkolonien bedeckten die Erde. Auf diesem Nährboden, der süßlichen Leichengeruch verströmte, wuchsen Zwitterbäume mit bizarr verdrehten Stämmen; ihre tiefhängenden Äste trugen Laub- und Nadelzweige gleichermaßen, dazu ellenlange Dornen. Teils waren diese Auswüchse wie Donnerkeile geformt, teils wie gigantische Vogelklauen oder Reißzähne von Raubtieren. Zwischen den Baumstämmen lastete schwerer, atembeklemmender Brodem, welcher das Tageslicht zu verschlingen schien. Bedrückende Stille herrschte; lauernde Lautlosigkeit, die nur dann unterbrochen wurde, wenn irgendwo im Morast eine Faulgasblase zerplatzte.

Hier lauert in der Tat etwas sehr Böses, dachte Cúchulainn, dann betrat er den Dornenwald. Die Spur, die er verfolgte, beschrieb jähe Krümmungen und vermied offenbar jene Stellen, wo die Äste besonders tief herabhingen. Der Königskrieger ahnte den Grund; als er versuchsweise mit dem Spieß nach einem Bündel sichelförmiger Dornen stieß, wurde sein Verdacht zur Gewißheit. Blitzschnell packten die messerscharfen Auswüchse zu, umklammerten das stählerne Spießblatt und kratzten Riefen hinein; Cúchulainn mußte mehrere wuchtige Schwerthiebe führen, um das Dornenbündel zu zerschlagen und den Spieß wieder an sich zu bringen.

Etwa hundert Schritte weiter erfolgte ein ungleich gefährlicherer Angriff. Ganz so, als würde der Wald die Luft einsaugen und Witterung aufnehmen, rauschte es in den Baumkronen; unmittelbar danach fegte ein Hagel von Donnerkeildornen auf den Königskrieger herab. Cúchulainn riß den Schild hoch und fing die tückischen Geschosse mit knapper Not auf; einige zersplitterten an der Schutzwehr, andere blieben stecken.

Der Königskrieger pflückte die Dornen aus dem Schild und setzte seinen Weg fort. Die Fährte führte nun in eine langgezogene Kluft mit schwarzen Felswänden, über ihr bildete der Coill Draighneach ein dichtes Pflanzendach. In der Klamm war es derart finster, daß Cúchulainn Feuer schlagen und seine Fackel entzünden mußte. Kaum verbreitete die Pechkerze ihren lodernden Schein, sausten abermals Dornengeschosse heran. Erneut schützte sich der Königskrieger mit dem Schild; nachdem er den Ausgang der Kluft erreicht hatte, starrte seine Wehr von Donnerkeildornen.

Jenseits der Klamm lief die Spur eine Bergflanke hinauf; während er – die gelöschte Fackel nun wieder im Schwertgurt – den Hang erklomm, wehrte Cúchulainn weitere Attacken ab. Oben verschwand die Fährte zwischen zwei klotzigen Kalksteintürmen, von denen fleischige Schlingpflanzen herabhingen. Eine Ausbuchtung an einem der Turmfelsen erregte die Aufmerksamkeit des Königskriegers, er hieb etliche Pflanzenstränge weg – und erkannte auf dem Steinvorsprung, den er freigelegt hatte, archaische Zeichen.

Obwohl Cúchulainn ihre Bedeutung nicht zu enträtseln vermochte, spürte er, daß sie eine Warnung darstellten. Gleich darauf entdeckte er das Gegenstück der Skulpturen am anderen Steinturm; als er es betrachtete, begriff er mehr. Das Bildnis stellte Kopf, Brust und Vordertatzen eines Drachen dar, welcher aus einem gezackten Höhlenschlund kroch – und dieser Grottenmund war genauso geformt wie der Höhleneingang, der sich unweit der Kalksteintürme unter einer Felswand öffnete.

Dorthin führten auch die Spuren, und spätestens jetzt konnte es für den Königskrieger keinen Zweifel mehr über die Gefährlichkeit jenes Ortes geben. Trotzdem zögerte Cúchulainn nicht; vielmehr steckte er die Pechkerze von neuem in Brand, befestigte sie am Schild und pirschte mit blanker Klinge zur Grotte. Aus der Höhlenöffnung schlug ihm ein feuchtwarmer Windhauch entgegen; ein paar Schritte tiefer in der Grotte bemerkte der Königskrieger, daß der Luftzug mit ekelerregenden Gerüchen geschwängert war.

Vorsichtig passierte Cúchulainn den tunnelartigen Höhlenschlund, dahinter gelangte er in einen sehr viel größeren

Raum. Hier ragten sonderbar geformte Stalagmiten, filigrane Felsrippen und Kalkbuckel aus dem Boden; zumindest glaubte der Königskrieger, solch natürliche Steinfiguren vor sich zu sehen – bis ihm plötzlich klar wurde, worum es sich in Wirklichkeit handelte.

Es waren mit Sinter überzogene Gebeine riesiger Lebewesen: Brustkörbe, Wirbelsäulen, Schenkelknochen und Schädel von Drachen. Dutzende dieser Bestien mußten einst hier gehaust haben, Jahrhunderte oder gar Jahrtausende hatte die Grotte ihnen als Unterschlupf gedient. Die Höhle war Schauplatz der Freßorgien und Paarungen der Ungeheuer gewesen; hier hatten sich auch die Todeskämpfe der Drachen abgespielt, und während die Kadaver verfaulten, war inmitten der gräßlichen Überreste die neue Brut herangewachsen.

Eben als Cúchulainn einen der Drachenschädel näher untersuchen wollte, vernahm er aus dem rückwärtigen Grottenbereich ein schabendes Geräusch. Die Schildwehr vor der Brust und das Schwert gezückt, durchquerte der Königskrieger die Höhle. In der zerklüfteten Felswand ganz hinten gewahrte er einen breiten Spalt mit glattgeschliffenen Rändern. Der Kalksteingang, welcher sich dort öffnete, schien schräg in die Tiefe zu führen – und aus ihm drangen jetzt abermals scharrende und polternde Laute, die rasch näher kamen.

Cúchulainn stieß seine Klinge in die Scheide, nahm den Kurzspieß in die Rechte und wartete ab. Die Geräusche wurden lauter, Geröll knirschte unter schweren Tritten, stinkender Dunst quoll aus dem Gang. Dann machte der Königskrieger in der Finsternis des Schlundes einen ungeschlachten Schatten aus und schleuderte die Waffe.

Wütendes Fauchen erscholl aus dem Spalt; Cúchulainn zog das Schwert, hob den Schild und sprang in den Kalksteingang. Für einen Moment schälte der Fackelschein die Umrisse einer grauenhaften Kreatur aus dem Dunkel, doch mit dem nächsten Lidschlag war das Ungeheuer in der Tiefe des Felsschlundes verschwunden. Der Königskrieger verfolgte das

Scheusal; halb rennend, halb nach unten rutschend erreichte Cúchulainn das Ende des Ganges und kam in eine weitere Höhle.

Entgeistert verharrte der Königskrieger. Die Kreatur schien spurlos verschwunden – statt dessen erblickte Cúchulainn einen nackten Frauenleib, der auf einen in den Grottenboden gerammten Holzpfosten gespießt war. Zu Füßen der Gepfählten loderte ein Feuer; gierig leckte die Glut am schmorenden Fleisch empor, Totenfett troff in die Flammen. Drei weitere Körper lagen unter einem Felsvorsprung; es handelte sich um zwei männliche Erwachsene und ein Kind, offenbar waren ihre Köpfe eingeschlagen worden. Unweit davon bildeten menschliche Knochen und Totenschädel einen wirren Haufen. An manchen der Gebeine hingen noch Sehnen und Fleischfetzen; andere sahen aus, als wären sie zerbrochen worden, um das Mark aus ihnen zu saugen.

Wie erstarrt stand Cúchulainn da, äußerste Abscheu malte sich auf seinem Antlitz; plötzlich bemerkte er seitlich eine Bewegung. Er fuhr herum – aus einer verborgenen Kaverne heraus griff die menschenfressende Kreatur an. Brüllend raste sie auf den Königskrieger zu; in ihrem Nackenkamm steckte der Kurzspieß, der sie augenscheinlich nicht ernsthaft verletzt hatte. Ein Tatzenschlag des Ungeheuers verfehlte Cúchulainn nur um Haaresbreite; aber nicht die Todesgefahr ließ ihm das Blut in den Adern stocken – es war vielmehr der Schock über das blasphemische Aussehen der Bestie.

Auf ihrem fahlweißen Drachenleib mit dem aufgetriebenen Wanst, den flegelnden Pranken und dem peitschenden Zackenschweif saß der überdimensionale Kopf eines Mannes. Die Gesichtszüge wirkten vertiert, eine verfilzte Mähne umwucherte den Schädel, der weit aufgerissene Mund geiferte.

Mit knapper Not wich Cúchulainn weiteren Tatzenhieben des Drachenmenschen aus, dann faßte er sich und führte seinerseits einen sausenden Schwertschlag gegen das abgründige

Wesen. Die Klinge traf die linke Schulter der Kreatur, zerschmetterte eine Hornschuppe und drang ins Fleisch ein; rauchendes Blut spritzte aus der Wunde.

Der Drachenmann fauchte wild; mit seiner rechten Vorderpranke versuchte er, die Schildwehr des Königskriegers wegzureißen. Doch ein zweiter Hieb Cúchulainns trennte ihm die fingerartigen Klauen von der Tatze. Das Ungeheuer prallte zurück; der Königskrieger nutzte seine Chance, fegte an der Brust des Drachenmenschen vorbei, rammte ihm das Schwert in den Bauch und riß es wieder an sich.

Eine Blutfontäne schoß aus der Wanstwunde; der Drachenmann schrie gellend und floh in die Kaverne, aus der er gekommen war. Cúchulainn setzte ihm nach, mörderisch tobte der Kampf in der Seitenhöhle. Dann brüllte die Bestie erneut vor Schmerz und brach mit solcher Wucht durch den Kavernenschlund, daß Felstrümmer herabkrachten. Der Kurzspieß, der zuvor im Nackenkamm des Drachenmenschen gewippt hatte, steckte jetzt tief in seinem Halsansatz – das Ungeheuer versuchte, zum Ausgang der großen Grotte zu flüchten, aber Cúchulainn war schneller und stieß ihm die Schwertklinge seitlich in den Brustkorb.

Direkt vor dem Pfahl, an dem die Frauenleiche hing, stürzte der Drachenmann zu Boden. Noch einmal peitschte sein Zackenschweif, gleich darauf krümmte der Schwanz sich zuckend ein und lag still.

Cúchulainn trat vor die tödlich verwundete Bestie hin und forderte: »Nenne mir deinen Namen.«

»Garb«, gurgelte der Drachenmann. »So rief mich einst meine menschliche Mutter.«

»Und wie wurdest du zu dem, was du bist?« wollte der Königskrieger nunmehr wissen.

»Durch Vermessenheit«, röchelte Garb. Er hustete, spuckte Blutschleim aus und fuhr mit etwas deutlicherer Stimme fort: »Vermessenheit zwang mich dazu, das Geheimnis des Coill Draighneach zu enträtseln. Du kamst durch den Wald; du sahst seine Bäume, die Laub, Nadeln und Dornen gleichermaßen tragen. Was die Natur nicht zusammenfügen wollte, wurde im Coill Draighneach vor langer Zeit von Schwarzmagiern verbunden – und ich strebte in meinem Wahn etwas Ähnliches an. Jahre lebte ich im Dornenwald, um das verborgene Wesen der Zwitterbäume zu ergründen; endlich gelang es mir. In einer Schwarzmondnacht vor drei Monaten bereitete ich aus den Wurzelsäften der Pflanzen jenen Absud zu, der mich selbst verwandeln sollte. Mit Drachenkraft wollte ich meinen Menschenleib erfüllen; aus diesem Grund trank ich das Gebräu inmitten der Drachengebeine, die in der oberen Höhle ruhen. Doch was anschließend passierte...«

Ein Schluchzen schüttelte Garb, abgrundtiefes Grauen stand in seinen Augen.

»Die Veränderung, die mit dir vorging, war anders, als du in deiner frevlerischen Verblendung gedacht hattest«, murmelte Cúchulainn.

Garb nickte und sprach stockend weiter: »Ich kann nicht erklären, wie es geschah... Es kam aus den urweltlichen Schädeln, aus den Knochen... Es drang in mich ein... Unsägliche Glut, gräßliche Pein... Ich wollte mich wehren und war machtlos... Ich kämpfte, schrie, flehte, dann verlor ich das Bewußtsein... Als ich wieder zu mir kam, war ich der, den du vor dir siehst... Mann vom Scheitel bis zu den Schultern, Drache von der Brust bis zu den Beinen...«

»Was aber dein Wesen anging, so hattest du alles Menschliche verloren«, stellte Cúchulainn fest.

»Ja!« keuchte Garb. »Ich war zu einer schlimmeren Bestie geworden als diejenigen, welche vor mir in der Höhle hausten. Ungeheuerliche Blutgier und Mordlust beherrschten mich. Wieder und wieder mußte ich nächtens den Coill Draighneach verlassen, um Beute zu machen. Ich schlug meinen Opfern die Schädel ein und schleppte sie hierher. Dann spießte ich ihre Körper auf den Pfahl, röstete das Menschenfleisch und verschlang es.«

Nachdem Garb geendet hatte, ließ er den Kopf auf die Erde sinken, stöhnte vor Schmerz und schloß die Lider. Eine Weile betrachtete der Königskrieger ihn stumm, schließlich fragte er: »Was empfindest du mir gegenüber?«

»Ich hätte dich zweifellos getötet, wenn ich dazu imstande gewesen wäre«, erwiderte Garb. »Doch nun, da ich weiß, daß mein eigenes Ende nahe ist, fühle ich Dankbarkeit. Denn jetzt kann ich niemandem mehr gefährlich werden.«

»Weil du diese Einsicht zeigst, sollst du rasch Erlösung finden«, sagte Cúchulainn – unmittelbar darauf blitzte sein Schwert auf und trennte Garbs Kopf vom Rumpf.

Danach brachte der Königskrieger die Leichen der Frau, der beiden Männer und des Kindes ins Freie und begrub sie; ebenso verfuhr er mit den menschlichen Knochen, die in der unteren Grotte lagen. Den Drachenleib Garbs hingegen ließ Cúchulainn in der Höhle liegen, nur den abgeschlagenen Schädel nahm er mit nach draußen.

Der Königskrieger häufte Reisig und tote Baumstämme über das Haupt, dann steckte er den Holzstoß in Brand. Bald schlugen die Flammen prasselnd empor; plötzlich aufspringender Wind fachte sie zusätzlich an – als die Lohe wieder in sich zusammensank, war der riesige Schädel auf gewöhnliche Größe geschrumpft.

Cúchulainn befestigte den Kopf an seinem Schwertgurt und trat den Rückweg an. Diesmal hagelten aus den Baumkronen keine Dornengeschosse auf den Königskrieger hernieder; es war, als wollte das Haupt Garbs ihn beschützen. Völlig unangefochten durchquerte Cúchulainn den Coill Draighneach und erreichte bei Sonnenuntergang den Platz, wo der Streitwagen bei dem Schlehengebüsch stand.

Mit freudigem Wiehern begrüßten die Hengste ihren Herrn, gleich darauf rollte der goldene Wagen davon. Noch ehe die Mitternacht angebrochen war, galoppierten die Rösser durchs Tor von Emain Macha und kamen unter dem Weltenbaum zum Stehen. Von der großen Halle eilten Conchobar und dessen Gefolge herbei; Cúchulainn hob den Kopf des erlösten Menschenfressers Garb hoch und rief: »Ich habe euch eine äußerst ungewöhnliche Geschichte zu erzählen.«

Die Tochter Forgalls

Beschwingt schritt die Tochter des Burgherrn den von der Festung Luglochta Loga ins Tal führenden Pfad entlang. Im Osten schäumte die smaragdgrüne See; jenseits des Meeres, über der kimmerischen Küstenlinie, schwebte gleich einem Traumbild das Bergmassiv von Eryri Gwyn. Im Westen waren die Gefilde von Bruig na Bóinne zu erahnen, nach Süden erstreckte sich eine weite Ebene. Ihre Feldbreiten, Heideflächen und Haine reichten bis zur Bucht von Baile Átha Cliath, dahinter lagen dicht bewaldete Hügelketten.

Maisonne wärmte das Land und ließ das kastanienfarbene Haar der jungen Frau leuchten. Als sie einem Bauern begegnete, der einen mit Brennholz beladenen Esel zur Ringburg führte, wechselte sie ein paar freundliche Worte mit ihm. Wenig später bog die junge Frau vom Weg ab, folgte einem Bachlauf und gelangte zu einem Apfelgarten. Die Bäume standen in voller Blüte, süßer Duft erfüllte die Frühlingsluft. Bei einem der knorrigen Stämme setzte sich die Kastanienhaarige ins Gras und nahm einen kleinen Stickrahmen aus der Tasche ihres mit roten Borten geschmückten Leinenkleides. Eine Weile widmete die bezaubernde junge Frau sich ihrer Handarbeit – plötzlich erweckte etwas ihre Aufmerksamkeit: ein goldenes Blitzen in der Ferne.

Seit Tagen durchstreifte Cúchulainn das Südland. Gleich nach dem Beltanefest war er in Emain Macha aufgebrochen; dem König hatte Cúchulainn mitgeteilt, daß er die heiligen Stätten von Bruig na Bóinne besuchen und anschließend in der dortigen Gegend jagen wollte.

Jetzt galoppierten die Hengste, welche den im Sonnenlicht gleißenden Wagen des Königskriegers zogen, einem Rehrudel hinterher. Einige Meilen südwestlich der Festung Luglochta Loga scheuchte Cúchulainn die grazilen Tiere über eine sanft gewellte, mit Baum- und Buschinseln bedeckte Hochebene. Es wäre ihm ein leichtes gewesen, Beute zu machen, doch er legte es nicht darauf an. Cúchulainn spielte lediglich mit den Rehen; er überholte sie, ließ den Streitwagen wieder zurückfallen, näherte sich den Wildtieren erneut – bis das Rudel schließlich in ein schützendes Birkenwäldchen flüchtete.

Der Königskrieger zügelte die Pferde, wendete den goldenen Wagen und lenkte die Hengste zu einem Bachlauf weiter nördlich. An einer Stelle, wo das Gewässer einen Teich bildete, ließ Cúchulainn die Rösser saufen. Auch er selbst löschte seinen Durst, danach streckte er sich im Moos aus und schaute zu den langsam dahintreibenden Wolkenbänken empor.

Wie schon mehrere Male, seit er Emain Macha verlassen hatte, sann der neunzehnjährige Königskrieger über sein Leben nach. Er dachte an die vielen Siege, die ihm zugefallen waren; überall in Erinn besangen die Barden seine Taten, ganz wie Cathbad es einst vorhergesagt hatte. Aber auch von etwas Dunklem hatte der Druide damals gesprochen: vom frühen Ende Cúchulainns, welches der Preis für seinen Heldenruhm sein würde.

Der Königskrieger fürchtete den Tod nicht, oft genug hatte er ihm von Angesicht zu Angesicht gegenübergestanden. Er hatte sein Schicksal auf sich genommen – doch eben weil ihm dessen Unausweichlichkeit bewußt war, hungerte er um so mehr nach den Freuden des diesseitigen Daseins. Er brauchte das Gefühl, bei den Festen in der großen Halle von Emain

Macha im Mittelpunkt zu stehen; es erregte ihn auf seltsame Weise, wenn Conchobar und die Adligen ihn feierten. Noch berauschender war es, die lockende Verheißung zu spüren, die von den Frauen ausging. Selbst die Schönsten und Begehrenswertesten machten es Cúchulainn leicht, mit zahlreichen Gespielinnen hatte er sich während der vergangenen Jahre vergnügt. Mehr als körperliche Befriedigung freilich hatte ihm keine zu schenken vermocht; nie war es ihm vergönnt gewesen, Liebe zu finden, die ihn alles andere vergessen ließ.

Gerade danach aber sehnte sich Cúchulainn nun schon seit geraumer Zeit. Woche für Woche war sein unbestimmbares Verlangen gewachsen, bis es zuletzt beinahe schmerzhaft geworden war und ihn dazu getrieben hatte, die Königsburg zu verlassen, um weit in den Süden zu fahren. Hier, in der Fremde, suchte er die eine, die weder Gestalt noch Gesicht besaß – und ihm dennoch in seinen Träumen gegenwärtig wurde. Mehrmals während der vergangenen Nächte war es ihm im Schlaf so gewesen, als nähme ihr Antlitz zutiefst vertraute Umrisse an. Doch ehe er ihre Gesichtszüge wirklich erkennen konnte, verwich das Bild – und nach dem Erwachen blieb stets nur die Ahnung von etwas unsagbar Beglückendem zurück.

»Vielleicht ist deine Heimat gar nicht die irdische Welt, sondern Annwn«, flüsterte Cúchulainn. Versonnen betrachtete er die ziehenden Wolken und fragte sich, ob möglicherweise eine Sídh diese grenzenlose Sehnsucht in seine Seele gepflanzt haben könnte.

Dann auf einmal lenkte ihn schwirrender Flügelschlag ab. Unweit von ihm landete ein Wildtaubenpärchen am Teichufer, schnäbelte ausgelassen und paarte sich. In ihrer Liebesbrunst schienen die Vögel Cúchulainn völlig zu übersehen, er hingegen konnte den Blick nicht von ihnen wenden. Auch als die Tauben wieder davonstrichen, schaute er ihnen wie gebannt nach. Er beobachtete, wie sie zu einem in der Ferne aufragenden Burghügel flogen – und hatte plötzlich das Empfinden, daß er ihnen folgen sollte. Es ist ein Omen, dachte er; im nächsten Moment sprang er auf und bestieg den Streitwagen.

In schnellem Galopp fegten die Hengste über die Hochebene. Bald erreichten sie einen Weg, der zur Festung von Luglochta Loga führte; wenig später machte Cúchulainn den Apfelgarten unterhalb der Ringburg aus. Über den Baumwipfeln kreiste das Wildtaubenpärchen; nachdem der Königskrieger nahe genug herangekommen war, erspähte er zwischen den knorrigen Stämmen eine junge Frau.

Cúchulainn zügelte die Pferde und brachte sie dazu, in leichtem Trab zu dem Apfelbaum zu tänzeln, unter dem die Tochter des Burgherrn saß. Nun erhob sie sich; sanfter Wind bewegte ihr kastanienfarbenes Haar, die Locken umrahmten ein Antlitz mit tiefblauen Augen, das Feenschönheit besaß. Als die Hengste anhielten und sie schnaubend zu begrüßen schienen, spielte ein Lächeln um die Lippen der jungen Frau – derart bezaubernd, daß Cúchulainn nie gekannten Aufruhr im Herzen verspürte.

Er stieg vom Wagen, trat langsam zu ihr und sagte leise: »Du mußt ein Wesen aus Tír na n'Og sein. Nur dort leben Frauen von solchem Liebreiz, wie du ihn besitzt.«

Die Kastanienhaarige errötete; ehe sie etwas zu erwidern vermochte, bat Cúchulainn: »Nenne mir deinen Namen, schöne Sídh, damit ich deine Anmut überall in Erinn preisen kann.«

»Du verstehst es, mir zu schmeicheln«, lachte die junge Frau, die sich unterdessen gefaßt hatte. »Daher werde ich dir vielleicht auch sagen, wie ich heiße. Aber zuvor solltest wohl du dich vorstellen.«

»Mein Name ist euch im Südland gewiß nicht geläufig«, äußerte Cúchulainn mit hintergründigem Schmunzeln. »Ich bin bloß ein Jungkrieger aus Emain Macha, der kaum irgendwelche erwähnenswerten Taten vollbracht hat. Immerhin jedoch errang ich im vergangenen Jahr einen kleinen Sieg über den Riesen Goll und geriet außerdem im Coill Draighneach mit dem menschenfressenden Unhold Garb zusammen.«

»Der Held von Ulster!« stieß die Kastanienhaarige hervor. »Deshalb der goldene Streitwagen, die königlichen Waffen und dein strahlendes Aussehen...«

Neuerlich errötete sie, Cúchulainn ergriff ihre Hand und bekannte:»Ja, ich strahle vor Entzücken, und du hast diese unbeschreibliche Freude in mir erweckt. Denn in dir fand ich diejenige, nach der ich mich in meinen Träumen sehnte.«

»Solche Dinge darfst du nicht sagen«, wehrte die junge Frau ab.»Wir sind uns doch völlig fremd.«

»Keineswegs«, beteuerte Cúchulainn.»Seit tausend Jahren bist du mir vertraut. Nur der Name, den du in deinem gegenwärtigen Dasein trägst, ist mir noch unbekannt.«

»Ich heiße Emer«, flüsterte sie nach kurzem Zögern.»Mein Vater ist Forgall Monach. Er herrscht hier auf der Burg von Luglochta Loga – und falls er bemerkt, daß du zu mir in den Apfelgarten gekommen bist...«

»Er soll es wahrhaben«, rief Cúchulainn.»Frank und frei will ich ihm zeigen, wieviel du mir bedeutest. Dreimal werde ich dich im schimmernden Wagen um den Festungshügel fahren.«

»Nein!« Erschrocken entzog Emer ihm ihre Hand.»Damit würdest du meinen Vater unnötig herausfordern.«

»Wieso sollte er zürnen, wenn ich offen und ehrlich um dich werbe?« Tief schaute Cúchulainn ihr in die Augen.»Vor Forgall und aller Welt möchte ich dir beweisen, wie ernst ich es meine.«

Noch einmal öffnete Emer den Mund, um etwas einzuwenden. Aber der Blick des Königskriegers machte sie willenlos – plötzlich lag sie in Cúchulainns Armen und empfing seinen ersten, unendlich zärtlichen Kuß. Ihre Knie wurden weich, sie konnte nicht genug von seinen Liebkosungen bekommen; irgendwann führte Cúchulainn die Kastanienhaarige zum Streitwagen und hob sie hinauf.

Die Hengste trabten aus dem Apfelhain, dann fielen sie in leichten Galopp. Dreimal umkreiste das goldene Gefährt den Burgberg von Luglochta Loga, eng aneinandergeschmiegt standen der Königskrieger und die junge Frau in der Wagenkanzel. An den Feldrainen liefen die Bauern zusammen, auch oben auf dem Festungswall drängten sich die Menschen. Fröhlich winkte Cúchulainn ihnen zu; schließlich lenkte er den Streitwagen die Hügelflanke empor, um Forgall Monach seine Aufwartung zu machen.

Als das Gefährt in die Ringburg rollte, wurde Cúchulainn klar, daß Emer ihn nicht ohne Grund vor ihrem Vater gewarnt hatte. Mit grimmiger Miene wartete Forgall – ein kräftiger, sichtlich schlachtenerprobter Mann – inmitten des Festungshofes. Er trug Brünne und Schwert, die Schar seiner Gefolgsleute war ebenfalls wie zum Kampf gerüstet.

Kaum hatte Cúchulainn die Pferde gezügelt, herrschte der Burgherr seine Tochter an: »Steig sofort vom Wagen und verschwinde ins Frauengemach! Dort wird deine Mutter dich wegen der Schande tadeln, die du über uns gebracht hast.«

Die Kastanienhaarige machte Anstalten, dem Befehl zu gehorchen. Doch der Königskrieger hielt sie zurück und warf Forgall vor: »Du behandelst Emer, als wäre sie deine Sklavin.«

»Es ist mein Recht, so mit ihr umzuspringen, wie es mir gefällt«, schnaubte der Burgherr.

»Und ich, Cúchulainn von Ulster, nehme mir das Recht heraus, Emer vor deiner Willkür zu schützen«, lautete die scharfe Antwort. »Deine Tochter hat nichts Böses getan, deswegen werde ich nicht dulden, daß du sie erniedrigst.«

Forgall griff zum Schwert; für einen Moment sah es so aus, als wollte er blankziehen und den Königskrieger angreifen. Letztlich aber, weil unter seinen Gefolgsmännern besorgtes Raunen laut wurde, beherrschte er sich und knurrte: »Die Gastfreundschaft, für die Luglochta Loga berühmt ist, verbietet mir, dich für deine unverschämten Worte zu bestrafen.«

»Deine Friedfertigkeit ehrt dich«, entgegnete Cúchulainn lächelnd. »Und jetzt laß uns vernünftig miteinander reden, Forgall Monach. Wir müssen etwas sehr Wichtiges besprechen.«

»Worum geht es?« fragte der Burgherr gepreßt.

Cúchulainn tauschte einen zärtlichen Blick mit der Kastanienhaarigen, dann erklärte er: »Ich habe mich unsterblich in Emer verliebt und erbitte deine Erlaubnis, um sie zu werben.«

»Bist du wahnsinnig?« stieß Forgall hervor.

»Mitnichten«, versicherte Cúchulainn. »Ich bin bei vollem Verstand – und gerade deshalb möchte ich die schönste Blume Erinns zu meiner Ehefrau gewinnen.«

»Deine Verblendung ist ungeheuerlich«, versetzte Forgall. »Ich will es dir jedoch nachsehen, denn du bist nicht der erste, der sich wegen meiner Tochter zum Narren macht. Viele andere tauchten bereits in Luglochta Loga auf und winselten mich an, ihnen Emer zum Weib zu geben. Aber sie erhielten denselben Bescheid von mir, den auch du vernehmen sollst: Meine Tochter ist für einen König oder zumindest den Erben eines Königreiches bestimmt, und ich erlaube keinem, der niedriger geboren ist, ihr nachzustellen.«

»Bei mir wirst du eine Ausnahme machen müssen«, beharrte Cúchulainn.

Forgalls Hand zuckte erneut zum Schwertgriff. »Warum? Etwa weil du dir einen gewissen Kampfruhm erworben hast?«

»Das ist einer der Gründe«, antwortete Cúchulainn. »Ungleich mehr zählt allerdings, daß Emer und ich füreinander geschaffen sind – und dir stünde es daher gut an, deine Tochter zu fragen, was sie für mich empfindet.«

»Laß Emer aus dem Spiel!« schäumte Forgall; mit dem nächsten Lidschlag packte er ihren Arm, um sie vom Streitwagen zu zerren.

Die Kastanienhaarige indessen wehrte sich und rief: »Ich flehe dich an, Vater, Cúchulainn nicht so einfach abzuweisen. In ganz Erinn singen die Barden von seinen Heldentaten. Außerdem ist bekannt, daß in Cúchulainns Adern das Blut des Herrschergeschlechts von Emain Macha fließt. Deshalb könnte er dereinst durchaus zum König der Ulsterstämme gekrönt werden.«

Forgall gab seine Tochter frei, musterte Cúchulainn mit gerunzelten Brauen und wollte wissen: »Hast du tatsächlich Aussichten, Conchobars Erbe anzutreten?«

»Ich trachte nicht nach dem Thron meines Oheims«, erwiderte Cúchulainn. »Denn die Pflichten, die mir von den Göttern übertragen wurden, sind anderer Art.«

»Da hörst du es«, wandte sich Forgall hämisch an Emer. »Er kennt seine Grenzen und wird niemals imstande sein, dir die Krone von Emain Macha zu Füßen zu legen.«

»Trotzdem wirst du mir gestatten müssen, um deine Tochter zu werben«, nahm neuerlich Cúchulainn das Wort. »Falls es nämlich Conchobar zu Ohren käme, daß du dich meinem Wunsch verschlossen hast, könnte er im Zorn über eine solche Zurücksetzung seines Hauses womöglich mit Heeresmacht gegen Luglochta Loga heranrücken.«

Forgall erbleichte. »Du erpreßt mich!«

»Ich kämpfe um die Frau, die ich liebe«, versetzte Cúchulainn, zog Emer an sich und fuhr fort: »Doch nun sollten wir unseren kleinen Streit beilegen. Ich schlage vor, du richtest ein Festmahl aus, damit ich dich und deine Familie näher kennenlernen kann.«

Notgedrungen stimmte Forgall zu. Er geleitete das Paar in die Burghalle und ließ seine Gattin sowie die beiden halbwüchsigen Schwestern Emers herbeiholen. Der Königskrieger und die Adelsfamilie nahmen oben an der Tafel Platz, auf die Bänke weiter unten setzten sich die Gefolgsmänner Forgalls. Mägde schenkten Metheglyn aus; bald brutzelte ein Hammel über der Feuerstelle – freilich hatte der Burgherr dafür gesorgt, daß ein eher mageres Tier an den Bratspieß gesteckt worden war.

Cúchulainn tat, als bemerkte er nichts davon; während des Mahls gab er heitere Geschichten vom Hofleben in Emain

Macha zum besten oder erzählte auf die Bitten der Krieger hin von seinen Kämpfen. Später, als sich Forgalls Laune dank des Honigweins ein wenig gebessert hatte, rang Cúchulainn ihm die Erlaubnis ab, drei Tage in Luglochta Loga bleiben zu dürfen. Darüber hinaus sollte der Königskrieger das Recht haben, Emer künftig an den großen Jahreskreisfesten zu besuchen; das nächste Mal in knapp einem Vierteljahr zu Lughnasad.

Nachdem dies abgemacht war, kreisten die Becher von neuem; eine Weile vor Sonnenuntergang fand das denkwürdige Gastmahl sein Ende. Hand in Hand verließen die Kastanienhaarige und Cúchulainn die Halle; Emer führte den Königskrieger auf den Ringwall der Festung und zeigte ihm von dort aus das jenseits des Meeres liegende Bergmassiv von Eryri Gwyn, die Gefilde von Bruig na Bóinne und die Bucht von Baile Átha Cliath. Sie blieben auf dem Wall, bis die rotglühende Sonnenscheibe hinter den Hügeln im Westen versank; erst dann kehrten sie engumschlungen in die Burg zurück.

Am folgenden Morgen bestiegen Cúchulainn und Emer ungeachtet gewisser Einwände Forgalls den Streitwagen, fuhren zur Küste und verbrachten traumhafte Stunden am Meeresgestade. Auch an den beiden nächsten Tagen unternahmen sie Ausflüge; nichts trübte ihr Glück, selbst Forgall schien inzwischen eingesehen zu haben, daß er der tiefen Zuneigung der beiden nichts entgegenzusetzen hatte.

Zuletzt allerdings kam die Stunde des Abschieds. Emer begleitete Cúchulainn, der die Hengste an den Zügeln führte, bis zum Apfelgarten. An der Stelle, wo sie einander erstmals begegnet waren, küßte sie ihn innig wie nie, dann flüsterte sie unter Tränen: »Ich habe das Gefühl, als müßte ich sterben, weil du mich jetzt verläßt.«

»Mein Schmerz ist so groß wie deiner«, bekannte Cúchulainn. »Am liebsten nähme ich dich zu mir auf den Wagen, um mit dir nach Emain Macha zu fliehen.«

»Ich würde dir folgen«, schluchzte Emer. »Aber wir dürfen es nicht tun.«

»Du hast recht«, kam es gepreßt von Cúchulainn. »Wollte ich dich nach Kriegerbrauch entführen, so wäre das ein Bruch der Vereinbarung, die ich mit deinem Vater getroffen habe.«

»Eine solche Tat würde dich ehrlos machen. Das möchte ich nie und nimmer.« Die junge Frau riß sich von ihm los. »Fahr zu! An Lughnasad sehen wir uns wieder. Bis dahin werde ich mich jede Stunde nach dir sehnen.«

»Bei meinem nächsten Besuch erzwinge ich Forgalls Einwilligung zu unserer Hochzeit«, versprach Cúchulainn. Noch einmal küßte er die Kastanienhaarige, dann sprang er auf den Streitwagen und trieb die Pferde an.

Mit brennenden Augen schaute Emer ihm nach; erst als der goldene Wagen in der Ferne verschwunden war, wandte sie sich ab. Der Königskrieger wiederum jagte auf seinem Heimweg mit dem Wind um die Wette, einzig dadurch vermochte er den Trennungsschmerz zu betäuben.

In Emain Macha angelangt, hielt ihn die Hoffnung aufrecht, die Frau, die er liebte, schon bald völlig für sich gewinnen zu können. Conchobar und die Edelleute bestärkten ihn darin; auch Conall Cernach, der Hirschäugige, welcher zu jener Zeit Gast am Königshof war, machte ihm Mut.

Daß Forgall Monach insgeheim Ränke schmiedete, konnte niemand in Emain Macha wissen. Allein Leborcham oder Cathbad wären vielleicht imstande gewesen, Cúchulainn vor der Tücke Forgalls zu warnen. Doch beide weilten im Norden, wo in diesen Wochen nach Beltane ein Drunemeton der bedeutendsten Druiden von Erinn stattfand.

Jeden Abend, wenn er sich in sein Gemach zurückzog, nahm Cúchulainn einen Buchenstab zur Hand und schnitt eine Kerbe hinein; auf diese Weise zählte er die Tage bis Lughnasad.

So verstrich allmählich der Mai; Ende des Monats geschah etwas, das den Königskrieger zumindest ein wenig von seiner Sehnsucht nach Emer ablenkte.

Conchobar, Cúchulainn, Conall und einige Adelskrieger kamen gerade aus der großen Halle, als am Burgtor Unruhe entstand. Gleich darauf rannte ein Wächter herbei und meldete: »Reiter und Planwagen nahen von Südosten. Das Banner der Berittenen zeigt Clanfarben, wie man sie nie zuvor in Ulster sah.«

Neugierig schritten der König und dessen Gefährten zum Torbau, andere Burgleute gesellten sich zu ihnen. Während die Festungsbewohner warteten, rätselten sie über die Herkunft der Fremden; schließlich erreichte der Reiter- und Wagenzug die Kuppe des Burgberges.

An der Spitze trabte ein kräftiger, vollbärtiger Mann mit tiefgebräuntem Gesicht, der auffallend farbenprächtige Kleidung und ungewöhnliche Waffen trug; ähnlich sahen die Krieger seines Gefolges aus. Ein Stück vor der Torbastion zügelte der Anführer seinen Schimmel und rief: »Mein Name ist Getor, ich komme mit meinen Leuten aus Gallien. Wochenlang fuhren wir über das Meer, um Conchobar, dem hochberühmten Herrscher von Ulster, erlesene Waren anzubieten.«

Die Augen des Königs leuchteten auf. Er trat Getor, der rasch vom Pferd sprang, drei Schritte entgegen und sagte: »Ich bin Conchobar und heiße dich in Emain Macha willkommen. Meine Edlen und ich freuen uns sehr über deine Ankunft. Dies um so mehr, als Jahre vergangen sind, seit wir letztmals einen gallischen Kaufherrn begrüßen konnten.«

Getor dankte dem König für dessen freundliche Worte, dann erklärte er: »Nur wenige von uns wagen es noch, westwärts zu segeln. Denn die Küsten Galliens sowie die britannische See werden zunehmend von den Galeeren der ruchlosen Ruheinig unsicher gemacht. Wir aber überlisteten sie und schafften es, unangefochten nach Cornueille und von dort aus nach Erinn zu gelangen.«

»Eines Tages werden die Götter jene Ruheinig und ihr auf maßlosen Machthunger gegründetes Reich vernichtend schlagen«, versetzte Cúchulainn.

»Nichts anderes verdient diese vom Weißen Drachen genährte Brut«, bekräftigte Conchobar, danach wandte er sich wieder an Getor: »Es ehrt dich und deine Männer, daß ihr den Kriegsschiffen der Ruheinig getrotzt habt. Um euren Mut zu feiern, will ich ein Festmahl ausrichten lassen. Später, nachdem wir geschmaust, getrunken und uns näher kennengelernt haben, sollt ihr die Handelswaren, die ihr über das Meer brachtet, zur Schau stellen.«

»Du wirst von den Kostbarkeiten begeistert sein«, versprach Getor.

»Davon bin ich überzeugt«, entgegnete der König, sodann geleitete er den Kaufherrn in die Ringburg.

Während der folgenden Stunden ging es in der großen Halle hoch her. Bei Metheglyn und Braten verbrüderten sich Conchobar, dessen Gefolgsleute und die Edelfrauen von Emain Macha mit ihren gallischen Gästen. Gegen Abend schließlich gab der König dem Drängen der Frauen nach und forderte Getor auf: »Laß uns nunmehr deine Waren sehen.«

Daraufhin erteilte der Kaufherr seinen Knechten den Befehl, zunächst ein Dutzend Amphoren hereinzubringen. Die mit schönen Arabesken bemalten Krüge enthielten Weine aus den verschiedenen Sonnengegenden Galliens, und Getor schenkte eigenhändig Kostproben aus. Conchobar war von den erlesenen Rebensäften so angetan, daß er den ganzen Vorrat, den der Handelsherr mit sich führte, für rotes Gold erwarb.

Ebensogroßes Wohlgefallen fanden die Edelfrauen an den südländischen Stoffen, welche Getor jetzt vor ihnen ausbreitete. Jede wollte eine der feingewebten Tuchbahnen haben; ihre Ehegatten oder Liebhaber konnten nicht umhin, ihnen diesbezüglich willfährig zu sein. Dasselbe galt für die gallischen, griechischen und ägyptischen Schmuckstücke, welche der Händler anschließend aus Ebenholzschatullen nahm; erneut strich er viel Gold und Silber für die kunstvoll verzierten Torcs, Gewandnadeln, Armreife oder Fingerringe ein.

Zuletzt flüsterte Getor mit einem seiner Leibwächter, worauf dieser einen großen, in zusammengenähte Marderfelle gehüllten Gegenstand aus einer flachen Kiste holte. Als der Kaufherr den Pelzüberzug entfernte, kam ein wertvoller Rundschild von phönizischer Arbeit zum Vorschein; er war aus schimmernder Bronze gefertigt, um den Rand lief ein elfenbeinernes Ornamentfries. Getor hielt den Schild vor dem König ins Licht und erklärte: »Dieses Prunkstück möchte ich dir als Dank für deine Gastfreundschaft zum Geschenk machen.«

Gerne nahm Conchobar den Phönizierschild an. Er zeigte ihn Cúchulainn und Conall, damit sie ihn gebührend bewundern konnten, dann wandte er sich wieder an den Handelsherrn und sagte: »Um deine Großzügigkeit zu würdigen, sollen am morgigen Tag Kampfspiele durchgeführt werden. Meine besten Wagenkrieger werden dir zu Ehren miteinander wetteifern, und wenn du nach Gallien heimgekehrt bist, kannst du deinen Landsleuten von den Waffenkünsten der Ulsterkämpen berichten.«

Diese Worte des Königs lösten lauten Jubel in der Halle aus, freudestrahlend prosteten die Adelskrieger und Getors Gefolgsmänner dem Herrscher zu. Im weiteren Verlauf des Abends wurden noch zahlreiche Becher geleert, erst gegen Mitternacht ließ Conchobar die Tafel aufheben.

Am darauffolgenden Vormittag zogen der König, die Burgleute von Emain Macha und deren gallische Gäste zu einem Anger hinaus, der sich nahe des Festungshügels erstreckte. Auf dem Wiesenplan tummelten bereits zwölf Wagenkämpfer ihre Pferde, unter ihnen Cúchulainn in seinem goldenen Gefährt und Conall Cernach.

Sobald Conchobar das Zeichen zum Beginn des Schaukampfes gegeben hatte, bildeten die Streitwagen zwei Formationen; Cúchulainn führte die eine an, Conall die andere. An beiden Enden des Angers nahmen jeweils sechs Wagen nebeneinander Aufstellung, dann galoppierten die Rösser los. Es schien, als würden die zwölf Gespanne in der Mitte des Feldes kollidieren, doch im letzten Moment fächerten sich die Kampfformationen auf, und die Streitwagen schossen aneinander vorbei.

Mehrmals wiederholten die Wagenlenker dieses gewagte Manöver, danach zeigten die Krieger ihre besonderen Fertigkeiten in Einzelaktionen. Manche schleuderten aus voller Fahrt heraus Speere oder Wurfkugeln nach weit entfernten Zielen; andere jagten auf Pfosten zu, die am Rand des Wiesenplans aufgestellt waren, und kappten die Pfahlspitzen mit sausenden Schwerthieben. Ungewöhnliche Waffenkunst bewies Conall, als er von der Wagenkanzel auf die Kruppen seiner dahinpreschenden Hengste sprang und von dort aus drei Pfeilschüsse abgab. Die Geschosse durchbohrten einen Holzschild, der in einer Distanz von mehr als hundert Schritten an einem Baumstamm hing – kaum aber hatte der Hirschäugige diese meisterliche Tat vollbracht, übertraf Cúchulainn ihn noch.

Aus dem goldenen Wagen heraus tat er denselben waghalsigen Satz wie Conall und schnellte ebenfalls drei Pfeile von der Sehne. Der erste durchschlug den Schild, der zweite spaltete den Schaft des tief im Holz steckenden Geschosses und zersplitterte unter dem Aufprall des dritten.

Die Zuschauer tobten, Cúchulainn indessen gab sich nicht mit seinem Erfolg zufrieden. Er vollführte einen Überschlagsprung in die Kanzel des goldenen Wagens, packte eine Stachelkugel und warf sie. Die Kugel traf den Holzschild, riß ihn vom Baum und schleuderte ihn hoch in die Lüfte; mit dem nächsten Lidschlag sandte Cúchulainn einen seiner Speere hinterher. Dessen Spitze zerschmetterte den Schild; als die Waffe zurück zur Erde sauste, fing Cúchulainn sie im Flug auf.

Anschließend wendete der Held von Ulster seine Rösser und ließ sie mit höchster Geschwindigkeit über den Anger rasen. In der Mitte des Wiesenplans schwang er sich vom Streitwagen, rannte mit den Hengsten um die Wette, überholte sie, kreuzte vor ihnen die Bahn – und stand wieder in der Wagenkanzel. Mit der Rechten riß er die Rösser herum, mit der Linken griff er erneut nach dem Bogen; gleich darauf fauchten zwölf Pfeile über den Anger. Elf Geschosse pfiffen so knapp an den Köpfen der vor die übrigen Kampfwagen gespannten Pferde vorbei, daß diese scheuten und ihre Lenker Mühe hatten, sie zu bändigen; der zwölfte Pfeil dagegen prallte auf den Zapfhahn eines Metheglynfasses, welches ganz in der Nähe des Königs und Getors aufgebockt war.

Ein Strahl Honigwein sprudelte aus dem Spund und füllte den darunter stehenden Schnabelkrug. Noch ehe dieser überlaufen konnte, war Cúchulainn vom Streitwagen gesprungen und herbeigeeilt. Er schloß den Zapfhahn, hob den Krug hoch und fragte mit lauter Stimme: »Wem unter den besten Kriegern von Emain Macha gebührt der Ehrentrunk, Conchobar?«

»Zweifellos dir«, erwiderte der König lachend. »Wie erwartet, hast du einmal mehr alle anderen übertroffen.«

»So ist es«, bestätigte Conall Cernach, der mittlerweile ebenfalls herangekommen war. »Deine Kampfkunst ist wahrlich einzigartig, Cúchulainn. Das gestehen ich und die anderen dir neidlos zu.«

Ringsum erklangen Beifallsrufe. Der Held von Ulster setzte den Schnabelkrug an den Mund; Conchobar wartete ab, bis der Sieger der Wagenspiele seinen Durst gestillt hatte, dann wandte er sich an den Kaufherrn: »Gibt es in Gallien einen Kämpen, welcher die Waffen so meisterlich wie Cúchulainn zu führen weiß?«

»In vergangenen Zeiten wuchsen auch in meiner Heimat solche Recken heran«, entgegnete Getor. »Heutzutage allerdings lebt unter den gallischen Stämmen wohl kein Krieger mit vergleichbaren Fähigkeiten.«

Der König klopfte seinem Neffen auf die Schulter. »Hörst du? Selbst jenseits des Meeres wäre niemand imstande, dich auszustechen.«

Die Umstehenden drängten näher, um Cúchulainn zu beglückwünschen – plötzlich jedoch vernahmen sie neuerlich die Stimme des Händlers: »Ich will den Ruhm deines besten Mannes wirklich nicht schmälern, Conchobar. Aber ich fürchte, du irrst, wenn du meinst, es gäbe nirgendwo in den Ländern östlich Erinns einen Kämpen, der Cúchulainn besiegen könnte.«

Erstaunt weiteten sich die Augen des Königs; er setzte zu einer Frage an, doch sein Neffe kam ihm zuvor: »Äußere dich genauer, Getor.«

»Ich spreche von einem allseits gefürchteten Recken, dessen Ringburg in Alba steht«, erklärte der Handelsherr. »Sein Name lautet Domnall, und bislang triumphierte er über jeden Gegner. Sieben Dutzend Herausforderer, so heißt es, überwand Domnall bereits. Deshalb läßt sich zumindest nicht ausschließen, daß seine Waffenkunst der deinen vielleicht sogar überlegen ist, Cúchulainn.«

»Das bestreite ich!« fuhr der Held von Ulster auf. »Käme es zwischen mir und diesem Domnall zum Zweikampf, würde er unweigerlich den Kürzeren ziehen.«

Ein kaum sichtbares Lächeln kräuselte Getors Lippen – und reizte Cúchulainn noch mehr. »Offenbar bezweifelst du die Wahrheit meiner Worte«, herrschte er den Händler an. »Aber ich werde es dir und aller Welt beweisen. Auf der Stelle will ich nach Alba segeln, um...«

»Halt ein!« unterbrach ihn Conall. »Denk an die Frau, die du liebst.«

Cúchulainn rang mit sich, dann versetzte er: »Meine Ehre steht auf dem Spiel. Daher bleibt mir keine andere Wahl. Ich werde die See überqueren, Domnall in seiner Festung aufsuchen und mich im bewaffneten Wettstreit mit ihm messen.«

»Dein rascher und mutiger Entschluß verdient Bewunderung«, kam es von Getor. »Bloß schade, daß ich nicht dabeisein kann, wenn du Domnall gegenübertrittst. Meine Pflichten rufen mich nämlich heim nach Gallien.«

»Du sollst alsbald durch Bardengesänge von meinem Sieg über den Kämpen von Alba erfahren«, beschied ihn Cúchulainn und wollte sich wieder auf seinen Streitwagen schwingen.

Conall jedoch vertrat ihm den Weg und fragte: »Willst du Emain Macha etwa sofort verlassen?«

»Nein«, antwortete Cúchulainn. »Erst morgen bei Sonnenaufgang.«

»Das ist vernünftig«, entgegnete der Hirschäugige. »Denn so bleibt uns genügend Zeit für die Reisevorbereitungen.«

»Uns?« schnappte Cúchulainn.

»Da ich es nicht schaffte, dich von der Fahrt nach Alba abzuhalten, habe ich mich entschieden, dich zu begleiten«, schmunzelte Conall. »Bitte schlage es mir nicht ab. Mir steht der Sinn nach einem Abenteuer an deiner Seite.«

»Dasselbe gilt für mich«, erklärte Conchobar. »Auch ich möchte Zeuge deines Zweikampfes mit Domnall sein.«

Cúchulainn blickte vom einen zum anderen, dann sagte er: »Ich wäre ein Narr, wenn ich euch zurückweisen würde. Denn auf dem Meer benötige ich ohnehin Gefährten, und bessere als euch könnte ich nicht finden. Laßt uns also zusammen nach Alba segeln.«

Mit einem allgemeinen Umtrunk wurde die Abmachung besiegelt. Danach zogen die Burgleute und ihre gallischen Gäste wieder hinauf auf die Hügelfestung, wo die Mägde alsbald ein reichliches Mahl auftrugen. Am Nachmittag verabschiedeten sich Getor und seine Männer und verschwanden mit ihren Planwagen nach Südosten.

Die Bewohner von Emain Macha schauten dem Handelszug von den Wällen aus nach – niemand ahnte, was dort draußen geschah, nachdem die vermeintlichen Gallier außer Sichtweite der Königsburg waren.

Im Schutz eines tiefeingeschnittenen Hohlweges kam der Wagenzug zum Stehen. Getor sprang vom Pferd, schlüpfte aus seinem gallischen Umhang und rief: »Wir haben den lästigen Mummenschanz nicht länger nötig. Unsere List ist geglückt, die Narren in Emain Macha sind uns auf den Leim gegangen.«

»Und insbesondere der hochberühmte Held von Ulster wird seine Bekanntschaft mit dir noch bitter bereuen«, feixte einer von Getors Begleitern.

Dann machten sich auch die Reiter und Fuhrleute daran, ihre farbenprächtigen Gewänder abzulegen und sie mit anderen Kleidungsstücken aus einem der Frachtwagen zu vertauschen. Diese Gewänder zeigten Clanfarben, die in Erinn keineswegs unbekannt waren; es handelte sich um jene von Luglochta Loga – und als die Männer nun zudem Fläschchen mit einer streng riechenden Flüssigkeit sowie Lappen aus den Taschen zogen und anfingen, ihre scheinbar tiefbraunen Gesichter zu reinigen, kam helle Haut zum Vorschein.

Am auffälligsten freilich war Getors Verwandlung. Denn nachdem er die Schminke aus dem Antlitz gerieben hatte, nahm er seinen falschen Vollbart sowie eine Perücke ab und entfernte eine hauchdünne Halbmaske von der oberen Gesichtshälfte. Zuletzt stand statt des gallischen Händlers der Burgherr von Luglochta Loga da: Forgall, der Vater Emers, welcher seinen Beinamen Monach – der Ränkeschmied – nicht von ungefähr trug.

Jetzt steckte Forgall Monach die Utensilien weg, mit deren Hilfe er die Bewohner von Emain Macha so erfolgreich getäuscht hatte, und schwang sich wieder in den Sattel. »Auf nach Hause«, befahl er seinen Leuten. »Sobald wir in Luglochta Loga sind, will ich ein Fest für euch ausrichten – und während die Humpen kreisen, werden wir Cúchulainns gedenken, der es in seiner Vermessenheit wagte, meiner Tochter zu nahe zu treten.«

»In Alba wird er den Lohn für seine Unverfrorenheit erhalten«, grinste der Reiter neben Forgall.

»Zweifellos«, nickte der Burgherr. »Tod und Verderben erwarten ihn dort. In Domnall, von dessen unübertroffener Tücke im Zweikampf weder Cúchulainn noch Conchobar oder Conall Cernach etwas ahnen, wird der Verführer Emers unweigerlich seinen Meister finden. Er wird fallen, so gewiß wie auf den Tag die Nacht folgt – und damit habe ich freie Hand, Emer dem Mann meiner Wahl zum Weib zu geben.«

Mit diesen Worten trieb Forgall Monach sein Roß an und trabte davon, die übrigen Berittenen und die Fuhrwerke folgten ihm. Wenig später lag der Hohlweg erneut verlassen da; nur ein Rabenschwarm kreiste noch über den Wipfeln der Bäume, welche die düstere Kluft überschatteten.

ÐIE ΩEERfaꝪRT

Im Morgengrauen des nächsten Tages brachen Conchobar, Cúchulainn und Conall zu ihrer Reise ins ferne Alba auf. Die drei mit Waffen und Proviant beladenen Streitwagen rollten durch das Tor der Hügelfestung; nachdem sie am Fuß des Burgberges angelangt waren, fielen die Pferde in Galopp und preschten nach Nordosten davon.

Unaufhaltsam jagten die Gespanne dahin, kurz vor Einbruch der Nacht erreichten die Gefährten das Südufer des Lough Neagh. Am Gestade des Sees lagerten sie und steckten eine Hammelkeule an den Bratspieß; als die ersten Fettspritzer im Feuer verzischten, sagte Cúchulainn zufrieden: »Obwohl eure Rösser im Gegensatz zu meinen nicht imstande sind, überirdische Schnelligkeit zu entwickeln, kamen wir heute gut voran. Die halbe Strecke bis zum Meer liegt hinter uns, morgen abend sollten wir an der Küste sein.«

»Dann freilich könnte es schwieriger werden«, äußerte

Conchobar. »Denn unter Umständen müssen wir bei der Überfahrt nach Alba mit widrigen Winden und rauher See rechnen.«

»Die Götter werden uns beistehen«, versicherte Cúchulainn.

»Zweifellos«, grinste Conall. »Schließlich wissen die Bewohner von Tír na n'Og, daß du der schönen Emer das Versprechen gabst, sie an Lughnasad in Luglochta Loga zu besuchen. Und bis dahin hast du gerade noch zwei Monate Zeit.«

»Mehr als genug, um Domnall zu finden, ihn zu besiegen und nach Erinn heimzukehren«, entgegnete Cúchulainn.

»Das denke ich auch«, nickte Conchobar. »In höchstens vier Wochen sollten wir zurück in Emain Macha sein – allerdings nur, falls uns die Götter wirklich nichts in den Weg legen.«

»Sie beschützten Cúchulainn doch immer«, erklärte Conall.

»Darauf laßt uns trinken.« Conchobar stand auf und nahm einen in Stroh gehüllten Krug mit gallischem Wein sowie drei Becher von seinem Wagen.

Während die Gefährten dem Rebensaft zusprachen, wurde die Hammelkeule gar. Als sie gut durchgebraten war, hob der König den Spieß vom Feuer und zerteilte das Fleisch. Genüßlich schmausten die drei Männer, danach versorgten sie ihre Pferde für die Nacht und legten sich zum Schlaf nieder.

Kaum fingerten die ersten Sonnenstrahlen über die Berge östlich des Lough Neagh, spannten Cúchulainn und seine Begleiter die Rösser erneut vor die Streitwagen. Der zweite Reisetag verlief ebenso ereignislos wie der erste; am Spätnachmittag begann die Luft salzig zu riechen, und bei Einbruch der Abenddämmerung überwanden die Pferde den letzten flachen Hügelzug vor der Meeresküste.

Conall erspähte eine Ansiedlung von Rundhütten, die eine Meile entfernt im Schutz eines Dünenstreifens lag. Er deutete hinüber und rief: »Wir haben es prächtig getroffen. Die Fischer dieses Dorfes besitzen gewiß hochseetüchtige Boote.«

Als die Kampfwagen auf dem Anger zwischen den reetgedeckten Hütten anhielten, wurden sie bereits von den Bewohnern erwartet. Der Dorfälteste trat vor, um die Besucher zu begrüßen – aber ehe er das Wort an sie zu richten vermochte, erklang die Stimme einer weißhaarigen Greisin mit auffällig hellen Augen: »Ich sehe ein goldenes Gefährt, das von einem strahlenden Krieger gelenkt wird. Ein König und ein weiterer Hochgeborener, der Cernunnos verbunden ist, geben ihm das Geleit. Dies kann nur eines bedeuten: Zusammen mit dem Herrscher von Emain Macha und dem Druidensohn Conall Cernach ist Cúchulainn, der Held von Ulster, zu uns gekommen!«

Lauter Jubel brach los. Er wollte gar nicht mehr aufhören; endlich gebot Conchobar den Dörflern Ruhe und verkündete: »Wir werden diese Nacht bei euch verbringen. Morgen dann wollen wir in See stechen, um ein Abenteuer in Alba zu bestehen. Dazu benötigen wir einen hochbordigen Curragh, der Wogen und Winden widerstehen kann – und wenn ihr uns ein solches Boot zur Verfügung stellt, soll es euer Schaden nicht sein.«

»Ihr werdet unseren besten Curragh erhalten«, versprach der Dorfälteste. »Außerdem wollen wir uns um eure Pferde kümmern und die Streitwagen bewachen, bis ihr zurückkehrt.«

»Hab Dank, mein Freund.« Der König stieg vom Wagen und drückte dem Alten einen Beutel mit Silber in die Hand. »Nimm dies als Lohn für dich und deine Leute.«

Erneut jubelten die Umstehenden, sodann geleiteten sie ihre Gäste zum Gemeinschaftshaus der Ansiedlung. Dort nahmen Conchobar, Cúchulainn und Conall die Ehrenplätze ein; das Dorfoberhaupt und die Weißhaarige setzten sich zu ihnen. Junge Frauen trugen Metheglyn auf; wenig später servierten sie gebratene Fische, gesottene Hummer und Langusten sowie anderes schmackhaft zubereitetes Meeresgetier. Der König und seine Gefährten genossen das Mahl; als sie ihren Hunger gestillt hatten, erzählte Cúchulainn auf die Bitten der Dörfler hin von einigen seiner Heldentaten.

Wie gebannt hingen die Zuhörer an seinem Mund. Nach der letzten Geschichte – der von Garb – konnte einer der Fischer nicht länger an sich halten und fragte: »Werdet ihr auch in Alba einem solchen Unhold wie dem menschenfressenden Drachenmann gegenübertreten?«

»Nein«, erwiderte Conchobar. »Es geht um einen Zweikampf Cúchulainns mit dem Recken Domnall, welcher bereits sieben Dutzend Herausforderer überwand und deshalb im Ruf steht, unbesiegbar zu sein. Doch an meinem Schwestersohn wird er sich vermutlich die Zähne ausbeißen.«

»Ich bin der gleichen Meinung«, bekräftigte Conall. »Trotzdem würde es mich reizen, Genaueres über den Verlauf des Wettstreits zu erfahren.« Er richtete den Blick auf die weißhaarige Alte. »Du scheinst die Fähigkeiten einer Ovatin zu besitzen. Kannst du vielleicht für uns in die Zukunft schauen?«

»Anders als die großen Seherinnen, wie etwa Leborcham, genoß ich keine Ausbildung in einer Druidenschule«, entgegnete die Greisin. »Daher kommt und geht meine Gabe, wie sie will. Manchmal erkenne ich das Verborgene, manchmal nicht.«

»Versuch es«, forderte der Hirschäugige.

Die Weißhaarige nickte, stand auf und ging zur Feuerstelle. Mit halb geschlossenen Lidern starrte sie in die zuckenden Flammen. Zeit verstrich; schließlich wandte sich die Greisin wieder den Besuchern aus Emain Macha zu und sprach: »Jenseits der See werdet ihr mehr Abenteuer erleben, als ihr erwartet. Insbesondere du, Cúchulainn, wirst mannigfaltige Fährnisse durchstehen müssen. Domnall, der Ungeschlachte, ist keineswegs der einzige, mit dem du die Waffen kreuzt. Vielmehr werden weitere ...«

Unvermittelt brach die Alte ab; lautlos bewegten sich ihre Lippen, vergeblich rang sie nach Worten.

»Was noch?« drängte Conall.

»Finsternis«, stöhnte die Weißhaarige. Taumelnd kehrte sie an ihren Platz zurück, sank auf die Bank, faßte sich und erklärte: »Ich habe euch mitgeteilt, was ich erschaute. Aber dann wurden die Nebel, die euer Schicksal verschleiern, schwarz und undurchdringlich.«

»Immerhin wissen wir nun, daß es uns in Alba an Kurzweil nicht mangeln wird«, sagte Cúchulainn lächelnd und griff nach seinem Trinkbecher. »Laßt uns darauf anstoßen.«

Nachdenklich taten die Gefährten ihm Bescheid; in der Folge wurden noch etliche Krüge Metheglyn geleert, bis sich die Dorfbewohner und ihre Gäste schließlich zur Ruhe begaben.

Frischer Wind fegte Gischtfahnen über die Wellenkämme, als der Curragh, den die Fischer für den Helden von Ulster und seine Begleiter ausgesucht hatten, vom Strand ablegte. Conchobar hielt das Steuer des fünfzehn Fuß langen, außen mit einer Lederhaut überzogenen Bootes; Cúchulainn und Conall ruderten. Nachdem der Curragh ein Stück aufs offene Meer hinausgekommen war, hoben Cúchulainn und der Hirschäugige die Riemen aus dem Wasser und setzten das trapezförmige Segel. Die Leinwand blähte sich; das Boot nahm schnellere Fahrt auf, und der Bug teilte stampfend die Wogen.

Bis zur Vormittagsmitte blieb die Küstenlinie Erinns im Westen sichtbar, dann verschwand sie im Dunst. Von jetzt an mußte der König den Sonnenstand beobachten, um den richtigen Kurs zu halten; am Nachmittag jedoch tauchte im Osten eine blaßblaue Silhouette auf: das südwestliche Gestade von Alba. Am frühen Abend lief der Curragh in eine von tangüberwachsenen Klippen umsäumte Bucht ein. Mit vereinten Kräften trugen die Gefährten das Boot an Land und errichteten ihr Nachtlager.

»Die Götter waren uns gnädig«, äußerte Conchobar, als sie um das Feuer saßen. »Innerhalb eines einzigen Tages erreichten wir Alba – freilich befinden wir uns noch längst nicht am Ziel. Denn nach den Angaben, die Getor uns machte, müssen wir von hier aus mehrere hundert Meilen nach Norden vordringen, ehe wir in die Gegend kommen, wo sich Domnalls Ringburg erhebt.«

»Wir werden die Festung finden, gleichgültig wie weit sie entfernt ist«, antwortete Cúchulainn. »Und falls die Weißhaarige recht hatte und uns unterwegs gefährliche Herausforderungen begegnen sollten, würde ich mich darüber freuen. Denn offen gestanden langweilte ich mich arg während der ereignislosen Überfahrt.«

»Mir erging es ähnlich«, stimmte Conall zu. »Aber womöglich bringen uns die nächsten Reisetage ja etwas Abwechslung.«

So war es in der Tat. Bereits am folgenden Nachmittag, als der Curragh um das Kap einer Halbinsel segelte, schossen plötzlich vier doppelt so große Boote hinter einer Schäre hervor; jedes trug eine Besatzung von sieben Mann.

»Piktische Seeräuber!« schrie Conchobar – im selben Moment pfiffen auch schon Wurfspeere und Pfeile durch die Luft. Blitzschnell rissen die Ulsterrecken ihre Schilde hoch, um die Geschosse abzufangen; wiederum einen Lidschlag später schleuderte Cúchulainn eine Stachelkugel gegen das vorderste Piratenboot. Die Kugel zerschmetterte den Bug und ließ ein halbes Dutzend Spanten zersplittern, augenblicklich schlugen die Wogen über dem Wrack und seinen Insassen zusammen.

Auf die gleiche Weise versenkte Cúchulainn das zweite und dritte Boot. Das letzte indessen verschonte er; triumphierend einen seiner Speere schwingend, rief er den in Todesangst davonrudernden Pikten nach: »Einundzwanzig Seeräuber, die ich im Handumdrehen zu den Fischen sandte, bezeugen, daß niemand sich ungestraft mit dem Helden von Ulster anlegt.

Euch jedoch lasse ich entkommen, damit ihr an Land vom schändlichen Scheitern eures Hinterhalts berichten könnt.«

Während der Weiterfahrt waren Conchobar und Conall voll des Lobes wegen der meisterlichen Würfe, die Cúchulainn getan hatte. Auch die Götter schienen sich über seine Kampfkunst zu freuen, denn günstiger Südwind, der bis zum Abend wehte, erleichterte dem Curragh das Vorwärtskommen entlang der Westküste von Alba. Die Nacht verbrachten die Gefährten abermals am Strand einer geschützten Bucht, zeitig am nächsten Morgen zogen sie das Boot wieder ins Wasser und setzten ihre Reise fort.

Bis zum Mittag ereignete sich nichts von Bedeutung – dann jedoch wallte seitlich des Curraghs die See auf. Ein gigantisches Wesen tauchte aus den Fluten empor; Kopf und Hals waren schlangenartig, der Leib glich dem eines Drachen. Als das Ungeheuer sein Maul öffnete, wurden mörderische Fangzähne sichtbar – unmittelbar darauf schnappte der Meermoloch zu, um das Boot zu zermalmen.

Conchobar riß das Steuerruder herum, Conall und Cúchulainn schleuderten Widerhakenspeere. Beide Wurfwaffen bohrten sich in den Rachen des Ungetüms; grauenhaftes Brüllen erscholl, der Schädel des Molochs schnellte zurück. Ehe das Seeungeheuer erneut angreifen konnte, sprang Cúchulainn mit einem mächtigen Satz auf den Rücken der Bestie. Er landete hart hinter dem Nackenansatz des abgründigen Wesens und führte einen gewaltigen Schwertstreich. Krachend brach der unterste Halswirbel des Meermolochs; der Kopf des Untiers zuckte konvulsivisch, kam immer tiefer herab und peitschte zuletzt aufs Wasser.

Kaum brandeten die Wellen gegen den riesigen, hin und her schlagenden Schädel, rannte Cúchulainn behende über den sich windenden Schlangenhals. Als er den Kopf erreicht hatte, schwang er neuerlich das Schwert und rammte die Klinge durch das rechte Auge des Ungeheuers in dessen Gehirn. Eine Blutfontäne schoß zum Himmel; röhrendes Todesröcheln drang aus dem Maul des Molochs, dann wurde der Schädel vom eigenen Gewicht unter die Wasseroberfläche gedrückt.

Cúchulainn schwamm zum Curragh zurück; schweigend beobachteten der Held von Ulster und seine Gefährten, wie die brodelnde Flut den Körper des Ungetüms verschlang. Nachdem sich das Meer wieder beruhigt hatte, holte Conchobar tief Atem und sagte mit rauher Stimme: »Um ein Haar hätte unsere Fahrt im Rachen dieser fomorischen Bestie ihr Ende gefunden.«

»Es sah ganz danach aus«, nickte Conall. »Aber glücklicherweise reist einer mit uns, dessen Schwert selbst die Nackenknochen von Seedrachen zerspellt.«

»Bloß schade, daß ich mir das Haupt des Ungeheuers nicht als Trophäe zu nehmen vermochte«, versetzte Cúchulainn. »Doch daran läßt sich nun nichts mehr ändern, also laßt uns weitersegeln.«

So geschah es. Wiederum rauschte das Boot stetig nach Norden; allmählich wurde die Küste zerklüftet, und die weiter östlich aufragenden Berge wirkten zunehmend schroffer. Bei Einbruch der Abenddämmerung entfachten die Ulsterrecken ein Lagerfeuer auf einem Eiland in einer Flußmündung und mutmaßten, was ihnen der folgende Tag bringen würde.

Kaum waren sie von neuem aufgebrochen, glaubten sie, weit in der Ferne Rauchsäulen zu erspähen. Doch erst in der Vormittagsmitte waren sie nahe genug herangekommen, um Einzelheiten erkennen zu können. Offenbar hatten auf einer Halbinsel verschiedene Gehöfte eines Dorfes gebrannt, jetzt allerdings stieg nur noch dünner Qualm aus den zusammengebrochenen Hausruinen auf. Die Gefährten ruderten an den Strand heran; nichts regte sich dort drüben – plötzlich gewahrte Conall, wie jenseits der teilweise zerstörten Ansiedlung ein Schwarm Seevögel hochstob.

Vorsichtig steuerten die Ulsterrecken den Curragh um das Kap der Landzunge – und erblickten ein großes Schiff, welches am Nordufer der Halbinsel vor Anker lag. Zwei Masten ragten über das Deck empor, die Bordwände waren in halber Höhe mit Reihen von schweren Rudern bestückt, und auf der Heckplattform stand ein Katapult.

»Eine Galeere der ruchlosen Ruheinig!« stieß Conchobar grimmig hervor. »Gewiß haben sie das Dorf überfallen, um die Bewohner zu verschleppen und sie auf den Sklavenmärkten ihres Imperiums zu verkaufen.«

»Nun freilich werden die Menschenjäger es bitter bereuen, sich in diese Gewässer gewagt zu haben«, knurrte Cúchulainn. »Sie sollen dasselbe Schicksal erleiden wie vorgestern die Piraten und gestern der Meerdrache.«

»Du kannst auf uns zählen«, versicherten Conchobar und Conall wie aus einem Munde – gleich darauf schoß das Boot mit schäumender Bugwelle auf das Sklavenschiff zu.

Als die Ulsterrecken nur noch einen Pfeilschuß von der Galeere entfernt waren, sahen sie ihre Feinde hinter einem Dünenrücken am Strand hervorkommen. Die ungefähr vierzig Ruheinig trugen Kettenpanzer, Schilde, Spieße und Kurzschwerter; zwischen sich trieben sie mehrere Dutzend Gefangene: mit Stricken gefesselte Männer und Frauen, dazu Kinder.

Jetzt, da die Ruheinig den herannahenden Curragh ausmachten, zückten die vordersten ihre Waffen – dann rief der Anführer einen Befehl. Wurfspieße flogen dem Boot entgegen, prallten aber wirkungslos an der Schildwehr Cúchulainns ab. Im nächsten Moment sprangen der Held von Ulster und seine Gefährten aus dem Curragh, hetzten durch das seichte Uferwasser und griffen die Menschenjäger an.

Heftig tobte der Kampf, schrecklich wüteten die Schwerter der Recken aus Erinn unter den Ruheinig. Cúchulainn erschlug etwa dreißig von ihnen, Conchobar und Conall machten dem Rest den Garaus. Am Ende lebte einzig noch der Führer der Sklavenräuber, welcher gleich am Anfang zu fliehen versucht hatte und unweit der Galeere von einem Stachelkugelwurf Conchobars niedergestreckt worden war.

Die drei Ulsterrecken umringten den verwundeten Ruheinig, der sich feige hinter einen Busch duckte und dessen Schild mit seltsamen Sternen und Streifen bemalt war. Scharf musterte Cúchulainn den Menschenjäger; es schien, als wollte er sich das Gesicht mit den stechenden, nahe beieinander stehenden Augen und den bösartig verkniffenen Mundwinkeln genau einprägen.

Schließlich, weil Conchobar ein aufforderndes Räuspern hören ließ, richtete der Held von Ulster das Wort an den Ruheinig: »Was gibt dir das Recht, in fremde Länder einzufallen und ihre Bewohner zu versklaven?«

»Du irrst«, erwiderte der Menschenjäger mit quäkender Stimme. »Wir Ruheinig versklaven niemanden. Vielmehr sind wir von den Göttern dazu bestimmt, allen anderen Völkern des Erdkreises die Freiheit unseres Imperiums zu bringen.«

Ungläubig schüttelte Cúchulainn den Kopf, dann spuckte er aus und wandte sich an Conchobar: »Du hast diesen Wahnsinnigen überwältigt. Dir obliegt es, ihn zu richten.«

Der König nickte. Mit dem nächsten Lidschlag führte er einen sausenden Schwertstreich und trennte den Schädel des Ruheinig vom Rumpf.

Nachdem der Menschenjäger den Lohn für seine Taten bekommen hatte, zerschnitten die Ulsterrecken die Fesseln der Dorfbewohner; anschließend begaben sie sich auf die Galeere und lösten auch die Ketten der zumeist keltischen Rudersklaven. Danach wurde ein Scheiterhaufen errichtet, auf dem die Leiber der Ruheinig ehrlos verbrannten. Die einheimischen Männer und Frauen jedoch, welche beim Überfall auf die Ansiedlung ums Leben gekommen waren, erhielten Erdgräber; die Angehörigen stellten Gefäße mit Korn und Metheglyn neben den Häuptern ihrer toten Verwandten nieder, um ihnen die Wanderung nach Annwn angenehm zu machen.

Als der letzte der insgesamt zehn Grabhügel aufgeschichtet war, stand die Sonne bereits wieder schräg am Himmel. Da infolgedessen die Weiterreise an diesem Tag nicht mehr lohnte, beschlossen Cúchulainn und seine Gefährten, die Nacht auf der Halbinsel zu verbringen. Im größten der Häuser, die von den Ruheinig nicht niedergebrannt worden waren, fanden sie Unterkunft – freilich kamen die Ulsterrecken erst spät zur Ruhe, denn die Dorfbewohner bestanden trotz ihrer Trauer darauf, ihre Retter zu feiern. So wurde an Speisen und Getränken zusammengetragen, was sich noch in den Anwesen fand; die befreiten Rudersklaven wiederum, welche nunmehr über die Vorräte der Galeere verfügen konnten, steuerten Amphoren mit Südwein bei.

Da Cúchulainn und seine Begleiter sich mittlerweile zu erkennen gegeben hatten, blieb dem Helden von Ulster auf dem Höhepunkt des Festes nichts anderes übrig, als von einigen seiner früheren Siege zu erzählen. Später dann sprach er auch über den Anlaß, der ihn, Conchobar und Conall nach Alba geführt hatte; zuletzt sagte er: »Fast schon zweieinhalb Tage segelten wir entlang der Küste dieses Landes nach Norden. Eigentlich müßten wir jetzt bald an unser Ziel kommen – und vielleicht vermag jemand unter euch uns nähere Auskunft über die Gegend zu erteilen, wo Domnalls Ringburg steht.«

»Ihr habt nicht mehr sonderlich weit bis dorthin«, erwiderte der Dorfälteste. »Morgen um die Mittagszeit werdet ihr vier schwarze Felstürme erblicken, die aus dem Meer aufwachsen. Jenseits der Türme erstreckt sich eine Bucht, welche ebenfalls von dunklen Klippen umgeben ist. An einer Stelle mündet ein Wildbach in die See, und dieses Gewässer strömt von der Flanke des Bergzuges herab, auf dem sich die von euch gesuchte Festung erhebt.«

»Dank deiner Wegbeschreibung können wir sie unmöglich verfehlen«, erklärte Cúchulainn zufrieden. Er trank einen Schluck, dann wollte er wissen: »Was für ein Mensch ist Domnall?«

»Weder ich noch die anderen kennen ihn«, antwortete der Alte. »Niemand aus unserer Ansiedlung wagte sich je zu seiner Burg.«

»Fürchtet ihr ihn denn so sehr?« fragte Conchobar.

»Dazu haben wir keinen Grund, weil Domnall nur gegen Krieger kämpft und niemals friedliche Bauern oder Fischer wie uns bedrohte«, entgegnete der Dorfälteste. »Aber wir meiden seine Festung, denn es heißt von ihr, daß innerhalb der Wälle böse Geister hausen.«

Gespannt beugte sich der König vor. »Welcher Art sind diese Wesen?«

»Man munkelt von Feuerdämonen, die jäh aus der Erde fahren und den Tod bringen«, murmelte der Alte. »Auch soll es auf der Burg Gespenster geben, welche unsichtbare Klingen schwingen und ahnungslose Männer damit zerfleischen.«

»Schauermärchen«, versetzte Cúchulainn wegwerfend.

»Ganz bestimmt nicht«, beteuerte der Dorfälteste. »Warum sollte ich euch Lügengeschichten erzählen? Vielmehr will ich dich und deine Freunde, die ihr uns in höchster Not zu Hilfe kamt, aufrichtigen Herzens warnen. Es wäre zweifellos besser für euch, wenn ihr von eurem Vorhaben, Domnall aufzusuchen, Abstand nehmen würdet.«

»Das verbietet unsere Ehre«, widersprach Cúchulainn. »Morgen werden wir die Festung betreten – und sollten dort tatsächlich irgendwelche Geister umgehen, wird sich zeigen, ob sie meiner Kampfkunst gewachsen sind.«

Ganz wie der Alte vorhergesagt hatte, tauchten in der Mitte des folgenden Tages die vier schwarzen Felstürme vor dem Curragh auf. Die See bildete saugende Strudel zwischen ihnen, in sicherem Abstand steuerte Conchobar das Boot an den von Möwen umschwirrten Basaltbastionen vorüber. Als sie jenseits der Steintürme waren und in die vom Dorfältesten beschriebene Bucht einfuhren, gewahrten die Ulsterrecken an deren nördlichem Gestade den ins Meer schäumenden Wildbach.

Am Ufer des Gewässers, das durch eine Kluft in der Steilküste herabströmte, zogen die Gefährten den Curragh an Land. Sie schleppten das Boot zu einer geschützten Stelle oberhalb der Flutmarke, nahmen ihre Waffen und Reisesäcke heraus und kletterten das Bachbett empor. Nachdem sie die Klamm hinter sich gebracht hatten, gelangten Cúchulainn und seine Begleiter auf einen schroff ansteigenden Berghang. Sie hielten inne und spähten zum langgestreckten Gipfelgrat hinauf, doch nirgendwo vermochten sie die Ringburg Domnalls auszumachen.

»Die Festung muß an der meerabgewandten Seite des Bergzuges liegen«, vermutete Conall.

Entlang des Wildbaches erklommen die Gefährten den von Felstrümmern durchsetzten Hang; auf halber Höhe entdeckten sie ein uraltes, teilweise verfallenes Steinkammergrab. Als die drei Männer näher kamen, strich mit klagendem Krächzen ein Dohlenschwarm ab und schwirrte zu einer Gruppe von Krüppelföhren, die unweit des Dolmen wuchsen.

»Unheilschwangere Stimmung beseelt diesen Ort«, sagte Conchobar.

»Die Geister derer, die hier beigesetzt wurden, sind friedlos«, bestätigte Cúchulainn.

Er bückte sich nach einem Felsbrocken und legte ihn auf die zerbrochene Deckplatte des Grabes, um die Toten zu beruhigen; der König und Conall taten es ihm nach.

Schweigend verharrten die Gefährten eine Weile bei dem Dolmen, dann setzten sie ihren Weg fort. Schließlich erreichten sie den Gipfelgrat und schauten auf einen etwas tiefer liegenden, ins Landesinnere weisenden Hügelrücken mit beinahe senkrechten Flanken hinunter. Eine schmale, scheinbar bodenlose Querschlucht trennte das Ende des basaltschwarzen Bergsattels ab – und dort draußen stand Domnalls Burg.

ÐOMNALL UNÐ ÐORNOLL

Vom Rand der etwa dreißig Schritt breiten und schwindel-
erregend tiefen Schlucht aus blickten die Ulsterrecken zur Festung hinüber. Ihr Ringwall bestand aus mächtigen Stein-
quadern, die zu doppelter Manneshöhe aufgeschichtet waren;
drinnen erhoben sich mehrere turmartige Gebäude mit kegelförmigen Dächern. In der Frontseite des Walles gähnte ein
niedriger Torschlund; auf dem Platz davor tobten vier große
Wolfshunde, die beim Herannahen Cúchulainns und seiner
Gefährten rebellisch geworden waren, gegen ihre Ketten.

»Offenbar weiß Domnall seine Heimstätte zu schützen«,
sagte Conchobar, nachdem er sich ebenso wie die anderen
gründlich umgesehen hatte.

»Es wäre außerordentlich schwer, dieses Felsennest zu erobern«, nickte Conall.

»Trotzdem würde ich mir zutrauen, es zu stürmen«, versetzte Cúchulainn. »Aber wir kamen nicht her, um eine
Schlacht gegen Domnall zu schlagen, deshalb wollen wir höflich Einlaß begehren.«

Damit stieg er auf einen Steinblock, hieb seine Speerschäfte dreimal dröhnend gegen den Schild und rief mit schallender Stimme: »Hier steht Cúchulainn, der Held von Ulster.
Bei mir befinden sich König Conchobar von Emain Macha
sowie Conall Cernach, der Hirschäugige. Und da wir es nach
der aufreibenden Reise über das Meer ein klein wenig an-
strengend fänden, die Felskluft im Sprung zu bezwingen, ersuche ich dich, Domnall von Alba, uns den Übergang zu er-
leichtern.«

Die Hunde heulten noch wütender, dann jedoch erschien
ein ruppig aussehender Knecht mit einer Peitsche vor dem
Tor und brachte die Tiere zur Ruhe. Kaum hatten die Hunde
gekuscht, trat ein zweiter Mann ins Freie. Er war von unge-
schlachter Gestalt, trug einen Mantel aus Fuchsfellen und hielt
eine zweischneidige Streitaxt in der Faust. Vier weitere Krie-

ger in Lederbrünnen, die mit Langschwertern, Lanzen und Rundschilden bewaffnet waren, bildeten sein Gefolge.

Der Hüne führte die Schar zum Schluchtrand, wo ein Colmen aufragte. Neben diesem schlanken und nicht sonderlich hohen Menhir blieb der Mann im Fuchspelzmantel stehen; mißtrauisch spähte er über den Abgrund, schließlich brüllte er: »Ich bin Domnall. Sind eure Absichten feindlich oder friedlich?«

»Du hast nichts von uns zu befürchten«, gab Conchobar zurück. »Das verspreche ich dir bei meiner Königsehre.«

»Ich will dir glauben«, erwiderte Domnall. »Dennoch möchte ich erfahren, was euch zu mir führt, bevor ich euch den Weg in meine Festung öffne.«

»Wir hörten in Erinn von deinem Kampfruhm«, antwortete Cúchulainn. »Es heißt, du hättest bereits sieben Dutzend Gegner besiegt. Daher beschloß ich, dich aufzusuchen, um meine Waffenkunst in anständigem Wettstreit mit deiner zu messen.«

»Mittlerweile ist die Zahl derer, die ich im Zweikampf überwand, auf siebeneinhalb Dutzend gestiegen«, prahlte Domnall.

»Wenn es sich so verhält, wird es wahrhaftig Zeit, daß du deinen Meister findest«, erklärte Cúchulainn. »Und jetzt laß uns endlich in deine Burg. Ich kann es kaum erwarten, mit dir auf deine unausweichliche Niederlage zu trinken.«

Domnall grinste. »Du scheinst wirklich unbelehrbar zu sein. Und da du es nicht anders haben willst...«

Er schwang die Streitaxt, ein wuchtiger Flachhieb traf den Colmen. Der Menhir kippte ein Stück zur Seite, in der Schluchtwand darunter tat sich knirschend eine Spalte auf – im nächsten Moment fuhr ein Balkensteg aus dem Fels und überbrückte den Abgrund.

»Wie es aussieht, besitzt du sehr ungewöhnliche Fertigkeiten«, rief Cúchulainn dem Hünen zu. Dann betrat er den geländerlosen Steg, unter dem die schwarze Tiefe gähnte.

Leichtfüßig lief er zum anderen Ende, Conchobar und Conall folgten ihm. Nachdem alle drei drüben auf festem Boden standen, drückte Domnall den Colmen in die Ausgangsstellung zurück; polternd verschwand der Balkensteg wieder in der Felsspalte.

Domnall und seine vier Krieger geleiteten die Ulsterrecken zum Festungstor. Als die Männer in den Burghof schritten, rannten Knechte und Mägde herbei, um die Fremden zu bestaunen. Auch die Bewaffneten, die eben noch auf dem Wehrgang über dem Torschlund gestanden hatten, eilten nun herab. Rasch waren Cúchulainn und seine Gefährten von mehreren Dutzend Neugierigen umringt – plötzlich erscholl vom höchsten der Wohntürme her ein keifendes Organ: »Geht beiseite. Macht Platz für mich. Weg da, oder ich will euch lehren, wer die Herrin dieser Festung ist.«

Erstaunt fuhren die Ulsterrecken herum und sahen, wie sich ein weibliches Wesen von höchst abstoßendem Äußeren durch die Menge drängte. Die ungefähr dreißigjährige Frau wirkte nicht weniger grobschlächtig als Domnall. Ihre unförmigen nackten Arme mit den riesigen Händen schienen geeignet, Schmiedehämmer zu führen; ihre Schenkel waren dick wie Säulen, die Knie traten gleich plumpen Knollen hervor. Farbloses, fettig schillerndes Haar bedeckte den Schädel des Weibes; Blatternarben verunzierten Stirn und Wangen, die Augen schielten gräßlich. Die Frau war dermaßen häßlich, daß Cúchulainn und seine Gefährten erschraken und unwillkürlich zurückwichen; dies freilich rettete sie – oder zumindest den Helden von Ulster – nicht vor der Aufdringlichkeit der Ungeschlachten.

Vielmehr watschelte die Frau schnaufend heran, baute sich vor Cúchulainn auf und verschlang ihn schier mit ihren Blicken. Sodann verzog sie den Mund mit dem Roßgebiß zu einem lüsternen Grinsen und forderte in schrillem Tonfall: »Nenne mir unverzüglich deinen Namen, du wunderschöner Mann.«

Cúchulainn schluckte und wandte sich wie hilfesuchend Domnall zu; etwas verlegen murmelte dieser: »Vor dir steht meine Schwester Dornoll Olldronai.«

»Was mischst du dich ein?« herrschte Dornoll ihren Bruder an. »Ich wäre durchaus fähig gewesen, mich diesem strahlenden Recken selbst vorzustellen.« Erneut faßte sie den Helden von Ulster schmachtend ins Auge. »Wer bist du? Verrate es mir endlich!«

Notgedrungen machte Cúchulainn gute Miene zum bösen Spiel. Nachdem er sich zu erkennen gegeben hatte, fuhr er fort: »Es ehrt mich, daß du so großen Anteil an mir nimmst, Dornoll. Um Mißverständnissen vorzubeugen, muß ich dir allerdings etwas offenbaren. Mein Herz gehört bereits einer anderen, nämlich der liebreizenden Tochter des Burgherrn von Luglochta Loga in Erinn. Und sobald ich in mein Heimatland zurückgekehrt bin, will ich die bezaubernde Emer heiraten.«

Dornoll schnaubte enttäuscht, drehte sich brüsk um und tappte mit ungelenken Bewegungen davon. Betreten schauten der Held von Ulster, Conchobar und Conall ihr nach; schließlich sagte Domnall: »Nehmt sie nicht ernst. Wie wir Männer nur allzugut wissen, sind die Weiber manchmal zu argen Verrücktheiten fähig. – Jetzt aber folgt mir in den Festsaal, damit wir bei Metheglyn und Braten über den Zweikampf sprechen können, zu dem du mich herausgefordert hast, Cúchulainn.«

Das Gemach, in welches Domnall seine Gäste führte, lag im obersten Stock des Wohnturmes, aus dem zuvor Dornoll gekommen war. Schweres, aus Eichenbalken gezimmertes Strebewerk bildete die Decke; an den Wänden, die von vier Fensteröffnungen durchbrochen waren, hingen verschiedenartige Waffen. In der Mitte des Raumes stand die mit Schnitzereien verzierte Tafel; der Burgherr und die Ulsterrecken ließen sich auf der Bank an ihrem Kopfende nieder, besonders verdiente Gefolgsmänner Domnalls belegten die übrigen Plätze.

Bald war das Gastmahl in vollem Gange; abwechselnd erzählten Cúchulainn und der hünenhafte Burgherr von den

Heldentaten, die sie vollbracht hatten. Zuletzt kamen Domnall und Cúchulainn überein, ihren Zweikampf schon am nächsten Tag auszutragen. In drei Waffengängen wollten sie ihre Kräfte und ihr kriegerisches Können messen: mit Schwertern, Speeren und Wurfkugeln – der Sieger sollte dann als der beste Krieger Erinns und Albas gleichermaßen gelten.

Ehe die Ulsterrecken am folgenden Morgen ihre Unterkunft verließen, um sich in den Festungshof zu begeben, ermahnte Conchobar seinen Neffen: »Denk an die Warnung des Dorfältesten auf der Halbinsel, wenn du nunmehr Domnall gegenübertrittst.«

»Glaubst du wirklich, der Burgherr steht mit bösen Geistern im Bunde?« fragte Cúchulainn.

»Der Alte war felsenfest davon überzeugt«, erwiderte Conall anstelle des Königs. »Deshalb rate auch ich dir dringend, auf der Hut zu sein.«

»Ihr könnt euch darauf verlassen, daß ich mir keine Blöße geben werde«, versicherte Cúchulainn. »Und was gewisse dämonische Mächte oder dergleichen angeht, die Domnall möglicherweise zu beschwören vermag, so habe ich meine eigenen Vermutungen.«

»Welche?« stießen Conchobar und Conall gleichzeitig hervor.

Doch Cúchulainn gab keine Antwort. Er lächelte nur geheimnisvoll und ging seinen verdutzten Gefährten voran nach draußen.

Im Hof waren bereits die Burgleute versammelt. Die Krieger, Knechte und Mägde scharten sich um eine Stelle zwischen Festungstor und Ringmauer, die etwas erhöht lag. Als Cúchulainn und seine Begleiter dort anlangten, sahen sie, daß der Platz mit großen Steinplatten von kalkweißer, schiefergrauer und basaltschwarzer Farbe belegt war. Auf der rechteckigen Erhebung, welche eine Länge von ungefähr vierzig Schritten hatte und an deren Schmalseiten zwei mannshohe Eichenpfosten aufragten, wartete Domnall. Statt des Fuchspelzmantels trug er heute eine mit Metallschuppen beschlagene Brünne, dazu Breitschwert, Bronzeschild und zwei mächtige Speere.

Cúchulainn, welcher auf gleiche Weise bewaffnet war, trat zu seinem Gegner. Im selben Moment, da er das Wort an Domnall richten wollte, erstarrte er; jähes Unbehagen malte sich auf seinem Antlitz. Denn unversehens watschelte die ungeheuerliche Schwester des Burgherrn herbei; ganz wie am Vortag musterte Dornoll den Helden von Ulster mit unverhohlener Lüsternheit und schrillte: »Wie schön wäre es, du ausnehmend wohlgebauter Recke aus Erinn, wenn du an diesem leuchtenden und den Liebesfreuden so holden Frühlingsmorgen nicht bloß um deine Ehre, sondern darüber hinaus um meine Hand fechten würdest.«

Cúchulainn rang nach Luft; ehe er etwas erwidern konnte, fuhr Domnall seine Schwester an: »Halte deine Zunge im Zaum und verschwinde zu den anderen Weibern, du Närrin! Hier auf der Kampfplattform hast du nichts verloren.«

Wüste Grimassen schneidend, zog sich Dornoll zurück. Erleichtert atmete Cúchulainn auf, reichte seinem Gegner die Rechte und sagte: »Ich verspreche dir, während unserer drei Waffengänge ehrlich und ohne jegliche Hinterlist mit dir zu wetteifern.«

»Dieser Vorsatz ehrt dich«, versetzte Domnall. Dann deutete er auf eine weiße Steinplatte in der Mitte der Erhöhung und fügte hinzu: »Ich weise dir diese helle Fläche als Standplatz an. Auf der angrenzenden schwarzen werde ich selbst Aufstellung nehmen. Sodann wollen wir uns zunächst im Streit mit Schwert und Schild messen. Derjenige, der von seiner Platte weichen muß, soll der Verlierer des Kampfes sein. – Bist du mit dieser Regelung zufrieden?«

»Sie erscheint mir zwar etwas ungewöhnlich, doch ich füge mich dir gerne«, antwortete der Held von Ulster.

»Gut«, grinste Domnall, winkte einen Krieger herbei und übergab ihm seine Speere. Conchobar nahm Cúchulainns Wurfwaffen an sich; anschließend traten beide Gegner auf die jeweiligen Steinplatten, zogen die Klingen und hoben die Schilde vor die Brust.

Wie es seine Art war, führte der Ulsterheld den ersten Streich. Geschickt parierte Domnall den Angriff, dann hallte der Burghof von immer schneller aufeinanderfolgenden Schwertschlägen wider. Eine Weile verlief der Zweikampf ausgeglichen, keiner der Kontrahenten vermochte einen Vorteil über den anderen zu gewinnen. Plötzlich jedoch unternahm Domnall einen furiosen Ausfall. Ein Hagel schwerer Hiebe krachte gegen die Schildwehr Cúchulainns, die mörderischen Schläge trieben den Ulsterhelden bis an die Kante der Kalksteinplatte. Schon sah es so aus, als würde Cúchulainn unterliegen – unvermittelt aber wendete sich das Blatt. Ein gewaltiger Schwertstreich, der Domnalls Schildrand einbeulte, verschaffte dem Ulsterhelden Luft. Der Hüne taumelte auf die basaltschwarze Platte zurück; weitere Kernhiebe Cúchulainns bewirkten, daß Domnall in die Knie brach.

Fairerweise ließ der Ulsterheld von seinem Gegner ab, damit dieser wieder auf die Beine kommen konnte. Mitten auf der weißen Steinplatte stehend, erwartete Cúchulainn die nächste Attacke Domnalls. Den Hünen indessen schien der Mut verlassen zu haben. Nur zögerlich näherte er sich dem Ulsterhelden – doch dann zuckte seine tief gehaltene Klinge jäh vor. Ihre Spitze stieß in eine kleine schüsselförmige Vertiefung in der Fuge zwischen der dunklen und der hellen Platte. Ein scharfes Scharren erklang, im Kalkstein sprangen Dutzende von Rissen auf. Flammenzungen schossen daraus hervor, fauchende Lohe umgab Cúchulainn von allen Seiten – und jetzt griff Domnall, den Nachteil des Ulsterhelden nutzend, ernsthaft an.

Erneut fielen die Schwertschläge des vom sicheren Rand der Steinplatte aus kämpfenden Hünen hageldicht. Cúchulainn war kaum imstande, sich gegen sie zu behaupten, weil Hitze und Rauch ihn behinderten. Verbissen verteidigte sich der Ulsterheld; trotzdem konnte es bloß noch eine Frage der Zeit sein, bis Domnalls Hiebe und die sengende Glut ihn von seinem Standort vertreiben würden.

Plötzlich strauchelte Cúchulainn. Ein Triumphschrei drang aus Domnalls Mund, abermals schlug er mit aller Kraft zu – der Ulsterheld ließ seinen Schild fahren. Die Wehr prallte auf den Boden; einen weiteren Hieb des Hünen allein mit seiner Klinge parierend, sprang Cúchulainn auf den Schild. Soweit die Wehr die Risse im Stein bedeckte, schützte sie den Ulsterhelden vor der Lohe – und nun zeigte Cúchulainn, welch unvergleichlicher Kämpfer er war.

Er deckte Domnall mit solch fürchterlichen Schwertschlägen ein, daß der Hüne neuerlich taumelte und niederbrach. Während Domnall sich wieder aufraffte, führte Cúchulainn einen Stoß gegen die Mulde in der Plattenfuge; sofort erloschen die Flammen. Damit war der Weg für den Ulsterhelden frei; er packte seinen Schild, schwang die Klinge und drang ungestüm auf seinen Gegner ein. Kurz tobte der Kampf auf der schwarzen Steinplatte, dann prellte ein sausender Hieb Cúchulainns dem Hünen das Schwert aus der Hand. Domnall stolperte – und ein Fußtritt des Ulsterhelden schleuderte ihn über die Kante der Basaltplatte.

Die Burgleute, welche Domnall eben noch lautstark angespornt hatten, verstummten ernüchtert. Conchobar und Conall hingegen strahlten vor Freude, der König rief seinem Neffen zu: »Die Barden werden deinen Sieg über den Recken von Alba, welcher dich selbst durch Feuerzauber nicht zu überwinden vermochte, mit unsterblichen Gesängen würdigen.«

»Wie du sicher bemerktest, hatten die tückischen Flammen so wenig mit Zaubermacht zu tun wie die Brücke, die unser Freund gestern über die Schlucht schnellen ließ«, versetzte Cúchulainn. Dann trat er zu Domnall und herrschte ihn an: »Ich versprach dir, ohne jegliche Hinterlist mit dir zu wetteifern. Du jedoch hast zu einem höchst infamen Mittel gegriffen, um den Schwertkampf zu gewinnen.«

»Ich konnte der Versuchung nicht widerstehen«, gestand der Burgherr. »Aber ich schwöre, daß du beim zweiten Waffengang vor Glut und Rauch sicher sein wirst.«

Mißtrauisch runzelte Cúchulainn die Stirn. »Ich hoffe, du meinst es ehrlich.«

»Was ich sagte, gilt«, beteuerte Domnall. »Die Götter sind meine Zeugen.«

»Also gut«, nickte der Ulsterheld. »Wie soll der nächste Wettstreit, den wir mit Speeren und Schild austragen wollen, vonstatten gehen?«

»Du siehst die Eichenpfosten an den Enden der Kampfplattform«, entgegnete Domnall. »Auf den Rundplatten direkt neben ihnen, die wir während des Zweikampfes nicht verlassen dürfen, nehmen wir Aufstellung, und jeder bekommt zusätzlich zu seinen eigenen zehn weitere Kriegsspeere. Mit diesen Waffen werfen wir abwechselnd, bis einer von uns nicht länger standzuhalten vermag, so daß er niederfällt oder über den Rand der Erhebung stürzt.«

»Einverstanden«, erklärte Cúchulainn.

»Dir gebührt der Platz im Süden, denn aus dieser Himmelsrichtung kamst du mit deinen Gefährten übers Meer«, fuhr Domnall fort. »Und weil du im Schwertkampf den Sieg errungen hast, will ich dir den ersten Speerwurf zugestehen.«

»Du zeigst dich ausgesprochen großzügig«, äußerte der Ulsterheld mit unbewegter Miene. Sodann schritt er zu Conchobar, und der König übergab seinem Neffen die beiden vielfach erprobten Schlachtspeere. Auch Domnall ergriff die Wurfwaffen, die er auf den Kampfplatz mitgebracht hatte. Danach stellten sich die Gegner seitlich der Pfosten auf; Krieger des Burgherrn hatten mittlerweile die übrigen Speere in die festgestampfte Erde am Nord- und Südende der Plattform gerammt.

»Bist du bereit, Zauberkünstler?« erscholl Cúchulainns Stimme.

»Nur zu, du Stolz von Ulster«, erwiderte Domnall, spreizte die Beine und deckte sich hinter dem Schild.

Mit mächtigem Schwung holte Cúchulainn aus. Sein Schlachtspeer heulte durch die Luft und knallte auf die Schutzwehr des Hünen. Domnall wankte unter dem Aufprall, behauptete jedoch seinen Stand; gleich darauf schleuderte er seine eigene Waffe. Der Wurf war kaum weniger kraftvoll als der des Ulsterhelden; in hohem Bogen fauchte der Speer über den Kampfplatz – verfehlte aber sein Ziel und bohrte sich zwei Ellen neben Cúchulainns Kopf in den Eichenpfosten.

Der Pfahl kippte eine Handbreit nach hinten; im selben Moment fuhren zahlreiche messerscharfe Speerblätter aus der Rundplatte. Sie zuckten empor, verschwanden wieder und erschienen erneut; der Ulsterheld sah sich zu raschen Sprüngen hierhin und dorthin gezwungen, um den ständig hoch- und niederschießenden Klingen zu entgehen. Auf unberechenbare Weise bedrohten die Speerspitzen Cúchulainn; trotzdem räumte er das Feld nicht, sondern bemühte sich, Domnalls tückischen Anschlag zunichte zu machen.

Nach einigen vergeblichen Anläufen gelang es dem Ulsterhelden, nahe an den Eichenpfosten heranzukommen. Über die Steinplatte hinausgreifend, versuchte er, den Pfahl in seine Ausgangsstellung zurückzustemmen, doch der Pfosten bewegte sich um keinen Deut. Vielmehr stießen plötzlich auch aus dem Holz Speerblätter nach Cúchulainn, so daß er von dem Pfahl ablassen mußte.

Während der Ulsterheld neuerlich zwischen den Klingen auf der Rundplatte hin und her sprang, vernahm er einen erzürnten Ruf Conchobars: »Beschäme Domnall! Verweigere ihm aufgrund seiner abermaligen Hinterlist die Fortsetzung des Kampfes.«

»Nein!« Cúchulainn hob seinen zweiten Schlachtspeer. »Ich weiche nicht sieglos.«

Damit schleuderte er die Waffe. Da jedoch gleichzeitig ein hochschnellendes Speerblatt seine Wade streifte, verriß er den Wurf; drei Schritte vor Domnall schlug der Schlachtspeer auf den Boden. Der Hüne feixte und holte seinerseits aus. Lauernd wartete er, bis die Klingen den Ulsterhelden in noch ärgere Bedrängnis als ohnehin schon brachten – dann sauste Domnalls Kampfspeer direkt auf Cúchulainns Brust zu.

Mit knapper Not wehrte der Ulsterheld das Geschoß ab, die vom Schildrand wegprallende Spitze ritzte allerdings seine Wange. »Der Gruß, den ich dir sandte, kostete dich Blut«, schrie Domnall triumphierend. »Und beim nächsten Mal will ich dich noch stärker zur Ader lassen.«

»Ich werde dich eines Besseren belehren, du Schandmaul!« Zornige Glut sprühte aus Cúchulainns Augen; ein rascher Satz brachte ihn dorthin, wo die zehn Speere am Plattenrand in der Erde steckten. Er packte zwei von ihnen, drehte sich um, nahm einen kurzen Anlauf, benutzte die eine Waffe als Sprungstab, schnellte sich hoch über die tückischen Klingen empor – und warf den zweiten Speer aus einem halsbrecherischen Überschlag heraus auf seinen Gegner.

Der Angriff überraschte Domnall völlig. Das Geschoß des Ulsterhelden schmetterte ihm die Schutzwehr aus der Hand und schleuderte ihn von der Kampfplattform. Cúchulainn aber landete federnd auf der Rundplatte. Behende tänzelte er zwischen den auf und ab zuckenden Speerblättern herum; als der Hüne wieder auf die Beine gekommen war, rief er ihm zu: »Anders als du habe ich meinen Platz nicht verlassen. Deshalb wirst du mir zugestehen müssen, daß ich dich auch im zweiten Durchgang besiegte.«

Erst nachdem Domnall dies bestätigt hatte, sprang der Ulsterheld von der Platte. Er sammelte seine Schlachtspeere auf, reichte sie Conchobar und nahm die Glückwünsche des Königs und Conalls entgegen. Danach ging er zu Domnall. Mit gerunzelter Stirn musterte Cúchulainn den Burgherrn, verschmähte es jedoch, ihn nochmals wegen seiner Niedertracht zu tadeln, sondern forderte lediglich barsch: »Laß uns unverzüglich den dritten Wettstreit mit den Wurfkugeln austragen.«

»Wie du willst«, knurrte Domnall, wandte sich ab und schritt zum Eichenpfosten am südlichen Ende der Kampfplattform. Von der sicheren Seite her umschlang er den Pfahl an einer ungefährlichen Stelle und drehte ihn ruckartig nach rechts; augenblicklich verschwanden die aus dem Holz beziehungsweise der Steinplatte stoßenden Speerblätter in ihren Versenkungen und kamen nicht mehr zum Vorschein.

In der Mitte der Erhebung traf Domnall wieder auf den Ulsterhelden. Cúchulainn fragte: »Welche Regeln hast du dir für den letzten Zweikampf ausgedacht?«

»Keine besonderen«, erwiderte der Burgherr. »Mit Schild und Kugelsack bewaffnet bewegen wir uns völlig frei auf der Plattform. Verlierer ist der, welcher von einem Stachelgeschoß niedergestreckt wird.«

»Du kannst dich darauf verlassen, daß du ein drittes Mal auf die Nase fällst«, versetzte Cúchulainn.

»Wir werden sehen«, entgegnete Domnall, dann gab er einem seiner Krieger ein Zeichen.

Der Mann brachte zwei lederne Umhängesäcke heran, die jeweils ein Dutzend eiserner Wurfkugeln enthielten. Als der Ulsterheld seinen Sack ergriff, glaubte er, ein feines Vibrieren zu spüren. Aber Cúchulainn ließ sich nichts anmerken. Mit ausdruckslosem Gesicht ging er zum Rand der Erhebung, Domnall nahm am anderen Ende des Kampfplatzes Aufstellung.

»Hab keine Scheu, mein Freund!« rief der Ulsterheld spöttisch. »Wage den ersten Wurf – und gib dir Mühe, damit es dir auch wirklich gelingt, deinen Kinderball bis hierher zu schleudern.«

Wutentbrannt riß Domnall eine Stachelkugel aus dem Ledersack, holte Schwung und ließ das Eisengeschoß in Richtung Cúchulainns pfeifen. Auf halbem Weg jedoch trieb ein knallender Aufprall die Kugel aus ihrer Bahn – gedankenschnell hatte der Ulsterheld ebenfalls ein Geschoß abgeschnellt und Domnalls Stachelkugel im Flug getroffen.

»Ich sagte dir voraus, daß du Schwierigkeiten haben würdest, mich zu erreichen«, höhnte Cúchulainn.

»Mein nächster Wurf wird dich das Fürchten lehren!« brüllte der Hüne. »Das schwöre ich dir!«

»Ich warte«, gab Cúchulainn lachend zurück. »Mach schon. Tu dir keinen Zwang an.«

Domnall griff nach einer zweiten Kugel, schleuderte sie aber nicht, sondern hob das Geschoß mit beiden Händen hoch und zischelte eine Beschwörung. Kaum waren die magischen Worte erklungen, begann die Stachelkugel zu sirren, und eine fahlweiße Aura bildete sich um das Geschoß.

Jetzt warf Domnall die Kugel. Wieder versuchte der Ulsterheld, sie abzuschmettern, doch das Geschoß des Hünen wich dem seinen jäh aus. Wirkungslos prallte Cúchulainns Stachelkugel gegen die Burgmauer, Domnalls Wurfgeschoß aber fand sein Ziel. Mit ungeheurer Wucht krachte die Zauberkugel auf den Schild des Ulsterhelden und blieb in der Schutzwehr stecken; Cúchulainn taumelte, nur mit knapper Not vermochte er sich auf den Beinen zu halten.

Hastig faßte der Ulsterheld wieder festen Stand – da sausten unmittelbar hintereinander drei weitere, von fomorischem Nebel umflirrte Kugeln heran. In seiner Not tat Cúchulainn einen mächtigen Sprung vorwärts; einzig so konnte er vermeiden, daß die auf seinen Schild schmetternden Geschosse ihn von der Kampfplattform fegten.

Vier Zauberkugeln, die zusammen einen eisernen Igel bildeten, hatten sich nun in den Schild des Ulsterhelden verbissen; schwer hing die Wehr am Arm Cúchulainns – schon schleuderte Domnall das nächste Geschoß. Dieses freilich kam nicht in gerader Linie geflogen. Vielmehr beschrieb es unberechenbare Kurven, zuletzt fauchte es wie rasend um den Ulsterhelden herum – plötzlich verhakten sich seine Stacheln im Vorbeischießen mit denen der vier anderen Zauberkugeln. Cúchulainns Schildwehr wirbelte davon, ungeschützt stand der Ulsterheld da.

»Mein ist der Sieg«, schrie Domnall triumphierend. »Deine Kampfkunst versagt angesichts der Magie, über die ich verfüge. Der sechste Wurf, den ich tat, raubte dir den Schild – und wenn ich dir jetzt das siebte, achte und neunte Zaubergeschoß sende, wirst du dreimal in Folge Kobolz schlagen.«

Damit holte Domnall abermals drei Stachelkugeln aus seinem Sack. Mit beiden Händen hob er die Geschosse hoch, um sie zu beschwören – doch Cúchulainn kam ihm zuvor.

»Rotmagie bannt Fahlzauber«, rief er. »Rote Drachenkraft führe ich gegen weiße Drachentücke ins Feld. Rotkugeln sollen Macht über Fahlkugeln gewinnen.«

»Niemals!« heulte der Hüne. Er schleuderte seine Stachelgeschosse, zischelte ihnen einen schaurigen Satz hinterher – gleichzeitig warf Cúchulainn drei Kugeln. Die Geschosse des Ulsterhelden waren von purpurner Aura umgeben, Feuerblitze zuckten aus ihren Eisendornen; in der Mitte des Kampfplatzes trafen sie auf Domnalls Stachelkugeln und zerspellten sie.

Einen Lidschlag später schleuderte Cúchulainn drei weitere rotglühende Wurfgeschosse auf den Hünen. Die erste Kugel ließ Domnalls Schild zerbersten, die zweite riß ihm den Umhängesack weg; die letzte schmetterte den Hünen mit derartiger Wucht von der Plattform, daß er sich dreimal überschlug und ächzend am Fuß der Festungsmauer liegenblieb.

Während die Burgleute betroffen tuschelten, eilten Conchobar und Conall zu ihrem Gefährten. Sie umarmten Cúchulainn und beglückwünschten ihn einmal mehr; dann schritten die Ulsterrecken dorthin, wo Domnall mit Hilfe einiger Gefolgsmänner soeben wieder mühsam auf die Beine kam.

»Auch im dritten Durchgang unseres Wettstreits, der sich am Ende dank deines erstaunlichen Wagemuts sogar auf magischer Ebene abspielte, zeigte ich mich waffengewandter als du«, redete Cúchulainn den Hünen an. »Deshalb wirst du mir jetzt den Rang des besten Kriegers Erinns und Albas gleichermaßen zugestehen müssen.«

»Ich tue es«, knurrte Domnall.

»Sehr gut«, schmunzelte Cúchulainn. »Außerdem wirst du dich wohl auch nicht weigern wollen, ein Heldenmahl für mich auszurichten.«

»Das Fest soll ganz nach deinem Wunsch stattfinden«, versprach der Burgherr.

»Und ich will dir dabei persönlich aufwarten«, ließ sich im Rücken Cúchulainns eine schrille Frauenstimme vernehmen. »Denn nie sah ich einen Recken so mitreißend kämpfen wie dich – und wenn wir beide erst traulich vereint an der Tafel sitzen, können wir vielleicht auch ein wenig über unsere gemeinsame Zukunft plaudern.«

»Scher dich ins Kochgewölbe, um die Mägde zu beaufsichtigen«, fuhr Domnall seine Schwester an.

Doch statt zu verschwinden, griff Dornoll nach dem Arm des Ulsterhelden. »Laß nicht zu, daß dieser Unhold von Bruder mich auf solche Art behandelt. Er hat kein Recht, sich zwischen dich und mich zu stellen – und falls du nur wolltest, dürfte er mir beispielsweise nicht verbieten, dich in den Baderaum unserer Burg zu begleiten, wo ich dir deine kampfmüden Glieder mit wohlig warmem Wasser waschen könnte, um sie anschließend liebevoll zu massieren und zu salben.«

»Es genügt, wenn meine Gefährten mich mit kalten Güssen erfrischen«, stieß Cúchulainn abweisend hervor.

»Einzig die schöne Emer von Luglochta Loga, der sein Herz gehört, dürfte sich im Bad mehr mit ihm erlauben«, versetzte Conall grinsend. »Das wirst du früher oder später noch einsehen müssen, Dornoll.«

Die Ungeschlachte schnaubte empört und watschelte davon. Der Held von Ulster, Conchobar und Conall warteten ab, bis Dornoll außer Sicht war, dann verließen sie den

Kampfplatz ebenfalls. Zunächst suchten Cúchulainn und seine Freunde den Baderaum auf; danach stiegen sie zum Festgemach im obersten Stock des großen Wohnturmes empor, wo Domnall ihrer harrte.

Mit versteinerter Miene saß der Burgherr da. Kaum hatten die Ulsterrecken auf der Bank neben ihm Platz genommen, stürzte er rasch hintereinander mehrere Becher Metheglyn hinunter – offenbar hatte er den Honigwein dringend nötig, um den Grimm über seine dreifache Niederlage zu betäuben. Wenig später fanden sich Domnalls Gefolgsleute ein; einer nach dem anderen beteuerten sie ihrem Herrn, daß keiner unter ihnen Cúchulainn so lange hätte standhalten können wie er. Aber sie vermochten Domnall nicht aufzumuntern; er blieb schweigsam, starrte die meiste Zeit düster in seinen Pokal und trank zwischendurch unmäßig.

Cúchulainn, Conchobar und Conall, welche die Achtung vor Domnall sowieso längst verloren hatten, ließen sich die Laune dadurch nicht verderben. Ohne groß auf den Burgherrn zu achten, feierten sie den glücklichen Ausgang ihres Abenteuers; auch sprachen sie über die Heimreise nach Erinn, die sie bereits am folgenden Morgen antreten wollten.

Schließlich erschienen Mägde unter der Eichentür des Raumes und brachten einen köstlich duftenden, noch am Spieß steckenden gebratenen Hammel herein. Auf zwei Böcken vor Domnalls Platz stellten sie ihn nieder; seufzend zog der Burgherr seinen Dolch und schnitt die Ehrenportion für Cúchulainn ab.

Eben als Domnall dem Ulsterhelden die eine Hinterkeule samt den Hoden vorlegte, stürmte Dornoll ins Gemach. Schnaufend zwängte sie sich zwischen Conall und Cúchulainn, deutete auf die Hammelhoden und brachte den Helden von Ulster neuerlich in Verlegenheit, indem sie kreischend verkündete: »Solche Leckerbissen, sagt man, stärken die Lendenkraft eines Mannes ungemein. Und eine Frau, die dann in den Genuß seiner Leidenschaft kommt...«

»Schweig!« fiel ihr Cúchulainn, dessen Geduld nunmehr endgültig erschöpft war, ins Wort. »Bereits mehrmals gab ich dir zu verstehen, daß ich keine andere als die zauberhafte Emer liebe. Kannst du das nicht begreifen und mich in Ruhe lassen, du Närrin?«

Dornoll erbleichte. Im ersten Moment sah es so aus, als wollte sie Cúchulainn ohrfeigen. Doch dann stand sie abrupt auf und setzte sich ans andere Ende der Bank neben ihren Bruder.

Einige Atemzüge lang herrschte betretenes Schweigen. Schließlich hob Conchobar seinen Becher und brachte, um die peinliche Situation zu überspielen, einen Trinkspruch aus. »Wie der Wettstreit zwischen Domnall und meinem Neffen auch ausging, eines ist gewiß«, rief er. »Zwei außergewöhnliche Recken maßen ihre Kräfte in friedlichem Zweikampf, und das ist allemal besser als Blutvergießen auf dem Schlachtfeld.«

Dieser Wahrheit konnten sich die Burgleute nicht verschließen. Sie prosteten dem König zu und lobten seine Worte, gleich darauf kam das allgemeine Gespräch wieder in Gang. Nur Domnall und Dornoll blieben stumm, mit versteinerten Gesichtern aßen und tranken sie – bis es Conchobar am Ende zu bunt wurde.

»Du vernachlässigst deine Pflichten«, tadelte er den Burgherrn. »Deine Aufgabe als Gastgeber wäre es, für angenehme Stimmung an der Festtafel zu sorgen. Statt dessen hockst du da wie ein Trauerkloß, und ich frage mich...«

»Was fragst du dich?« unterbrach ihn Domnall. »Fragst du dich etwa, ob es mir gefällt, daß dein Neffe meine Schwester in aller Öffentlichkeit eine Närrin schalt?«

»Diese Zurechtweisung war durchaus berechtigt«, entgegnete der König. »Außerdem kann sie schwerlich der Grund für deinen Mißmut sein, denn du warst schon zuvor übler Laune. Vielmehr glaube ich, du haderst über die Maßen mit dir selbst, weil Cúchulainn dich trotz deiner äußerst listigen Kampfweise dreimal besiegte.«

»Darüber bin ich in der Tat wütend«, fuhr der Burgherr auf. »Neunzig Recken überwand ich. Mein Ruhm strahlte über ganz Alba hin. Aber jetzt werden die Barden mich landauf, landab wegen meiner schmählichen Niederlage verspotten.«

»Diese Niederlage bedeutet keine Schmach für dich«, mischte sich Conall ein. »Von einem Gegner wie Cúchulainn überwältigt zu werden, stellt bestimmt keine Schande dar. Bereits im Alter von sieben Jahren erschlug er die gefürchteten Neachtsöhne; später tötete er unter anderem den Riesen Goll, der aus seinem Fomorierauge Feuerblitze schleuderte, und den Menschenfresser Garb, welcher halb Mann, halb Drache war. Außerdem besiegte Cúchulainn erst kürzlich, als wir entlang der Küste deines Landes nach Norden segelten, eine Piratenhorde, ein Meeresscheusal sowie um die dreißig nichtswürdige Ruheinig. Daher kannst du dich getrost damit abfinden, Domnall, in Cúchulainn deinen Meister gefunden zu haben. Denn die Götter schenkten ihm nun einmal unvergleichliche Kampfkraft, und es entspricht ihrem Willen, daß er von heute an als der beste Krieger Erinns und Albas gleichermaßen gelten soll.«

Der Burgherr rang mit sich. Schon glaubten Conchobar und seine Gefährten, Domnall würde einlenken; plötzlich jedoch funkelten dessen Augen tückisch, und er sagte: »Zwar gestand ich dir, Cúchulainn, nach unserem Wettstreit den Rang zu, den du beanspruchst – jetzt allerdings muß ich leider eine Einschränkung machen.«

»Welche?« stieß der Held von Ulster hervor.

Domnall weidete sich an Cúchulainns Verblüffung, dann erklärte er: »Du hast in mir lediglich den stärksten männlichen Krieger Albas herausgefordert und besiegt. Aber auf einer Festung weit im Osten dieses Landes lebt eine Amazone, deren Kampfkunst meiner überlegen ist. Und da du gegen sie nicht angetreten bist, ist es zweifelhaft, ob du dich tatsächlich als den besten Krieger beider Länder bezeichnen darfst.«

»Wie lautet der Name dieser Frau?« fragte der Ulsterheld gepreßt.

»Scathach«, antwortete Domnall. »Und falls du es wagen würdest, deine Kraft mit ihrer zu messen, wäre dein Ruhm in Alba wahrscheinlich so rasch wieder dahin wie du ihn heute gewonnen hast.«

»Das bestreite ich!« rief Cúchulainn. »Ich werde Scathach aufsuchen und deine Worte Lügen strafen.«

»Bedenke, was du sagst!« warnte Conchobar erschrocken. »Ehe du eine voreilige Entscheidung triffst, solltest du dich mit mir und Conall beraten.«

»Ich dachte, wir wollten unverzüglich nach Erinn heimkehren, wo Emer dich sehnsüchtig erwartet«, unterstützte Conall den König.

Verwirrt schaute der Ulsterheld vom einen zum anderen; er schien mit sich zu ringen – auf einmal schielte ihn Dornoll hämisch an und schrillte: »Sofern du wirklich Wert darauf legst, als unbesiegbarer Krieger zu gelten, wirst du wohl oder übel noch eine Weile auf das Wiedersehen mit deiner Angebeteten verzichten müssen. Sollte jedoch dein Liebesdrang stärker als dein Ehrgefühl sein, werden die Barden das sicher mit Hohngesängen zu würdigen wissen.«

»Mit vielstrophigen Spottliedern«, feixte Domnall. »Darauf kannst du Gift nehmen, Cúchulainn.«

Der Ulsterheld maß ihn mit einem vernichtenden Blick, dann wandte er sich an seine Gefährten: »Wie ihr zugeben müßt, bin ich gezwungen, der Amazone Scathach gegenüberzutreten. Morgen bei Sonnenaufgang mache ich mich auf den Weg. Bis zum Lughnasadfest, an dem Emer mich erwartet, werde ich hoffentlich wieder in Erinn sein – und was euch angeht, so stelle ich es euch frei, ob ihr mich begleiten wollt oder nicht.«

»Nachdem du dich für das Abenteuer entschieden hast, wird uns nichts anderes übrigbleiben, als mit dir zu gehen«, erklärte Conchobar; Conall äußerte sich im gleichen Sinn.

»Ich danke euch.« Cúchulainn griff nach seinem Pokal und besiegelte das Abkommen mit den Freunden, indem er ihnen zutrank.

Danach bat er Domnall, der nunmehr sehr aufgekratzt wirkte, um genauere Auskunft über die Lage von Scathachs Burg. Die Ulsterrecken erfuhren, daß die Festung nahe der Ostküste Albas lag; weiter teilte Domnall ihnen mit, daß sie ausgedehnte Urwälder durchqueren und himmelhohe Bergzüge überwinden müßten, um dorthin zu gelangen.

In der Folge wurden noch etliche Becher geleert, allzu lange indessen währte das Fest nicht mehr. Sobald es die Höflichkeit erlaubte, zogen sich Cúchulainn und seine Gefährten zurück. Die Hauptschuld daran trug Dornoll, welche den Ulsterhelden noch mehrmals mit teils schlüpfrigen, teils gehässigen Anspielungen – diesmal auf ihn und Scathach gemünzt – in Verlegenheit gebracht hatte.

Als sie in ihrer Unterkunft ungestört waren, empfanden die Ulsterrecken große Erleichterung. »Der Abschied von diesem seltsamen Geschwisterpaar wird uns mitnichten schwerfallen«, sagte Conchobar. »Beide sind von Tücke beseelt, in Emain Macha würde ich sie daher niemals dulden.«

»Emain Macha«, seufzte Conall. »Wie schön wäre es, wieder in der großen Halle zu sitzen.«

»Bald werden wir den Adelskriegern und Edelfrauen dort von unseren Erlebnissen erzählen«, tröstete ihn Cúchulainn. »Und vielleicht bietet unser Zusammentreffen mit Scathach ja Stoff für eine besonders kurzweilige Geschichte.«

»Wollen wir es hoffen«, äußerte der König.

Seine Gefährten nickten; keiner freilich konnte ahnen, welch ungewöhnliche Heimsuchung ihnen bereits auf dem Weg zu Scathach widerfahren sollte.

Die Fahlkrähe

Zeitig am nächsten Morgen begleitete Domnall die Ulsterrecken zur Schlucht vor dem Festungstor. Der Burgherr ließ den Balkensteg aus der Felsspalte schnellen; nach kurzem, eher frostigem Abschied überquerten Cúchulainn und seine Gefährten die Kluft und nahmen den Pfad entlang des schroffen Bergsattels unter die Füße.

Von ihrem Turmgemach aus beobachtete Dornoll den Abzug der drei Männer. Als die Ulsterrecken nicht mehr zu sehen waren, wandte sich die Ungeschlachte vom Fenster ab und tappte zum Feuerplatz am gegenüberliegenden Ende des Raumes: einem düsteren Gewölbe, von dessen Decke ein Baldachin rauchgeschwärzter Spinnweben hing.

Aber nicht nur deswegen erweckte Dornolls Gemach einen unheimlichen Eindruck. Auf dem Simsstein des Kamins waren skelettierte Köpfe von Bären und Wölfen aufgereiht; giftgrüne Kristalle funkelten aus den Augenhöhlen, finstermagische Symbole waren in die Stirnbeine der Raubtierschädel eingeritzt. Beim Feuerplatz stand ein graumetallener Kessel; Fomorierzeichen liefen um seinen Rand, die Handgriffe waren gleich den Leibern giftiger Sumpfnattern geformt. Weiter gab es auf Schragen oder in Mauerlöchern verschiedene Gitterkäfige, in denen Albinoratten, Weißfrettchen und ähnliche abstoßende Kreaturen rumorten.

Nahe des Ruhelagers Dornolls hockte eine riesige Fahlkrähe auf ihrer Stange. Das eine Auge des Vogels war geschlossen; das andere fixierte die Ungeschlachte, welche vor dem Kamin stumme Zwiesprache mit den Bären- und Wolfsschädeln zu halten schien. Schließlich drehte sich Dornoll um, ging zu der Krähe und streckte die Hand aus. Der Riesenvogel flatterte hoch und landete auf dem Unterarm der Ungeschlachten.

Dornoll streichelte die Fahlkrähe, plötzlich ließ diese einen fordernden Laut vernehmen. Die Ungeschlachte verzog ihre

Lippen zu tückischem Grinsen und zischelte: »Ja, meine gefiederte Schwester, bald sende ich dich aus. Doch zunächst soll derjenige, der mich zurückwies und beleidigte, siebenundsiebzig Meilen ahnungslos nach Osten wandern. Arglos muß er sein, bloß gewöhnliche Fährnisse sollen ihn vorerst verfolgen, damit ihn meine Rache dann um so unverhoffter treffen kann.« Schrill lachte Dornoll, mit bösartigem Krächzen fiel die Riesenkrähe ein.

Am ersten Tag ihrer Fußreise überwanden Cúchulainn und seine Gefährten das Küstengebirge, sie bezwangen himmelstürmende Steilhänge und kletterten durch tiefeingeschnittene Talschluchten. Wenn sie auf den Gipfelkämmen waren, sahen sie hoch am Firmament Adler kreisen; in den Klüften, wo oft Nebelschwaden hingen, mußten sie Wildbäche und Moraste überwinden. Einmal verlor Conall auf halber Höhe einer Geröllhalde den Halt. Inmitten einer prasselnden Steinlawine rutschte er das Kar hinab und drohte in eine Klamm zu stürzen — aber Cúchulainn setzte ihm in halsbrecherischen Sprüngen nach und riß ihn im letzten Augenblick vor dem Abgrund zurück. Als die Abenddämmerung hereinbrach, entdeckten die Gefährten eine niedrige Höhle. In dem Felsloch verbrachten sie die Nacht; kaum graute der Morgen, waren sie wieder auf den Beinen und machten sich erneut auf den Weg.

Cúchulainn und seine Begleiter befanden sich nun bereits an der östlichen Flanke des Küstengebirges; stetig ging es bergab, und um die Mittagszeit erreichten die Gefährten welliges Hügelland. In den Senken gab es ausgedehnte Wiesen von Riesenfarnen; auf den Erhebungen wuchsen Heidekraut und Ginster, deren Blütenstaub die Kleider der Ulsterrecken färbte. Meile um Meile kamen die Männer gut voran; kurz bevor die Sonne sank, gelangten sie zu einem kleinen See. An seinem Gestade errichteten sie ihr Lager; ehe es ganz dunkel wurde, gelang es Conchobar, einen armlangen Wels zu speeren. Der gebratene Fisch schmeckte köstlich; nachdem er seinen Anteil verzehrt hatte, sagte Conall zufrieden: »Wenn uns jeden Tag solches Jagdglück vergönnt wäre, hätte ich nichts dagegen, noch wochenlang durch Alba zu wandern.«

Am folgenden Vormittag allerdings sahen sich die Ulsterrecken gezwungen, auf ein ungleich gefährlicheres Tier als nur einen Bartfisch zu zielen. Cúchulainn und seine Gefährten waren in ein Waldgebiet eingedrungen – plötzlich brach ein riesiger Wisentbulle aus seinem Versteck und griff an. Sofort schleuderte der vorangehende König seine Wurfwaffe. Der Speer fuhr tief in die Brust des Stiers, vermochte das Ungetüm jedoch nicht zu fällen. Zwei weitere Würfe Cúchulainns und Conalls blieben ebenfalls wirkungslos, da beide Speere in der Luft gegeneinanderprallten und sich ablenkten. Schon sah es so aus, als würde der Wildbulle Conchobar auf die Hörner nehmen – aber da stürzte Cúchulainn mit blankem Schwert vor, führte einen gewaltigen Hieb und spaltete den Schädel des Wisents von der Hornplatte bis zum Nacken.

Nachdem der König seinen Schreck überwunden hatte, bedankte er sich überschwenglich bei seinem Neffen. Danach schnitt er dem Wildstier das Herz aus dem Leib und versprach Cúchulainn: »Sobald wir heute am Lagerfeuer sitzen, will ich das Wisentherz für dich rösten, denn diese Ehrenportion hast du dir wahrhaftig verdient.«

»Ich denke, der Braten wird auch für dich und Conall ausreichen«, erwiderte Cúchulainn großmütig, sodann setzten die Ulsterrecken ihren Weg fort.

Bis zum Spätnachmittag hatten sie den Wald hinter sich gebracht. Als sie unter den letzten Bäumen hervortraten, erblickten sie im rötlichen Licht des bereits tief stehenden Sonnenballes eine bizarre, kaum noch diesseitige Landschaft. Auf felsigem, wirr zerklüftetem Grund von ungefähr zwei Meilen Ausdehnung ragten phantastische Schwarzsteinformationen empor. Manche erinnerten an gigantische Pilze, andere glichen turmhohen Nadeln; dazwischen gab es skurrile Bögen oder wie Wendeltreppen gewundene Gebilde, welche jäh im Nichts endeten.

Lange standen die Gefährten schweigend am Waldrand, schließlich sagte Conchobar mit rauher Stimme: »Fast könnte man meinen, wir seien in ein Gefilde jenseits der uns vertrauten Welt geraten.«

»Ich empfinde ähnlich«, murmelte Conall. »Diese Gegend ist nicht geheuer. Vielleicht sollten wir die Nacht im Schutz des Forstes verbringen und erst morgen weitergehen, wenn die Sonne wieder hell strahlt.«

Cúchulainn öffnete den Mund, um dem Hirschäugigen beizupflichten – auf einmal jedoch zwang ihn etwas, Conall zu widersprechen: »Was faselst du? Fürchtest du dich etwa vor nackten Felsen? Sie stellen keinerlei Bedrohung für uns dar, und das will ich dir auf der Stelle beweisen.«

Damit verließ Cúchulainn den Waldsaum. Rasch schritt er auf den Steingrund hinaus, um ihn noch vor Einbruch der Dunkelheit zu durchqueren; notgedrungen folgten der Hirschäugige und Conchobar ihrem Gefährten.

Unangefochten drangen die Ulsterrecken mehrere hundert Schritte in das Geklüft vor. Gelegentlich knirschte Steingrus unter ihren Tritten; ansonsten war nur das Fauchen des Windes zu hören, der über die Felskanten fegte. Dann aber, gerade als die drei Männer eine Art schroff gezackten Torbogen passierten, vernahmen sie in ihrem Rücken plötzlich ein anderes Geräusch: bösartig lärmendes Krächzen wie von aufgestörtem Krähenvolk.

Die Ulsterrecken fuhren herum – doch statt eines ganzen Vogelschwarms erblickten sie bloß eine einzige Riesenkrähe mit fahlem Gefieder. Mit peitschenden Flügelschlägen schoß der gespenstische Vogel von Westen heran, schraubte sich über den Köpfen der Männer ein Stück höher in die Lüfte und begann zu kreisen.

Wie gebannt starrten die Gefährten zum Firmament; gleich darauf spürten alle drei, daß eine seltsame Lähmung sie befiel. Ihre Glieder wurden schwer, ihr Denken schien auszusetzen; verwirrt kämpften sie dagegen an – aber nur Cúchulainn war noch imstande, einen schwachen Verteidigungsversuch zu unternehmen. Mit zitternder Hand griff er in seine Umhängetasche, um eine Stachelkugel herauszuholen und sie auf die Fahlkrähe zu schleudern. Doch im selben Moment, da seine Finger das Wurfgeschoß umkrampften, wurde der Riesenvogel unsichtbar.

Dort, wo die Krähe ihre Bahn gezogen hatte, wirbelten plötzlich fahlgraue Nebelschwaden – und wuchsen zu einer dichten Wolke, welche die Männer einhüllte. Cúchulainn sah die Gestalten Conchobars und Conalls verschwinden. Er rief nach den Gefährten und glaubte, auch ihre gedämpften Stimmen zu hören; einen Augenblick später aber verklangen sie gleich einem sich rasch entfernenden Echo. Rings um Cúchulainn herrschte nun lastende Stille; hinzu kam das irrwischartige Fluten des Nebels, das ihm jegliche Orientierung raubte.

Wie blind tappte Cúchulainn hierhin und dorthin, immer wieder stürzte er oder prallte gegen Steinformationen. Geraume Zeit irrte er herum; irgendwann bemerkte er, daß der Boden unter seinen Füßen weicher und nachgiebiger wurde. Ich muß mich außerhalb des Felsgrundes befinden, durchfuhr es ihn; kaum hatte er es gedacht, lichteten sich die Nebelschwaden. Schüttere Sonnenstrahlen durchbrachen das graue Fluten, wurden breiter und leuchtender, verschlangen den Nebel – und enthüllten eine völlig fremde Landschaft.

Der Ulsterheld stand in einem mit Schwarzerlen bewachsenen Tal; unweit von ihm rieselte ein Bach, in der Ferne waren die blauen Konturen einer Bergkette zu erkennen. Entgeistert schüttelte Cúchulainn den Kopf; er konnte nicht fassen, was er sah. Dann begriff er, daß eine magische Macht ihn aus dem Steingrund hierher entrückt hatte – und mit dem nächsten Herzschlag wurde ihm noch etwas klar: Die Sonne, welche vor dem Nebeleinfall tief im Westen gehangen hatte, befand sich nun im Zenit ihrer Bahn; es war nicht mehr Spätnachmittag, sondern Mittag.

»Der Zaubernebel hielt mich den ganzen gestrigen Abend, die Nacht und den heutigen Morgen gefangen«, stieß Cúchulainn hervor – unmittelbar darauf vernahm er in seinem Rücken heiseres Krächzen.

Aus dem Geäst einer Erle flatterte ein riesiger Vogel; die Fahlkrähe umschwirrte den Ulsterhelden, als wollte sie ihn verhöhnen. Wie am Vortag griff Cúchulainn nach einer Stachelkugel, doch auch diesmal kam er nicht dazu, sie zu werfen, denn jäh kreiste die Krähe unerreichbar hoch am Himmel. Noch einmal drang ihr spöttisches Gekrächze an Cúchulainns Ohr, dann schoß der Riesenvogel davon. Er flog nach Westen, wo seine Herrin ihn erwartete: Dornoll, welche die Fahlkrähe ausgesandt hatte, um den Ulsterhelden von seinen Gefährten zu trennen und ihn auf diese Weise ins Verderben zu treiben.

Weitab von dem Bachtal, in welches Cúchulainn durch die böse Magie der Ungeschlachten verschlagen worden war, irrten Conchobar und Conall durch ein Sumpfgebiet. Zur Mittagsstunde hatte sich der Zaubernebel um sie herum ebenfalls gelichtet; jetzt versuchten der König und der Hirschäugige verzweifelt, aus dem tückischen Morast herauszukommen. Mehr als einmal gerieten sie in Gefahr, in einem der saugenden Sumpflöcher zu versinken; endlich, als sie die Hoffnung fast schon verloren hatten, erreichten sie festen Boden.

Erschöpft sank Conall auf einen Baumstrunk und keuchte: »Wir sind gerettet, doch was ist mit Cúchulainn?«

»Er kann sich nicht in dieser Gegend befinden, sonst hätte er unsere Rufe gehört und geantwortet«, versetzte Conchobar. »Ich fürchte, der magische Anschlag, der uns traf, entführte ihn an einen anderen Ort.«

»Dann müssen wir ihn suchen«, forderte Conall.

»Du hast recht.« Der König ließ sich neben dem Hirschäugigen nieder; weder er noch Conall bemerkten, wie hoch am Firmament die Fahlkrähe westwärts strich. »Aber zuvor brauchen wir ein wenig Ruhe ... Ich bin entsetzlich müde ...«

»Mir ergeht es ... ähnlich ...«, stammelte Conall.

Im nächsten Moment wurden beide von unwiderstehlichem Schlafbedürfnis befallen. Sie glitten von dem Strunk, auf dem sie gesessen hatten, streckten sich im Wildgras aus und entschlummerten.

Erst am folgenden Morgen erwachten der König und Conall wieder. Gleichzeitig richteten sie sich auf; daß Zauberschlaf sie überwältigt hatte, ahnten sie nicht. Conchobar griff nach seiner Gürtelflasche und trank; dann blickte er nach Westen, wo Frühnebel ihr Gespinst vor den Horizont woben, und sagte versonnen: »Ich träumte von Emain Macha, und die Bilder, die ich sah, erfüllen mich noch immer. Fast ist mir, als könnte ich die Ringburg hinter den Nebelschleiern dort drüben erkennen.«

»Auch ich weilte im Traum in Emain Macha«, antwortete Conall. »Unter dem Dach der großen Halle saßen wir beim Wein, Edelfrauen und Adelskrieger leisteten uns Gesellschaft. Später unternahmen wir einen Jagdausflug, brachten viel Wild zur Strecke und kehrten fröhlich auf die Festung heim.«

»Du erschautest dasselbe wie ich«, rief der König verblüfft aus. »Zweifellos hat dies etwas zu bedeuten ...« Er überlegte kurz und fuhr fort: »Bestimmt gaben uns die Götter damit ein Zeichen. Sie wollen, daß wir dieses unwirtliche Land Alba verlassen und zurück nach Erinn segeln.«

»Ja, das sollten wir tun«, bekräftigte Conall. »Laß uns sofort aufbrechen. In wenigen Tagen können wir an der Küste sein, wo der Curragh liegt, mit dem wir und Cúchulainn ...« Er brach ab, setzte neu an: »Cúchulainn ... Ihn haben wir völlig vergessen. Wäre es nicht unsere Pflicht, ihn zu suchen?«

»Eigentlich schon...«, erwiderte Conchobar. »Andererseits könnten die Götter uns aus irgendwelchen Gründen mit Absicht von ihm getrennt haben.«

»Durchaus möglich...«, murmelte Conall, der ebenso wie der König plötzlich leicht betäubt wirkte. »Und falls wir die Pläne der Bewohner von Tír na n'Og durchkreuzen wollten, würden wir uns gewiß ihren Zorn zuziehen.«

»Du sagst es«, nickte Conchobar. »Die Andersweltlichen wollen, daß Cúchulainn seinen Weg geht und wir unseren. Also ist es kein Verrat an ihm, wenn wir nunmehr nach Westen wandern und uns nach Erinn einschiffen. Irgendwann wird Cúchulainn wieder in Emain Macha auftauchen, und dann werden wir das Wiedersehen mit ihm um so freudiger feiern.«

Damit war die Entscheidung gefallen. Der König und Conall ergriffen ihre Waffen, hängten sich die Gepäckbündel über die Schultern und schritten davon. In sicherem Abstand umgingen sie das Sumpfgebiet; jenseits des Morastes gelangten sie auf höhergelegenes, mit Buschinseln bewachsenes Heideland und schlugen die Richtung gen Sonnenuntergang ein.

Vom Mittag bis zum Einbruch der Dunkelheit hatte Cúchulainn überall in der Gegend um das Schwarzerlental nach den Gefährten gesucht – zuletzt war ihm das Aussichtslose seines Tuns klargeworden. Die Nacht hatte er unter dem Stamm eines entwurzelten Baumes verbracht; beim Erwachen am nächsten Morgen war die Niedergeschlagenheit, die er am Vortag verspürt hatte, wie weggeblasen gewesen. Von unwiderstehlichem Tatendrang erfüllt, war er aufgesprungen und nach Osten davongeeilt. Bloß ein Gedanke hatte ihn aufgrund der Träume, die noch in ihm nachwirkten, beherrscht: so schnell wie möglich zur Festung Scathachs zu kommen.

Jetzt, da die Vormittagssonne warm vom wolkenlosen Himmel strahlte, schien es Cúchulainn, als wären seit der Trennung von Conchobar und Conall bereits Wochen vergangen. Nur flüchtig dachte der Ulsterheld dann und wann an die Gefährten, während er sich der Bergkette näherte, welche er nach dem Verschwinden des Zaubernebels am östlichen Horizont ausgemacht hatte. Stunde um Stunde schritt Cúchulainn unverdrossen aus; in der Abenddämmerung erreichte er die ersten Ausläufer des Gebirges und schlug sein Lager am Ufer eines Teiches auf, der von einem über Felsschroffen herabstürzenden Wasserfall gespeist wurde.

Die folgenden beiden Tage verliefen ereignislos; Cúchulainn überwand die Berge und kämpfte sich im Tiefland dahinter viele Meilen weit durch Urwald. Danach gelangte der Ulsterheld erneut in höhere Regionen. Hier wechselten verwunschene Seen, Waldstreifen, Heideflächen und steinige Hügel einander ab; mehrmals mußte Cúchulainn reißende Flüsse durchwaten oder sich seinen Weg entlang der Gestade größerer Gewässer bahnen.

Kurz vor Sonnenuntergang des vierten Wandertages stieß der Ulsterheld auf einen Schäfer, der seine Tiere im Windschutz eines flachen Bergrückens weidete. Der grauhaarige Hirte erzählte, daß er aus einem Dorf käme, welches nur wenige Stunden südlich läge. Auf die Frage Cúchulainns, ob er die Burg Scathachs kenne, gab der Alte eine verneinende Antwort; auch wußte er die Entfernung zur Meeresküste nicht anzugeben. Der Ulsterheld verbrachte die Nacht am Lagerfeuer des Schafhirten, früh am Morgen zog er weiter.

Während der nächsten Tage begegnete Cúchulainn keiner Menschenseele mehr; statt dessen griffen ihn, als er abermals einen Gebirgszug überquerte, Wölfe an. Dies freilich bekam dem Raubtierrudel schlecht, denn der Ulsterheld durchbohrte den Leitwolf sowie eine zweite Bestie mit seinen Speeren, sodann wütete er mit Schwert und Wurfkugeln unter den übrigen Raubtieren und besäte den Felsboden mit ihren Kadavern.

Schließlich – Cúchulainn war nunmehr schon eine volle Woche nach Osten gewandert – roch er erstmals wieder den salzigen Duft der See. Der Ulsterheld erklomm einen Hügel, konnte das Meer jedoch nicht erblicken; es mußte immer noch einen oder zwei Tagesmärsche entfernt sein. Da es allmählich Abend wurde, schaute sich Cúchulainn nach einem Lagerplatz um – und erspähte ungefähr zwei Meilen nördlich einen Taleinschnitt, in dem ein Gebäude stand.

Im rotgoldenen Licht der sinkenden Sonne langte der Ulsterheld dort an. Die Mauern des Rundhauses waren aus Schichtsteinen gefügt; darüber saß gleich einer Haube das Reetdach, aus dessen Spitze zarte Rauchfäden emporwaberten. Vor der Tür lag ein Reisighaufen; eine junge blonde Frau, die Cúchulainn den Rücken zukehrte, füllte soeben einen Korb mit dem Brennholz. Als sie die Schritte des Ulsterhelden vernahm, fuhr die Blondhaarige herum und starrte erschrocken auf den Fremden. Gleich darauf aber, weil Cúchulainn ihr freundlich zunickte, entspannte sich ihr hübsches Gesicht.

Neugierig musterte die Blonde den Ulsterhelden, dann fragte sie: »Woher kommst du so plötzlich? Wer bist du?«

Cúchulainn nannte seinen Namen und fügte hinzu: »Ich stamme aus Erinn und befinde mich auf einer Wanderung zur Ostküste Albas. Als ich von ferne dein Haus sah, dachte ich, daß ich hier vielleicht Unterkunft für die Nacht finden könnte. Doch falls es dir lästig ist, mich zu beherbergen, kann ich ebensogut im Freien schlafen.«

»Das hast du nicht nötig«, entgegnete die Blondhaarige mit entzückendem Augenaufschlag. Sie reichte ihm die Hand. »Ich heiße Ajna und lade dich an mein Herdfeuer.«

Wenig später bewirtete die Blonde ihren Gast mit duftendem Brot, Ziegenkäse und gebratenen Fischen. Nachdem beide gegessen hatten, schenkte Ajna dem Ulsterhelden einen Becher Honigwein ein; während er den Metheglyn kostete, öffnete sie eine Truhe und nahm eine Handharfe heraus. Mit kundigen Fingern stimmte Ajna die Saiten, dann erklang eine perlende Melodie, und die Blondhaarige trug dazu einen sehnsuchtsvollen Laid vor.

Verträumt lauschte Cúchulainn. Es war ihm, als würden Spiel und Gesang die Gestalt Emers heraufbeschwören, wie sie im Apfelgarten von Luglochta Loga tanzte und ihm dabei verführerisch zulächelte.

Sachte verwehten die letzten Töne. Der Ulsterheld seufzte, griff nach dem Metheglynbecher und tat einen tiefen Zug; sodann wollte er wissen: »Welcher Meister brachte dir diese hohe Kunst bei, Ajna?«

»Es war der Barde Ulbecan, der in Alba sehr berühmt ist und gar nicht weit von hier lebt«, beschied ihn die Blonde. »Wenn du ihn kennenlernen möchtest, führe ich dich morgen zu dem Hain, wo er seine Schüler unterrichtet.«

»Ein Gespräch mit Ulbecan wäre sicher anregend«, erwiderte Cúchulainn. »Aber leider habe ich keine Zeit, den Barden aufzusuchen. Vielmehr muß ich danach trachten, so schnell wie möglich zur Burg einer Amazone namens Scathach zu kommen, welche...«

»Du willst zu Scathach?« fiel ihm Ajna erregt ins Wort. »Was hast du mit dieser Frau zu schaffen?«

»Ich werde sie herausfordern, um meine Kampfkunst mit ihrer zu messen«, antwortete Cúchulainn. »Und da du Scathach offenbar kennst, bitte ich dich, mir den Weg zu ihrer Festung zu beschreiben.«

»Das kann ich nicht, denn ich war nie auf Scathachs Burg«, versetzte Ajna. »Jeder vernünftige Mensch meidet den verfluchten Ort. Auch du solltest dich hüten, die blutgierige Amazone und ihre Tochter Uathach aufzusuchen, die ebenso grausam ist wie die Mutter.«

»Von dieser Uathach höre ich zum ersten Mal«, murmelte Cúchulainn, dann forderte er: »Erzähle mir mehr von ihr und Scathach.«

»Die beiden sind der Schrecken des ganzen Landes«, erklärte Ajna. »Kein Krieger vermochte Scathach und Uathach je zu bezwingen, da jede von ihnen so stark wie drei Männer ist und die Amazonen zudem über Zaubermacht verfügen. Ihre Kraft und Magie nutzen sie, um benachbarte Herrschaftsgebiete zu unterwerfen. Ein halbes Dutzend Festungen haben die wilden Amazonen bereits gestürmt und verwüstet, und die Zahl derer, die im Streit mit ihnen und ihren Gefolgsleuten den Tod fanden, geht in die Hunderte.«

»Das klingt, als ob Scathach und Uathach zwar gefährlich, doch andererseits auch von großem Heldenmut beseelt wären«, äußerte Cúchulainn.

»Du irrst«, widersprach Ajna. »Was du für Heldenmut hältst, ist nichts weiter als Mord- und Raubgier. Die Amazonen sind wahre Bestien in Frauengestalt. Deshalb solltest du dich auf gar keinen Fall mit ihnen anlegen, falls dir dein Leben lieb ist.«

»Es scheint, als würdest du dich aufrichtig um mich sorgen«, lächelte Cúchulainn.

»Ja«, gestand die Blondhaarige. Sie legte die Harfe weg und rückte näher an ihn heran. »Die Vorstellung, daß die wilden Weiber dich erschlagen könnten, ist unerträglich für mich. Du bist so schön, hast etwas von einem strahlenden jungen Gott an dir...« Ajna tastete nach seiner Hand. »Es wäre entsetzlich, wenn du auf Scathachs Burg sterben müßtest. Ziehe nicht dorthin, bleib statt dessen bei mir...«

Behutsam spielte Cúchulainn mit ihren Fingern. »Wäre ich frei und ungebunden, würde ich gerne verweilen, denn du bist eine wunderbare Frau und kannst einen Mann gewiß sehr glücklich machen. Aber ich habe mich verpflichtet, Scathach gegenüberzutreten, und muß mein Wort halten.«

Cúchulainn sah den Schmerz in Ajnas Augen und füllte einen Becher Honigwein für sie. Nachdem er die Blonde dazu gebracht hatte, einen Schluck zu trinken, sagte er ihr, welche Stellung er am Königshof von Ulster einnahm, und sprach über seine Liebe zu Emer. Er stellte Ajna dar, welche

Gründe ihn, Conchobar und Conall bewogen hatten, nach Alba zu segeln; er erzählte vom Abenteuer auf Domnalls Festung sowie dem Zaubernebel, der ihn von seinen Gefährten getrennt hatte, und schloß: »Würde ich dem Kampf mit der Amazone ausweichen, müßte ich ehrlos nach Erinn heimkehren – und wie sollte Emer mich dann noch achten können?«

»Für sie also setzt du dein Leben aufs Spiel«, flüsterte Ajna. »Du liebst sie wahrhaftig von ganzem Herzen . . .« Still drehte die Blondhaarige den Metheglynbecher zwischen den Händen, schließlich fuhr sie fort: »Da ich nun verstehe, warum du gezwungen bist, Scathachs Burg aufzusuchen, will ich dir helfen. Zwar kenne ich selbst den Weg zur Amazonenfestung nicht, doch morgen kommt mein Vater Fedlann von einem Verwandtenbesuch zurück, und er wird dich in die Nähe der Burg führen.«

Der Ulsterheld dankte ihr und fügte hinzu: »Ich bin sicher, daß ich Scathach und, wenn es sein muß, auch Uathach bezwingen werde, denn bislang überwand ich alle meine Gegner. Du brauchst dir also keine Sorgen um mich zu machen – und jetzt wollen wir nicht mehr von den Amazonen sprechen. Statt dessen solltest du noch einen oder zwei Laids vortragen, damit wir wieder auf erfreulichere Gedanken kommen.«

Ajna tat ihm den Gefallen. Erneut griff sie nach der Harfe und sang mehrere Lieder; das erste freilich klang traurig, aber bald fand die Blonde Trost in der Musik, und Cúchulainn war froh darüber. Später plauderten sie so vertraut wie gute Freunde; schließlich wurde es Zeit, zur Ruhe zu gehen. Ajna dämpfte das Herdfeuer, dann legten sie sich nieder. Die Blonde schlief auf ihrer Lagerstatt, Cúchulainn im Bett ihres Vaters.

Am nächsten Vormittag kehrte Fedlann heim: ein ergrauter, aber noch rüstiger, mit Kurzschwert und Speer bewaffneter Krieger, der eine Woche bei den Angehörigen seiner früh verstorbenen Frau verbracht hatte. Ajna stellte ihm Cúchulainn vor und berichtete ihrem Vater vom Anliegen des Ulsterhelden.

Als sie geendet hatte, sagte Fedlann: »Soweit es mir möglich ist, bin ich dir gerne gefällig, Cúchulainn. Denn ich verabscheue Scathach und kämpfte vor dreizehn Jahren unter dem Banner eines mit ihr verfeindeten Burgherrn selbst gegen die Amazone und ihr Heer. Leider unterlagen wir, und der Edle, dem ich diente, verlor Festung und Land. Ich kam mit Hilfe der Götter mehr oder weniger ungeschoren davon, doch falls ich mich nun zur Amazonenburg wagen würde, wäre mein Leben keinen Pfifferling mehr wert. Daher kann ich dich lediglich in die Gegend begleiten, wo Scathachs Burg steht, den Rest des Weges mußt du allein gehen.«

»Damit bin ich zufrieden«, erwiderte Cúchulainn. »Wann wollen wir aufbrechen?«

»Sofort«, antwortete Fedlann. »Sonst gerätst du auf deinem letzten Wegstück in die Nacht, und das würde unweigerlich den Tod für dich bedeuten.«

»Ist der Marsch denn so gefährlich?« erkundigte sich der Ulsterheld.

»Du wirst schon sehen«, beschied ihn Fedlann.

Cúchulainn verabschiedete sich von Ajna, dann folgte er dem alten Krieger ins Freie. Dort deutete Fedlann nach Nordosten und erklärte: »In dieser Richtung liegt das Herrschaftsgebiet der Amazonen.«

Die ersten Meilen kamen die beiden Männer über welliges Hügelland rasch vorwärts. Bald aber gelangten sie an den Saum eines ausgedehnten Sumpfes, über dem fahle Dunststreifen hingen und Aasvögel kreisten. »Dies ist das menschenfressende Moor«, erläuterte Fedlann. »Viele Unvorsichtige verschlang es bereits, ihre Seelen geistern nachts als Irrlichter zwischen den Nebeln. Nur ein einziger Pfad führt durch den Morast, doch auch der ist trügerisch und an manchen Stellen bloß fußbreit.«

»Mit Mut und Geschick werden wir ihn hinter uns bringen«, entgegnete Cúchulainn.

»Wollen wir es hoffen«, erwiderte Fedlann und betrat den

unsicheren Boden. Zunächst lief der Weg einige hundert Schritte weit über einen halb versunkenen Knüppeldamm; die Bohlen waren morsch, schlüpfrig und teilweise zerbrochen. Am Rand eines Sumpfloches, aus dem stinkende Faulgasblasen aufstiegen, endete der Damm.

Fedlann wies nach links. »Erkennst du den mit Schlingpflanzen bewachsenen Felsbuckel dort drüben im Niedrigwasser? Ein kräftiger Sprung trägt dich zu ihm. Danach schnellst du dich auf den Baumstrunk dahinter und von dem aus zu denselben Steinen, über die ich eile. Aber du darfst dir keinen Fehltritt erlauben, sonst bist du verloren.«

Cúchulainn schnallte den Schild, den er bisher am linken Arm getragen hatte, auf den Rücken. Dann nickte er seinem Begleiter zu. Fedlann überquerte die gefährliche Stelle und landete jenseits auf festem Grund, gleich darauf stand der Ulsterheld neben ihm.

»Gut gemacht«, lobte ihn der grauhaarige Krieger und lief entlang der schmalen, etwas erhöhten Erdfalte, auf der sie sich jetzt befanden, weiter.

Nach einer Strecke von ungefähr drei Pfeilschüssen kamen die Männer neuerlich zu einer blasenwerfenden, grünlich schillernden Wasserfläche. Fedlann blieb stehen und erklärte: »Wir müssen diesen Teich durchwaten. Die übelriechende Flut wird uns da und dort bis zur Brust reichen, auch könnten uns Sumpfschlangen oder gar fomorische Kreaturen angreifen. Doch was immer passieren mag, weiche keinesfalls von dem schmalen Unterwasserpfad ab, auf welchem ich dir vorangehe. Zu beiden Seiten lauert nämlich ganz wie vorhin zwischen den Steinbuckeln saugender Morast.«

Der Ulsterheld lockerte das Schwert in der Scheide. »Sollten sich wirklich Pfuhlbestien mit uns anlegen wollen, kannst du die Blutarbeit getrost mir überlassen. Und nun los.«

Fedlann glitt das glitschige Teichufer hinab und schritt vorsichtig ins Wasser. Cúchulainn folgte ihm und achtete darauf, genau in die Fußstapfen seines Führers zu treten. Anfangs umspülte die stinkende Brühe nur die Beine der Männer, bald aber wurde der Sumpfteich tiefer. Teils ging die schleimige Flut Fedlann und Cúchulainn jetzt bis zum Bauch, teils bis zu den Schultern. Mühsam das Gleichgewicht haltend kämpften sie sich voran; manchmal war der unregelmäßig gewundene, von scharfkantigen Felsriefen durchsetzte Unterwasserpfad kaum eine Handfläche breit.

Drei Viertel ihres lebensgefährlichen Weges brachten die Männer unangefochten hinter sich. Dann jedoch strauchelte Fedlann an einer besonders tückischen Stelle – im selben Augenblick wallte hart neben ihm die Schleimflut auf. Schädel und Schuppenhals eines drachenartigen Scheusals schossen aus dem Wasser, gierig schnappten die Kiefer der Sumpfschlange nach der Hüfte des grauhaarigen Kriegers. Erschrocken prallte Fedlann zurück und drohte in den Pfuhl zu stürzen – aber schon war Cúchulainn bei ihm, hielt ihn fest und spaltete den Kopf der Bestie mit einem sausenden Schwerthieb.

Erneut brodelte die schleimige Flut, gurgelnd verschlang der Sumpf den Leib des Ungeheuers. Mit rauher Stimme dankte der Grauhaarige dem Ulsterhelden, danach strebten beide so schnell wie möglich dem Teichufer zu. Endlich erreichten sie trockenen Boden; nachdem sie verschnauft hatten, sagte Fedlann: »Das Schlimmste haben wir geschafft. Wir müssen von hier aus bloß nochmals zwei Pfeilschüsse weit über Trittsteine. Anschließend gelangen wir neuerlich auf einen alten Knüppeldamm, und der wird uns aus dem menschenfressenden Moor herausbringen.«

Als Cúchulainn und Fedlann von den letzten halbverrotteten Bohlen auf sicheren Grund sprangen, stand die Sonne im Zenit. Ihre Strahlen beleuchteten eine im Osten aufragende Bergkette mit schroffen vorgelagerten Klippenbastionen; zwischen ihr und dem Sumpf erstreckte sich eine weite Geröllebene, der jeglicher Pflanzenwuchs fehlte und auf welcher sich vereinzelte silberweiße Felstürme mit seltsam ebenmäßigen Flanken erhoben.

Der grauhaarige Krieger wies auf das Steinland und beschied Cúchulainn: »Dies ist die Trugebene. Sie verwirrt die Sinne derer, die sie durchwandern. Schuld daran tragen die spiegelglatten Felsflanken. Sie wurden von einem Dämon geschaffen, der hier dereinst mit wilden Windsbräuten spielte.«

»Auf welche Weise täuschen die Spiegelsteine unsere Wahrnehmung?« fragte Cúchulainn.

»Geh ein Stück auf die Trugebene hinaus, dann wirst du es erfahren«, antwortete Fedlann.

Der Ulsterheld gehorchte, mit hurtigen Schritten bewegte er sich über das Geröllfeld. Zunächst geschah nichts – doch als er auf Höhe des ersten Felsturmes war, stutzte er jäh. Eine aus dem Spiegelstein flirrende Blitzkaskade blendete ihn und bewirkte, daß er seine Umgebung völlig verändert sah. Der Horizont wirbelte; der Bergzug, welcher eben noch gen Sonnenaufgang gelegen hatte, tauchte einmal hier, einmal dort aus flimmerndem Licht auf. Ebenso tanzten die weiter entfernten Steintürme entlang verwirrender Bahnen, und die Felsbrocken unter Cúchulainns Füßen schienen auf- und abwogende Strudel zu bilden.

Gleich einem Betrunkenen taumelte der Ulsterheld; hilflos drehte er sich im Kreis, versuchte den Rückweg zu finden, torkelte aber in die falsche Richtung. Erst als sein Begleiter nach ihm rief und Cúchulainn sich am Klang von Fedlanns Stimme orientieren konnte, gelang es ihm, dem trügerischen Bann zu entkommen. Am Rand des Geröllfeldes stützte er sich schwer atmend auf seine Speere und stieß hervor: »Dieser dämonische Landstrich vermag einen Menschen in Wahnsinn und Tod zu treiben!«

»Es liegen in der Tat zahlreiche Skelette von arglosen Wanderern dort draußen, welche ein solches Schicksal erlitten«, erklärte Fedlann. »Wir dagegen werden hoffentlich unbeschadet zu den Bergen vordringen.«

»Wie willst du das anstellen?« erkundigte sich Cúchulainn.

»Sollen wir etwa mit geschlossenen Augen über die Trugebene

laufen, um uns vor den tückischen Blitzen zu schützen, die aus den Spiegelsteinen sprühen?«

»Genau das«, nickte Fedlann. »Einzig der Blinde ist in dieser verzauberten Landschaft sehend. Wir müssen Augenbinden tragen und unseren Weg mit den Speerschäften ertasten. Die Richtung nach Osten erkennen wir daran, daß uns die im Süden stehende Sonne auf die rechte Körperseite brennt.«

Fedlann zog zwei schwarze Tücher aus der Tasche und gab eines Cúchulainn; nachdem sie die Binden angelegt hatten, tappten sie auf das Geröllfeld hinaus. Der Grauhaarige ging voran, Cúchulainn folgte ihm in geringem Abstand. Als sie den ersten Steinturm passierten, glaubte der Ulsterheld, feines Sprotzeln und Knistern zu vernehmen. Außerdem verspürte er ein Schwindelgefühl, doch es war nicht stark genug, um ihn in die Irre laufen zu lassen. Ein Dutzend Schritte weiter legte sich Cúchulainns Unsicherheit wieder; von da an zählte er die Spiegelfelsen, an denen sein Begleiter und er vorbeikamen. Es waren mehr als zweihundert, ehe die beiden Männer den letzten Ausläufer der Trugebene hinter sich gebracht hatten und den herben Duft von Heidekräutern rochen, die jenseits des Geröllfeldes wuchsen.

Erleichtert nahmen Fedlann und Cúchulainn die Augenbinden ab. Der grauhaarige Krieger schaute sich um und stellte zufrieden fest: »Wir sind fast in gerader Linie über die verzauberte Ebene gelangt und haben kaum mehr als den dritten Teil des Nachmittags dazu gebraucht. Das gibt dir genügend Zeit, um den Aufstieg zu Scathachs Burg vor Einbruch der Dunkelheit zu schaffen.«

»Das heißt, du willst dich hier von mir verabschieden?« fragte Cúchulainn.

»Ja«, bestätigte Fedlann. »Denn an dieser Stelle beginnt das Herrschaftsgebiet der Amazonen, und aus dem Grund, den ich dir nannte, darf ich es nicht betreten.«

»Dann beschreibe mir den Weg, den ich nehmen muß«, bat der Ulsterheld.

Fedlann deutete über das Heideland hinweg auf den Bergzug, der jetzt nur noch ungefähr zwei Meilen entfernt war. »Achte auf die rot und schwarz gemusterte Klippenbastion dort drüben. Sie bezeichnet den Zugang zu der Schlucht, welche sich zur Amazonenfestung emporwindet. An ihrem nördlichen Steilhang wirst du einen Steig finden. Er ist gefährlich und führt teilweise am Saum grauenerregender Abgründe entlang, aber einen anderen Weg zur Burg Scathachs gibt es auf dieser Seite des Gebirges nicht.«

»Steht die Festung innerhalb der Klamm?« wollte Cúchulainn wissen.

»Nein«, entgegnete Fedlann. »Du wirst sie erblicken, wenn du die Felsschlucht überwunden hast. Dann siehst du einen kegelförmigen Hügel vor dir, dessen Flanken mit Trümmergestein bedeckt sind, und auf seiner Kuppe erhebt sich Scathachs Burg.«

Der Ulsterheld reichte dem Grauhaarigen die Hand. »Ich werde nie vergessen, was du für mich getan hast.«

»Und ich will stets dankbar an deinen Schwertstreich denken, der mein Leben rettete«, erwiderte Fedlann.

Damit trennten sie sich. Der alte Krieger trat den Rückweg über die Trugebene an, Cúchulainn eilte auf die Heide hinaus.

Rasch war der Ulsterheld bei der bewußten Klippenbastion und drang in die Schlucht ein. Auf ihrem Grund toste ein brüllender Wildbach, hoch am linken Klufthang entdeckte Cúchulainn den Einstieg zum Felspfad. Über schlüpfrige Steinstufen klomm er empor – und bald erkannte der Ulsterheld, daß Fedlann ihn wahrlich nicht grundlos vor den Gefahren des Steiges gewarnt hatte.

Die Durchquerung der Klamm, welche sich meilenweit ins Gebirge hineinzog, forderte Cúchulainn das Äußerste ab. Selten war der Pfad breiter als eine Elle; immer wieder trat der Ulsterheld morsches Gestein los, manchmal vermochte er sich dann nur durch einen blitzschnellen Sprung vor dem

Absturz zu retten. Je höher Cúchulainn kam, desto schwindelerregender wurde der Blick in den Abgrund; am Spätnachmittag konnte der Ulsterheld den Bach auf dem Boden der Schlucht zwar noch tosen hören, ihn jedoch nicht mehr erkennen.

Endlich erreichte Cúchulainn den Ausgang der Klamm, wo der Steig über eine Reihe scharfkantiger Klippen wieder nach unten führte. Von hier aus erspähte er jenseits eines schmalen Talkessels, an dessen südlichem Steilhang ein Wasserfall schäumte, den Kegelhügel, auf welchem sich die Amazonenfestung erhob. Die Schwarzsteinmauern der Burg wirkten abweisend, die Gebäudedächer dahinter waren in blutrotes Abendlicht getaucht.

Kurz verharrte der Ulsterheld, dann kletterte er zum Talboden hinab und rannte auf den Hügel zu. Dort folgte er einem Pfad, der sich zwischen Felstrümmern emporwand; an einer Stelle war ein hoher Cairn aufgeschichtet. Ungefähr hundert Schritte weiter gelangte Cúchulainn auf das Plateau des Kegelhügels, gleich darauf stand er vor dem Festungstor.

Die schweren, mit Eisenbändern beschlagenen Torflügel waren geschlossen. Vergeblich pochte der Ulsterheld gegen das Eichenholz; auch als er mehrmals mit lauter Stimme Einlaß begehrte, öffnete ihm niemand.

Angesichts dieser Unhöflichkeit schwoll die Leber Cúchulainns. Zornig schwang er seine Speere – und hämmerte die Schäfte mit derartiger Gewalt gegen das Tor, daß es aus seinen Angeln gerissen wurde und ins Innere des Burghofes krachte.

DER BÄRENRECKE

Den Schild vor die Brust ziehend, schritt der Ulsterheld über die zertrümmerten Torflügel hinweg. Zugleich wurde es in der Festung lebendig. Krieger, Knechte und Mägde rannten aus ihren Unterkünften; die Bewaffneten scharten sich zusammen und nahmen eine drohende Haltung gegenüber Cúchulainn ein. Bevor es allerdings zum Kampf kommen konnte, erschien unter dem Portal eines dreistöckigen Rundturmes, welcher in der Mitte des Burghofes aufragte, eine großgewachsene junge Frau. Sie trug eine mit Schwarzerzschuppen besetzte Brünne, über ihre Schultern floß flammend rotes Haar.

»Halt!« rief sie den Kriegern zu. »Legt euch nicht mit diesem Fremden an, denn seine Rüstung weist ihn als einen Recken von sehr hohem Rang aus.«

»Trotzdem muß er dafür bezahlen, daß er wie ein tollwütiger Wildeber durchs Tor brach«, erscholl eine grobe Stimme aus dem Halbdunkel des Turmportals. Ein Kämpe von furchterregender Gestalt trat neben die Rothaarige. Er hatte ein Bärenfell übergeworfen; der Raubtierschädel saß gleich einem Helm auf seinem Kopf, und in den Fäusten hielt er eine stählerne Stachelkeule. Jetzt hob er die Waffe drohend in Richtung des Ulsterhelden und schrie: »Wenn du kein Feigling bist, stellst du dich mir zum Zweikampf.«

»Mit Vergnügen, Meister Petz«, erwiderte Cúchulainn. »Komm nur her. Wir wollen ein Bärentänzchen wagen, das dir lange in Erinnerung bleiben soll.«

»Ich werde dir dein großes Maul mit den zersplitterten Torbalken stopfen!« brüllte der Bärenhäuter und machte Anstalten, auf den Ulsterhelden loszugehen.

Doch neuerlich griff die Rothaarige ein. »Bezähme dich!« ermahnte sie den ruppigen Kämpen. »Vielleicht erhältst du deine Chance ja noch – zunächst aber will ich unseren Besucher kennenlernen.«

Gleich darauf stand die junge Frau vor Cúchulainn. Er sah, daß ihr Antlitz von ungewöhnlichem Reiz war; unwillkürlich dachte er: Würde ich Emer nicht lieben, könnte sie mir gefährlich werden. Auch die Rothaarige schien Gefallen an ihm zu finden; neugierig betrachtete sie ihn, schließlich lächelte sie und sagte: »Vergiß die unhöflichen Worte des Bannerträgers und ersten Kämpfers meiner Mutter. Cochor Crufe ist arg ungebärdig und verliert manchmal allzu leicht die Beherrschung.«

»Da du für ihn sprichst, will ich ihn verschonen«, erwiderte der Ulsterheld. »Ohnehin liegt mir mehr daran, mich mit dir auszutauschen. Denn ich nehme an, du bist Uathach, die Tochter Scathachs.«

»Du hast es erraten«, antwortete die Rothaarige. »Und wie lautet dein Name?«

Cúchulainn stellte sich vor, offenbarte seine Herkunft, berichtete vom Wettstreit mit Domnall und schloß: »Nachdem ich den stärksten Krieger im Westen Albas besiegt hatte, erzählte er mir von deiner Mutter Scathach, deren Waffenkunst hierzulande unübertroffen ist. Und weil ich mich mit Scathach messen möchte, kam ich her.«

»Meine Mutter wird deine Herausforderung mit Freuden annehmen«, erklärte Uathach. »Dies um so lieber, als du königlicher Abstammung bist.« Spielerisch glitt ihr Zeigefinger seinen Schildrand entlang. »Doch auch ich würde bei Gelegenheit gerne in Erfahrung bringen, ob du Manns genug bist, mich zu bezwingen.«

Kaum merklich kräuselten sich die Brauen des Ulsterhelden. »Womöglich wärst du enttäuscht von mir.«

»Das glaube ich nicht.« Die smaragdgrünen Augen Uathachs funkelten lockend. »Aber nun folge mir, damit ich dich mit meiner Mutter sowie meinen Brüdern Cet und Cuar bekanntmachen kann.«

Uathach führte Cúchulainn zum Rundturm. Als sie beim Portal an Cochor Crufe vorbeikamen, schoß dieser grimmige

Blicke auf den Ulsterhelden. Cúchulainn zwinkerte dem Bärenhäuter grinsend zu, dann ließ er sich von der jungen Amazone ins oberste Turmgeschoß geleiten.

In einem Gemach, durch dessen Westfenster das Glühen des Abendrots drang, saß die Burgherrin mit ihren halbwüchsigen Söhnen in einem Erker. Die Ähnlichkeit zwischen Scathach und Uathach war verblüffend, das Gesicht der älteren Amazone wirkte jedoch herber und herrischer. In der Rechten hielt Scathach einen Bergkristall; der Ulsterheld vermeinte, druidische Zeichen auf seiner Oberfläche zu erahnen. Ehe er aber mehr erkennen konnte, verhüllte Scathach den schimmernden Stein mit einem Tuch und legte ihn beiseite. Eine Weile musterte sie Cúchulainn schweigend, endlich wandte sie sich an ihre Tochter und äußerte: »Befahl ich dir und Cochor nicht, den Fremdling, der das Festungstor einschlug, unschädlich zu machen? Warum bringst du ihn jetzt zu mir?«

»Weil ich herausfand, daß Cúchulainn von Ulster unseresgleichen ist«, erwiderte Uathach.

»Wenn es sich so verhält, solltest du mir genauere Auskunft über ihn geben«, verlangte Scathach.

»Ich bin durchaus imstande, für mich selbst zu sprechen«, kam es von Cúchulainn.

»Dann rede«, forderte Scathach ihn auf.

Der Ulsterheld wiederholte, was er im Burghof schon Uathach mitgeteilt hatte; zuletzt sagte er: »Als ich Domnall aufsuchte, erwartete ich, einen ebenbürtigen Gegner zu finden. Ich hoffte sogar, von ihm unter Umständen gewisse, mir bislang unbekannte Feinheiten der Kampfkunst erlernen zu können. Domnall jedoch zeigte weder mit dem Schwert noch mit Speeren oder Wurfkugeln besondere Fähigkeiten. Vielmehr mußte er zu hinterhältigen und am Ende selbst finstermagischen Mitteln greifen, damit er mir wenigstens für kurze Zeit Widerpart zu bieten vermochte. Den Zweikampf mit Domnall hätte ich mir also besser erspart – nun aber spüre ich deine Ausstrahlung, Scathach. Du bist von unbändiger Kraft erfüllt, die in dir brodelt wie die Glut in einem Feuerberg; hinzu kommt deine kriegerische Erfahrung aus zahlreichen Schlachten. Und daher denke ich, daß ich sehr gut daran tat, quer durch Alba zu ziehen, um meine Stärke an deiner zu erproben.«

»Wir werden sehen, ob du gegen mich bestehen kannst«, antwortete Scathach. »Doch das hat keine Eile. Genieße zunächst die Gastfreundschaft, die ich dir hiermit anbiete, und erhole dich von den Anstrengungen deiner Wanderung.«

»Ein Bad und danach ein reichliches Mahl würden mir fürwahr nicht schaden«, gab Cúchulainn zu.

Scathachs Söhne Cet und Cuar sprangen auf. »Wir zeigen dir das Badehaus«, rief Cet, der Ältere.

»Nein«, verwies ihn Uathach. »Ich werde mich um unseren Besucher kümmern.«

Der Ulsterheld verabschiedete sich von Scathach und den beiden Halbwüchsigen, sodann begleitete die junge Amazone ihn in den Festungshof. Das Badegebäude stand zwischen Turm und rückwärtiger Burgmauer; auf Uathachs Anweisung hin begannen einige Mägde damit, einen großen Holzbottich mit warmem Wasser zu füllen, das sie aus dem nahen Küchengewölbe herbeitrugen.

Die Amazone wiederum war Cúchulainn behilflich, Waffen, Brünne und Kleider abzulegen. Als er nackt war, erfrischte Uathach ihn mit kalten Wassergüssen. Zwischendurch regte sie seinen Blutkreislauf durch leichte Schläge mit Birkenzweigen an und lobte dabei mehrmals den muskulösen Körper des Ulsterhelden. Nachdem der Bottich voll war, goß die Amazone Kräuteressenz aus einer Glasphiole hinein. »Entspanne dich jetzt im Warmbad«, beschied sie Cúchulainn, dann ging sie zusammen mit den Mägden in den Vorraum.

Wohlig räkelte sich der Ulsterheld im duftenden Wasser – auf einmal kehrte Uathach zurück. Statt der Schwarzerzbrünne trug sie nunmehr ein dünnes, weich fließendes Gewand, das ihre Glieder wie Nebelhauch umschmeichelte. Langsam trat die junge Frau an den Badezuber heran, schenkte Cúchulainn ein verführerisches Lächeln – und ließ das Kleid fallen.

Der Ulsterheld erblickte einen Leib von vollkommener Schönheit; wie gebannt starrte er auf Uathach, die sich ihrerseits am Aufruhr seiner Gefühle weidete. Im nächsten Moment reizte die Amazone ihn noch mehr, indem sie ihre Finger wie von ungefähr über den flammend roten Flaum ihres Schoßes spielen ließ. Cúchulainn stöhnte auf, Uathach kam einen Schritt näher – und stieg mit geschmeidiger Bewegung in den Bottich.

Verlangend schmiegte sie sich an ihn; ihre Lippen suchten seinen Mund, ihre Hand tastete nach seiner Männlichkeit. Aber kaum hatte sie ihn dort berührt, schrak der Ulsterheld zusammen. Es war ihm, als würde Emer ihn beobachten. Er glaubte, das schmerzerfüllte Gesicht der Geliebten zu sehen; die Vorstellung, ihr untreu zu werden, verursachte ihm jähe seelische Pein.

»Laß mich!« Abrupt löste sich Cúchulainn aus Uathachs Umarmung.

»Ergib dich mir«, keuchte die Amazone. »Ich muß dich haben. Du bist so schön, so kraftvoll...« Erneut umschlang sie ihn; fast gewaltsam versuchte sie ans Ziel zu kommen – doch da wurde Cúchulainn wütend.

Mit einem Satz war er auf den Beinen, hob Uathach hoch und warf sie aus dem Zuber. Einen gellenden Schrei ausstoßend, kam die Amazone zu Fall; rasch sprang sie wieder auf, zog sich ihr Gewand über und fauchte: »Das wirst du büßen!«

Damit lief sie hinaus. Um Schlimmeres zu verhüten, fuhr auch Cúchulainn in seine Kleider und folgte ihr ins Freie. Mittlerweile war die Dunkelheit hereingebrochen, im Burghof brannten Fackeln. Beim Rundturm holte der Ulsterheld Uathach ein, verstellte ihr den Weg, hielt sie am Oberarm fest und stieß hervor: »Wir wollen vergessen, was geschah. Ich möchte nicht, daß Feindschaft zwischen uns entsteht.«

Die Amazone schien mit sich zu ringen; eben als Cúchulainn dachte, sie würde einlenken, kam Cochor Crufe herbeigerannt. Unwillkürlich riß Uathach sich von Cúchulainn los, Cochor hastete an ihre Seite und brüllte den Ulsterhelden an: »Du bist Scathachs Tochter zu nahe getreten, Hundsfott!«

Cúchulainns Augen blitzten zornig. »Pack dich fort, Bärenhäuter!«

»Du hast nicht nur Uathach beleidigt, sondern suchst eindeutig auch Streit mit mir«, schrie Cochor. »Wohlan denn — ich fordere dich zum Kampf auf Leben und Tod.«

Scharf sog der Ulsterheld die Luft ein. »Entschuldige dich bei mir, Cochor, dann will ich dir deine ungerechten Vorwürfe verzeihen.«

»Bist du etwa zu feige, um einen Strauß mit mir zu wagen?« spottete Cochor Crufe.

»Mit dieser Frage hast du dein Todesurteil gesprochen«, versetzte Cúchulainn. »Wann soll der Zweikampf stattfinden?«

»Sowie ich mich darauf vorbereitet habe«, erwiderte Cochor. Hämisch musterte er den Ulsterhelden, dann fügte er feixend hinzu: »Ich pflege nämlich besonderen Wein zu genießen und zu tanzen, bevor ich meine Feinde schlachte.«

Uathach vergaß ihren Groll und drängte sich zwischen die beiden Männer. »Cochor trinkt einen Absud aus Fliegenpilzen«, warnte sie Cúchulainn. »Dies und sein Kriegstanz verschaffen ihm Bärenkräfte, zudem macht seine Magie ihn gefeit gegen Verwundungen.«

»Ich dachte mir schon, daß der erste Kämpfer deiner Mutter ein Bärenrecke ist«, antwortete Cúchulainn. »Trotzdem werde ich ihn besiegen.«

»Verzichte auf den Waffengang«, bat Uathach. »Tu es um meinetwillen.«

»Das verbietet mir meine Ehre«, erwiderte der Ulsterheld.

»So ist es in der Tat«, erklang Scathachs Stimme aus dem Turmportal; offenbar hatte sie bereits eine Weile dort im Schatten gestanden. Jetzt schritt die Burgherrin näher und fuhr fort: »Es sind Worte gefallen, die nicht zurückgenommen werden können. Infolgedessen muß der Zweikampf ausgetragen werden. Ich will Zeugin sein – und ich bin gespannt, was du zu leisten vermagst, Cúchulainn.«

»Ehe die Nacht vorüber ist, wirst du es wissen«, entgegnete der Ulsterheld. Sodann ging er zum Badehaus, um seine Brünne anzulegen und sich zu bewaffnen.

Als Cúchulainn mit Schild, Speeren und Schwert auf den Festungshof zurückkehrte, erblickte er beim Rundturm eine große Schar von Burgleuten. Krieger waren damit beschäftigt, einen rechteckigen Kampfplatz direkt vor dem massigen Bauwerk mit Steinbrocken einzugrenzen; an den Längsseiten dieses Areals schichteten Knechte und Mägde je einen Scheiterhaufen auf. Scathach und Uathach beaufsichtigten die Arbeiten, bei ihnen befanden sich auch Scathachs Söhne Cet und Cuar; Cochor Crufe hingegen war nirgends zu sehen.

Der Bärenrecke erschien erst unter dem Portal des Turmes, als die Holzstöße brannten. Im flackernden Flammenschein erweckte der von seinem ruppigen Pelz umhüllte Krieger einen schier dämonischen Eindruck. Furchteinflößend schimmerten die Reißzähne im Rachen des Raubtierschädels, der auf dem Kopf des Recken saß; aus den Dornen von Cochors Keule schienen blutrote Funken zu sprühen.

Langsam, mit tappenden Bewegungen, umschritt Cochor Crufe das steinumsäumte Rechteck zwischen den Scheiterhaufen; im Norden, Westen, Süden und Osten beschwor er mit dröhnender Stimme vier verschiedene Bärengeister. Danach betrat Cochor die Kampffläche, nahm in ihrer Mitte Aufstellung und hob seine Stachelkeule der schräg am Himmel hängenden Mondsichel entgegen.

Obwohl Cúchulainn etwas abseits der Burgleute auf einer aus dem Boden ragenden Felsrunse stand, erkannte er, daß an der Keule des Bärenrecken eine Lederflasche befestigt war. Nun löste Cochor das Gefäß von der Waffe, öffnete es und trank; erregt raunten die Männer und Frauen im Festungshof untereinander. Nachdem der Recke die Flasche geleert hatte, warf er sie einem anderen Krieger zu; anschließend verharrte er völlig reglos. Plötzlich verzerrte sich Cochors Gesicht, und sein Körper begann heftig zu zittern; es war, als würde er von unsichtbaren Fäusten geschüttelt.

Nach einer Weile überwand der Bärenrecke die vom Giftpilzabsud verursachten Krämpfe. Die Arme zum Nachthimmel streckend, stieß er einen fauchenden Schrei aus, dann schleuderte er die Stachelkeule auf die Erde und fing schwerfällig zu tanzen an. Die Knie halb eingeknickt, umkreiste Cochor die Waffe; nach jedem siebten Schritt röhrte er kehlig und hieb mit den Fäusten durch die Luft.

Allmählich wurden seine Bewegungen schneller, immer lauter und rauher erscholl das Röhren; zuletzt raste Cochor Crufe gleich einem tollwütigen Bären um die Keule herum. Sein Antlitz hatte jetzt nichts Menschliches mehr; unter dem Einfluß des Pilzgiftes waren Cochors Augen zu glühenden Raubtierlichtern geworden, schaumiger Geifer quoll aus seinem weit aufgerissenen Mund.

Auf dem Höhepunkt seiner grauenhaften Ekstase vollführte der Bärenrecke einen wahnwitzigen Sprung. Heulend schnellte er sich sieben Ellen empor, überschlug sich und landete wie ein Tier auf allen vieren. Er packte die Stachelkeule, kam wieder hoch, biß in den Keulenschaft, wirbelte die Waffe um den Kopf und brüllte zu Cúchulainn hinüber: »Ich bin bereit! Stell dich mir, damit ich dich erschlagen und mich an deinem Fleisch sattfressen kann!«

Der Ulsterheld glitt von der Felsrunse. Den einen Speer hatte er hinter der Schildwehr geborgen, den anderen trug er in der Rechten. Als er sich dem Kampfplatz näherte, fing er einen Blick Uathachs auf und vernahm ihren besorgten Ruf: »Sei vorsichtig!«

Cúchulainn nickte der jungen Amazone zu und betrat die Fläche zwischen den lodernden Holzstößen. Eine Speerlänge vor Cochor Crufe, welcher sich nun gleich einem gereizten Bären hin- und herwiegte und dabei bösartig knurrte, blieb er stehen und spottete: »Was brummelst du denn so erbärmlich? Hat dir der Fliegenpilzsaft etwa Bauchgrimmen verursacht?«

Der Bärenrecke stieß einen mordgierigen Schrei aus und griff an. Seine Keule krachte gegen den Schild des Ulsterhelden; jeder andere wäre unter dem fürchterlichen Hieb zu Boden gegangen – Cúchulainn jedoch hielt nicht nur stand, sondern fegte Cochor mit einem blitzschnellen Fußtritt von den Beinen. Der Bärenrecke tat einen schweren Sturz; bevor er sich wieder aufraffen konnte, preßte ihm der Ulsterheld die Speerspitze an die Kehle und versetzte: »Langsam, Meister Petz. Ehe es ernst wird mit uns beiden, sollten wir die Regeln des Zweikampfes bestimmen.«

»Was meinst du damit?« gurgelte Cochor.

»Du bist bloß mit deiner Stachelkeule bewaffnet, ich hingegen mit Speeren, Schwert und Schild«, antwortete Cúchulainn. »Das finde ich ungerecht. Deshalb biete ich dir an, Wurfwaffen und Schildwehr abzulegen und nur meine Klinge zu behalten.«

Verblüfft starrte Cochor auf den Ulsterhelden. Unversehens gab Cúchulainn ihn frei, lief zum Rand des Kampffeldes und entledigte sich dort des Schildes und der Wurfspeere. Dann zog er das Schwert, schwang es in Richtung des Bärenrecken, der ihn mittlerweile geduckt belauerte, und rief: »Versuch deinen Dornenpilz an meiner in Emain Macha geschmiedeten Klinge!«

Sofort attackierte Cochor erneut. Funken stoben, als Stahlkeule und Schwert aufeinandertrafen; geschickt parierte Cúchulainn den ersten und danach ein Dutzend weitere Hiebe des Bärenrecken. Der Burghof hallte von den schmetternden Schlägen wider – plötzlich unterlief der Ulsterheld seinen

Gegner, stand unvermittelt hinter Cochor und fällte ihn durch einen Fausthieb ins Genick.

Stöhnend lag der Bärenrecke auf der Erde. Drei Schritte zurücktretend, verlangte Cúchulainn von ihm: »Gesteh deine Niederlage ein.«

Bestialisches Knurren drang aus Cochors Kehle. Jäh schnellte er hoch und griff ohne Vorwarnung abermals an. Die Keulendornen des Bärenrecken rissen Furchen in Cúchulainns Brünne, doch im nächsten Moment gewann der Ulsterheld neuerlich die Oberhand. Ein mächtiger, von unten geführter Schwerthieb traf Cochors Waffe und schleuderte sie turmhoch in die Luft; wie zuvor ließ Cúchulainn von seinem Feind ab und forderte: »Ergib dich.«

Der Bärenrecke indessen raffte eine Handvoll Sand auf, warf damit nach Cúchulainns Gesicht und fing die aus dem Nachthimmel herabsausende Keule. Mit Urgewalt schlug er zu; eindeutig hatte er die Absicht, den kurzfristig geblendeten Ulsterhelden zu töten. Cúchulainn jedoch war rascher – seine Klinge trennte Cochors Rechte vom Unterarm. Die Stachelkeule wirbelte zu Boden, zuckend löste sich die verkrampfte Faust vom Schaft.

Fassungslos stierte Cochor auf seinen Armstumpf, aus dem eine pulsende Blutfontäne schoß.

Cúchulainn senkte das Schwert. »Hast du jetzt genug?«

Statt zu antworten, fletschte der Bärenrecke die Zähne; einen Herzschlag später hielt er die Keule in der Linken. Vor Grimm schäumend holte er zu einem mörderischen Hieb aus – und verlor auch die andere Hand.

Wieder stand Cochor einen Augenblick wie gelähmt da; der Ulsterheld beschwor ihn: »Mach ein Ende!«

Kaum hatte Cúchulainn den Satz hervorgestoßen, stürzte sich der Bärenrecke gleich einem rasenden Raubtier auf ihn. Ungeachtet seiner schweren Wunden umklammerte er den Ulsterhelden und schnappte wie tollwütig nach Cúchulainns Kehle – so daß dieser gezwungen war, ihn zu erstechen.

Tödlich getroffen brach Cochor zusammen. Der Ulsterheld wischte das Blut von seiner Klinge, dann richtete er den Blick auf die beiden Amazonen. »Ihr habt gesehen, was geschah«, rief er. »Ich legte es nicht darauf an, Cochor Crufe das Leben zu nehmen, aber er ließ mir keine Wahl. Ich mußte deinem ersten Kämpfer die Klinge durchs Herz jagen, Scathach, und ich hoffe, du wirst mir das nicht nachtragen.«

»Du hast dich mannhaft gegen Cochor verteidigt«, erwiderte Scathach. Ein hintergründiges Lächeln kräuselte ihre Lippen. »Doch wenn du glaubst, du hättest den Kampf schon gewonnen, irrst du.«

Cúchulainn stutzte, Uathach warnte: »Schau, was mit dem Bärenrecken passiert!«

Der Ulsterheld fuhr herum – und wurde Zeuge eines entsetzlichen Geschehens. Eben noch hatte der tote Cochor Crufe verkrümmt auf seinem blutgetränkten Raubtierfell gelegen; nun hob er den Kopf, verzerrte den Mund zu dämonischem Grinsen und tat einen tiefen Atemzug. Siebenmal saugte er röchelnd die vom Blut dämpfige Luft ein, plötzlich ging eine grauenhafte Verwandlung mit ihm vor.

Cochors Leib zitterte konvulsivisch, schwoll unter krampfartigen Muskelkontraktionen an – und verwuchs mit dem Bärenpelz. Raubtierschädel und menschliches Haupt wurden eins; das Fell wucherte um Schultern, Arme, Rumpf und Beine Cochors, bedeckte die verstümmelten Handgelenke sowie die Füße und formte krallenbewehrte Pranken aus.

Fauchend richtete sich die Bestie auf. Ihre Vordertatzen flegelten, Geifer floß aus der Schnauze mit den gefletschten Lefzen und den dolchspitzen Reißzähnen – dann griff das Bärenungeheuer Cúchulainn an. Der Ulsterheld wich den fürchterlichen Prankenschlägen aus und versuchte, das Untier mit dem Schwert zu treffen. Aber es war Cúchulainn unmöglich, einen wirksamen Hieb anzubringen. Der Bär schien jeden Schwertschlag vorauszuahnen, so daß die Attacken des Ulsterhelden wiederholt ins Leere gingen.

Cúchulainn geriet zunehmend in Bedrängnis. Unter wildem Gebrüll trieb die Bestie ihn quer über das Kampffeld: immer näher an einen der Scheiterhaufen heran. Offenbar plante das Untier, den Ulsterhelden in die Lohe zu drängen, um ihm anschließend den Garaus zu machen – doch unversehens vereitelte Cúchulainn diese Absicht. Mit einem gewaltigen Sprung schnellte er sich über den mehr als mannshohen Holzstoß hinweg und landete federnd auf dessen Rückseite.

Fauchend raste die Bärenbestie um den Scheiterhaufen herum; ein Funkenregen stob aus dem Holzstoß, als die Schulter des Raubtiers ihn streifte. Plötzlich schoß aus dem Halbschatten dahinter etwas wie ein wirbelnder Blitz – sirrend flog Cúchulainns Klinge durch die Luft und bohrte sich tief in den Brustkorb des Bären.

Cúchulainns meisterlicher Schwertwurf schleuderte die Bestie zu Boden; kaum war das Untier niedergestürzt, wich das Leben aus ihm. Der Ulsterheld eilte herbei und riß seine Waffe aus der Bärenbrust, dunkles Herzblut tropfte von der breiten Klinge. Cúchulainn packte den Griff des Schwertes mit beiden Händen, schwang die Waffe sausend im Kreis und schlug den Schädel der Bestie vom Rumpf. Sodann trat er beiseite, reinigte die Klinge und wartete.

Es dauerte nicht lange, bis sich der Bärenkadaver erneut verwandelte. Das Fell fiel vom kopflosen Körper ab und gab den blutbesudelten Leib Cochor Crufes frei. Gleich darauf ging dieselbe Veränderung mit dem Haupt vor; der Raubtierschädel wurde wieder zur helmartigen Haube, darunter erschienen die verzerrten Gesichtszüge des toten Bärenrecken.

Noch einmal benutzte der Ulsterheld seine Waffe. In Stirn und Brust Cochors ritzte er je ein druidisches Bannzeichen, dann rief er Scathach zu: »Kopf und Rumpf des Bärenrecken liegen getrennt, Cochor Crufes magische Kraft ist gebrochen. Jetzt wirst du wohl einräumen müssen, daß ich den Kampf gewonnen habe.«

»Du hast Cochor besiegt«, bestätigte die Amazone mit gepreßter Stimme.

»Nachdem dies geklärt ist, könnt ihr den Leichnam weg-
bringen«, wandte sich Cúchulainn an die Burgleute.

Stumm kamen einige Krieger näher. Die Männer hüllten
Haupt und Körper Cochors in den Bärenpelz und trugen das
schauerliche Bündel davon. Der Ulsterheld schaute ihnen
nach, bis die Dunkelheit sie verschluckt hatte. Dann ging er zu
der Stelle, an der er Schild und Speere abgelegt hatte. Er nahm
die Waffen an sich und schritt zum Turmportal, wo die beiden
Amazonen sowie Scathachs Söhne Cet und Cuar standen.

Die Knaben blickten mit unverhohlener Bewunderung
auf Cúchulainn; in Uathachs Augen erkannte der Ulsterheld
Trauer wegen Cochors Tod, aber auch eine gewisse Erleichterung über den Ausgang des Zweikampfes. Scathachs Antlitz
hingegen wirkte versteinert; ehe Cúchulainn ganz heran war,
drehte sie sich abrupt um und verschwand im Inneren des
Turmes.

»Meine Mutter zürnt dir«, raunte Uathach dem Ulsterhelden zu. »Am besten bringe ich dich gleich in deine Schlafkammer, damit du ihr heute nicht nochmals begegnest.«

Zeitig am nächsten Morgen kam eine Magd in Cúchulainns
Kammer und teilte ihm mit: »Scathach will dich sprechen.«

Der Ulsterheld folgte der Frau zum Gemach der Burgherrin im obersten Turmgeschoß. Als er eintrat, sah Cúchulainn,
daß Fenster und Wände des Raumes mit schwarzen Tüchern
verhängt waren; drei Kerzenkandelaber erleuchteten das Gemach. Scathach saß allein in derselben Erkernische wie am
Vortag; sie trug ein Trauergewand, ihr Gesicht war beinahe
unnatürlich bleich.

»Nimm Platz.« Mit knapper Geste wies die Amazone auf
einen Schemel.

»Da ich den Eindruck habe, daß unsere Unterredung unerfreulich verlaufen wird, bleibe ich besser stehen«, wehrte der Ulsterheld ab.

Scathach schwieg einen Moment, dann brach es aus ihr heraus: »Ich werfe dir vor, mich meines besten Kriegers beraubt zu haben! Es wäre nicht nötig gewesen, Cochor zu töten. Deine Kampfkunst war seiner eindeutig überlegen. Daher hättest du ihn ohne Blutvergießen überwinden können.«

»Anfangs war das meine Absicht«, entgegnete Cúchulainn. »Du hast gesehen, wie ich den Bärenrecken zu Beginn schonte, und du weißt auch, was später geschah. Es war einzig Cochors bestialische Wut, die mich zwang, schärfere Streiche zu führen. Hinzu kommt die Tatsache, daß zuletzt sogar finstermagische Kräfte im Spiel waren, die mein eigenes Leben ernsthaft bedrohten – und angesichts dessen besitzt du wahrlich nicht das Recht, mir Vorhaltungen zu machen.«

»Mag sein«, gestand Scathach widerwillig ein. »Doch die Frage bleibt: Wärst du fähig gewesen, Cochor Crufe zu besiegen, ohne ihn zu töten? Vielleicht durch deine eigene Magie?«

»Ich bin Krieger, kein Druide«, erwiderte der Ulsterheld. »Auch wenn ich von Großen Wissenden geschult wurde.«

»Du weichst mir aus«, schnappte die Amazone.

»Also gut, ich will dir antworten«, kam es von Cúchulainn. »Unter Umständen hätte ich den Bärenrecken, solange er noch in menschlicher Gestalt kämpfte, auf unblutige Weise überwältigen können.«

»Und warum tatest du es nicht?« fuhr Scathach auf.

»Weil ich feststellen mußte, daß Cochor keine Gnade verdiente«, erklärte der Ulsterheld. »Oder willst du leugnen, daß er sich mit schrecklichen Mächten verbündet hatte?«

»Ja, Cochor Crufe war schreckenerregend«, rief die Amazone aus. »Aber gerade deshalb hatte ich so großen Nutzen von ihm. In zahlreichen Schlachten wütete er unter meinen

Feinden, reihenweise mähte er sie nieder. Landauf, landab war der Bärenrecke gefürchtet; sobald sein Brüllen auf der Walstatt erklang, befiel unsere Gegner das Zittern. Doch nun hast du seinen Geist nach Annwn gesandt, und ich weiß nicht, wie ich den unsäglichen Verlust ausgleichen soll. Aus diesem Grund zürne ich dir – und würde dich am liebsten auffordern, meine Festung augenblicklich zu verlassen.«

Zwischen Cúchulainns Brauen bildete sich eine steile Falte. »Ich durchquerte ganz Alba, um meine Stärke an deiner zu erproben. Du wiederum warst gestern mit unserem Wettstreit einverstanden – daher wäre es ehrlos von dir, mich jetzt wegzuschicken.«

»Das ist Erpressung«, murmelte Scathach. Sie erhob sich, schritt einige Male auf und ab, blieb vor Cúchulainn stehen und fuhr fort: »Ich sagte dir letzten Abend auch, es hätte keine Eile mit dem Zweikampf. Falls ich mich aber bei Gelegenheit dazu bereit finden soll, muß ich eine Bedingung stellen.«

»Welche?« wollte der Ulsterheld wissen.

»Du trittst vorübergehend an die Stelle Cochor Crufes und befolgst meine Befehle«, erwiderte die Amazone. »Danach wollen wir uns im Waffenstreit messen.«

Cúchulainn überlegte, dann antwortete er: »In meiner Kindheit, als ich die Kampfbestie Culanns erschlug, traf ich eine ähnliche Abmachung. Deshalb und weil du den Tod des Bärenrecken dermaßen bedauerst, erscheint mir dein Vorschlag recht und billig.« Er reichte Scathach die Hand. »Für eine gewisse Zeit werde ich dir dienen.«

DIE HOHLE EIBE

Glühend heiß brannte die Sonne vom wolkenlosen Firmament; Cúchulainn schwitzte unter der Last eines mächtigen Schwarzsteinblocks, den er zur Kuppe des Burghügels hinaufschleppte. Scathach hatte dem Ulsterhelden befohlen, die Umwallung ihrer Festung zu verstärken; nun fronte Cúchulainn schon den dritten Tag für die Amazone.

Vor dem Burgtor, das er längst ebenfalls wieder instandgesetzt hatte, warf der Ulsterheld den aus einer Felswand im Tal gebrochenen Steinklotz zu Boden. Nachdem er sich den Schweiß von der Stirn gewischt hatte, zog Cúchulainn Hammer und Meißel aus dem Gürtel und fing an, den Schwarzstein zu behauen. Einige Krieger, welche auf dem Wehrgang der Torbastion standen, beobachteten den Ulsterhelden; ihre Mienen drückten Genugtuung über die Erniedrigung des Fremden aus, der Cochor Crufe getötet hatte.

Mit regelmäßigen Schlägen bearbeitete Cúchulainn den Steinblock, allmählich nahm der Klotz Quadergestalt an. Plötzlich hörte der Ulsterheld von hinten Schrittgeräusche. Er fuhr herum und erblickte Uathach, die unbemerkt durchs Tor gekommen war und einen Wasserkrug in den Händen trug.

Die junge Amazone lächelte ihm zu. »Ich dachte, du würdest dich über eine Erfrischung freuen.«

»Danke«, entgegnete Cúchulainn. Er griff nach dem Krug, trank durstig, stellte das Gefäß auf den Schwarzsteinblock und wollte weiterarbeiten.

Uathach jedoch hinderte ihn daran, indem sie sich neben dem Wasserkrug niederließ. »Auch wenn du meiner Mutter versprachst, ihr zu dienen, verlangt niemand von dir, daß du dich krumm und lahm schuftest«, äußerte sie. »Laß uns lieber ein bißchen miteinander reden.«

»Worüber denn?« fragte der Ulsterheld.

Das Gesicht der jungen Frau wurde ernst. »Über das Unrecht, das dir widerfährt.«

Erstaunt hob Cúchulainn die Brauen. »Du bist nicht einverstanden mit der Fron, die Scathach mir auferlegt?«

»Eher hätte ich es verdient, für Cochors Tod bestraft zu werden«, antwortete Uathach. »Denn mein Verhalten im Badehaus war letztlich die Ursache des Streits zwischen dir und dem Bärenrecken.«

»Dann bereust du es also, mir zu nahe getreten zu sein?« Forschend musterte der Ulsterheld ihr Antlitz.

Die rothaarige Amazone schlug die Lider nieder. »Tiefe Zuneigung zu dir verlockte mich«, sagte sie leise. »Daran kann ich nichts Schlimmes erkennen. Aber es tut mir leid, daß du jetzt die Folgen zu tragen hast.«

»Ewig werde ich bestimmt nicht für Scathach fronen«, versetzte Cúchulainn. »Ich gestand deiner Mutter lediglich zu, für eine gewisse Zeit Befehle von ihr entgegenzunehmen.«

»Wieso beugtest du dich ihr überhaupt?« wollte Uathach wissen. »Cochor forderte dich heraus, du besiegtest ihn in ehrlichem Kampf. Du wärst zu keinerlei Sühne verpflichtet gewesen.«

»Es geht nicht um eine Sühneleistung«, erwiderte der Ulsterheld. »Vielmehr traf ich eine Abmachung ganz anderer Art mit Scathach.«

»Welche?« kam es von der jungen Frau.

»Bist du etwa nicht eingeweiht?« erkundigte sich Cúchulainn verwundert.

Uathach schüttelte den Kopf. »Meine Mutter war seit dem Tod des Bärenrecken sehr verschlossen, und wir sprachen kaum miteinander. Erst heute früh rief sie mich in ihr Gemach, doch auch da fand ich keine Gelegenheit, mich mit ihr auszutauschen. Sie bat mich nur, ihren Streitwagen fertigmachen zu lassen, damit sie mit Cet und Cuar ausfahren könne.«

»Ich sah, wie sie die Pferde zu einem Paßweg östlich der Festung lenkte«, nickte der Ulsterheld. »Aber zurück zu der Frage, die du mir stelltest: Ich vereinbarte mit Scathach, ihr zu dienen, weil sie mir sonst den Waffenstreit verweigert hätte, um dessentwillen ich zu eurer Burg kam.«

»Nun verstehe ich«, murmelte Uathach. »Du möchtest dir um jeden Preis etwas von der Kampfkunst meiner Mutter aneignen, daher gabst du ihr nach.« Sie besann sich und fügte hinzu: »Ebenso könnte jedoch ich deine Lehrerin sein...«

»Heißt das, du bist Scathach als Kriegerin ebenbürtig?« stieß Cúchulainn hervor.

»Ja«, bestätigte die junge Amazone. »Meine Mutter brachte mir alle Künste bei, die sie selbst beherrscht – und wenn du mir sagst, woran dir besonders liegt, weihe ich dich gerne ein.«

Cúchulainns Augen leuchteten auf. »Ich segelte nach Alba, um hier womöglich Fertigkeiten zu erwerben, wie man sie in Erinn nicht kennt.«

»Damit kann ich dir dienen«, versicherte Uathach.

»Erkläre dich genauer«, forderte der Ulsterheld.

»Nicht hier«, entgegnete die Amazone. »Ich schlage vor, du befreist dich für den Rest des Tages von deiner Fron, und wir unternehmen einen Ausflug in meinem Kampfwagen. Unterwegs zeige ich dir dann ein Kriegskunststück, das dir zweifellos neu sein wird.«

Cúchulainn warf Hammer und Meißel weg. »Einverstanden. Laß die Rösser anschirren, ich hole unterdessen meine Waffen aus dem Turm.«

Wenig später rollte der Streitwagen den Festungshügel hinab. Uathach lenkte die beiden Rappen, welche das Gefährt zogen; der Ulsterheld stand neben ihr. Auf dem Talboden angelangt, ließ die Amazone das Gespann nach Osten galoppieren: in Richtung desselben Bergpasses, durch welchen am Morgen Scathach mit ihren Söhnen verschwunden war.

Als sie den Paßweg erreichten, fragte Cúchulainn: »Wohin wollte deine Mutter eigentlich?«

»Zu einem Kraftort tief im Gebirge«, antwortete Uathach. »Dort unterrichtet sie Cet und Cuar regelmäßig im Geheimwissen unserer Familie.«

»Ist dieser Platz auch unser Ziel?« erkundigte sich der Ulsterheld nunmehr.

»Vielleicht werden wir ihn später aufsuchen«, beschied ihn die Amazone mit rätselhaftem Lächeln. »Zunächst aber wollen wir zu einer Hochebene fahren, wo die Rösser nach Herzenslust ausgreifen können und wir selbst unbeobachtet sind.«

Damit trieb Uathach die Pferde in den Paßeinschnitt. Im Trab folgten die Tiere der gewundenen Klamm; als der Weg steiler wurde, mußten sie zeitweise im Schritt gehen. Nach einigen Meilen – die Sonne stand inzwischen im Zenit – hatten die Rösser den Bergsattel erklommen. Von hier oben aus war der Blick zum östlichen Horizont über niedrigere Hügelketten hinweg frei; in der Ferne erkannte Cúchulainn die Meeresküste.

Die Amazone zügelte die Pferde und ließ sie verschnaufen; der Ulsterheld nutzte die Gelegenheit, um die Aussicht zu genießen. Schließlich schnalzte Uathach mit der Zunge, und die Tiere setzten sich wieder in Bewegung. Entlang der Flanke des Gebirgszuges trabten die Rösser in ein Quertal hinab. Erst war der Talboden schmal; bald jedoch wurde er breiter und mündete zuletzt auf die ausgedehnte, mit blaßviolettem Heidekraut bewachsene Hochfläche, von welcher die Amazone gesprochen hatte.

Bei einem inmitten der Ebene aufragenden Dolmen brachte Uathach die Pferde zum Stehen. »Unter diesen Steinen ruht eine Urzeitkönigin, die dereinst den gesamten Osten Albas regierte«, erläuterte die Amazone. »Sie schenkte den Menschen Liebe und verwandelte das Land in einen blühenden Garten. Deshalb ist der Platz hier friedlich. Es wird dir nichts Böses widerfahren, Cúchulainn, wenn du die Deckplatte des Grabes besteigst und von dort aus verfolgst, was ich tue.«

Der Ulsterheld barg seine Speere hinter dem Schild und schwang sich vom Wagen. Durch eine dreifache Umschreitung des Dolmen ehrte er den Geist der toten Fürstin, dann tat er einen gewandten Satz und stand auf dem mehr als mannshohen Steinkammergrab.

»Dein Sprung gelang dir gut«, lobte ihn Uathach. »Aber ich habe vor, ihn durch einen sehr viel schwierigeren Cless zu übertreffen.«

»Du willst mir einen solch besonderen Kampfsprung vorführen?« fragte Cúchulainn.

»Es ist ein Cless, der dich begeistern wird«, erwiderte die Amazone – im selben Moment galoppierten die Rösser an.

Gespannt beobachtete der Ulsterheld, wie der Streitwagen davonjagte. Uathach holte das Äußerste aus den Pferden heraus, rasend schnell wuchs die Distanz zwischen dem Gespann und dem Dolmen. Plötzlich, ungefähr zweihundert Schritte entfernt, glitt die Amazone in einer raschen Drehbewegung seitlich aus dem Kampfwagen.

Cúchulainn stockte der Atem. Einen Augenblick sah es so aus, als würde Uathach vom Gefährt stürzen – mit dem nächsten Herzschlag schnellte eine unerklärliche Kraft sie in flachem Bogen empor. Mit ausgebreiteten Armen flog die Amazone entgegen der Fahrtrichtung des Streitwagens auf das Grabmal zu. Sie sauste über den Kopf des Ulsterhelden hinweg, landete ein Stück hinter dem Dolmen, rollte sich ab, kam auf die Beine und rief: »Hätte ich im Vorbeiflug einen Schwertstreich gegen dich geführt, wärst du in arge Bedrängnis geraten.«

Während die Rösser in Trab fielen und wendeten, um zum Grab zurückzukehren, sprang Cúchulainn von dessen Deckplatte, lief zu Uathach und stieß zutiefst beeindruckt hervor: »Durch welchen Zauber glückte dir dieser einzigartige Cless?«

»Ich weiß nicht recht, ob ich dir das Geheimnis des Wagenlenker-Lachssprunges tatsächlich verraten soll«, neckte ihn die rothaarige Amazone.

»Du versprachst, mich einzuweihen«, drängte Cúchulainn.

Uathach trat näher an ihn heran. »Sei ohne Sorge. Ich bin bereit, es zu tun. Doch ich muß gewisse Bedingungen stellen.«

»Was verlangst du?« fragte der Ulsterheld.

»Sobald du den Cless beherrschst, suchen wir den Kraftort auf, an dem sich meine Mutter befindet«, entgegnete die Amazone. »Dort zwingst du Scathach dazu, deine Fron zu beenden. Mit Hilfe der Anweisung, die ich dir erteilen werde, und dank des Wagenlenker-Lachssprunges wird es dir gelingen.«

»Damit bin ich einverstanden«, erklärte Cúchulainn.

»Das dachte ich mir«, lächelte Uathach. »Aber ich fordere noch ein wenig mehr von dir. Nachdem du Gewalt über meine Mutter gewonnen hast, gibst du sie nicht wieder frei, ehe sie dir die Erfüllung dreier Wünsche zugesagt hat.«

»Wünsche welcher Art?« erkundigte sich der Ulsterheld.

»Zum einen soll Scathach dir all ihre Waffenkünste beibringen, ohne daß es zum Zweikampf zwischen euch kommt«, antwortete die junge Amazone. »Zum anderen soll meine Mutter, die auch Ovatin ist, dir dein künftiges Schicksal prophezeien...«

Weil die Pferde herankamen, verstummte die Rothaarige. Sie haschte nach den Zügeln der Rösser und führte das Gespann im Kreis herum.

Cúchulainn wartete ab, bis Uathach die Tiere zur Ruhe gebracht hatte, dann äußerte er: »Wenn Scathach mir die beiden Anliegen gewährt, kann mir das nur Nutzen bringen. Doch du erwähntest noch einen dritten Wunsch.«

»Richtig«, nickte die Amazone. »Dessen Inhalt freilich möchte ich vorerst für mich behalten.«

»Das heißt, ich soll dir zu Willen sein, ohne zu wissen, was du von mir verlangen wirst«, schnappte der Ulsterheld.

»Sofern du den Wagenlenker-Lachssprung erlernen möchtest, mußt du mir sogar schwören, meiner Mutter auch dieses letzte Anliegen vorzutragen«, erwiderte Uathach.

»Falls ich das tue, liefere ich mich dir auf Gedeih und Verderb aus«, murmelte Cúchulainn.

»Ich verspreche dir, daß ich es von Herzen gut mit dir meine.« Die junge Amazone griff nach seiner Hand. »Vertraue

mir – und denke an den Ruhm, den du durch die Beherrschung des Cless gewinnen kannst.«

Der Ulsterheld rang mit sich, endlich entschied er: »Da mir
keine Wahl bleibt, gehe ich auf deine Bedingung ein. Und ich
rufe die Götter als Zeugen für die Wahrheit meiner Worte an.«

»Du wirst es bestimmt nicht bereuen«, strahlte Uathach.
Sie umarmte Cúchulainn, dann zog sie ihn zum Streitwagen.
»Steig wieder auf.«

»Wollen wir den Cless etwa zusammen versuchen?« fragte
der Ulsterheld verwundert.

»Nein«, antwortete die Amazone. »Vielmehr bringe ich
dich zunächst an einen Ort, wo du deine geistige Stärke unter
Beweis stellen mußt.«

Gleich darauf galoppierten die Rösser über die Ebene; jenseits des Heidelandes lenkte Uathach das Gespann in ein Sei-
tental, aus dem ein Wildbach floß. An seinem Ufer entlang trabten die Pferde ungefähr eine Meile bergauf, bis sie zu einem
kleinen See gelangten. Felsriffe säumten das Gewässer ein, zwischen zweien von ihnen entsprang der Bach und stürzte in
mannshohen Kaskaden über eine Reihe von Steinschroffen.

Nahe dieser Stelle brachte Uathach den Kampfwagen zum
Stehen und führte Cúchulainn an einen bemoosten Platz direkt gegenüber dem Wasserfall, wo dreizehn niedrige Menhire
einen Ring bildeten. »Dies ist der Ort, den ich vorhin meinte«,
erklärte die Amazone. »Jetzt gib mir Schild und Schwert in
Verwahrung und laß dich in derselben Haltung nieder, welche
der Gott Cernunnos einnimmt, wenn er die Vereinigung mit
den unsichtbaren Kräften der Erde und des Himmels sucht.«

Der Ulsterheld reichte Uathach Schutzwehr und Klinge,
seine beiden Speere aber behielt er. Im Inneren des Steinkreises bohrte er die Schaftenden der Wurfwaffen behutsam in
den Boden und setzte sich mit untergeschlagenen Beinen
zwischen sie. Er breitete die Arme aus, umfaßte je einen der
zum Firmament weisenden Speere mit den Händen und
schloß die Augen.

Bald spürte Cúchulainn, wie ihn sowohl irdische als auch kosmische Kraftströme erfüllten. Aus der Erdtiefe stieg behütende Wärme in seinen Leib; vom Himmel flutete Energie, die seinen Geist belebte. Allmählich überlagerten sich die Ströme; zunehmend brachten sie Empfinden und Bewußtsein des Ulsterhelden in Einklang – und öffneten ihm auf diese Weise die Brücke nach Annwn. Dann, als die Grenze zur anderen Welt völlig durchlässig geworden war, vernahm Cúchulainn die Stimme der Amazone: »Schau auf das stürzende Wasser.«

Langsam hob der Ulsterheld die Lider. Er sah die schäumenden Kaskaden über die Felsschroffen schießen; mit Urgewalt tosten sie herab, bildeten Wirbel und saugende Strudel. Nach einer Weile fühlte Cúchulainn, wie er mit dem Wesen des Wasserfalls eins wurde; kaum war es geschehen, hörte er Uathach sagen: »Nutze nun deine Willensstärke, um deine Wahrnehmung zu verändern. Bremse den brausenden Fall der Wogen. Zwinge das Wasser, gleich zähem Wachs über die Steinkanten zu quellen.«

Die Pupillen des Ulsterhelden wurden weit; seine ganze innere Kraft aufbietend, konzentrierte er sich auf die Kaskaden. Zunächst erblickte er dasselbe Bild wie zuvor – plötzlich aber erfolgte eine Verwandlung. Das Wassertoben schien leiser zu werden, das Wirbeln und Strudeln weicher. Cúchulainn konnte Einzelheiten unterscheiden: Wellen in wiegender Bewegung; schimmernde Stränge, die sich verflochten oder voneinander trennten; Tropfen, welche sachte aus der Flut emporstiegen und sanft wieder nach unten schwebten. Es war, als würde sich der Zeitablauf mehr und mehr verzögern, um schließlich beinahe völlig zum Stillstand zu kommen – jetzt floß der Wasserfall scheinbar tatsächlich so zäh wie schmelzendes Bienenwachs über die Felsschroffen.

»Gut so«, drang neuerlich Uathachs Stimme an das Ohr des Ulsterhelden. »Ich sehe dir an, daß du es geschafft hast. Nun spiele mit den stürzenden Wassern. Lasse sie nach Belieben schnell oder gemächlich strömen.«

Abermals befolgte Cúchulainn die Anweisung der Amazone. Mit Hilfe seines Willens bemeisterte er das Erscheinungsbild der Kaskaden; je öfter er es tat, desto leichter fiel es ihm.

Zuletzt löste sich der Ulsterheld aus seiner Trance, sprang federnd auf die Beine, zog die Speere aus der Erde und ging zu Uathach, die ihn am Rand des Steinkreises erwartete. »Ich danke dir«, sagte er. »Du lehrtest mich etwas, das mir bislang noch fremd war.«

»Du hast dich als sehr fähiger Schüler erwiesen«, erwiderte die Amazone lächelnd. »Und damit bist du jetzt imstande, den nächsten Schritt zu tun, der zur Beherrschung des Wagenlenker-Lachssprunges nötig ist.«

Nachdem Uathach und Cúchulainn den Steinring zum Abschied dreimal umschritten hatten, bestiegen sie den Kampfwagen und kehrten zu der Ebene zurück, wo sich der Dolmen erhob. Ein Stück vom Grabmal entfernt zügelte Uathach die Rösser und wies den Ulsterhelden an, abzuspringen.

Als Cúchulainn neben dem Gefährt stand, erklärte die Amazone: »Nunmehr werde ich dich in schneller Fahrt mit dem Streitwagen umkreisen. Du solltest dabei auf das dir zugewandte Wagenrad achten und dich an die Fertigkeit erinnern, welche du am Wasserfall erworben hast.«

Wieder und wieder preschten die Pferde um den Ulsterhelden herum. Cúchulainn ließ die Augen nicht vom inneren Rad des Kampfwagens, seine Miene drückte höchste Konzentration aus. Schließlich gab er Uathach ein Zeichen. Die Amazone brachte das Gespann neben ihm zum Stehen und fragte: »Begreifst du jetzt, warum der Cless aus dem Wagen als Lachssprung bezeichnet wird?«

»Weil sich der Salm bei seinen Flußwanderungen oft sehr geschickt gegen die Strömung schnellt«, antwortete der Ulsterheld. »Und ähnlich wie ein Lachs springt der eingeweihte Krieger entgegen der Fahrtrichtung aus seinem Gefährt.«

»So ist es«, bestätigte Uathach. »Doch hast du auch erkannt, auf welche Weise der Cless möglich wird?«

»Ja«, erwiderte Cúchulainn.

»Dann solltest du ihn jetzt versuchen.« Die Amazone glitt aus der Wagenkanzel. »Laß aber deine Waffen bei mir, damit sie dich nicht behindern.«

Der Ulsterheld übergab Uathach Schild, Speere und Schwert, dann bestieg er den Streitwagen und trieb die Rösser zum Galopp an. In einigem Abstand vom Dolmen beugte sich Cúchulainn nach links aus der Kanzel des Gefährts. Mit geweiteten Pupillen starrte er auf das unter ihm dahinfegende Wagenrad und konzentrierte sich auf dessen Lauf. Einmal mehr gelang es ihm, seine Wahrnehmung zu beeinflussen – die Radspeichen schienen langsamer zu wirbeln und gleich darauf fast völlig zum Stillstand zu kommen.

Cúchulainn beobachtete die gemächliche Drehung einer einzelnen Speiche. Von rückwärts her stieg sie hoch, wies senkrecht empor, sank vorne wieder herunter, näherte sich der Erde und kreiste erneut nach hinten und oben.

Als der Ulsterheld sich über den Rand der Wagenkanzel schwang, hatte er das Empfinden, als würden auch seine Bewegungen mit stark verminderter Geschwindigkeit erfolgen. Wie schwebend glitt er ein Stück in die Tiefe, wandte sich dabei herum, so daß er die beim Grabmal stehende Amazone erblickte, und setzte den linken Fuß auf eine vom Erdboden emporsteigende Radspeiche.

Schlagartig wich Cúchulainns Trance. Der Radschwung des in voller Fahrt befindlichen Streitwagens schleuderte den Ulsterhelden in hohem Bogen durch die Luft. Mit ausgebreiteten Armen flog er auf den Dolmen zu, landete zwei Dutzend Schritte vor dem Steinkammergrab im Heidekraut, rollte sich ab, kam auf die Beine und lief zu Uathach.

Er zog die junge Frau an seine Brust, gab sie wieder frei und sagte stolz: »Du sahst, wie mir der Cless auf Anhieb glückte.«

»Dein Sprung war nicht schlecht«, entgegnete Uathach. »Doch ich fand ihn deutlich kürzer als jenen, den ich dir vorführte.«

»Warte ab«, erwiderte Cúchulainn und rannte den herbeitrabenden Pferden entgegen.

Neuerlich ließ der Ulsterheld das Gespann über die Ebene jagen und wiederholte den Cless, diesmal segelte er bedeutend weiter. Vor seinem dritten Wagenlenker-Lachssprung bat er die Amazone, sich auf die Deckplatte des Dolmen zu stellen; sodann forderte er den Rössern einen rasenden Galopp ab. Sturmschnell preschten die Tiere dahin; dreihundert Schritte vom Grab entfernt schwang sich Cúchulainn aus der Kanzel des Kampfwagens und sauste gleich einem angreifenden Adler in Richtung des Dolmen. Im Vorbeiflug streifte er das im Wind wehende Haar Uathachs mit den Fingerspitzen; fünfzig Schritte jenseits des Grabmals landete er auf der Erde und rief der Amazone zu: »Hätte ich soeben einen Schwertstreich gegen dich geführt, wärst du in arge Bedrängnis geraten.«

»Das läßt sich nicht leugnen«, antwortete Uathach lachend. »Und da ich annehme, daß du den Cless nun bewaffnet vollbringen willst, rette ich mich besser rechtzeitig.«

Die Amazone stieg vom Dolmen, im nächsten Moment war der Ulsterheld bei ihr und erklärte augenzwinkernd: »Es käme mir nie in den Sinn, dir irgendwie zu nahe zu treten.« Ernsthafter fuhr er fort: »Außerdem habe ich keinen vierten Übungssprung nötig, denn ich bin sicher, den Cless jetzt auch mit Klinge oder Speer zu beherrschen.«

Uathach entfernte einen Heidekrautzweig, der sich im Halsausschnitt von Cúchulainns Brünne verfangen hatte. Dann fragte sie: »Du fühlst dich also imstande, meine Mutter zu bezwingen?«

»Wir können sofort aufbrechen«, entgegnete der Ulsterheld. »Wo befindet sich jener Kraftort, an dem Scathach weilt?«

Die Amazone deutete nach Norden. »Jenseits des Bergsattels dort, der wie eine Zinnenmauer aussieht.«

Cúchulainn griff nach seinen Waffenstücken, die am Steinkammergrab lehnten. Während er den Schwertgurt umschnallte, wendete Uathach das Pferdegespann, das mittlerweile herangekommen war. Gleich darauf stand der Ulsterheld neben der Amazone in der Wagenkanzel, und Uathach ließ die Zügel schnalzen.

Um die Nachmittagsmitte hatten die Rösser den zinnenförmigen Gebirgskamm überwunden. Nördlich davon lag schütter bewachsenes Tiefland, aus welchem vereinzelte Felstürme aufragten. Als der Streitwagen die Ebene erreichte, bemerkte Cúchulainn, daß die Steinformationen aus mächtigen, wie von Riesenhänden übereinandergeschichteten Klötzen bestanden. Die meisten waren von grauschwarzer Farbe; einer jedoch schimmerte rötlich im Sonnenschein, auf seiner Kuppe wurzelte ein uralter Baum mit weitausladender Krone.

Im Sichtschutz eines Schlehengehölzes hielt Uathach die Pferde an. »Erkennst du den Ort, an dem du dich bewähren mußt?« wollte sie von Cúchulainn wissen.

Der Ulsterheld wies auf den roten Felsturm, der sich ungefähr eine halbe Meile entfernt erhob. »Ich spüre die starken Schwingungen, welche von dort herandringen. Der Kraftquell scheint ganz oben auf der Steinbastion zu pulsen.«

»Er umfließt die tausendjährige Eibe, welche auf der Felskuppe wächst«, bestätigte die Amazone. »Ihr Stamm birgt einen Hohlraum, der nach Westen hin offen ist – und in ihm unterrichtet meine Mutter Cet und Cuar.«

»Das bedeutet, daß ich einen sehr hohen Sprung tun muß, um Scathach beizukommen«, murmelte Cúchulainn.

»Traust du dir den Cless unter diesen Umständen etwa nicht zu?« fragte Uathach besorgt.

»Du sahst mich über den Dolmen fliegen«, erwiderte der Ulsterheld. »Ebenso werde ich den Himmelssprung meistern, auch wenn sich die Landung vielleicht ein klein wenig schwierig gestaltet.«

»Du darfst auf keinen Fall von der Spitze des Steinturmes abstürzen, sonst brichst du den Hals«, warnte die Amazone.

Cúchulainn schmunzelte. »Ich verspreche dir, es nicht darauf anzulegen. – Nun aber sage mir, auf welche Art ich Scathach ohne Blutvergießen zur Aufhebung meiner Fron bewegen kann. Wie du dich erinnerst, wolltest du mir dazu eine Anweisung erteilen.«

»Sobald du vor der Eibe Fuß gefaßt hast, setzt du meiner Mutter das Schwert zwischen die Brüste«, antwortete Uathach. »In der engen Höhlung vermag Scathach ihre eigene Klinge nicht zu ziehen, daher ist sie gezwungen, deine Forderungen zu erfüllen. Zuerst verlangst du die Beendigung der unwürdigen Knechtsfron. Nachdem meine Mutter eingewilligt hat, trägst du ihr zusätzlich deine drei Wünsche vor...«

»Von denen ich bislang allerdings nur zwei kenne«, unterbrach der Ulsterheld. »Scathach muß mich in ihre Kampfkunst einweihen und mir meine Zukunft prophezeien.«

»Das sind deine beiden ersten Anliegen«, nickte die junge Amazone, dann fügte sie hinzu: »Und das dritte werde ich dir jetzt nennen...« Sie kam näher an Cúchulainn heran und flüsterte in sein Ohr.

»Nein!« Erschrocken fuhr der Ulsterheld zurück. »In dieser Sache kann ich dir unmöglich zu Willen sein!«

»Du wirst mir gehorchen müssen«, beharrte Uathach. »Denn du hast es beschworen und die Götter als Zeugen für die Wahrheit deiner Worte angerufen.«

Cúchulainn erbleichte. »Du bringst mich in eine ausweglose Lage...« Er rang mit sich, starrte die Amazone wie hilfesuchend an. »Was immer ich tue...«

Unversehens umarmte ihn die Rothaarige. »Ich will dir einen Ausweg zeigen«, raunte sie. »Gib deinen Widerstand auf... Bloß für einen Augenblick...«

Es war etwas in ihrem Tonfall, das den Ulsterhelden schwach werden ließ. Wie gebannt duldete er die innige Nähe der jungen Amazone – plötzlich roch er schweren, bittersüßen Duft, welcher aus einer Kapsel aus Mondmetall drang, die Uathach um den Hals trug und unbemerkt geöffnet hatte. Der betäubende Geruch machte Cúchulainn willenlos, tief atmete er den Zauberduft ein – dann hörte er sich sagen: »Ich werde Scathach auch den dritten Wunsch vortragen.«

Zärtlich küßte ihn die Rothaarige. Ihre Zunge spielte mit seiner; Cúchulainns Blut begann zu rasen, er fühlte beinahe unwiderstehliche Begierde. Im gleichen Moment jedoch löste sich Uathach von ihm. Mit leisem Lachen schloß sie die Silberkapsel – sofort gewann der Ulsterheld seine Spannkraft wieder. Aber die Verpflichtung, die er eingegangen war, blieb in seinem Bewußtsein; dies und dazu die Erinnerung an die wilde Lust, welche die junge Amazone in ihm ausgelöst hatte.

»Steig vom Wagen«, stieß er hervor. »Ich will den Cless auf der Stelle vollbringen.«

Uathach ergriff seinen Schild und die Speere und glitt zur Erde. Mit dem nächsten Lidschlag trieb Cúchulainn die Rösser an, im Galopp preschten sie hinter dem Schlehengehölz hervor. Der Streitwagen raste zum roten Felsturm, dort erblickte der Ulsterheld Scathachs Gespann unter einem Steinüberhang. Drei Dutzend Pferdelängen jenseits der Felsbastion zog Cúchulainn das Schwert und schwang sich aus der Wagenkanzel.

In steilem Bogen schleuderte ihn der Radschwung himmelwärts. Hundertfünfzig Schritt über dem Erdboden erreichte der Ulsterheld den Gipfelpunkt seines Sprunges – einen Steinwurf entfernt ragte der riesige Eibenstamm empor. Mit ausgebreiteten Armen flog Cúchulainn auf den uralten Baum zu, vollführte einen Überschlag und landete federnd zwischen mächtigem Wurzelwerk.

Direkt vor sich sah er den Hohlraum im Baumstamm. Entgeistert starrten Scathach, Cet und Cuar den Ulsterhelden an – ehe die Burgherrin zu einer Bewegung fähig war, hatte ihr Cúchulainn die Schwertspitze gegen die Brust gedrückt.

»Unterwirf dich mir«, forderte der Ulsterheld. »Wenn du gehorchst, soll dir nichts Böses geschehen.«

Scathach rang nach Luft. »Was verlangst du?« fragte sie mit gepreßter Stimme.

»Du entläßt mich unverzüglich aus der Fron, die du mir aufzwangst«, versetzte Cúchulainn.

»Einverstanden«, kam es von der Burgherrin. Sie versuchte, die Klinge wegzuschieben, doch der Ulsterheld hinderte sie daran und erklärte: »Ich habe weitere Wünsche.«

»Welche?« wollte Scathach wissen.

»Ab morgen bist du meine Kampflehrerin und weihst mich in alle deine Waffengeheimnisse ein«, erwiderte Cúchulainn. »Außerdem prophezeist du mir noch in dieser Stunde mein künftiges Schicksal.«

»Auch das billige ich dir zu«, entgegnete die Burgherrin. »Bist du jetzt zufrieden?«

Der Ulsterheld zögerte, dann gab er sich einen Ruck. »Ich trage dir hiermit einen letzten Wunsch vor. Er betrifft deine Tochter und mich. Für die Zeit, da du mir deine Kampfkünste beibringst, soll Uathach meine Geliebte sein.«

»Bist du wahnsinnig geworden?« schnaubte Scathach.

Cúchulainn verstärkte den Druck der Schwertspitze. »Es ist mein voller Ernst. Und falls du dich weigerst, wird diese Baumhöhle dein Grab.«

»Notgedrungen beuge ich mich deinem Ansinnen«, ächzte die Burgherrin.

»Sehr gut«, äußerte der Ulsterheld. »Und nun schwöre, daß du halten wirst, was du mir versprachst.«

Nachdem Scathach den Eid geleistet hatte, stieß Cúchulainn das Schwert in die Scheide. Freundschaftlich zwinkerte er den Söhnen der Burgherrin zu, dann ließ er sich zu Füßen Scathachs nieder und bat: »Erhelle mir jetzt meine Zukunft.«

Die Burgherrin musterte ihn erstaunt. »Sollen Cet und Cuar etwa Zeugen sein?«

»Das kann deine Söhne in ihrem eigenen Streben nur anspornen«, antwortete Cúchulainn. »Denn sie werden zweifellos von unvergleichlichen Heldentaten hören.«

Wider Willen mußte Scathach lächeln. »Du bist wahrhaftig sehr von dir überzeugt.«

»Mit Recht«, erwiderte Cúchulainn. »Schon in meiner Kindheit nämlich prophezeite mir der Druide Cathbad ein höchst ruhmreiches Leben.«

Die Burgherrin beugte sich vor. »Erfuhrst du Einzelheiten?«

Cúchulainn schüttelte den Kopf. »Cathbad erwähnte bloß noch, daß der Preis für meinen Heldenruhm ein früher Tod sein würde.«

»Glanzvolle Taten und ein jähes Ende«, murmelte Scathach. Wie geistesabwesend tastete sie nach einem Bündel, das neben ihr lag. Als die Burgherrin das Tuch aufschnürte, kam der Bergkristall zum Vorschein, den Cúchulainn bereits am Tag seiner Ankunft in Scathachs Gemach gesehen hatte. Die Burgherrin nahm den schimmernden, mit druidischen Zeichen bedeckten Stein in beide Hände und hob ihn vor ihr Antlitz.

Eine Weile verharrte Scathach reglos in dieser Stellung – auf einmal raunte sie: »Ich erschaue den Dolmen der Urzeitkönigin ... Dort zeigt Uathach dir den Wagenlenker-Lachssprung ... Ihr fahrt weiter zu stürzenden Wassern ... Gleich dem Gott Cernunnos sitzt du da und veränderst deine Wahrnehmung ... Ihr kehrt zurück zum Grabmal ... Dreimal übst du den Cless ... Danach jagt der Kampfwagen hierher, und du fliegst zur Kuppe des Felsturmes empor, um mir das Schwert zwischen die Brüste zu pressen ...«

Scathach verstummte kurz, dann redete sie weiter: »Dieses verborgene Geschehen enthüllt sich mir für den heutigen Tag, das ist der erste Pfeiler der Brücke ... Nunmehr besteige ich den Steg, der mich ins Künftige führt... Schleier weben um den zweiten Pfeiler und weichen... Ich erblicke dich auf einem Kriegszug zum östlichen Meeresgestade Albas, Cúchulainn... Der Kampf wird dir hart, zuletzt erringst du den Sieg... Eine magische Waffe ist dein Lohn... Die Amazone, die sie dir überreicht, schenkt dir noch mehr... Danach kehrst du in dein Heimatland zurück...«

Neuerlich stockte Scathach, einige gehetzte Atemzüge später brach es förmlich aus ihr heraus: »Blutrot wallt es um den dritten Pfeiler... Blutbespritzt streitest du um die Frau, die du liebst... Der vierte Pfeiler... Grausame Schlachten gegen eine Königin aus dem Nordwesten Erinns... In jenen Kämpfen stößt du an deine Grenzen... Frevel kennzeichnet den fünften Pfeiler... Du verwundest ein Wesen, das nicht aus der Diesseitswelt stammt... Die Strafe, welche dich dafür trifft, lastet ein volles Jahr auf dir... Im Steinkreis ragt der sechste Pfeiler aus den Fluten deines Schicksals... Die Macht von Annwn entführt dich ins Reich der Sídhe... Einen Mondlauf wohnst du in Tír na n'Og... Du kämpfst und liebst... Dann berührt der Steg den siebten Pfeiler... Rettung kommt dir und deinem rasenden Weib vom Sídheherrscher... Fürchterliches erspähe ich am achten Pfeiler... Dort erschlägst du dich selbst und lebst trotzdem weiter... Schwarz taucht der neunte Pfeiler aus den Nebeln auf... Der neunte ist der letzte... Er bringt dir den Tod... Birgt deinen Tod... und grenzenlosen Ruhm...«

Die Burgherrin schrak aus der Trance hoch. Ihre Hände zitterten; sie hatte Mühe, den Kristall festzuhalten. Cúchulainn war ihr behilflich, den schimmernden Stein wegzulegen, dann sagte er: »Ich danke dir für den Dienst, den du mir geleistet hast, Scathach.«

»Willst du mit mir über die Prophezeiung sprechen?« erkundigte sich die Burgherrin mit matter Stimme.

»Nein«, wehrte der Ulsterheld ab. »Du bist erschöpft, und auf mich wartet deine Tochter.«

Damit erhob er sich, ging zum Rand des von der Eibe überschatteten Felsplateaus und kletterte behende in die Tiefe. Am Sockel des Steinturmes stand Uathach neben ihrem Streitwagen; als Cúchulainn den Erdboden erreichte, lief sie zu ihm und fragte erregt: »Hat meine Mutter dir die Erfüllung aller Wünsche gewährt?«

»Ja«, nickte der Ulsterheld.

Die junge Amazone schmiegte sich an ihn und küßte ihn verlangend; abermals roch Cúchulainn den bittersüßen Duft. Von neuem packte ihn beinahe unwiderstehliche Begierde, im selben Moment flüsterte Uathach ihm zu: »Ich sehne mich unendlich danach, heimzukommen.«

»Mir ergeht es ebenso«, stöhnte der Ulsterheld und zog sie zum Wagen. Gleich darauf preschten die Rösser davon; hoch oben auf der Felsbastion lehnte Scathach am Eibenstamm und schaute dem Paar nach, das sie auf so seltsame Weise zusammengegeben hatte.

DER GAE BULGA

Cúchulainn erwachte, weil Uathach im Traum murmelte und sich enger an ihn schmiegte. Als der Ulsterheld die Augen aufschlug, blendete ihn die Morgensonne, deren Strahlen durch das Ostfenster des Turmgemachs fielen. Vorsichtig, um die Rothaarige nicht zu wecken, rückte Cúchulainn ein wenig beiseite. Dann stützte er sich auf den Ellenbogen und betrachtete das Antlitz der schlafenden Amazone.

Seit einer Woche war Uathach nun seine Geliebte. Sieben Nächte hatten sie zusammen verbracht; Nächte, die von wilder Leidenschaft erfüllt gewesen waren. Wieder und wieder hatte die schöne Rothaarige seine Sinne betört; stets von neuem war er ihren Reizen und ihrem bittersüßen Zauber verfallen: jener Magie, die ihn alles andere vergessen ließ – zumindest vorübergehend. Denn jeden Morgen war die Erinnerung an Emer zurückgekehrt; um seine Gewissensbisse zu verdrängen, hatte er Tag für Tag Ablenkung durch die Waffenübungen mit Scathach gesucht. Dutzende Male war er der Burgherrin auf dem Kampfplatz der Festung oder draußen in den Bergen gegenübergetreten, und Scathach hatte ihn so manches gelehrt, was ihm bislang fremd gewesen war.

Von daher, dachte Cúchulainn jetzt, kann ich zufrieden sein. Doch andererseits... Er bemühte sich, die quälenden Gedanken an Emer abzuschütteln, und schlüpfte unter dem Bettfell hervor. Aber im selben Moment, da er vom Ruhelager steigen wollte, vernahm er Uathachs lockende Stimme: »Bleib bei mir. Nimm mich noch einmal in die Arme.«

»Keine Zeit mehr«, wehrte der Ulsterheld ab. »Ich möchte rasch ins Badehaus, anschließend muß ich zu deiner Mutter.«

»Scathach weihte dich bereits in alle ihre Waffenkünste ein«, erwiderte die Rothaarige. »Schon gestern vermochte sie dir nichts Neues mehr zu zeigen. Ihr habt bloß noch gewisse Feinheiten geübt.«

Unversehens umschlang sie Cúchulainn von hinten; ihre Hände streichelten seine Lenden, ihre Zunge spielte in seiner Ohrmuschel. »Ich biete dir mehr als meine Mutter...«, raunte sie. »Berauschende Lust und süße Erfüllung... Ganz wie in der vergangenen Nacht...«

Cúchulainn erlag der Verführung und ließ sich wieder aufs Bett ziehen. Gleich darauf erhitzten Uathachs Küsse sein Blut fast bis zum Wahnsinn; nun wollte er nur noch eines: den jungen, geschmeidigen Leib der Amazone besitzen.

Mit ungestümer Begierde liebten sie einander, erreichten den Gipfel ihrer Ekstase und genossen die wohlige Ermattung danach. Cúchulainn spürte Uathachs Atem an seiner Brust, ihr Haar kitzelte sanft seine Haut; noch halb benommen, empfand der Ulsterheld das Glück tiefen, wunschlosen Friedens.

Plötzlich jedoch schreckte er hoch. Lärm im Festungshof war schuld daran: Hufgetrappel und erregte Rufe.

»Es ist etwas passiert!« stieß Cúchulainn hervor. Er sprang vom Ruhelager und lief zum Fenster, die Rothaarige folgte ihm. Unten im Hof erblickten sie einen Krieger im Streitwagen; die Kanzel des Gefährts war teilweise zertrümmert, die Flanke des linken Gespannpferdes blutverkrustet. Mehrere Burgleute hielten die scheuenden Rösser fest; andere bemühten sich um den Kampfwagenkrieger, der völlig erschöpft wirkte.

»Ein Unglücksbote«, versetzte der Ulsterheld.

»Er heißt Dugall und ist ein adliger Untertan meiner Mutter«, sagte Uathach tonlos. »Sein Dun, welcher nahe der Meeresküste an der Südostgrenze unseres Landes steht, wurde offenbar überfallen.«

»So scheint es«, bestätigte Cúchulainn.

Sie warfen ihre Kleider über und eilten in den Festungshof hinab. Dugall, dem die Brünne in Fetzen vom Körper hing, war mittlerweile aus dem Wagen gestiegen, konnte sich aber vor Schwäche kaum auf den Beinen halten. Soeben reichte ihm Scathach, die jetzt ebenfalls zur Stelle war, einen Becher und befahl: »Trink das, es wird dir Kraft geben. Und dann berichte, was geschah.«

Dugall leerte das Gefäß, gab es der Burgherrin zurück und begann stockend: »Deine Erzfeindin Aife brach den Frieden... Gestern kurz vor Sonnenuntergang erschien ihr Heer unversehens vor meiner Ringburg... Mindestens zweihundert Fußkämpfer, dazu ein Trupp berittener Krieger und die schreckliche Aife im Streitwagen an der Spitze...«

»Erfolgte der Angriff etwa ohne Fehdeansage?« fragte Scathach entrüstet.

»Ja«, nickte Dugall. Er hatte sich ein wenig erholt und sprach flüssiger weiter. »Aife sandte mir keine Kriegserklärung. Es war eindeutig ihre Absicht, meinen Dun überraschend zu stürmen – und das gelang ihr auch. Eine Horde

271

Beilkämpfer sprengte das Tor, an drei anderen Stellen über-
rannten die Feinde den Wall. Dann drangen Aifes Krieger von
allen Seiten auf mich und die zwei Dutzend Männer ein, die
noch bei mir waren. Wir wehrten uns nach Kräften, hatten jedoch keine Chance gegen die Übermacht. Die meisten meiner Gefolgsleute starben.«

»Wie glückte dir die Flucht?« wollte Scathach wissen.

»Da ich als einziger vom Streitwagen aus focht, konnte ich
mich zuletzt durch die Reihen der Feinde schlagen und in die
Küstenberge entkommen«, antwortete Dugall. »Die einfal-
lende Dunkelheit schützte mich vor Verfolgung, aber eines
meiner Rösser war im Kampf verwundet worden. Deshalb
brauchte ich die ganze Nacht, ehe ich das Gebirge überquert
hatte und deine Festung vor mir sah.«

»Ich danke dir dafür, daß du dein Bestes gabst, um mich so
schnell wie möglich von dem Überfall in Kenntnis zu setzen«,
erwiderte Scathach. »Und Aife wird für ihre Untat büßen, das
schwöre ich.«

»Du solltest sofort mit deinem Heer gegen sie marschie-
ren«, riet Dugall. »Denn meiner Einschätzung nach will sie
sich den gesamten Südosten deines Herrschaftsgebietes unterwerfen.«

»Wenn Aife mit mehr als zweihundert Kriegern in mein
Land vorstieß, geht es ihr gewiß nicht nur um einen raschen
Raubzug«, stimmte Scathach dem Adligen zu. »Zweifellos
brachte sie deinen Dun in ihre Gewalt, um ihn zum Ausgangspunkt weiterer Unternehmungen zu machen. Doch was immer sie auch plant, wir werden ihre Absichten vereiteln.«

»Es kann aber einige Tage dauern, bis wir einen Heerbann
zusammengezogen haben«, gab Uathach zu bedenken.

»Wir senden augenblicklich Boten aus«, entschied Scathach. »Sie sollen alle kampffähigen Männer von den Dörfern
und Höfen im Umkreis eines Tagesmarsches um unsere Festung verständigen. Spätestens übermorgen abend werden die
letzten Krieger dieses Aufgebots hier eintreffen, und zusam-

men mit der Burgbesatzung sind wir dann stark genug, um Aife Widerpart zu bieten.«

»Das kostet zuviel Zeit«, mischte sich Cúchulainn ein. »Es würden, den Weg zu Dugalls Dun eingerechnet, drei Tage verstreichen, ehe wir Aife angreifen könnten.«

Scathach runzelte die Stirn. »Hast du einen besseren Vorschlag?«

»Den habe ich«, erwiderte der Ulsterheld. »Du verzichtest darauf, mit Heeresmacht gegen Aife vorzugehen – und schickst statt dessen mich in den Kampf.«

»Dich allein?« schnappte Scathach.

Uathach griff erschrocken nach Cúchulainns Arm. »Du würdest unweigerlich den Tod finden!«

»In der hohlen Eibe prophezeite deine Mutter mir etwas anderes«, versetzte der Ulsterheld. »Nämlich einen Sieg am östlichen Meeresgestade Albas.«

»Dies weissagte ich dir in der Tat«, kam es nachdenklich von Scathach. Sie gab sich einen Ruck. »Also gut, Cúchulainn. Wenn du Aifes Heer unbedingt als Einzelkämpfer herausfordern möchtest, will ich dir nichts in den Weg legen.«

»Damit ist es entschieden.« Der Ulsterheld schüttelte die Hand der wie versteinert dastehenden Uathach ab und fuhr fort: »Du stellst mir deinen Streitwagen zur Verfügung, Scathach. Sobald ich mich gerüstet habe, breche ich auf.«

Cúchulainn machte Anstalten, in den Turm zurückzukehren, doch in diesem Moment drängten sich Cet und Cuar heran.

»Erlaube uns, dich zu begleiten«, rief Cet.

»Wir möchten an deiner Seite fechten und ebenfalls Ruhm erringen«, fügte Cuar hinzu.

»Eure Absicht ehrt euch«, antwortete der Ulsterheld lächelnd. »Aber da ich mich bereits verpflichtet habe, den Kampf ohne jegliche Hilfe auszutragen, müßt ihr leider hierbleiben.«

Während Scathachs Söhne enttäuscht verschwanden, schritt Cúchulainn zum Turmportal. In seinem Gemach legte er die Brünne an, bewaffnete sich mit Schwert, Schild und Speeren und steckte außerdem einen sichelartigen Dolch in den Gürtel, den Scathach ihm geschenkt hatte.

Als der Ulsterheld wieder in den Burghof hinaustrat, begrüßte ihn schmetterndes Wiehern der beiden feurigen Rapphengste, die mittlerweile vor Scathachs Kampfwagen geschirrt worden waren. Cúchulainn klopfte ihnen die Hälse, danach prüfte er das Riemenzeug der Tiere sowie Deichsel, Achse und Räder des Gefährts. Schließlich befahl er Cet und Cuar, die ihn aufmerksam bei seinem Tun beobachteten: »Werft noch zwei volle Hafersäcke in den Wagen, damit die Rösser während der Fahrt nicht darben müssen. Und besorgt auch Proviant für mich.«

Eilfertig liefen die Halbwüchsigen los; Cúchulainn begab sich zu Scathach und Uathach, die etwas abseits mit Dugall sprachen. Vorwurfsvoll blickte Uathach den Ulsterhelden an, er nahm sie in die Arme und flüsterte ihr zu: »Ich weiß, wie sehr der jähe Abschied dich schmerzt. Doch mein Verlangen, mich mit Aife und ihren Kämpen zu messen, ist unwiderstehlich. Darüber hinaus kann ich dir und deiner Mutter durch die Kriegsfahrt meinen Dank dafür abstatten, daß ihr mich in eure geheimen Waffenkünste eingeweiht habt.«

Uathach entgegnete nichts, aber ihr Gesichtsausdruck wurde ein wenig weicher. Cúchulainn küßte sie auf die Wange, dann wandte er sich an Scathach: »Beschreibe mir nun, wie ich zum Dun am Meer komme.«

»Am besten besteigen wir dazu den Ostwall der Festung«, erwiderte Scathach. »Von dort aus kann ich dir die Berggipfel und Paßeinschnitte zeigen, an denen du dich orientieren mußt.«

Der Ulsterheld und die Burgherrin erklommen die Wallmauer, oben prägte sich Cúchulainn die Wegmarken ein. »Bis zum Spätnachmittag solltest du dein Ziel erreichen, sofern du die Hengste« scharf ausgreifen läßt«, erklärte Scathach zuletzt. »Wie du danach weiter vorgehst, ist deine Sache – ich rate dir nur, mit äußerster Umsicht zu handeln, denn Aife ist eine höchst gefährliche Feindin.«

»Und ich erhebe den Anspruch, der beste Krieger Erinns und Albas gleichermaßen zu sein«, antwortete Cúchulainn. »Also sorge dich nicht, sondern vertraue darauf, daß ich Aifes Heer aus deinem Land verjagen werde.«

Nach diesen Worten sprang der Ulsterheld dreißig Fuß in die Tiefe, landete federnd neben dem Streitwagen und schwang sich hinauf. In der Wagenkanzel lagen zwei pralle Hafersäcke sowie ein Proviantbeutel; Cet und Cuar hatten ihren Auftrag erfüllt, von den Knaben selbst jedoch war weit und breit nichts zu sehen.

Cúchulainn barg seine Speere hinter dem Schild und ließ die Zügel schnalzen. An Uathach, Dugall und den Burgleuten vorüber trabten die Rappen zum Torbau, folgten dem Pfad ins Tal, fielen am Fuß des Festungshügels in Galopp und preschten in östlicher Richtung davon.

Während die Rösser durch den ersten Gebirgspaß fegten, hatte der Ulsterheld das Empfinden, als würde er mit jedem Galoppsprung der Rapphengste ein Stück Freiheit zurückgewinnen. Er fühlte, wie der bittersüße Zauber, den Uathach eine Woche zuvor über ihn geworfen hatte, mehr und mehr von ihm wich; am Ausgang des Passes war die Erinnerung an die Liebesnächte mit der Rothaarigen nur noch wie der Nachhall eines unwirklichen Traums.

Statt dessen verspürte Cúchulainn jetzt schmerzliche Sehnsucht nach Emer, aber auch diese Anwandlung legte sich rasch wieder; sie schwand im selben Moment, da die Rösser jenseits der Paßhöhe abbogen und in ein Quertal hineinjagten. Aus den Felswänden der Klamm schimmerte es silbergrau, Erzrunsen schienen das Gestein zu durchziehen; plötzlich glaubte der Ulsterheld, flirrende Oghamzeichen zu erkennen, die von den scharfen Kämpfen kündeten, welche ihm bevorstanden.

Von da an hatte Cúchulainn nichts anderes mehr im Sinn,

als die Berge so schnell wie möglich zu überwinden. Bis zum Mittag gönnte er den Hengsten keine Pause; erst als die Sonne im Zenit stand, hemmte er den Lauf der Rösser. An einem Bach tränkte er die Pferde; danach wollte er einen der Hafersäcke vom Streitwagen heben, um den Tieren Futter vorzuwerfen.

Kaum jedoch hatte der Ulsterheld den Sack berührt, bäumte dieser sich gleich einem lebendigen Wesen auf. Cúchulainns Hand fuhr ans Schwert – mit dem nächsten Lidschlag erblickte er einen Kopf mit rotgeränderten Augen und wirr emporstehendem Haar, in dem Haferspelzen hingen. Verblüfft erkannte der Ulsterheld die Gesichtszüge von Cet; nun schlüpfte Scathachs älterer Sohn behende aus der rupfenen Hülle, gleichzeitig befreite Cuar sich aus dem zweiten Futtersack.

»Seid ihr denn von allen guten Geistern verlassen?« herrschte Cúchulainn das Brüderpaar an. »Was brachte euch dazu, solchen Schabernack mit mir zu treiben?«

»Verzeih – aber wir wollen unbedingt sehen, wie du ganz allein Aifes Heer vernichtest«, antwortete Cet.

»Wenn wir Zeugen dieses Kampfes werden, können wir später vielleicht ähnliche Heldentaten vollbringen«, erklärte Cuar.

Nachdenklich betrachtete der Ulsterheld die Halbwüchsigen, dann schmunzelte er. »In meinen jungen Jahren hätte ich vermutlich ebenso gehandelt wie ihr.«

»Heißt das, wir dürfen weiter mitkommen?« stieß Cet hervor.

»Bitte erlaube es«, flehte Cuar.

»Falls ich euch abweisen wollte, würdet ihr mir zweifellos heimlich folgen«, erwiderte Cúchulainn augenzwinkernd. »Also muß ich euch wohl oder übel gestatten, mich zu begleiten.«

Überschwenglich bedankten sich die Knaben, danach leerten sie die noch zu einem Drittel gefüllten Hafersäcke und fütterten die Rösser. Während die Rapphengste fraßen, teilte Cet dem Ulsterhelden mit, daß sie auf einem Hof jenseits des nächsten Bergzuges neues Futtergetreide bekommen könnten und die Pferde daher auch künftig nicht hungern müßten.

»Ihr seid wahrhaftig aufgeweckte Kerle, die alles gründlich bedacht haben«, lächelte Cúchulainn. Er reichte den beiden je einen Brotfladen aus dem Proviantbeutel, dann fuhr er in ernsterem Tonfall fort: »Doch wenn ihr glaubt, es sei meine Absicht, Aifes Heerbann in wildem Ansturm bis auf den letzten Mann zu vernichten, so irrt ihr. Vielmehr werde ich den Sieg durch Klugheit und überragende Waffenkunst erringen. Dies nämlich unterscheidet den wahren Krieger von einem bloßen Schlagetot, der lediglich imstande ist, die Erde mit Strömen von Blut zu tränken.«

»Sage uns genauer, auf welche Weise du kämpfen willst«, forderte Cuar.

»Ihr werdet sehen, was geschieht«, entgegnete der Ulsterheld. »Und jetzt steigt auf den Wagen, denn wir müssen weiter.«

Gleich darauf galoppierten die Rösser wieder los. In der Nachmittagsmitte gelangte das Gespann zu dem Anwesen, von welchem Cet gesprochen hatte. Auf die Bitte der Scathachsöhne hin, die ihm nicht fremd waren, trug der Hofbesitzer zwei volle Hafersäcke zum Streitwagen. Cúchulainn drückte dem Bauern ein Goldstück in die Hand, sodann trieb er die Rapphengste von neuem an. Am Spätnachmittag schließlich senkten sich die letzten Ausläufer der Berge zum Meeresgestade hin ab – und in einhalb Meilen Entfernung wurde auf einer dem Küstengebirge vorgelagerten Hügelkuppe der Dun Dugalls sichtbar.

Der Ulsterheld ließ die Rösser in Trab fallen und lenkte sie in die Deckung eines Föhrenwäldchens. Von dort aus spähten Cúchulainn und die beiden Knaben zur Ringburg hinüber. Sie sahen die Rauchfäden zahlreicher Kochfeuer gen Himmel steigen; außerdem konnten sie beobachten, wie einige Reiter auf der Ebene am Fuß des Dun eine größere Pferdeherde zusammentrieben und die Tiere zur Burg brachten.

»Das gesamte Feindesheer lagert noch in der eroberten Festung«, stellte der Ulsterheld fest. »Vermutlich plant Aife erst für die nächsten Tage weitere Unternehmungen. Aber dazu wird es nicht mehr kommen, denn sobald das Tor der Ringburg für die Nacht geschlossen ist, werde ich Aifes Tatendrang einen Riegel vorschieben.«

Erneut wollten die Scathachsöhne Genaueres wissen, doch wiederum beschied Cúchulainn sie: »Wartet ab.«

Zeit verstrich; langsam sank die Sonnenscheibe hinter einen Gebirgsgrat im Westen, und über das Meer glitten die ersten Schatten der Abenddämmerung heran.

Plötzlich riefen Cet und Cuar wie aus einem Munde: »Die Torflügel! Unsere Feinde ziehen sie zu.«

»So ist es«, bestätigte der Ulsterheld – und schon preschten die Rapphengste aus dem Sichtschutz des Föhrenhains. In gestrecktem Galopp überwanden sie die Entfernung zum Dun; vor dem Torbau zügelte Cúchulainn die Rösser so hart, daß sie sich aufbäumten.

Herausfordernd schwang der Ulsterheld seine Speere in Richtung der Krieger, die auf dem Wall zusammenströmten; einer von ihnen schrie: »Wer bist du? Was willst du?«

»Darüber gebe ich einzig eurer Herrin Auskunft«, erwiderte Cúchulainn. »Holt Aife her, damit sie erfährt, mit wem sie es zu tun hat.«

Wenig später erschien die Amazone auf der Wallkrone. Sie war noch jung, rabenschwarzes Haar umrahmte ihr berückend schönes Antlitz. Das dunkle Leder ihrer Brünne war mit Schuppen aus Mondmetall besetzt, der silberne Rundschild Aifes zeigte vier finstergefiederte Todesvögel. In der Rechten hielt sie eine zehn Fuß lange Lanze, und an ihrem Waffengurt hing ein Breitschwert.

Der Ulsterheld ließ die Rapphengste näher an die Torbastion herantänzeln, im selben Moment vernahm er die Stimme der Amazone: »Gib dich mir zu erkennen.«

Cúchulainn nannte seinen Namen, dann erklärte er: »Ich bin ein Vertrauter Scathachs und verlange von dir, daß du ihr Land unverzüglich verläßt.«

»Leider muß ich dir deine Bitte abschlagen«, spottete Aife. »Ich fühle mich nämlich ausgesprochen wohl in dieser Ringburg und möchte mir darüber hinaus noch etliche andere solcher Wohnsitze in Scathachs Herrschaftsgebiet schaffen.«

»Wenn es so steht, werden die Waffen zwischen uns entscheiden müssen«, antwortete der Ulsterheld.

Die Amazone ließ ein höhnisches Lachen hören. »Willst du etwa mein Heer bloß mit Unterstützung der beiden Knaben besiegen, die du bei dir hast?«

»Falls ich es darauf anlegen würde, könnte ich dir ohne jegliche Hilfe eine Niederlage beibringen«, versetzte Cúchulainn. »Aber da ich vermeiden möchte, daß die See sich vom Blut deiner Krieger rot färbt, mache ich dir einen Vorschlag zur Güte.«

»Welchen?« fragte Aife.

»Du stellst dich mir zum Zweikampf«, erwiderte der Ulsterheld. »Und nachdem ich dich überwunden habe, ziehst du mit deinem Heerbann ab.«

»Ich hätte wahrlich nicht übel Lust, dir eine Lehre zu erteilen«, kam es von der Amazone. »Doch es wäre unter meiner Würde, mich mit dir zu messen. Denn kein Barde in Alba verkündete je deinen Ruhm, während ich eine überaus gefürchtete Kriegsherrin bin.«

»Es zeichnet dich aus, daß du dermaßen auf deine Ehre bedacht bist«, äußerte Cúchulainn. »Was allerdings deine Bedenken angeht, so bin ich gerne bereit, sie zu zerstreuen. Ich biete dir an, meine Waffenkunst zu beweisen, indem ich der Reihe nach mit deinen drei erprobtesten Recken kämpfe – und nur wenn ich sie bezwingen kann, bist du verpflichtet, selbst gegen mich anzutreten.«

Aife überlegte kurz, dann antwortete sie: »Ich bin einverstanden. Wann sollen die Zweikämpfe stattfinden?«

»Bei Sonnenaufgang erwarte ich den ersten Krieger vor dem Burgtor«, entgegnete der Ulsterheld.

»Verlangst du, daß nach besonderen Regeln gefochten wird?« wollte die Amazone wissen.

»Nein«, erwiderte Cúchulainn. »Lediglich eins muß ich zur Bedingung machen. Niemand außer den Kämpfern darf morgen den Dun verlassen. Dein Heer muß auf dem Burgwall ausharren, bis der Waffenstreit sein Ende gefunden hat.«

»Zwar hast du keinen Hinterhalt zu befürchten, aber ich gestehe dir diese Vorsichtsmaßnahme zu«, erklärte Aife.

»Damit ist alles besprochen.« Der Ulsterheld wendete den Streitwagen und ließ die Rapphengste zu einer Felsgruppe unweit der Ringburg traben. Dort schirrten die Scathachsöhne die Pferde aus und warfen ihnen Futter vor, Cúchulainn errichtete unterdessen eine Feuerstelle aus Rollsteinen.

Als die Knaben und der Ulsterheld am Lagerfeuer saßen, fragte Cet: »Warum hast du gefordert, daß Aifes Männer während der Zweikämpfe auf dem Wall des Dun bleiben sollen? Hegtest du wirklich den Verdacht, sie würden sonst über dich herfallen?«

Lächelnd schüttelte Cúchulainn den Kopf. »Es ging mir vielmehr darum, das ganze Heer der Schwarzhaarigen in der Burg festzuhalten. Denn nur so kann ich sicher sein, daß auch der letzte Krieger verschwindet, nachdem ich Aife besiegt habe.«

Rotgolden leuchtete die See im Schein der Morgensonne; über dem flachen Landstreifen, der vom Festungshügel zum Strand hin abfiel, kreisten Möwen und erfüllten die Luft mit ihren heiseren, abgehackten Schreien.

Cúchulainn trat zwischen den Felsen hervor, in deren Schutz er und die Scathachsöhne die Nacht verbracht hatten. Den Schild vor der Brust und die Speere geschultert, schritt der Ulsterheld auf den Dun zu; Cet und Cuar, denen er eingeschärft hatte, den Lagerplatz nicht zu verlassen, schauten ihm vom Rand des Geklüfts aus nach. Am Fuß des Burghügels blieb Cúchulainn stehen, im selben Augenblick erschienen oben auf dem Ringwall Aife und ihre Krieger.

»Bist du bereit?« rief die Amazone.

»Schick zunächst deinen drittbesten Kämpfer heraus«, antwortete der Ulsterheld.

Sofort schwangen die Torflügel auf, und ein vierschrötiger Recke kam ins Freie. Das dunkle Haar wallte ihm gleich einem Roßschweif vom Schädel, über der Brünne trug er ein fahlgraues Wolfsfell; bewaffnet war er mit einer schweren, doppelschneidigen Streitaxt und einem eisenbeschlagenen Rundschild. Als der Beilkrieger bei Cúchulainn angelangt war, hob er die Hiebwaffe und prahlte: »Damit habe ich bereits sieben Männer erschlagen.«

»Einen achten wirst du kaum fällen«, erwiderte der Ulsterheld. »Eher beißt du heute selbst ins Gras.«

Der Beilkämpfer knurrte vor Wut und machte Anstalten, sich auf Cúchulainn zu stürzen. Dieser jedoch versetzte ihm einen derben Stoß mit den Speerschäften. Der Vierschrötige taumelte ein gutes Stück zurück; Cúchulainn rammte die Speere in den Boden, zog das Schwert und erklärte dem anderen, der ihn verdutzt anstarrte: »Jetzt, da unsere Bewaffnung ausgeglichen ist, können wir beginnen. Greif an und versuch, ob du mit deinem Hackebeilchen etwas gegen meine Klinge auszurichten vermagst.«

Vor Zorn brüllend stürmte der Vierschrötige heran. Cúchulainn fing seinen wuchtigen Axthieb mit dem Schild ab, eine zweite Attacke parierte der Ulsterheld durch einen geschickten Schwertstreich. Als der Beilkrieger zum dritten Mal angriff, wich Cúchulainn behende aus, ließ den anderen ins

Leere rennen, drehte sich blitzschnell halb um seine eigene Achse und führte einen sausenden Rückhandschlag. Die Klinge des Ulsterrecken trennte den Kopf des Vierschrötigen vom Rumpf; schwer stürzte der Körper zur Erde, der Schädel kollerte dorthin, wo die Speere im Boden steckten.

Während vom Wall der Ringburg dumpfes Grollen herüberdrang, nahm Cúchulainn das Haupt des Beilkämpfers an sich, schleuderte das Blut ab und befestigte den Kopf an den Speerschäften. Dann reinigte er sein Schwert, schwang es in Richtung des Dun und rief: »Der drittbeste deiner Recken hielt meiner Klinge nicht sonderlich lange stand, Aife. Aber vielleicht leistet dein zweitbester Krieger mehr.«

»Verlaß dich darauf, daß er dich das Fürchten lehrt«, erscholl die Antwort. »Und sobald du seine Waffe erblickst, wirst du begreifen, was ich meine.«

Erneut öffnete sich das Burgtor. Der Kämpe, der diesmal heraustrat, war von riesiger Gestalt – und dem entsprach das ungeheure Breitschwert, dessen Griff er mit beiden Fäusten umklammerte. Die Klinge maß vier Ellen und war im vorderen Drittel mit spannenlangen Zacken versehen; als der Hüne den Platz erreichte, wo Cúchulainn ihn erwartete, bemerkte der Ulsterheld, daß schwarzer Blutrost das Schwertblatt überzog.

Der Riese setzte die Spitze der Waffe auf den Erdboden, verschränkte die Arme in Brusthöhe über der mächtigen Parierstange, schaute verächtlich auf Cúchulainn herab und röhrte: »Da du gegen mich ohnehin keine Chance hast, rate ich dir, dich freiwillig abschädeln zu lassen. Auf diese Weise könntest du immerhin schnell und schmerzlos nach Annwn reisen.«

»Wer von uns beiden in Caillechs Reich erwacht, wird sich zeigen«, entgegnete der Ulsterheld. Er warf seinen Schild neben die Speere und fuhr fort: »Auf die Schutzwehr verzichte ich, weil auch du schildlos bist – und nun sei so gut und führe mir vor, wie du deine Klinge zu schwingen verstehst.«

»Du wirst es auf der Stelle erfahren.« Der Hüne riß das gigantische Schwert hoch und schlug mit fürchterlicher Wucht zu. Es gelang Cúchulainn, den Hieb mit der eigenen Klinge abzufangen, doch der Aufprall warf ihn drei Schritte zurück.

Kaum hatte er wieder festen Stand gefaßt, heulte das Riesenschwert neuerlich durch die Luft; abermals taumelte der Ulsterheld nach hinten. Ebenso war es bei den folgenden Schlägen des Hünen, zunehmend schien dieser die Oberhand zu gewinnen. Cúchulainn mußte es hinnehmen, daß sein Feind ihn allmählich den Burghügel hinaufdrängte; offenbar plante der Riese, ihn am Festungswall in die Enge zu treiben und ihm dort den Garaus zu machen.

Um diese Absicht zu vereiteln, hätte der Ulsterheld seitlich ausweichen müssen. Doch seltsamerweise tat er es nicht, bis er zuletzt mit der Schulter gegen einen der wuchtigen Balken des Torbaus stieß. Triumphierend brüllte der Hüne und holte mit aller Macht zum entscheidenden Hieb aus. Cúchulainn aber duckte sich, so daß die Waffe des Riesen den Torbalken traf. Die Klinge spaltete den Eichenstamm und blieb tief im Holz stecken – gleichzeitig blitzte Cúchulainns Schwert.

Der Kopf des Hünen flog den Hang hinab und rollte bis zu den in die Erde gerammten Speeren. Einen Moment später war auch der Ulsterheld dort; er hängte das Haupt neben den Schädel des Beilkämpfers und rief zum Dun empor: »Der zweitbeste deiner Recken war ein wenig zu ungestüm, Aife. Doch womöglich schafft es nunmehr dein bester Krieger, die beiden anderen zu rächen.«

»Er hat es bereits geschworen«, erwiderte die Amazone.

Gleich darauf schwang das Burgtor zum dritten Mal auf, und vor der Festung erschien ein Kämpe hoch zu Roß. In der Rechten trug er eine schwere Stoßlanze, in der Linken einen Büffellederschild; ans Sattelhorn seines starkknochigen Falben waren ein Breitschwert sowie ein Köcher mit armlangen eisernen Wurfpfeilen geschnallt.

Im Stechtrab trieb der Reiter das Roß zum Fuß des Burghügels. Hart vor Cúchulainn zügelte er das Tier, schoß einen
haßerfüllten Blick auf den Ulsterhelden und verlangte unwirsch: »Mach dich fertig zum Kampf.«

Cúchulainn lehnte seine Klinge gegen die Speerschäfte,
zog den sichelartigen Dolch, den Scathach ihm geschenkt
hatte, und antwortete: »Ich bin bereit.«

»Was soll das heißen?« schnappte der Berittene.

Spielerisch fuhr Cúchulainn mit dem Finger über die geschwungene Dolchklinge. »Wenn es dir recht ist, werde ich
mich allein mit dieser Waffe gegen dich verteidigen.«

Die Augen des Reiterkriegers weiteten sich vor Erstaunen.
»Ist das dein Ernst?«

»Ja«, bestätigte der Ulsterheld.

Der Berittene feixte. »Wie du willst. Desto schneller wird
unser Zweikampf beendet sein.«

»Du sagst es«, nickte Cúchulainn. »Und jetzt setz dein
Pferd in Bewegung und versuch, ob du mich mit der Lanze zu
durchbohren vermagst.«

»Ich kann es kaum erwarten, dir ihre Spitze ins Herz zu jagen«, grinste der Reiter und galoppierte davon.

Einen Pfeilschuß von Cúchulainn entfernt wendete Aifes
bester Krieger sein Tier, senkte die Stoßlanze und preschte in
voller Karriere auf den Ulsterhelden zu. Cúchulainn schlenderte ihm einige Schritte entgegen – unvermittelt hob er den
Arm und warf den Sicheldolch.

Die Waffe zog eine flirrende Bahn, traf die Vorderbeine des
fahlen Rosses und brachte es zu Fall. Der Reiter flog aus dem
Sattel, in weitem Bogen kehrte der Krummdolch zu Cúchulainn zurück. Während der Ulsterheld ihn geschickt auffing,
kam der Reiterkrieger wieder hoch. Er hetzte zu dem gestürz-
ten Pferd und riß das Breitschwert aus der Scheide, um Cúchulainn damit anzugreifen. Aber schon sirrte der Sicheldolch
von neuem durch die Luft, sauste dreimal um das Haupt des
heranrennenden Recken, fuhr von hinten in dessen Nacken

und durchtrennte ihn. Der kopflose Körper überschlug sich, Schädel und Dolch wirbelten auf den Ulsterhelden zu.

Mit der einen Hand fing Cúchulainn die Waffe, mit der anderen das Haupt des besiegten Feindes. Er schob den Sicheldolch in die Scheide und befestigte den Kopf des Reiterkriegers an den Speerschäften. Sodann nahm der Ulsterheld Schwert und Schild auf, wandte sich dem Burgwall zu und rief: »Da nun auch der dritte Recke gefällt ist, Aife, wirst du dich mir selbst zum Kampf stellen müssen. Ehe wir jedoch gegeneinander antreten, möchte ich eins klären: Ich tötete deine drei besten Krieger zur Strafe für den hinterhältigen Überfall, durch den du Dugalls Dun in deine Gewalt brachtest. Nach deinem Leben aber trachte ich nicht, vielmehr werde ich es in dem jetzt bevorstehenden Waffenstreit zum Beweis meines Friedenswillens schonen.«

»Von mir darfst du keine Gnade erwarten«, erwiderte die Amazone mit gellender Stimme. »Und nun genug der Worte. Besteige deinen Kampfwagen und mach dich darauf gefaßt, daß ich dir vergelten werde, was du meinen Recken angetan hast.«

Cúchulainn zuckte die Achseln, schulterte die Speere samt den daranhängenden Schädeln und ging zu der Felsgruppe, wo Cet und Cuar warteten. Nachdem die Scathachsöhne den Ulsterhelden überschwenglich zu seinen Siegen beglückwünscht hatten, schirrten sie auf sein Geheiß hin die Pferde vor den Streitwagen. Cúchulainn knüpfte unterdessen die blutigen Köpfe an die Wagenkanzel; danach reinigte er seine Wurfspeere, übergab den einen Cet, barg den zweiten hinter der Schildwehr und bestieg das Gefährt.

Im selben Moment, da die Rapphengste antrabten, tauchte unter dem Burgtor der von schwarzweiß gescheckten Rössern gezogene Kampfwagen Aifes auf. In ihrer teils dunklen, teils silbernen Rüstung glich die Amazone einer Todesbotin; die vier finstergefiederten Vögel auf ihrem Schild verstärkten diesen bedrohlichen Eindruck noch.

Als Aifes Gespann das Flachland erreichte, zückte die Amazone ihre zehn Fuß lange Lanze und ließ die Schecken in Galopp fallen. Sofort jagten auch Cúchulainns Hengste los, in der Rechten schwang der Ulsterheld seinen Speer. Auf halber Strecke zwischen Festungshügel und Felsgeklüft rasten die Streitwagen aneinander vorbei; die Schildwehren erdröhnten unter den wuchtigen Stößen der Langwaffen, doch beide Kämpfer behaupteten ihren Platz in den Wagenkanzeln.

Ohne die Rösser zu zügeln, wendeten Aife und Cúchulainn ihre Gespanne. Erneut trafen die Kampfwagen zusammen, die Spitzen der Stoßwaffen schmetterten gegen die Schilde, aber wieder vermochten weder der Ulsterheld noch die Amazone einen Vorteil zu gewinnen. Ebenso war es beim dritten Angriff – unmittelbar darauf jedoch änderte Cúchulainn seine Taktik.

Kaum waren die Rapphengste an Aifes Streitwagen vorübergeschossen, glitt der Ulsterheld aus der Kanzel seines Gefährts. Der Wagenlenker-Lachssprung trug ihn in hohem Bogen empor; ehe die ahnungslose Amazone ihre Rösser herumgezogen hatte, stand Cúchulainn hinter ihr auf dem Kampfwagen. Mit dem Schildarm umschlang er Aife, mit der Rechten preßte er ihr den quergehaltenen Speerschaft unters Kinn; es schien, als hätte der Ulsterheld den Waffenstreit für sich entschieden.

Aber erstaunlich rasch überwand die Amazone ihre Erstarrung – und vollführte ihrerseits einen Überschlagsprung nach rückwärts. Cúchulainn wurde mit aus der Wagenkanzel gerissen; im Flug löste sich Aife aus seiner Umklammerung, landete ein Dutzend Schritte von ihm entfernt auf den Beinen und schleuderte ihre Lanze gegen den Ulsterhelden.

Cúchulainns Speerwurf zerspellte die Waffe der Amazone in der Luft. Einen Wutschrei ausstoßend zog Aife das Breitschwert. Desgleichen tat der Ulsterheld, einen Augenblick später tobte der Nahkampf. Hageldicht fielen die Hiebe, Funken stoben aus Klingenstahl und Schildmetall; in wildem

Schwerttanz fegten Cúchulainn und die Amazone kreuz und quer über das Kampffeld. Vom Festungswall aus feuerten die Krieger ihre Herrin an; auf einem Klotz der Felsgruppe stehend, riefen Cet und Cuar dem Ulsterhelden Ratschläge zu.

Doch auch jetzt wieder zeigte sich, daß Cúchulainn und Aife einander ebenbürtig waren. Sie blieben sich keinen Schlag schuldig, in raschem Wechsel erfolgten Attacken und Gegenattacken – bis der Ulsterheld plötzlich strauchelte und die Amazone, ihre Chance blitzschnell nutzend, einen fürchterlichen Hieb führte. Der Kernschlag traf Cúchulainns oberen Schildrand und ließ den Ulsterhelden in die Knie brechen.

Wie betäubt kauerte Cúchulainn auf der Erde; zwei weitere mörderische Hiebe prellten ihm zuerst die Klinge, dann die Schutzwehr aus den Händen. Der Schild schlitterte über das Schwert; fahrig und viel zu langsam versuchte der Ulsterheld, nach seinen Waffen zu greifen – aber Aife kam ihm zuvor. Sie sprang auf die Schutzwehr, holte zum Schlag aus und fauchte: »Stirb!«

Im gleichen Moment jedoch, in dem sie das Wort hervorstieß, packte Cúchulainn den Schild und riß ihn unter den Füßen der Amazone weg. Rücklings stürzte Aife nieder; mit dem nächsten Herzschlag kniete der Ulsterheld auf ihr, drückte ihr den Sicheldolch an die Kehle und äußerte: »Du hättest bedenken sollen, daß der Augenschein manchmal trügt. Beispielsweise dann, wenn ein Meister der Kampfkunst seine Waffen ganz gezielt verliert und seine Gegnerin dadurch auf trügerischen Boden lockt.«

Zornig blitzte die Amazone Cúchulainn an. »Du genießt es wohl über die Maßen, meine Erniedrigung auszukosten.«

Der Ulsterheld schüttelte den Kopf. »Ich würde dich gerne aus deiner mißlichen Lage erlösen, denn du hast äußerst tapfer gefochten und dir so meine Achtung erworben. – Erkläre dich für besiegt, und du bist frei.«

Aife rang mit sich; schließlich bezwang sie ihren Stolz, seufzte und gestand Cúchulainn zu: »Du hast mich, die ich noch nie jemandem unterlag, in ehrlichem Kampf überwunden. Und gemäß der Abmachung, die wir gestern trafen, verspreche ich dir, mit meinem Heer aus Scathachs Land abzuziehen.«

Der Ulsterheld verwahrte den Dolch, half Aife auf, ergriff Schild und Schwert und bat die Amazone: »Begleite mich zu meinem Streitwagen.«

Die schöne Schwarzhaarige folgte ihm zu der Stelle, wo die Rapphengste zum Stehen gekommen waren. Cúchulainn löste die Schädel der getöteten Krieger von der Wagenkanzel, überreichte sie Aife und sagte: »Um unser Abkommen zu bekräftigen, verzichte ich darauf, diese Häupter als Trophäen zu behalten. Sie sind dein, du kannst sie zusammen mit den Körpern der Erschlagenen ehrenvoll beisetzen lassen.«

Sinnend betrachtete Aife die Köpfe, dann murmelte sie: »Vorhin besiegtest du mich durch deine Waffenkunst, nun tust du es durch deine Großmut.« Sie zog ein Tuch unter ihrer Brünne hervor, hüllte die Schädel darin ein und fuhr fort: »Du bist wahrlich ein sehr ungewöhnlicher Mann, Cúchulainn. Ein Mann, wie er mir niemals zuvor begegnete. Und jetzt, da ich dich kennengelernt habe, sehe ich ein, daß es besser gewesen wäre, deine Freundschaft zu suchen, statt dich zu bekämpfen.«

»Nachdem unser Streit nunmehr beigelegt ist, brenne ich förmlich darauf, mich etwas weniger handfest mit dir auszutauschen«, antwortete der Ulsterheld augenzwinkernd.

Die Schwarzhaarige schenkte ihm ein bezauberndes Lächeln. »Meine Ringburg liegt nur einen Tagesmarsch von hier entfernt und bietet eine Menge Annehmlichkeiten. Darf ich dich dorthin einladen?«

»Es wird mir ein Vergnügen sein, einer so wunderschönen Frau wie dir Gesellschaft zu leisten«, erwiderte Cúchulainn. »Wann wollen wir aufbrechen?«

»Sobald meine Krieger den Dun geräumt haben«, antwortete Aife. Abermals lächelte sie den Ulsterhelden verführerisch an, dann begab sie sich zu ihrem Kampfwagen, bestieg das Gefährt und lenkte die Schecken zur Hügelfestung.

Cúchulainn wiederum winkte Cet und Cuar herbei und beschied sie: »Ich sende euch als Siegesboten heim. Berichtet eurer Mutter, Uathach und Dugall von den Ereignissen, deren Zeugen ihr wurdet. Sagt ihnen ferner, daß Aife mir Gastfreundschaft angeboten hat und ich mich für eine Weile in ihrer Burg aufhalten werde.«

Enttäuscht versetzte Cet: »Eigentlich hatten wir darauf gehofft, zusammen mit dir im Triumph zurückzukehren.«

»Außerdem hätte es sich gut gemacht, auch die Köpfe der drei Recken dabeizuhaben«, fügte Cuar hinzu.

»Ich kann euren Unmut verstehen«, entgegnete der Ulsterheld. »Doch so wie ich die Dinge mit Aife geregelt habe, ist es bestimmt am besten für den Frieden hier an der Ostküste Albas. – Und jetzt ab mit euch.«

Wenig später wanderten die Scathachsöhne auf die Berge zu; Cúchulainn wartete bei seinem Streitwagen, bis das Heer der Schwarzhaarigen die Ringburg verließ. Dann sprang er in die Wagenkanzel und ließ die Hengste zur Spitze der Marschsäule galoppieren, wo Aife fuhr. Seite an Seite rollten die beiden Kampfwagen nach Süden; während der folgenden Stunden hatten die berückend schöne Amazone und der Ulsterheld einander viel zu erzählen.

Den dritten Tag weilte Cúchulainn nun schon auf Aifes Klippenfestung direkt an der Meeresküste.

Noch in der Nacht ihrer Ankunft hatte die Schwarzhaarige ein Festmahl für ihren Gast ausrichten lassen; bei Braten und Metheglyn war es hoch hergegangen, und die Gefolgsleute der Amazone hatten sich mit dem Ulsterhelden verbrüdert. Kein Mißton war mehr laut geworden, als die von Cúchulainn Erschlagenen am nächsten Morgen ihre Gräber gefunden hatten; nach der Leichenfeier waren Aife, der Ulsterheld und etliche hervorragende Krieger zu einer dem Festland vorgelagerten Insel gerudert, um auf einem Cairn dort Gedenksteine zur Erinnerung an die drei Toten niederzulegen. Am folgenden Tag hatte Cúchulainn mit der Schwarzhaarigen gejagt; das Glück war ihnen hold gewesen, im Küstengebirge hatten sie einen prachtvollen Steinbock gespeert. Auch heute wieder wollten Aife und der Ulsterheld einen Ausflug unternehmen; die Amazone hatte Cúchulainn versprochen, ihm einen heiligen Ort von besonderer Bedeutung zu zeigen.

Unter strahlendem Sommerhimmel trabten die Schecken den Pfad entlang, der von der Klippenburg ins Landesinnere führte. Statt der Brünne trug die Schwarzhaarige an diesem Vormittag ein schmuckes Kleid aus rotgefärbtem Linnen; spielerisch handhabte Aife die Zügel, gelegentlich warf sie dem neben ihr in der Wagenkanzel stehenden Ulsterhelden einen verträumten Blick zu. Jedesmal, wenn dies geschah, fühlte Cúchulainn jähe Erregung und sehnte sich insgeheim danach, die bezaubernd schöne Amazone in seine Arme zu ziehen – einzig der Gedanke an Emer, die ihn in Erinn erwartete, hielt ihn davon ab, der Versuchung nachzugeben.

Aife spürte genau, was in ihm vorging; bald bemühte sie sich, ihn noch mehr zu reizen. Während die Rösser jetzt einem langgestreckten Bergrücken folgten, deutete sie auf einen Dun in der Ferne und bemerkte: »Dort wohnte einst eine Vorfahrin von mir, die eine Königin der Liebe war.« Sodann vertraute sie Cúchulainn gewisse pikante Einzelheiten aus dem bewegten Leben ihrer Ahnin an, um abschließend zu seufzen: »Ich hingegen friste ein schrecklich einsames Dasein auf meiner Ringburg, denn bislang traf ich keinen Mann, zu dem ich hätte aufschauen können...«

»Gewiß wirst du den Richtigen noch finden«, erklärte der Ulsterheld gepreßt.

»Wer weiß«, hauchte Aife, wobei sie sich wie von ungefähr an ihn schmiegte.

Cúchulainn krampfte die Faust um den Rand der Wagenkanzel und stieß mit rauher Stimme hervor: »Wie weit haben
wir es noch bis zu dem Heiligtum?«

»Ungefähr zwei Meilen«, erwiderte die Amazone und
schnalzte mit der Zunge, damit die Schecken schneller wurden.

Das Gespann erreichte eine Hochebene, überquerte sie
und bog in eine gewundene Klamm ein; am Ausgang der
Kluft hatte der Ulsterheld für einen Moment den Eindruck,
die Gefilde von Tír na n'Og vor sich zu sehen.

Uralte Bergeichen mit weitausladenden Kronen und bizarr
verschlungenem Astwerk umsäumten ein halbmondförmiges
Tal. Hauchzarte Dunstschleier webten zwischen den Bäumen;
auf dem Grund der Senke lag ein kleiner See, dessen Oberfläche smaragdgrün leuchtete. In einer Mulde des Talbodens
erkannte Cúchulainn eine Steinsetzung: einen Kreis rötlicher
Rundfelsen, in deren Mitte ein basaltschwarzer Menhir aufragte.

Nahe des Steinrings brachte Aife die Pferde zum Stehen.
Aufmerksam musterte Cúchulainn den Platz, dann murmelte
er: »Hier verbindet sich die lebenspendende Macht der Muttergöttin mit der dunklen Ausstrahlung Caillechs.«

»Eins ist mit dem anderen verknüpft«, bestätigte die Amazone. »Tagsüber behütet Boand diesen Ort, nachts herrscht
hier die schwarze Göttin.« Aife sprang vom Wagen. »Und nun
laß uns beiden Gottheiten die ihnen gebührende Ehre erweisen.«

Dreimal führte die schöne Amazone den Ulsterhelden entgegen des Sonnenlaufes um den Kreis der Rotfelsen; während
sie sich dadurch mit dem Wesen Boands in Einklang brachten,
empfand Cúchulainn betäubende Beglückung. Fast schwerelos setzte er seine Schritte – und dies blieb so, als Aife ihn ins
Innere des Heiligtums geleitete. Das Paar umrundete Caillechs
schwarzen Menhir, dessen Kräfte nach den Worten Aifes jetzt
schlummerten, in Richtung des Sonnenlaufes. Nachdem der

dritte Kreis vollendet war, ergriff die Amazone Cúchulainns Hand und zog ihn zu einer schlangenförmigen Erdfalte, die vom Hohen Stein zum größten der Rotfelsen verlief.

Unvermittelt umarmte Aife den Ulsterhelden; verlangend preßte sie ihren geschmeidigen Leib an ihn, ihre Lippen suchten seinen Mund. Schlagartig verwandelte sich Cúchulainns Benommenheit in unwiderstehliches Begehren. Wie ein Verdurstender küßte er die Schwarzhaarige; seine Finger zerrten an den Kordeln ihres Kleides, dann glitten sie zusammen zu Boden.

Der von anderweltlichen Schwingungen erfüllte Platz, an dem sie sich liebten, schenkte Cúchulainn schier grenzenlose Lendenkraft. Dreimal verströmte er seinen Samen in Aifes Schoß, ehe seine Brunst gestillt war. Danach lag das Paar eine Weile reglos da. Nur langsam wich die rauschhafte Betäubung von Cúchulainn — erst als ein jäher Windstoß durch den Steinring fuhr und ihn frösteln ließ, gewann der Ulsterheld seine Fähigkeit zu klarem Denken zurück.

Abrupt richtete er sich auf. »Du wußtest, daß dieser Ort mich willenlos machen würde«, warf er der Amazone vor. »Eiskalt hast du seine Macht genutzt, um mich zu verführen.«

»Es wäre mir kaum geglückt, wenn dein Feuer nicht so heiß gelodert hätte«, entgegnete Aife unter verhaltenem Lachen.

»Mag sein«, schnaubte Cúchulainn. »Trotzdem fühle ich mich hintergangen.«

Die Miene der Schwarzhaarigen wurde ernst. »So solltest du nicht mit mir reden. Nicht, nachdem wir eben noch...«

»Durch deine Zauberkünste willst du mich an dich fesseln«, unterbrach Cúchulainn. »Aber das wird dir nicht gelingen.«

»Du irrst«, widersprach die Amazone. »Was ich tat, geschah keineswegs in der Absicht, dich an mich zu binden. Vielmehr wird es bei dem einen Liebesakt bleiben, denn ich habe bereits alles bekommen, was ich mir von dir wünschte.«

Verwirrt runzelte der Ulsterheld die Brauen. »Ich verstehe dich nicht...«

»Ich will es dir erklären.« Aife setzte sich ebenfalls auf und fuhr fort: »Mein Ziel war es, von dir geschwängert zu werden – und dies ist vorhin geschehen. In neun Monaten werde ich einen Sohn gebären. Deinen Sproß, Cúchulainn – und allein darum ging es mir. Ich nutzte die Kräfte des Heiligtums, um einen Sohn von dir, dem unbesiegbaren Helden, zu empfangen.«

Fassungslos starrte Cúchulainn die Amazone an. »Nie zuvor trieb eine Frau ein derart abgründiges Spiel mit mir...«

Aife tastete nach seinen Händen; seltsamerweise schaffte er es nicht, sie ihr zu entziehen – dann vernahm er erneut ihre Stimme: »Beklage dich nicht. Nimm hin, was nicht mehr zu ändern ist.« Sie lächelte verheißungsvoll. »Und freue dich über die einzigartige Gabe, die ich dir zum Dank für das Geschenk zugedacht habe, welches du mir machtest.«

»Was für eine Gabe?« stieß Cúchulainn hervor.

»Du sollst eine Kriegswaffe erhalten, die weder in Alba noch in deinem Heimatland Erinn ihresgleichen hat«, antwortete die Amazone.

Mit einem Sprung war der Ulsterheld auf den Beinen. »Welcher Art ist diese Waffe?«

»Du wirst sie sehen, sobald du dich wieder gerüstet hast.« Aife schlüpfte in ihr Kleid und wartete, bis Cúchulainn seine Brünne übergeworfen hatte. Sodann forderte die Amazone ihn auf, ihr zum Streitwagen zu folgen.

Schon während der Herfahrt war dem Ulsterhelden der hohe, oben mit einer Fellkappe verschlossene Schwarzholzköcher in der Wagenkanzel aufgefallen. Nun nahm Aife das Behältnis aus dem Gefährt, löste die Fellverschnürung und holte ein Silberrohr von zwei Ellen Länge und einer Spanne Durchmesser hervor. Magische Zeichen waren auf dem Edelmetall eingegraben; vorne war der Zylinder offen, aus einem schmalen Schlitz in seinem hinteren Drittel ragte ein runder Knauf.

»Das ist der Gae Bulga«, erläuterte die Amazone. »Der Druide Bolg mac Buain, aus dessen Geschlecht ich stamme, schuf ihn vor vielen Menschenaltern. Keine Rüstung kann dem Biß dieser unvergleichlichen Waffe widerstehen, und wer sie im Kampf führt, vermag jeden Feind zu töten.«

»Zeige mir, wie der Gae Bulga gehandhabt wird«, forderte Cúchulainn.

Aife richtete die Mündung des silbernen Rohrs senkrecht gen Himmel und faßte eine vierhundert Schritte entfernte Bergeiche ins Auge. Sodann hieb sie leicht auf den Rundknauf. Ein gleißendes Projektil fuhr aus dem Zylinder, jagte zum Firmament empor, schien kurz zu verharren, beschrieb eine jähe Kurve, sauste auf die bewußte Eiche herab und bohrte sich in ihren Stamm.

»Unglaublich!« rief Cúchulainn. »Wie hast du das vollbracht?«

»Ich richtete meine Gedanken auf den Baum und steuerte das Geschoß des Gae Bulga auf diese Weise ins Ziel«, erwiderte die Amazone. »Willenskraft lenkt es, auch wenn die Mündung des Rohrs anderswohin weist. – Und jetzt schau dir an, was der Aufprall der Waffe bewirkte.«

Der Ulsterheld und Aife liefen zu der Bergeiche. Dort sah Cúchulainn, daß das speerähnliche Stahlgeschoß den Baumstamm übel in Mitleidenschaft gezogen hatte; auf einer kopfgroßen Fläche war das Holz zerschmettert und zerfetzt. Als Aife die Waffe aus dem Stamm riß, erkannte Cúchulainn den Grund: Statt einer gewöhnlichen Spitze erblickte er eine Garbe messerscharfer Zackenklingen.

»Im Flug gleicht die Geschoßspitze einem schweren Speerblatt«, erklärte die Amazone. »Beim Auftreffen jedoch verwandelt sie sich in ein Gebiß aus dreißig Stahlzähnen, die alles zerfleischen, was ihnen in den Fang gerät.«

Aife ließ dem Ulsterhelden Zeit, die mörderischen Klingen zu betrachten. Dann umfaßte sie eine geriffelte Metallmanschette am Schaft der Waffe und drehte sie. Die Zakkenklingen schnappten zusammen und wurden wieder zur Speerspitze. Anschließend schob die Amazone das Geschoßteil des Gae Bulga zurück in den Silberzylinder. Kaum war der Speerschaft zur Hälfte hineingeglitten, erklang ein heftig saugendes Geräusch. Wie von selbst verschwand der Stahlspeer völlig in dem Rohr; zuletzt sprang der Knauf, den Aife beim Abschuß betätigt hatte, mit leisem Klicken ein Stück heraus.

»Nun ist der Gae Bulga erneut einsatzbereit«, sagte die Amazone. »Und falls ich dir jetzt noch das Geheimnis verraten würde, das deinen Willen mit seinem in Einklang bringt, könntest auch du ihn benutzen.«

»Ich dachte, reine Willenskraft würde genügen, um das Geschoß zu lenken«, versetzte Cúchulainn.

»So einfach ist es nicht«, lächelte Aife. »Der Gae Bulga gehorcht nur dem, der die richtige Beschwörung kennt.«

»Was für eine?« drängte der Ulsterheld. »Nenne sie mir.«

»Ich werde es tun, allerdings muß ich eine Bedingung stellen«, entgegnete die Amazone.

»Welche?« fragte Cúchulainn.

Aife trat näher an ihn heran. »Ich verlange, daß du dich zu deinem ungeborenen Sohn bekennst. Du sollst ihm unter dem Schwarzmenhir des Heiligtums einen Namen geben.«

Der Ulsterheld besann sich kurz, dann nickte er. »Ich bin einverstanden.«

Das Paar schritt zum Steinkreis. Inmitten des heiligen Platzes legte Cúchulainn seine Rechte auf Aifes Leib und sprach: »Hiermit nehme ich das Kind, welches du gebären wirst, als meines an. Und zum Zeichen seiner Abstammung von mir soll der Knabe Conlai heißen – Sproß des Hundes.«

»Conlai«, wiederholte die Amazone leise. »Ja, dieser Name paßt zu unserem Sohn. Wenn er alt genug ist, werde ich ihm eröffnen, wer sein Vater ist. Und sobald er ersten Waffenruhm erworben hat, will ich ihn zu dir nach Erinn senden.«

Der Ulsterheld zog einen goldenen Reif von seinem Schildarm und reichte ihn Aife. »Dieser Schmuck ist für Con-

295

lai. An ihm werde ich meinen Sohn erkennen, wenn er mich dereinst aufsucht.«

Die Schwarzhaarige verwahrte den Reif, sodann übergab sie Cúchulainn den Gae Bulga und sagte:»Da du meine Bedingung erfüllt hast, sollst du nunmehr das Geheimnis der Zauberwaffe erfahren. Die Beschwörung, welche dir den Gae Bulga untertan macht, lautet: Bolg mac Buain. Wann immer du den Schöpfer der Waffe im Geist anrufst, gehorcht dir der magische Speer, und du bist imstande, ihn kraft deines Willens gegen deine Feinde zu senden. – Und jetzt erprobe den Gae Bulga.«

Die Augen des Ulsterhelden leuchteten auf. Er schwenkte die Mündung der Zauberwaffe nach oben, spähte zur selben Eiche, die Aife getroffen hatte, und hieb auf den Rundknauf. Das Geschoß fauchte aus dem Silberrohr, beschrieb eine jähe Kurve am Himmel und fand sein Ziel. Cúchulainn rannte zu dem Baum, machte den Gae Bulga wieder schußbereit und kehrte an den Rand des Steinkreises zurück, wo die Amazone unterdessen den Streitwagen bestiegen hatte. »Hab Dank für deine einzigartige Gabe«, rief er.

»Ich danke dir nicht weniger für das Geschenk, das in mir heranreift«, antwortete Aife. »Nun aber laß uns aufbrechen.«

»Warum so eilig?« erkundigte sich der Ulsterheld erstaunt.

»Weil ich noch heute das Abschiedsfest für dich ausrichten will«, erwiderte die Schwarzhaarige. »Unsere gemeinsame Zeit ist fast vorüber, morgen früh werden wir uns trennen.«

Wortlos – denn unvermittelt mußte er an Emer denken – nahm Cúchulainn diese Ankündigung hin. Nachdem er den Gae Bulga im Schwarzholzköcher verwahrt und das Behältnis mittels eines daran befestigten Lederriemens über die Schulter gehängt hatte, schwang er sich auf das Gefährt. Sofort schnalzte Aife mit den Zügeln; die Schecken galoppierten an, und wenig später lag das halbmondförmige Tal wieder verlassen da.

Bald nach Sonnenaufgang des nächsten Tages verließ der Ulsterheld Aifes Klippenfestung. Die Amazone blickte ihm vom Wall aus nach; als Cúchulainns Kampfwagen in der Ferne verschwunden war, ging eine erschreckende Veränderung mit Aife vor. Das berückend schöne Antlitz der Amazone verzerrte sich vor Haß, aus ihrer Kehle drang ein heiseres Fauchen.

Mit einem katzenartigen Satz sprang Aife von der Wallkrone und hastete zu ihren Gemächern. Wenig später erschien sie wieder im Burghof; in den Händen trug sie jetzt einen schwarzen, von fahlweißen fomorischen Symbolen bedeckten Ledersack. An den angstvoll zurückweichenden Torwächtern vorbei eilte Aife zum Strand hinab. Dort bestieg sie ein Boot und ruderte zu jenem Eiland vor der Küste, wo drei Tage zuvor das Gedenkritual für die von Cúchulainn erschlagenen Krieger stattgefunden hatte.

Beim Cairn auf der Insel angelangt, öffnete die Amazone den Sack. Sie nahm die Köpfe der drei Recken heraus, welche vor Dugalls Dun gefallen waren; heimlich hatte Aife die Schädel schon in der Nacht nach der Beisetzung aus den Gräbern geholt. Nun pflanzte sie die Häupter auf den Steinkegel und beschwor sie: »Ihr, die ihr in Caillechs Reich weilt, vernehmt meine Worte. Die Rache an dem, der euch tötete und mich zur schändlichen Unterwerfung zwang, ist ins Werk gesetzt. Das Unheil, welches ihn treffen wird, reift heran. Ich habe das meinige getan, um fürchterliche Vergeltung an ihm zu üben; tut ihr, aus den verborgenen Gefilden wirkend, das eurige.«

Der Cairn begann zu beben. Knirschend bewegten sich die Steine; die Lippen der drei Schädel zuckten, als wollten sie der Schwarzhaarigen ein schauerliches Versprechen geben.

Aife wartete ab, bis der gespenstische Aufruhr sich gelegt hatte. Dann verwahrte sie die Köpfe wieder im Ledersack und zischelte dabei: »Du kannst deinem Verhängnis nicht entrinnen, Cúchulainn – auch wenn Jahre verstreichen werden, ehe es dich trifft.«

König Lugaids Reinfall

Auf Scathachs Festung, wo Cet und Cuar unterdessen von den Taten Cúchulainns und seiner Aussöhnung mit Aife berichtet hatten, wurde der Ulsterheld mit großem Jubel empfangen. Während der Siegesfeier trugen die Burgherrin, Uathach und Dugall gemeinsam die Ehrenportion für ihn auf; sodann verkündete Scathach vor allen Anwesenden: »Ich erkläre, daß niemand in Alba dich an Kampfkunst übertrifft, Cúchulainn.«

»Nachdem du das zugestanden hast, ist der Zweck meiner Reise in dein Land erfüllt«, erwiderte der Ulsterheld aufgeräumt. »Von jetzt an darf ich mich als den besten Krieger Erinns und Albas gleichermaßen bezeichnen und kann nun getrost heimkehren, um die schöne Emer von Luglochta Loga zu freien.«

»Sie wird stolz auf den Ruhm sein, den du geerntet hast«, sagte Uathach. Schelmisch fügte sie hinzu: »Doch vielleicht solltest du dich nicht allzusehr in Einzelheiten verlieren, wenn du ihr von deinen Waffentaten erzählst – besonders was deine Speerkünste im Nahkampf mit gewissen Amazonen anlangt.«

»Ich werde deinen guten Rat befolgen«, entgegnete Cúchulainn augenzwinkernd.

Beide lachten, dann fragte Uathach: »Bleibst du noch einige Tage? Oder willst du unverzüglich nach Erinn aufbrechen?«

»Da ich mich zum Lughnasadfest mit meiner Braut verabredet habe, darf ich keine Zeit mehr verlieren«, antwortete der Ulsterheld. »Morgen mache ich mich auf den Weg.«

Scathach, Uathach und Dugall hoben ihre Trinkbecher und wünschten ihm eine glückliche Heimreise, desgleichen taten die Burgleute. Danach wurde die Stimmung immer ausgelassener, eifrig sprachen die Tafelnden dem Spießbraten zu und leerten zahlreiche weitere Pokale; erst spät nachts kehrte Stille in der Festung ein.

Am folgenden Vormittag verabschiedete sich Cúchulainn. Die Wurfspeere geschultert und den Köcher mit dem Gae Bulga auf dem Rücken verließ er die Amazonenburg. Dank der Wegbeschreibung, die Scathach ihm gegeben hatte, konnte er diesmal sowohl den lebensgefährlichen Pfad durch die Wildbachschlucht als auch die Trugebene und das menschenfressende Moor vermeiden.

Als die Abenddämmerung hereinbrach, lag Scathachs Herrschaftsgebiet bereits weit hinter dem Ulsterhelden; während der nächsten Wandertage kam er ebenfalls rasch voran. Nach einer Woche glaubte Cúchulainn, in der Ferne die Gegend wiederzuerkennen, wo die Fahlkrähe aufgetaucht war und er seine Gefährten im Zaubernebel verloren hatte. Abermals drei Tage später erblickte er von einem Bergkamm aus die See, kurz vor Sonnenuntergang hatte er den Strand erreicht. Nur wenige Meilen südlich ragte die Halbinsel ins Meer, welche Schauplatz des Kampfes gegen die Ruheinig gewesen war.

Cúchulainn beschleunigte seine Schritte, im letzten Tageslicht langte er bei dem damals teilweise niedergebrannten Dorf an. Die Galeere der Sklavenjäger lag abgewrackt an Land, aus den Planken waren offenbar neue Häuser errichtet worden. Als die Dorfbewohner und die befreiten Rudersklaven den Ulsterhelden gewahrten, liefen sie ihm entgegen, begrüßten ihn überschwenglich und teilten ihm mit, daß rund einen Monat zuvor auch König Conchobar und Conall Cernach in ihrem Curragh vorbeigekommen waren.

Bald hatten die Dörfler ein Festmahl ausgerichtet; während er schmauste und trank, gab Cúchulainn einige seiner jüngsten Abenteuer zum besten. Danach fragte er seine Gastgeber, ob es ihnen möglich sei, ihn nach Erinn überzusetzen. Sofort versprachen die beiden erfahrensten Fischer, den Ulsterhelden in seine Heimat zu bringen.

Am nächsten Morgen legte das Boot vom Ufer ab. Zweieinhalb Tage segelten Cúchulainn und seine Begleiter ohne irgendwelche Zwischenfälle entlang der Küste nach Süden, bis sie zu jener Bucht gelangten, in deren Schutz der Ulsterheld, Conchobar und Conall die erste Nacht auf dem Boden Albas verbracht hatten. Ein Stück landeinwärts erlegte Cúchulainn einen feisten Rothirsch; die Männer rösteten das Fleisch am Lagerfeuer und benutzten den herabtriefenden Talg, um die lederne Außenhaut des Curraghs frisch einzufetten.

Bei Sonnenaufgang des neuen Tages stach das Boot mit westlichem Kurs in See. Stunde um Stunde durchpflügte der Curragh die Wellen; als die Sonne zwei Drittel ihrer Bahn durchmessen hatte, tauchte die blaßblaue Silhouette Erinns am Horizont auf. In der Abenddämmerung schurrte das Boot auf den Dünenstrand unterhalb der Ansiedlung, in welcher der Ulsterheld und dessen Gefährten seinerzeit ihre Pferde und Streitwagen zurückgelassen hatten.

Kaum war der Curragh gelandet, strömten die Menschen zum Ufer. Cúchulainn erfuhr, daß der König und Conall Cernach schon vor mehreren Wochen heimgekehrt waren; sodann mußte der Ulsterheld Dutzende von Fragen beantworten. Schließlich geleiteten die Bewohner des Dorfes ihn und die beiden Fischer aus Alba ins Gemeinschaftshaus, wo alsbald eine ausgelassene Feier stieg.

Noch etwas benommen vom Metheglyn schirrte Cúchulainn am folgenden Morgen die Rösser vor seinen goldenen Kampfwagen, entlohnte die Männer, die ihn über das Meer gebracht hatten, und nahm Abschied. In raschem Lauf überquerten die Hengste das Gebirge östlich des Lough Neagh, am Gestade dieses Sees verbrachte der Ulsterheld die letzte Nacht seiner langen Reise. Früh war er wieder auf den Beinen, erneut galoppierten die Rösser unaufhaltsam dahin – bis Cúchulainn am Abend die mächtigen Wälle von Emain Macha erblickte.

Der Ulsterheld stieß einen Freudenschrei aus und wirbelte seine Speere um den Kopf. Wenig später öffnete sich das Tor der Ringburg, zwei Streitwagen fegten die Flanke des Festungshügels herab und kamen Cúchulainn entgegen. Mitten auf der Ebene von Emain Macha trafen die Kampfwagen aufeinander, der Ulsterheld rief dem König und Conall zu: »Ich hoffe, ihr habt gallischen Wein aus dem Keller holen lassen, ehe ihr zu meinem Empfang aufgebrochen seid.«

»Die Mägde ächzen bereits unter der Last der Amphoren«, erwiderte Conchobar lachend.

»Außerdem wird gerade ein prachtvoller Stier geschlachtet, welcher den Bratspieß in der großen Halle schmücken soll«, fiel der Hirschäugige ein.

»Wenn es so steht, bin ich vollauf zufrieden, und zum Dank für eure weise Voraussicht werdet ihr heute noch die eine oder andere kurzweilige Geschichte zu hören bekommen«, schmunzelte Cúchulainn; dann trabten die drei Rösserpaare Seite an Seite zur Burg.

Eine knappe Woche war seit der Ankunft des Ulsterhelden in Emain Macha verstrichen. Jetzt, am Morgen des Vortages von Lughnasad, wurde es Zeit für ihn, das Versprechen einzulösen, das er der schönen Emer gegeben hatte.

Unter dem Weltenbaum verabschiedete sich Cúchulainn von Conchobar und Conall. Der Hirschäugige wünschte ihm Erfolg bei seiner Brautwerbung, der König sagte: »Forgall Monach kann stolz darauf sein, daß der beste Krieger Erinns und Albas um seine Tochter freit. Wollte er dich abweisen, wäre er ein Narr. Daher denke ich, du wirst leichtes Spiel haben.«

»Das hoffe ich«, antwortete Cúchulainn. »Falls sich Forgall jedoch weiterhin halsstarrig zeigt, erzwinge ich seine Einwilligung zur Hochzeit mit Emer. Denn dies habe ich der Kastanienhaarigen geschworen.«

Damit bestieg er den goldenen Wagen und lenkte die Hengste zum Tor. Am Fuß des Burgberges vernahmen die Rösser den magischen Satz, der sie zu höchster Eile anspornte; sofort jagten sie wie der Sturmwind nach Süden davon.

Am Spätnachmittag, als der Ulsterheld von ferne den Ringwall von Luglochta Loga ausmachte, wurde seine Sehnsucht nach Emer schier grenzenlos. Auf den letzten Meilen beherrschte ihn nur ein Gedanke: Nach beinahe drei Monaten der Trennung durfte er endlich wieder mit der Geliebten vereint sein.

Dann galoppierten die Hengste den gewundenen Pfad am Abhang des Festungshügels empor; das Gespann bog um die oberste Kehre, nun sah Cúchulainn das offenstehende Burgtor vor sich. Er ließ die Rösser in tänzelnden Trab fallen; so hatte er sich damals im Apfelgarten erstmals der Kastanienhaarigen genähert, und auch heute wieder wollte er Emer auf diese Weise begrüßen. Doch kurz bevor der goldene Wagen den Torbau erreichte, fielen die schweren Eichenflügel zu. Krachend wurden drinnen die Balkenriegel vorgestoßen, gleichzeitig erschienen auf der Wallkrone Forgall Monach und ein Dutzend voll gerüsteter Krieger.

Der Ulsterheld zügelte die Hengste so scharf, daß sie stiegen. »Was soll das, Forgall?« rief er empört. »Warum sperrst du den Freier deiner Tochter aus?«

»Weil ich dir die Gastfreundschaft verweigere«, entgegnete der Burgherr schroff. »Und auch Emer legt keinen Wert darauf, dich wiederzusehen. Denn sie hat einen Bräutigam gefunden, welcher im Rang hoch über dir steht.«

Cúchulainn erbleichte. »Unmöglich!«

Forgall grinste höhnisch. »Du glaubst mir nicht?«

»Nein!« versetzte Cúchulainn mit rauher Stimme. »Emer liebt mich, niemanden sonst.«

»Das mag in jenen Tagen nach Beltane so gewesen sein, als du meine Tochter kennenlerntest«, antwortete Forgall feixend. »Aber manchmal ändern sich die Dinge, besonders wenn derjenige, der sich um eine schöne junge Frau bewirbt, Abenteuer in fremden Ländern sucht. In einem solchen Fall kann es leicht geschehen, daß ein anderer ihm in die Quere kommt, und falls dieser Nebenbuhler zudem eine Königskrone trägt . . .«

»Welcher König freite um Emer?« unterbrach Cúchulainn den Burgherrn.

»Lugaid von Mumu«, erwiderte Forgall. »Vor einigen Wochen war er zu Besuch bei Cairbre Niafer, dem Herrscher von Mide und Hochkönig in Tara. Auch ich und Emer weilten als Gäste des Ard Rhi von Erinn dort. Aufgrund des Liebreizes meiner Tochter dauerte es gar nicht lange, bis der König von Mumu in heftiger Leidenschaft zu ihr entbrannte. Er bat mich um Emers Hand, und wir kamen überein, die Hochzeit an Lughnasad hier in Luglochta Loga zu feiern. Gestern langte Lugaid mit großem Gefolge an, jetzt tafelt er an der Seite meiner Tochter in der Festhalle, und morgen werden die beiden ein Paar.«

»Laß mich zu Emer!« brach es aus Cúchulainn heraus. »Ich muß mit ihr sprechen.«

»Sie legt keinen Wert darauf, dich zu sehen«, beschied ihn Forgall. »Der einzige Mann, an dem ihr liegt, ist König Lugaid. Ihm schenkte sie ihr Herz, dich hat sie längst vergessen. Und jetzt verschwinde, ehe du die Speereisen meiner Krieger zu schmecken bekommst.«

Unwillkürlich griff Cúchulainn zum Schwert. Halb zog er die Waffe aus der Scheide – doch mit dem nächsten Lidschlag besann er sich. Er wendete die Rösser und lenkte sie in langsamem Schritt den Hang hinab.

»Behaltet ihn im Auge«, befahl Forgall seinen Gefolgsleuten, dann stieg er vom Wall und schritt zur Halle in der Mitte des Festungshofes.

Blaß und verspannt kauerte Emer auf dem Hochsitz neben König Lugaid. Als die Torwächter die Ankunft des Ulsterhelden gemeldet hatten, war sie aufgesprungen, um nach draußen zu eilen. Aber Lugaid hatte sie auf ein Zeichen ihres Vaters hin festgehalten und wieder auf die Bank gezerrt; zugleich hatten die Adelskrieger des bereits etwas betagten Herrschers von Mumu wie von ungefähr einen Kreis um das Paar gebildet.

Nun, da Forgall in die Festhalle zurückkehrte und dem König lachend mitteilte, daß der Besucher aus Emain Macha verprellt das Weite gesucht hätte, vermochte Emer nicht länger an sich zu halten. »Du treibst ein niederträchtiges Spiel!« fuhr sie auf ihren Vater los. »Nur zu gut kann ich mir vorstellen, welch infame Lügen du Cúchulainn aufgetischt hast.«

»Ich erzählte ihm lediglich von deiner unmittelbar bevorstehenden Vermählung mit unserem edlen Gastfreund«, entgegnete Forgall. »Und dies war die lautere Wahrheit, denn du wirst König Lugaid heiraten, ob du willst oder nicht.«

»Meine Liebe gehört Cúchulainn«, beharrte Emer. »Du hast kein Recht, mich ins Bett eines anderen Mannes zu zwingen. Niemals werde ich mich der schändlichen Abmachung fügen, die du bei unserem Besuch in Tara hinter meinem Rücken mit Lugaid trafst.«

»Sei doch vernünftig, Kind«, mischte sich Forgalls Gattin ein, die zusammen mit ihren beiden noch minderjährigen Töchtern ein wenig abseits saß.

»Wenn du erst Königin von Mumu bist, werden dich Tausende junger Frauen um dein Glück beneiden«, stieß Lugaid ins selbe Horn.

»Warum nimmst du nicht eine von denen zum Weib?« schnappte Emer. »Warum muß ausgerechnet ich es sein?«

»Weil du mir zu gehorchen hast«, herrschte Forgall sie an. »Und jetzt entschuldigst du dich bei König Lugaid für deine bösen Worte, damit...«

Jäh verstummte der Burgherr – wüster Lärm, der aus dem Hof hereindrang, war schuld daran. Erschrocken griffen Lugaid, Forgall und ihre Gefolgsleute zu den Waffen und rannten zum Ausgang der Festhalle.

Cúchulainns scheinbar friedlicher Abzug war eine Finte gewesen. Auf halbem Weg ins Tal hatte er die Hengste überraschend herumgerissen und war zu einem furiosen Angriff übergegangen. Mehrere mit ungeheurer Wucht geschleuderte Stachelkugeln hatten die Angeln des Festungstors zerschmettert; sich mit dem Schild gegen die von der Wallkrone herabzischenden Speere deckend, war der Ulsterheld in den Burghof eingedrungen – nun säte er vom goldenen Wagen aus Tod und Verderben.

Sein blitzendes Schwert fällte die Krieger, die ihn aufzuhalten versuchten; eben als Forgall Monach und der König von Mumu mit ihren Mannen aus der Halle stürmten, langte der Streitwagen dort an. Cúchulainn streckte ein halbes Dutzend von Lugaids und Forgalls Gefolgsleuten nieder, die Schar der übrigen jagte er samt dem König und dem Burgherrn zurück in das Gebäude. Tische und Bänke zersplitterten unter den stampfenden Hufen seiner Rösser, Blut spritzte über die Trümmer; vor dem Zorn des Ulsterhelden flohen die Männer in die hintersten Winkel der Festhalle.

Zweimal warf Cúchulainn Scathachs Sicheldolch; die scharfe Klinge zeichnete Lugaid und Forgall je eine rote Furche auf die Stirn, ehe der Ulsterheld sie wieder fing. »Falls ihr euch nochmals zwischen Emer und mich stellt, wird euch mein Flugmesser die Schädel von den Schultern scheren!« rief Cúchulainn seinen Widersachern zu – unmittelbar darauf fegte der Kampfwagen zum Hochsitz.

Mit raschem Griff hob Cúchulainn die Kastanienhaarige in die Wagenkanzel, schützte sie mit dem Schild und lenkte die Hengste ins Freie. Unangefochten erreichte das Gespann den Torbau; die Rösser preschten hindurch, rasten den Festungshügel hinab und schlugen die Richtung nach Norden ein.

Erst als Luglochta Loga in der einfallenden Abenddämmerung außer Sicht gekommen war, zügelte Cúchulainn die Hengste. Im nächsten Moment lag Emer an seiner Brust; lange und leidenschaftlich küßten sie sich, schließlich sagte

Cúchulainn: »Ich hoffe, du nimmst es mir nicht übel, daß ich Lugaid daran hinderte, dich zur Königin von Mumu zu machen.«

»Die Art, wie du deinen Nebenbuhler ausstachst, war zwar etwas stürmisch, aber angesichts des Zwanges, den er mir antun wollte, durchaus in meinem Sinn«, antwortete die Kastanienhaarige lächelnd. »Freilich stellt sich die Frage, was du jetzt weiter mit mir vorhast, nachdem du mich nach Kriegerbrauch aus der Burg meines Vaters entführtest.«

»Du wirst es erfahren, sobald wir in Emain Macha angekommen sind und ich König Conchobar gebeten habe, das Nötige zu veranlassen«, erwiderte Cúchulainn. Von neuem küßte er sie, sehr zärtlich diesmal, sodann fügte er hinzu: »Doch nun halt dich gut fest und fürchte dich nicht, wenn die Rösser wie auf Sturmesschwingen durch die Nacht jagen.«

Von weither waren die Menschen nach Emain Macha gewandert, um Lughnasad zu feiern. Kurz vor der Morgendämmerung hatten sie zusammen mit den Einheimischen die Ringwälle erklommen und den Sonnenaufgang erwartet. Als der erste Lichtstrahl die Berggipfel im Osten vergoldet hatte, war ein tausendstimmiger Begrüßungsruf erklungen. Danach hatten Druiden – unter ihnen Cathbad, der einmal mehr wie aus dem Nichts aufgetaucht war – die Kraft der Sonne beschworen, damit die bevorstehende Ernte üppig ausfallen sollte. Anschließend waren Männer, Frauen und Kinder dreimal um die Wälle gezogen.

Jetzt lagerten die Menschen auf dem weiten Areal innerhalb der Festung; gerade hatte eine Gruppe von Dorfältesten den unter dem Weltenbaum stehenden König mit einem launigen Vers aufgefordert, sein Volk nach bewährtem Brauch bis Sonnenuntergang zu bewirten.

»Gerne bin ich bereit, die Vorratskeller räumen zu lassen,

damit Platz für den neuen Erntesegen geschaffen wird«, erwiderte Conchobar. »Darüber hinaus will ich die Bratspieße mit neun feisten Stieren bestücken lassen – und dies soll zu Ehren meines Schwestersohnes Cúchulainn geschehen, welchen ich noch in dieser Stunde mit der schönen Emer von Luglochta Loga vermählen werde.«

Freudiger Jubel erscholl; er galt sowohl den Worten des Königs als auch dem Brautpaar, das in diesem Moment unter dem Portal der großen Halle erschien. Der Ulsterheld trug seine schimmernde Rüstung; Emer ein helles Kleid aus feinstem gallischen Stoff, das mit Borten in der Farbe ihres prachtvollen Haars verziert war. Conchobar hatte ihr den edlen Gewandstoff geschenkt; die Adelsfrauen von Emain Macha waren unmittelbar nach dem Eintreffen des Paares spät in der Nacht darangegangen, das Brautkleid zu nähen.

Arm in Arm schritten Cúchulainn und Emer zum Weltenbaum, wo sich unterdessen Cathbad, die Ovatin Leborcham sowie Conall Cernach zum König gesellt hatten. Drei Schritte vor dem Herrscher von Ulster blieb das Hochzeitspaar stehen, Conchobar fragte die vor Glück strahlende Tochter Forgalls: »Welche Form der Ehe wählst du? Die einjährige zur Probe, eine auf mehrere Jahre befristete oder jene, die bis ans Ende des Lebens dauert?«

»Ich will meinem Gemahl für immer angehören«, antwortete die Kastanienhaarige.

Der König wandte sich seinem Neffen zu. »Nimmst du dieses große Geschenk deiner Braut an?«

»Ja«, erklärte Cúchulainn. »Und von ganzem Herzen gebe ich es ihr zurück.« Er schaute Emer tief in die Augen. »Bis zum Tod sollen wir verbunden sein.«

Conchobar legte die Hände des Paares ineinander. »In Liebe habt ihr euch für den gemeinsamen Lebensweg entschieden, nunmehr seid ihr Mann und Frau.«

Cathbad, Leborcham und Conall bezeugten die Eheschließung; nachdem Cúchulainn seine Gemahlin unter begeistertem Beifall der tausendköpfigen Menge geküßt hatte, gratulierten der König, die beiden Großen Wissenden, der Hirschäugige sowie die umstehenden Druiden und Adligen dem Hochzeitspaar. Sodann führte Conchobar seinen Schwestersohn und dessen bezaubernde Gattin wieder in die große Halle und geleitete sie dort zu ihren prächtig geschmückten Ehrenplätzen.

Im Verlauf der Vermählungsfeier floß der Wein in Strömen, erlesene Speisen wurden aufgetragen; zwischen den einzelnen Gängen lobten die Festgäste in wohlgesetzten Reden den Liebreiz Emers oder erinnerten an die zahlreichen Heldentaten Cúchulainns. Bis tief in die Nacht hinein wurde das Brautpaar gefeiert; erst als draußen der Mond hoch am Firmament stand, äußerte der König augenzwinkernd: »Ich glaube, es wird allmählich Zeit für die Liebenden, sich in ihr Gemach zurückzuziehen.«

»Sofern sie das wünschen, sollten wir es ihnen verständnisvoll gestatten«, rief daraufhin Conall. »Aber ich hielte es für ungebührlich, wenn mein geschätzter Milchbruder und seine feenschöne Gemahlin diesen ganz besonderen Weg zu Fuß gehen müßten.«

Damit verschwand der Hirschäugige. Wenig später erklang im Burghof Hufschlag, schmetterndes Hengstwiehern war zu vernehmen – gleich darauf fuhr Conall im Streitwagen Cúchulainns in die Halle. Vor dem Ehrensitz brachte der Hirschäugige die Rösser zum Stehen und forderte das Brautpaar auf: »Steigt ein und laßt euch von mir in die Gefilde der Seligen entführen.«

Lachend gehorchten Emer und der Ulsterheld. Conall wendete das Gespann und lenkte die Pferde wieder ins Freie, die gesamte Hochzeitsgesellschaft folgte dem goldenen Wagen. Dreimal umrundete der ausgelassene Zug den Festungshof, ehe das Gefährt vor dem königlichen Wohngebäude anhielt, in dem sich auch Cúchulainns Gemächer befanden. Der Ulsterheld sprang vom Wagen, hob seine Braut herunter und trug sie über die Schwelle des Hauses; die anderen kehrten in die große Halle zurück, um bis zum Morgengrauen weiterzufeiern.

Bald machte die Kunde von den Geschehnissen in Luglochta Loga und Emain Macha überall in Erinn die Runde. Landauf, landab besangen die Barden den Mut, welchen Cúchulainn beim Brautraub bewiesen hatte. Lugaid, den König von Mumu, hingegen überschütteten sie wegen seines beschämenden Reinfalls mit Spott; ähnlich erging es Forgall Monach, dem Ränkeschmied. Viele Lieder wurden auch über die prunkvolle Vermählung des Ulsterhelden gedichtet; insbesondere priesen die Barden die Art und Weise, wie der Hirschäugige seinem Milchbruder und dessen wunderschöner Gemahlin das Auffinden des Hochzeitsbettes erleichtert hatte.

Cúchulainn und Emer wiederum genossen ihr Eheglück. Während der Sommer zur Reife kam und sich langsam in den Frühherbst drehte, waren sie unzertrennlich. Tagsüber unternahmen sie oft Ausfahrten im goldenen Wagen, damit Emer die reizvollsten Gegenden von Ulster kennenlernen konnte; gelegentlich begleitete Conall, welcher rasch Freundschaft mit der Kastanienhaarigen geschlossen hatte, das Paar. Die Abende verbrachten sie an der königlichen Tafel, in den Nächten gaben sich die Liebenden berauschender Lust hin.

Nach dem Samhainfest verließ der Hirschäugige Emain Macha. Conchobar hatte ihm ein Dutzend Krieger unterstellt und ihn gebeten, Dun Tobarce, die kleine Ringburg seiner Eltern Amergin und Findchaem, zum Schutz der Südostgrenze Ulsters zu einer starken Festung auszubauen. Beim Abschied sagte Conall zu Cúchulainn: »Irgendwann wirst auch du einen Wohnsitz für dich und Emer errichten wollen. Und falls du deine Gemahlin dann überreden könntest, mit dir in die Nähe von Dun Tobarce zu ziehen, wäre es fast wieder so wie in unserer gemeinsamen Kindheit.«

»Ich werde es bedenken«, versprach Cúchulainn – und zur Zeit der Wintersonnenwende einigte er sich mit Emer darauf, dem Vorschlag Conalls zu folgen.

Bis zum Imbolcfest schmiedete das Paar eifrig Pläne; der König, welcher ohnehin vorgehabt hatte, seinen Schwestersohn bei einem derartigen Vorhaben zu unterstützen, stand den beiden mit seinem Rat zur Seite. Drei Wochen nach Imbolc schließlich brachen Cúchulainn und Emer auf; eine Schar unternehmungslustiger junger Männer und Frauen aus Emain Macha folgte ihnen nach Süden.

In Dun Tobarce, wo Conalls Gefolgsleute die Bauarbeiten unterdessen kräftig vorangetrieben hatten, freuten sich Findchaem und Amergin von Herzen über das Wiedersehen mit ihrem mittlerweile zwanzigjährigen Ziehsohn. Schnell gewann auch Emer ihre Zuneigung, insbesondere mit Findchaem tauschte sich die Kastanienhaarige so manche Stunde in vertraulichem Gespräch aus.

Zu anderen Zeiten wieder war Emer mit ihrem Gemahl und dem Hirschäugigen unterwegs; die beiden zeigten ihr die Plätze in Wald und Flur, wo sie ihre kindlichen Abenteuer erlebt hatten. Mehrmals besuchten Cúchulainn und Emer außerdem Cathbad, welcher wegen der von Conalls Kriegern verursachten Unruhe in der Ringburg vorübergehend in den Heiligen Quellenhain umgesiedelt war. Gleich zu Anfang hatten sie den Druiden in ihren Plan eingeweiht, einen Dun zu errichten, und Cathbad hatte ihnen zugesagt, einen geeigneten Platz ausfindig zu machen.

Eine Woche nach Emers und Cúchulainns Ankunft war der alte Druide plötzlich verschwunden. Drei Tage später kehrte er zurück, kam in die Burg und beschied das Paar: »Morgen will ich euch den Ort zeigen, der von den Göttern dazu bestimmt wurde, euren Dun zu tragen.«

Am nächsten Vormittag bestiegen Cúchulainn, Cathbad

und Emer den goldenen Wagen und fuhren nach Norden. Etwa neun Meilen von Dun Tobarce entfernt gelangten sie zu einem Meeresarm, der tief in die Küste einschnitt. An einer Stelle umspülte die See eine schmale, sich zum Land hin verjüngende Halbinsel; auf ihr ragte ein kegelförmiger Hügel empor, welcher von einem rötlich leuchtenden, dornartigen Felssporn gekrönt war.

Cúchulainn lenkte die Hengste zur Hügelkuppe; dort angekommen, drängten die Rösser zu einem natürlichen Süßwasserteich seitlich des ungefähr fünfzig Fuß hohen Steinturmes. Während die Pferde durstig tranken, erklärte Cathbad: »Fels und Wasserbecken bilden eine heilige Einheit. Vorgestern erklomm ich den Dornenstein und entdeckte drei Mulden auf seiner Spitze, in denen vor Urzeiten Gaben an den Sonnengott niedergelegt wurden. Der Fels ist also von jeher Lugh geweiht; der Teich aber, welcher von einer kraftvollen, aus großer Tiefe ans Licht dringenden Quelle gespeist wird, Ceridwen.«

Emer tastete nach der Hand ihres Gemahls. »Beide Gottheiten werden uns behüten, wenn wir uns hier niederlassen.«

»So wird es sein«, bestätigte Cúchulainn. Er stieg vom Wagen, schöpfte drei Schlucke Wasser und umschritt den Steinturm fünfmal in Richtung des Sonnenlaufes. Die Kastanienhaarige und der Druide folgten seinem Beispiel; nachdem sie sich auf diese Weise mit dem Geist des Platzes in Einklang gebracht hatten, sagte Cúchulainn: »Du hättest fürwahr keine bessere Örtlichkeit finden können, Cathbad. Auf diesem Hügel will ich eine wehrhafte Ringburg für Emer und mich erbauen, und nach dem Dornenfelsen soll sie Dun Delgan heißen.«

»Festung des Dorns – dieser Name paßt sehr gut«, nickte der Druide. »Doch nicht nur deshalb wird er den Menschen bis in die fernste Zukunft in Erinnerung bleiben...« Versonnen ließ Cathbad seinen Blick über das Meer schweifen, dann fuhr er fort: »Ehe wir nach Dun Tobarce heimkehren, möchte ich euch noch zu einem anderen bedeutsamen Ort bringen.« Er wies nach Westen, wo am Rand eines kleinen Sees eine mit vereinzelten Eichengruppen bewachsene Niederung zu erkennen war. »Dort drüben seht ihr das Murthemnefeld, eines der Tore Erinns nach Annwn.«

Rasch hatten die Rösser den etwa zwei Meilen langen Weg zu der Talsenke zurückgelegt. An einer Stelle, die von dreizehn mächtigen Bäumen umgrenzt wurde, bildeten zwölf schwarze Buckelsteine einen Kreis; in seiner Mitte stand ein ebenfalls dunkler, schräg gen Himmel weisender Menhir.

Kaum hatte der Druide Cúchulainn und Emer in den Steinring geführt, spürten sie dessen Macht. Feines Vibrieren schien sowohl aus der Erde als auch aus dem mit magischen Knoten- und Spiralsymbolen bedeckten Menhir zu dringen. »Beachtet stets besondere Vorsicht, wenn ihr dieses dem Schwarzmond zugeordnete Heiligtum betretet«, warnte Cathbad. »Vor allem in jenen Zeiten, da Arianrhod ihr Antlitz verbirgt, ist es von derartiger Kraft erfüllt, daß ein Mensch innerhalb eines einzigen Lidschlags aus der Diesseitswelt entrückt werden kann.«

»Ich erinnere mich, davon schon einmal aus Conchobars Mund gehört zu haben«, murmelte Cúchulainn. »Aber der König wußte noch mehr. Er sprach außerdem über Pferderennen, welche einst auf dem Murthemnefeld abgehalten wurden.«

»Das ist richtig«, erwiderte Cathbad. »In vergangenen Jahrhunderten trafen sich hier jeweils am Samhainfest die besten Wagenlenker Ulsters, um zu Ehren der Göttin Rhiannon miteinander zu wetteifern. Doch irgendwann kam dieser Brauch ab.«

»Vielleicht sollte ich ihn eines Tages wiederbeleben«, überlegte Cúchulainn.

»Dies könnte Dun Delgan zum Ruhm gereichen«, stimmte Cathbad ihm zu. »Nun aber laßt uns Arianrhod und Rhiannon ein Opfer darbringen.«

Der Druide nahm getrocknete Kräuter aus seiner Umhängetasche, entzündete sie am Sockel des Menhirs und vollführte ein Räucherritual. Danach verließen Cathbad und seine Begleiter den Steinkreis wieder, bestiegen den goldenen Wagen und traten die Heimfahrt nach Dun Tobarce an.

Wenige Tage später kehrten Cúchulainn und Emer zu dem vom Dornenfelsen gekrönten Hügel zurück; bei ihnen befanden sich die Männer und Frauen aus Emain Macha, welche dem Paar in den Süden gefolgt waren. Zunächst wurden auf der Kuppe der Erhebung einfache Unterkünfte und Kochstellen errichtet, dann steckte Cúchulainn den Verlauf der Ringwälle ab, so daß die Erdarbeiten beginnen konnten.

Bis Beltane war der innere Wall doppelt mannshoch emporgewachsen und der Toreinschnitt befestigt. Nach weiteren sechs Wochen wurde die Deckschicht des mittleren Erdwerks festgestampft, rechtzeitig zu Lughnasad war auch der äußere Verteidigungsring aufgeworfen. Am Vorabend des Sommerfestes kamen überraschend der Hirschäugige, dessen Eltern und Cathbad zu Besuch. In ihrer Begleitung befanden sich ein halbes Dutzend von Conalls Kriegern, welche ebensoviele Ochsenfuhrwerke lenkten, die mit Balken und Binsenbündeln beladen waren. Dankbar nahmen Cúchulainn und Emer das willkommene Geschenk an; ausgelassen wurde gefeiert, und der Metheglyn, den die Gäste aus Dun Tobarce mitgebracht hatten, floß in Strömen.

Nachdem die Besucher am Morgen nach Lughnasad wieder Abschied genommen hatten, gingen Cúchulainns Gefolgsleute daran, winterfeste Häuser zu bauen. Im Halbkreis um den Teich entstanden acht gefällige runde Gebäude mit Wänden aus Pfosten und lehmverstrichenem Flechtwerk, die haubenartige Reetdächer erhielten. Ihnen gegenüber zimmerten die Männer das bedeutend größere Wohnhaus für den Burgherrn und seine Gemahlin, welches mit einem hohen Hallenraum und Gästekammern ausgestattet wurde; an der Rückseite schloß sich die Stallung für Cúchulainns Hengste an.

Als kurz nach Samhain die ersten Herbststürme über die Ostküste Erinns hereinbrachen, waren sämtliche Arbeiten ab-

geschlossen; beruhigt durften der mittlerweile einundzwan-
zigjährige Cúchulainn, Emer und die übrigen Bewohner von
Dun Delgan den Winter erwarten.

Während des folgenden Jahres genossen Cúchulainn und
seine bezaubernde Gemahlin das Glück ihrer jungen Ehe. Oft
weilte Conall in Dun Delgan, häufig fuhren Cúchulainn und
Emer auch nach Dun Tobarce. Mehrere Male kam Conchobar
mit den Edlen von Emain Macha zu Besuch auf die vom Dornenfelsen überragte Ringburg am Meer, bei solchen Gelegenheiten stiegen rauschende Feste in der Wohnhalle.

Nur selten mußte Cúchulainn in jener glücklichen Zeit, da
keine wirklich gefährlichen Feinde das Königreich von Ulster
bedrohten, in den Kampf ziehen. Wenn er es tat, dann nur, um
Piraten von der Küste Erinns zu vertreiben oder die eine oder
andere Raubbande aus Connaught unschädlich zu machen.

Doch als Cúchulainn in seinem dreiundzwanzigsten Le-
bensjahr stand, gelangte böse Kunde nach Dun Delgan. Die
Ovatin Leborcham, so meldete ein Bote aus Emain Macha,
hätte eine entsetzliche Vision gehabt und prophezeit, daß
unsägliches Unheil über Ulster hereinbrechen würde.

DRITTES BUCH

IM REICH
DER SÍDHE

Der Wettstreit in Cruachan

Aus mächtigen Grausteinquadern waren die Mauern der Festung Cruachan geschichtet. Auf hohem Felsrücken erhob sich die Königsburg von Connaught; weithin überschaute sie das rauhe Land mit seinen zerklüfteten Bergzügen, düsteren Mooren und von Wildbächen durchschäumten Tälern.

Entlang der Bachläufe zogen an diesem Vorfrühlingsmorgen zahlreiche Hirten mit ihren Herden nach Cruachan. Die schöne, aber kaltherzige Königin Medb von Connaught und ihr Gatte Ailill mac Máta hatten den Befehl dazu gegeben. Einige Tage zuvor waren Medb und Ailill wegen der Größe ihres jeweiligen Besitzstandes in Streit geraten; nun wollte das Herrscherpaar herausfinden, wem mehr Vieh gehörte.

Als die ersten Hirten bei der Königsburg eintrafen, wiesen Krieger sie an, ihre Tiere zu bestimmten Pferchen zu führen. Die Herden Medbs wurden in Umfriedungen östlich der Festung gebracht, für diejenigen Ailills hatte man Hürden im Westen der Burg errichtet. Gegen Mittag waren Tausende von Tieren an Ort und Stelle; jetzt erschien das Herrscherpaar unter dem Festungstor und nahm auf einer mit reichem Schnitzwerk verzierten Bank Platz. Medb warf Ailill einen herausfordernden Blick zu, sodann ordnete sie an, mit dem Vorbeitreiben ihrer Viehherden anzufangen.

Viele hundert Schafe und Ziegen trabten heran, Rudel fetter Schweine folgten ihnen. Danach stampften prächtige Rinderherden über den Anger beim Burgwall, starke Stiere schritten brüllend vor den Milchkühen einher. Zuletzt kamen die Rösser der Königin; teils waren sie zu Koppeln geordnet, teils vor die Kampfwagen Medbs gespannt. Unbestechliche Männer zählten die Tiere; als die Herrscherin von Connaught das Ergebnis erfuhr, leuchteten ihre Augen vor Stolz.

»Nunmehr bin ich völlig sicher, daß mein Viehreichtum den deinigen übertrifft«, wandte sich Medb triumphierend an ihren Gemahl. »Deshalb solltest du deine Herden vielleicht besser gleich in den Pferchen lassen, damit du dich nicht unnötig blamierst.«

»Bislang ist keineswegs geklärt, wer von uns beiden zurückstecken muß«, erwiderte Ailill und nickte einem seiner Gefolgsleute zu. Der Adelskrieger bestieg sein Pferd und galoppierte davon; wenig später begannen die Hirten des Königs damit, ihre Tiere aus den Hürden zu führen.

Ailills Herden waren nicht weniger prachtvoll als die seiner Gattin; nachdem man auch ihre Kopfzahlen ermittelt hatte, stellte sich etwas Verblüffendes heraus. Der Besitz des Königs an Vieh war genausogroß wie derjenige Medbs; weder bei den Schafen, Ziegen und Schweinen noch bei den Rindern oder Rössern gab es einen Unterschied.

Mit versteinertem Gesicht saß die Königin da, schließlich sagte sie in gepreßtem Tonfall zu ihrem Gemahl: »Jetzt wirst du wohl behaupten wollen, du seist mir an Reichtum ebenbürtig.«

»Würde ich das tun, dann entsprächen meine Worte nicht ganz der Wahrheit«, entgegnete Ailill.

»Inwiefern?« schnappte Medb.

Der König lächelte hintergründig. »Weil den Männern, die für mein Hornvieh verantwortlich sind, offenbar ein Irrtum unterlief. Sie vergaßen nämlich, den Findbennach herbeizubringen...« Er unterbrach sich und deutete zum Rand des Burgangers. »Doch wie ich sehe, sind sie schon dabei, ihren Fehler wiedergutzumachen.«

Medb fuhr herum und erblickte einen Stier von außergewöhnlicher Kraft und Schönheit. Von den Vorderhufen bis zum Nackenansatz maß er wenigstens sechs Ellen; sein Fell war weiß und schwarz gefleckt, schwellende Muskeln spielten darunter, das weitausladende Gehörn schimmerte elfenbeinfarben.

»Dies ist der Findbennach, welcher in ganz Connaught nicht seinesgleichen hat«, erläuterte Ailill. »Und ich denke, nun wirst du einräumen müssen, daß ich der Gewinner unseres Wettstreits bin.«

»Ich gestehe es zu«, schnaubte die Königin wütend. »Aber noch ist nicht aller Tage Abend.« Sie sprang auf. »Womöglich kommt die Stunde, da ich dir einen Bullen vorweise, der deinem Findbennach überlegen ist.« Damit drehte sie sich abrupt um und verschwand durch das Festungstor.

Mit gerunzelter Stirn schaute Ailill ihr nach, für einen Moment wirkte er betreten. Doch dann gewann er die Fassung zurück, grinsend sagte er zu seinen Gefolgsleuten: »Falls meine Gattin es mit ihrer Ankündigung ernst meinte, wird sie einen weiteren Reinfall erleben.«

Bis tief in die Nacht hinein feierte der König seinen Sieg; Medb hingegen blieb in ihrem Gemach, ließ niemanden zu sich und überlegte, wie sie Ailill den Tort heimzahlen konnte, den er ihr angetan hatte. Am folgenden Morgen schickte sie eine Magd zu einem Mann namens Mac Roth, welcher als Königsbote durch sämtliche Gaue Erinns gereist war. Als er vor ihr stand, fragte Medb ihn: »Gibt es irgendwo einen Stier, der von ähnlichem Wert ist wie der Findbennach meines Gemahls?«

Mac Roth dachte nach, dann erwiderte er: »Vergangenes Jahr weilte ich in Ulster. Dort sah ich auf dem Adelsgut eines gewissen Dare mac Fiachnan, das im Gau von Cualnge liegt, einen Bullen, welcher den Findbennach sogar noch übertrifft. Wegen seines leuchtend braunen Fells trägt er den Namen Dond von Cualnge, und er ist dermaßen berühmt, daß die Barden ihm zu Ehren Lieder dichteten. In diesen Gesängen heißt es, der Prachtstier von Ulster sei imstande, täglich fünfzig junge Kühe zu decken. Wenn er seine Brunst gestillt habe, könnten vier Dutzend Knaben auf seinem breiten Rücken spielen, und hundert Krieger fänden in seinem Schatten Schutz vor der Sonnenglut. Außerdem sei der Dond von Cualnge fähig, in weitem Umkreis Dämonen zu vertreiben, insbesondere die Boccanach und Geniti Glinni.«

»Wäre jener Bulle mein eigen, könnte ich Ailill über die Maßen beschämen«, versetzte die Königin. Sie streifte einen schweren Schmuckreif vom Unterarm. »Dieses Gold soll dein Botenlohn sein, wenn du den Besitzer des Stiers aufsuchst und ihn bittest, mir den Dond von Cualnge für ein Jahr zu leihen.«

»Ich stehe dir mit Freuden zu Diensten«, erklärte Mac Roth.

»Gut«, nickte Medb. Sie reichte ihm den Goldreif und fuhr fort: »Richte Dare mac Fiachnan aus, daß ich mich sehr großzügig zeigen werde, sofern er mir den Bullen überläßt. Nach Ablauf der zwölf Monate will ich ihm fünfzig Färsen als Entgelt geben, ferner soll er ein Stück Land in der fruchtbaren Ebene von Ai sowie einen schönen Streitwagen erhalten. Darüber hinaus bin ich bereit, ihm eine Liebesnacht zu gewähren, falls ihn sein Weg einmal nach Cruachan führt.«

»Nur ein Narr würde ein solches Angebot ablehnen«, feixte Mac Roth. »Deshalb kannst du sicher sein, daß ich dir den Dond von Cualnge in Bälde überbringen werde.«

Noch am selben Tag ritt Medbs Bote nach Osten, mehrere Krieger begleiteten ihn. Eine knappe Woche später trafen die Connaughter auf dem Gut von Dare mac Fiachnan ein. Der Adlige empfing die Männer freundlich und ließ sie in der Halle seines Hauses bewirten. Nachdem der Metheglyn für gelöste Stimmung gesorgt hatte, teilte Mac Roth dem Eigentümer des Prachtstiers mit, was die Königin von ihm wollte. »Du solltest den Wunsch Medbs erfüllen«, schloß er, »denn einen besseren Handel wirst du nie wieder machen.«

»Das Anerbieten der Herrscherin von Connaught ehrt mich«, antwortete Dare. »Auch muß ich eingestehen, daß ihre Gegengaben für den Dond mir durchaus verlockend erscheinen. Daher bin ich im Grunde keineswegs abgeneigt, Medb zu willfahren. Doch wichtige Entscheidungen wollen gründlich bedacht sein, deswegen halte ich es für angebracht, eine oder zwei Nächte darüber zu schlafen.«

Wohl oder übel gab sich Mac Roth vorerst damit zufrieden. Bis in die Nacht hinein becherten er und seine Begleiter mit dem Gutsherrn; als dieser schließlich seine Gemächer aufsuchte, hatten die Männer aus Cruachan noch längst nicht genug. Sie blieben allein an der Tafel in der ansonsten leeren Halle sitzen, tranken weiter – und ließen ihrem Unmut über das ihrer Meinung nach allzu zögerliche Verhalten Dares zunehmend freien Lauf.

»Der Dond von Cualnge wird die Kühe der Königin bespringen, gleichgültig ob sein derzeitiger Besitzer damit einverstanden ist oder Sperenzchen macht«, grölte Mac Roth auf dem Höhepunkt des Besäufnisses.

»Keine Frage«, stimmte einer der Krieger ihm zu. »Wenn Dare mac Fiachnan uns den Stier verweigert, muß man den Kerl eben zwingen, ihn herauszurücken.«

»Es wäre ein leichtes für Medb, einen kleinen Kriegszug in den hiesigen Gau zu unternehmen, um den Bullen zu rauben«, rief ein dritter.

Immer hemmungsloser schwadronierten die Männer; sie taten sich keinerlei Zwang an, weil sie glaubten, ohne Zeugen zu sein. Darin aber irrten Mac Roth und seine Gefährten. Denn ein Knecht Dares belauschte sie – und als die Connaughter endlich in ihrer Schlafkammer verschwunden waren, weckte er den Gutsherrn und teilte ihm mit, was er gehört hatte.

Früh am nächsten Morgen befahl Dare mac Fiachnan einigen seiner Gefolgsleute, Medbs Sendboten auf den Hofplatz zu bringen. Dort eröffnete er den Männern aus Connaught mit schroffer Stimme: »Ihr habt mir meine Gastfreundschaft übel vergolten, indem ihr heute nacht unverschämte Drohreden gegen mich führtet. Angesichts dessen schlage ich den Wunsch eurer Königin ab. Der Dond von Cualnge bleibt auf seiner heimatlichen Weide – ihr jedoch sollt wie räudige Köter von meinem Grund und Boden verjagt werden.«

Ehe Mac Roth etwas zu erwidern vermochte, fielen die Knechte des Gutsherrn mit Hundepeitschen und Stöcken über die Connaughter her. Hals über Kopf flohen Medbs Boten; während sie wegrannten, holten Dares Leute die Pferde der Fremden aus dem Stall und trieben sie ebenfalls vom Hof.

Zutiefst beschämt mußten Mac Roth und seine Begleiter den Rückweg nach Cruachan antreten. Als die Königin von dem Schimpf hörte, der ihren Sendboten widerfahren war, ergrimmte sie über die Maßen und fauchte: »Dare mac Fiachnan beleidigte nicht nur euch, sondern auch mich, und diese Tat schreit nach blutiger Vergeltung. Ich schwöre, daß Dare, verflucht sei sein Name, bitter für seine Frechheit bezahlen soll. Denn jetzt wird das Connaughtheer in Ulster einfallen und den Dond von Cualnge mit Waffengewalt nach Cruachan bringen.«

Nachdem sie diese Sätze hervorgestoßen hatte, eilte Medb in die Gemächer Ailills. Der König ließ sich von ihrer Wut anstecken, und noch in derselben Stunde verließen zahlreiche Reiter die Festung, um den gesamten Adel des Landes zur Heerfolge aufzurufen.

Die ersten Kriegerscharen erreichten Cruachan bereits am nächsten Tag und lagerten auf der Ebene von Ai unweit der Königsburg. Im Verlauf der folgenden beiden Wochen langten viele weitere Kämpfer aus den verschiedenen Gauen Connaughts an, zuletzt bevölkerten um die siebentausend Krieger das Heerlager. Bloß die Aufgebote aus dem äußersten Nordwesten des Königreiches fehlten noch; sowie auch sie eingetroffen waren, sollte die gewaltige Streitmacht unter Führung Medbs und Ailills gegen Ulster ziehen.

Damit hatte sich die Prophezeiung Leborchams bewahrheitet. Fürchterliches Unheil bedrohte das Reich Conchobars – schon bald kamen Bauern, die im Grenzgebiet ansässig waren, nach Emain Macha und berichteten dem König verstört von den Kriegsvorbereitungen der Connaughter. Conchobar handelte umgehend; er sandte seinerseits Eilboten aus, um die Gaufürsten und Burgherren Ulsters zu alarmieren.

Aber kaum waren die Reiter davongeprescht, passierte in der großen Halle von Emain Macha etwas Entsetzliches. Während der König mit seinen Adelskriegern über das Vorgehen gegen die Feinde beratschlagte, verdrehte plötzlich einer der Männer die Augen, stöhnte qualvoll auf und brach zusammen. Gleich darauf stürzten auch die anderen zu Boden und wanden sich in Krämpfen; mitten unter ihnen lag Conchobar, wie im Fieber keuchte er: »Der Fluch ... von Sainreths Tochter.«

Aufgelöste Frauen brachten den König und die Krieger zu Bett; dabei war ihnen nur zu gut bewußt, was die Worte Conchobars bedeuteten.

Vor vielen Jahren, da der König eben erst den Thron bestiegen hatte, war die Sainrethtochter, eine Sídh, in Liebe zu dem Edelmann Crunnchu mac Agnomain entbrannt. Dank der Zuneigung der Geheimnisvollen hatte Crunnchu in allen seinen Unternehmungen großes Glück gehabt; zudem war die Tochter Sainreths bald von ihm schwanger geworden. Dann, als die Sídh kurz vor ihrer Niederkunft stand, war Crunnchu eines Tages zu Gast in Emain Macha gewesen, wo gerade Pferderennen stattfanden. Vom Wein berauscht, hatte Crunnchu geprahlt, daß sein Weib schneller als selbst die Hengste Conchobars laufen könne; der König, nicht weniger vermessen, hatte die Sainrethtochter daraufhin herbeiholen lassen. Trotz des Flehens der hochschwangeren Sídh, sie zu verschonen, hatten weder Conchobar noch Crunnchu Mitleid gezeigt. Also war die Tochter Sainreths mit den Rössern um die Wette gerannt und hatte auch gewonnen – im Ziel jedoch war sie sterbend zur Erde gesunken und hatte mit ihrem letzten Atem die schreckliche Verfluchung ausgesprochen: Wann immer die Adligen Ulsters ihre Kräfte im Kampf gegen ihre ärgsten Feinde am nötigsten hätten, sollten sie von schmerzhaften Krämpfen befallen werden und für eine gewisse Zeit gleich kreißenden Frauen darniederliegen.

Dies aber hieß in der gegenwärtigen Lage, daß das Ulsterheer nun ohne Führung war und den Connaughtern keinen Widerstand zu leisten vermochte, denn ebenso wie der König und die Adelskrieger in Emain Macha waren auch alle anderen Edlen des Landes vom Fluch der Sainrethtochter betroffen. Infolgedessen verbreitete sich im Reich Conchobars entsetzliche Furcht unter den Menschen, viele verließen ihre Wohnstätten und suchten Zuflucht in tiefen Wäldern oder unwegsamen Gebirgsschluchten. Die Späher Medbs und Ailills wiederum, welche sofort erfahren hatten, was in Emain Macha und anderswo geschehen war, trugen die Kunde davon eilig nach Cruachan.

Auf der Ebene von Ai traf das mittlerweile vollzählige Heer des Königspaares von Connaught die letzten Marschvorbereitungen. Bei Sonnenaufgang des folgenden Tages sollten die jetzt rund achttausend Streitwagenkrieger, Reiter und Fußkämpfer nach Osten ziehen.

Medb nutzte die Zeit, die noch blieb, um sich zu einem Ovaten zu begeben, der neun Meilen von Cruachan entfernt in seinem Eichenhain lebte. Mit harter Hand zügelte sie die Rösser, welche ihren Kampfwagen zogen, vor der bescheidenen Rundhütte des Großen Wissenden. Als der weißhaarige Ovate ins Freie trat, forderte die Königin: »Schau in die Zukunft und sage mir, was du siehst.«

Der Alte richtete den Blick zum Himmel, wo ein Schwarm schwarzer Krähen kreiste, und antwortete: »Selbst wenn kein einziger deiner Krieger aus Ulster heimkehren würde, bliebe es dir erspart, dieses Los zu teilen. Denn du wirst nach Cruachan zurückkommen.«

Verwirrt starrte Medb den Ovaten an. »Was bedeutet das? Willst du mir etwa zu verstehen geben, mein Heer könnte...«

»Mehr darf ich dir nicht mitteilen«, unterbrach sie der

Weißhaarige. »Doch womöglich wird dir später eine Frau begegnen, deren Worte deutlicher als meine sind. Dann höre gut zu, Königin von Connaught.«

Der Ovate schritt zu einer Stelle zwischen drei uralten Eichen; sein Körper schien sich aufzulösen, im nächsten Moment war der Große Wissende unsichtbar geworden.

Nachdenklich verharrte Medb eine Weile, schließlich wendete sie das Gespann und verließ den Hain. Die Pferde trabten in Richtung der Festung von Cruachan davon; auf halbem Weg dorthin flirrte plötzlich die Luft über der Heide, und wie aus dem Nichts heraus erschien ein anderer Streitwagen, welcher der Königin langsam entgegenkam.

Schimmel mit pechschwarzen Mähnen zogen das bronzene Gefährt; auf der hochgeschwungenen Deichsel stand eine Maid, die in der Rechten ein goldenes Weberschiff in Form eines Schwertes trug. Rosig leuchtete das Antlitz der jungen Frau, ihre Augen waren von strahlendem Blau, weiß wie Schnee schimmerten die makellosen Zähne. Ihr Mantel zeigte kunstvolle Muster in verschiedenen pflanzengrünen Schattierungen, eine silberne Brustfibel schmückte ihn. Das Blondhaar der Maid war zu drei langen Flechten gewunden und lag gleich einer Krone um ihr Haupt. Singend näherte sich die junge Frau; ihre Stimme klang wohltönend wie Harfenspiel und verwehte mit zauberischem Hauch, als die schwarzmähnigen Schimmel direkt vor Medbs Gespann anhielten.

»Wer bist du?« fragte die Königin erstaunt.

Die Maid lächelte. »Erkennst du mich denn nicht? Mein Name lautet Fedelma. Ich lebe westlich deiner Burg in einem heiligen Hügel.«

»Fedelma, die weissagende Sídh?« stieß Medb hervor.

»Ja«, bestätigte die Blonde. »Und nachdem du die Kampfscharen Connaughts auf der Ebene von Ai versammelt hast, um mit ihnen in Ulster einzufallen und so den Dond von Cualnge in deine Gewalt zu bringen, möchte ich dir prophezeien, wie dein Kriegszug enden wird.«

»Nur zu«, erwiderte die Königin. »Ich bin gespannt, was du mir mitzuteilen hast.«

Die Sídh schaute zum Firmament, wo drei Schwärme schwarzer Krähen schwirrten, und raunte: »Ich sehe die Connaughtkämpfer in Rot, in Scharlachrot sehe ich sie.«

»Du willst mich erschrecken«, versetzte Medb. »Aber das gelingt dir mitnichten. Denn es kann nur von Vorteil für mich sein, wenn die Brünnen und Schwerter meiner Krieger rot vom Blut der erschlagenen Feinde sind.«

Fedelma schüttelte den Kopf und wiederholte in ernstem Tonfall: »Ich sehe die Connaughtkämpfer in Rot, in Scharlachrot sehe ich sie.«

»Du vermagst mich nicht einzuschüchtern«, beharrte die Königin. »Wie sollte Unheil über meine Krieger kommen, da doch der Herrscher von Ulster und alle seine Edlen krank darniederliegen und gleich kreißenden Weibern wimmern?«

Die Sídh überhörte den Einwand und verkündete zum dritten Mal: »Ich sehe die Connaughtkämpfer in Rot, in Scharlachrot sehe ich sie.«

Erneut öffnete Medb den Mund zum Widerspruch – aber da begann Fedelma auf bardische Art zu singen:

»Ein junger Recke erscheint mir mit zornigem Antlitz,
mit roten Blutspritzern auf seiner weißen Haut.
Seine vor Kriegslust glühende Stirn
kündet vom Sieg im Kampf für den König von Ulster.
Keineswegs sehe ich ihn liegen auf dem Lager der Schwäche,
Lugh mac Ethnend hat nicht Teil an dem Fluch.
Zahlreiche Waffenkünste lehrten ihn kriegskundige Frauen,
Scathach, Uathach und Aife, die drei.
Unfehlbar ist sein Kugelwurf, gewaltig sein Schwertstreich,
gleißende Blitzbahnen ziehen seine Speere.
Schleudert ins Ziel er den Gae Bulga,
sendet er sicheren Tod selbst dem kühnsten Feind.
Allein auf sich gestellt kämpft er anfangs, der junge Recke,

dennoch treibt er ganze Heerscharen zu Paaren.
Hunderte vernichtet die Faust des Wutschäumenden,
Culanns Hund reißt dein Heer, so daß der Stierraub dich reut.
Nichts verschweigt dir an Not und Unglück die Sídh,
Blut trieft von den Brünnen deiner Krieger, Köpfe kollern.
Wehklagen werden die Weiber um die vielen Toten,
welche ein einziger erschlug im fürchterlichen Kampf.
Ich sehe Cúchulainn. Ich sehe Rot. Ich sehe Scharlachrot.«

Hallend verklang die Stimme Fedelmas; als sich der letzte Ton
im Nirgendwo verlor, flirrte die Luft neuerlich – gleich darauf
lag die Heide wieder leer vor der Königin von Connaught da.

Medb brachte ihre ängstlich scheuenden Rösser zur Ruhe
und ließ sie im Schritt weitergehen. Zunächst empfand die
Königin noch Beklemmung, doch dann lachte sie trotzig auf
und rief in den von Westen heranpludernden Wind hinein:
»Ich strafe deinen Zauber mit Verachtung, Sídh aus dem Hügel. Eine Memme hättest du durch deinen Spuk ängstigen
können, nicht aber mich, die ich über achttausend tatendur-
stige Krieger gebiete. Und wenn du Blutvergießen beklagen
willst, Fedelma, so trauere um Ulster, denn schon bald werden
aus den dortigen Ringburgen, Dörfern und Gehöften in der
Tat scharlachrote Ströme fließen.«

Mit einem wilden Schrei trieb Medb die Pferde zum Galopp an und jagte zurück nach Cruachan. Bei Sonnenuntergang hielt das Herrscherpaar eine Heerschau ab; während der
Nacht dröhnten pausenlos die Kriegstrommeln, und am nächsten Morgen brach die Streitmacht der Connaughter zum
Feldzug auf.

Der Bug des Langbootes schurrte auf den Kiesstrand unterhalb der Wälle von Dun Delgan. Cúchulainn und vier seiner
Gefolgsleute sprangen heraus; etliche Tage zuvor waren sie in

See gestochen, um Piraten zu bekämpfen, und Bündel erbeuteter Waffen zeugten von ihrem Erfolg. Zwei der Männer schleppten die Schwerter, Äxte und Speere an Land, die anderen zogen das Boot höher auf den Strand – plötzlich stutzten sie, denn Emer und zwei Fremde kamen den Burgpfad herabgerannt.

Cúchulainn und seine Gefährten liefen ihnen entgegen, schon von weitem rief die Kastanienhaarige: »Es ist schlimme Kunde aus Emain Macha eingetroffen!« Im selben Moment erkannte Cúchulainn die Männer in Emers Begleitung. Es handelte sich um Scibfaill, einen Königsboten, sowie einen Krieger namens Ocras, der in Emain Macha zur Wachmannschaft gehörte.

Gleich darauf erstatteten beide Männer gehetzt Bericht. Scibfaill war bereits vor drei Tagen angelangt, um Cúchulainn wegen des Aufmarsches der Connaughter zu alarmieren. Ocras war einen Tag später nach Dun Delgan gekommen; Conchobar hatte ihn mit einem zweiten, noch dringenderen Hilfeersuchen abgesandt, nachdem der Fluch der Sainrethtochter wirksam geworden war.

»Verzweifelt erwarteten wir deine Rückkehr von der Meerfahrt, Cúchulainn«, schloß Ocras. »Auf dir ruht die einzige Hoffnung, die Ulster bleibt.« Er griff in seine Umhängetasche und zog ein zusammengerolltes Stück Hirschleder hervor. »Das soll ich dir vom König geben.«

Cúchulainn öffnete die Rolle und erblickte Oghamzeichen, die mit unsicherer Hand auf das Leder geschrieben worden waren. Halblaut las er: »Göttliches Blut kreist in deinen Adern, Schwestersohn, daher vermag der Sídh-Fluch dich nicht zu treffen. Angesichts dessen flehe ich dich an, Ulster zu retten. Allein du kannst es vollbringen – du, der Held von Erinn.«

Emer, deren Augen ohnehin tränenfeucht waren, schluchzte auf. Stumm umarmte Cúchulainn seine Gemahlin, dann eilte er zur Festung empor. Eigenhändig schirrte er die Rösser vor den goldenen Wagen; als er damit fertig war, verabschiedete er sich mit leisen Worten von der Kastanienhaarigen.

Danach fragte er die Boten Conchobars: »An welcher Stelle der Grenze erwartet der König den Angriff Medbs und Ailills?«

»Alles deutet darauf hin, daß die Connaughter über die Flußfurt von Ath Grena unweit der Grabhügel von Turloch Caille nach Ulster einfallen werden«, erwiderte Scibfaill.

»In diesem Fall könnte es dort sehr rasch frische Gräber geben«, versetzte Cúchulainn. Mit dem nächsten Lidschlag stand er in der Wagenkanzel und trieb die Hengste an; in vollem Galopp preschten die Rösser durch den Torbau und jagten nach Westen davon.

Kurz vor Einbruch der Abenddämmerung erreichte der Held von Erinn das Grenzgebiet. Bei der Ath-Grena-Furt machte er Hufabdrücke im weichen Boden aus, die vom Fluß heran- und wieder zurückliefen; offenbar war hier bereits ein berittener Spähtrupp der Connaughter gewesen.

Cúchulainn lenkte die Hengste zu einem nahen Eichenwald, stieg vom Streitwagen und zog das Schwert. Er führte einen sausenden Streich, von einem der Bäume krachte ein schenkelstarker Ast mit vier gabelförmigen Auswüchsen hernieder. Cúchulainn spitzte die Gabelenden zu, befreite einen Teil des Eichenastes von der Rinde, ritzte seinen Namen ins Holz – und schleuderte den Gabelast in Richtung der Furt. Drei Pfeilschüsse weit wirbelte der Ast durch die Luft, unmittelbar am Wasser bohrten sich seine gegabelten Spitzen zu zwei Dritteln in die Erde.

Nachdem der Held von Erinn den gewaltigen Wurf getan hatte, schlug er sein Lager am Waldrand auf. Kaum jedoch hatte er die Feuerstelle errichtet, erschienen jenseits der Ath-Grena-Furt zwei Kampfwagen; jeder war mit einem schwergepanzerten Recken sowie einem Rosselenker besetzt. Sofort schwang sich auch Cúchulainn wieder in die Wagenkanzel und preschte den Connaughtern entgegen. Vom östlichen

Ufer des Flusses aus rief er ihnen zu: »Wer seid ihr? Was habt ihr hier zu suchen?«

»Wir gehören zur Gefolgschaft Medbs und bereiten unserer Königin den Weg nach Ulster«, antwortete einer der beiden Streitwagenkrieger. »In dem Heer, das morgen über diese Furt vorrücken wird, kennt man mich und meinen Bruder als die Söhne des Ner, welche mehr Schädel gesammelt haben als du Speichen an deinen Wagenrädern hast. Und nun, da du das weißt, solltest du schleunigst verschwinden, sofern dir dein Leben lieb ist.«

Der Held von Erinn wies mit der Speerspitze auf den im Uferboden steckenden Gabelast. »Ihr seht dieses Mal aus Eichenholz, das allen Connaughtern zur Warnung dienen soll. Falls ihr es mißachtet, werde ich es mit euren Köpfen schmücken.«

»Großmaul«, höhnte der eine Ner-Sohn.

»Du stehst allein gegen vier«, schrie der andere – und schon galoppierten die Pferde der Connaughter an.

In vollem Lauf preschten die Rösser durch die Furt; kaum aber hatten sie das Ostufer gewonnen, warf Cúchulainn zwei Stachelkugeln. Die Wagenlenker flogen aus den Kanzeln; noch ehe ihre Leiber die Erde berührten, starben auch die Söhne des Ner. Beidhändig hatte der Held von Erinn seine Speere geschleudert und den Stahlspitzen das Herzblut der Feinde zu kosten gegeben.

Jetzt sprang Cúchulainn vom goldenen Wagen und bändigte die Pferde der Connaughtkrieger. Sodann blitzte das Schwert des Helden von Erinn viermal auf, ebensoviele Schädel rollten in den Ufersand. Cúchulainn befestigte sie an den Gabeln des Eichenastes, anschließend hob er die Körper der Rosselenker wieder in die Wagenkanzeln, legte sie neben die blutüberströmten Leichen der Ner-Söhne und jagte die beiden Gespanne zurück über den Fluß.

Ein rötlicher Sichelmond hing über dem Heerlager, das die Connaughter einige Meilen von der Ath-Grena-Furt entfernt aufgeschlagen hatten. So weit das Auge reichte, flackerten die Kochfeuer; in ihrem hohen Rundzelt saßen Medb und Ailill zusammen mit den Anführern der Kampfscharen beim Wein.

Plötzlich drang von der östlichen Lagergrenze wilder Lärm heran; Hunderte von Männern brüllten erregt, dröhnend wurden Schwerter gegen Schilde gehämmert. Das Königspaar und die Adelskrieger sprangen auf, rannten nach draußen, bestiegen ihre Streitwagen und preschten dorthin, wo der Aufruhr tobte. Als sie am Rand des Lagers anlangten, erblickten sie im lodernden Fackelschein ein grauenhaftes Bild: die Kampfwagen der Ner-Söhne mit den vier kopflosen Leibern.

»Wie konnte das passieren?« stieß Ailill hervor.

»Die Unglücklichen müssen auf einen vielfach überlegenen Feindtrupp getroffen sein«, vermutete einer der Adligen.

»Dabei meldeten die Späher, die wir heute nachmittag aussandten, daß das Gebiet jenseits des Flußübergangs von Ath Grena völlig menschenleer sei«, murmelte Medb.

»Diese Nachricht war zweifellos falsch«, versetzte Ailill. »Deshalb sollten wir morgen, bevor unser Heer weitermarschiert, noch einmal Kundschafter vorschicken.«

So wurde es beschlossen, und bei Sonnenaufgang des neuen Tages brach unter Führung zweier bewährter Recken namens Cormac und Fergus eine schwerbewaffnete Hundertschaft zur Grenzfurt auf.

Als die Krieger zum Fluß kamen, erspähten sie am gegenüberliegenden Ufer den im Boden steckenden Eichenast, an welchem die vier Schädel hingen. Vorsichtig überquerte der Trupp das Gewässer; drüben barg Cormac die Köpfe, hüllte sie in ein Tuch und verwahrte sie in seinem Streitwagen. Danach wandte sich Fergus an den kräftigsten

Mann der Schar und befahl ihm: »Zieh den Schandbaum aus der Erde.«

Der Krieger war stark wie ein Ochse; dennoch schaffte er es nicht, die Anordnung zu befolgen. Auch als ihm andere Männer beisprangen, widerstand der vierfach gegabelte Eichenast ihren Bemühungen. Daraufhin riet Cormac, ein Dutzend Seile um den Gabelast zu schlingen und ihn dem Boden mit Hilfe der Wagenrösser zu entreißen, doch auch dieser Versuch schlug fehl. Zuletzt freilich wurde Fergus von derart ungestümer Wut gepackt, daß es ihm gelang, den Ast zu lockern und aus der Erde zu brechen.

Triumphierend wollte er ihn zum Wasser schleppen, aber da fiel ihm Cormac in den Arm. Er deutete auf die Stelle des Holzes, wo die Rinde entfernt war, und rief überrascht: »Der Schandbaum trägt eine Inschrift!« Mit zusammengekniffenen Brauen entzifferte er die Oghamzeichen und fügte erbleichend hinzu: »Cúchulainn, der Wahnsinnige von Dun Delgan, rammte das Eichenmal hier ein!«

Kaum waren diese Worte gefallen, ertönten aus dem nahen Waldstück, wo der Held von Erinn am Vortag den Gabelast abgehauen hatte, Geräusche. Sofort bildeten die Krieger eine Schildmauer. Über dem Forst indessen flatterte lediglich ein Krähenschwarm hoch; ansonsten blieb alles ruhig – bis die Männer ein Plätschern vom Fluß her vernahmen.

Erschrocken fuhren sie herum und sahen einen Curragh am Ufer anlegen. Ein grauhaariger Greis stieg heraus, in der Rechten hielt er einen mit Mistelzweigen umwundenen Stab. Gemessenen Schritts kam der Druide heran, blieb vor Fergus und Cormac stehen, betrachtete den Eichenast und las den eingeritzten Namen. Stumm verharrten die Krieger, auf einmal hob der Große Wissende den Mistelstab und sprach:

»Die Schreckensgabel grüßte euch hier
mit blutigen Aststümpfen an der Grenzfurt.
Mit sausendem Schwerthieb spaltete ein Ulsterrecke

den ragenden Baum, warf das Holz drei Pfeilschüsse weit. Doch ein Connaughtrecke entriß die Eichengabel dem
Boden,
so sehr sie ihm auch trotzte mit vier Wurzeln in der Erde. Darum soll künftig die Furt zur Erinnerung an diese Taten Ath Gabla, Gabelfurt, heißen und nicht länger Ath Grena.«

Feierlich schwang der Druide seinen Stab, sodann ging er zurück zum Boot, kletterte hinein und stieß vom Ufer ab. Die Bewaffneten schauten ihm nach; als er hinter der nächsten Flußbiegung verschwunden war, sagte Fergus: »Der Weise tat nicht schlecht daran, diesen Ort umzubenennen. Ath Gabla klingt gut und wird noch in ferner Zukunft von meinem Kraftakt künden.«

»Aber auch von dem unseres Feindes«, erwiderte Cormac. »Und ich wünschte, der Druide hätte uns verraten, wo Cúchulainn steckt.«

»Sollte er sich dort verbergen, wo vorhin die Vögel wegflogen, werden wir ihn schnell aufspüren«, antwortete Fergus.

Die Connaughtkrieger pirschten zum Eichenwald. Sie entdeckten jedoch nur den verlassenen Feuerplatz des Helden von Erinn sowie eine Wagenspur, die nach Osten führte. Sicherheitshalber verfolgte der Trupp die Fährte ein paar Meilen, bis sie auf felsigem Grund unsichtbar wurde.

»Der Schlächter der Ner-Söhne ist längst über alle Berge«, stellte Cormac fest.

»Zudem ist nirgendwo etwas von irgendwelchen Kampfscharen zu sehen, die unserem Heer gefährlich werden könnten«, äußerte Fergus. »Laß uns also umkehren und dem Königspaar melden, daß der Weg nach Ulster hinein frei ist.«

Gegen Mittag langte der Spähtrupp wieder im Lager an; nachdem die beiden Anführer Bericht erstattet hatten, brach der ganze Heerbann auf, passierte die Gabelfurt und zog in östlicher Richtung weiter. Am Spätnachmittag erreichten die achttausend Connaughter ein verlassenes Dorf, das sie plünderten und niederbrannten; anschließend richteten sie sich unweit der rauchenden Ruinen für die Nacht ein.

Bald stieg abermals der rötliche Sichelmond am Firmament empor; wieder saßen Medb und Ailill zusammen mit den Adligen im hohen Rundzelt beim Wein – plötzlich drangen von der Lagergrenze Alarmrufe heran. Aufgestört eilten das Herrscherpaar und die Heerführer ins Freie, im selben Moment vernahmen sie gellende Todesschreie.

Aus der Finsternis kommend, war Cúchulainn ins Feindeslager eingedrungen, jetzt säte er vom goldenen Wagen aus Angst und Schrecken unter den Connaughtern. Reihenweise mähten seine Stachelkugeln die Krieger nieder, mit fürchterlichen Schwerthieben spaltete er Helme und Schädel; fliehende Männer gerieten unter die Hufe seiner rasenden Rösser und wurden zu Tode getrampelt. Gleich einem Rachegott fegte der Held von Erinn durch die Scharen der Connaughter; erst als ihn eine Phalanx von einem Dutzend Streitwagen angriff, wendete er das eigene Gefährt und verschwand blitzschnell wieder in der Nacht.

Am nächsten Morgen mußten mehr als fünfzig Gräber ausgehoben werden, damit die von Cúchulainn erschlagenen Krieger beigesetzt werden konnten. Während das Heer die Klagelieder sang, stand das Königspaar mit versteinerten Gesichtern da; als die letzte Grabstätte geschlossen wurde, erinnerte sich Medb jäh an die Prophezeiung Fedelmas.

Im selben Moment raunte Ailill ihr zu: »Womöglich war es ein Fehler, nach Ulster einzufallen. Vielleicht solltest du auf den Raub des Dond von Cualnge verzichten.«

»Niemals!« entgegnete die Königin schroff. Dann riß sie das Schwert aus der Scheide, schwang es über dem Kopf und rief: »Laßt uns weiterziehen, ihr Kämpfer von Connaught! Das Blut eurer Kameraden schreit zum Himmel, und wir wollen grausame Vergeltung für ihren Tod üben.«

Vieltausendstimmiges Beifallsgebrüll erscholl, wenig später marschierte das Heer ab. Im Verlauf der folgenden Tage und

Wochen verwüsteten die Connaughter zahlreiche Ansiedlungen; keine Ringburg, kein Dorf und kein Gehöft war vor ihnen sicher, und sofern die Bewohner nicht rechtzeitig ihr Heil in der Flucht gesucht hatten, wurden sie gnadenlos niedergemetzelt. Doch jede Nacht büßten Dutzende von Medbs und Ailills Kriegern ihre Untaten mit dem Leben; allnächtlich tauchte Cúchulainn unversehens aus der Dunkelheit auf, erschlug Vorposten oder fiel neuerlich über das Feindeslager her, um die Connaughtkämpfer zu Paaren zu treiben.

In der vierten Kriegswoche, als das Königspaar die große Hügelfestung Sobarche stürmen lassen wollte, änderte der Held von Erinn seine Taktik. Im hellen Tageslicht durchbrach er den Belagerungsring und tötete die Männer, welche das Burgtor mit Hilfe eines Rammbocks einzurennen versuchten. Unmittelbar danach rasten Cúchulainns Hengste wieder auf die Sobarche-Ebene hinaus; von den Besatzungen der mehr als zwanzig Streitwagen, die ihm nachjagten, fiel ein Drittel seinen Stachelkugelwürfen oder Scathachs Sicheldolch zum Opfer. Daraufhin verloren die Verfolger den Mut, gaben auf und kehrten zum Heer zurück. Am folgenden Tag attackierte der Held von Erinn abermals, ebenso am übernächsten. Jedesmal sprang er den Verteidigern der Festung in höchster Not bei; zuletzt sahen Medb und Ailill sich gezwungen, die Belagerung von Dun Sobarche zu beenden.

Obwohl Cúchulainn den Connaughtern weiterhin zusetzte und dabei schier Übermenschliches leistete, konnte er dennoch nicht verhindern, daß die Feinde immer tiefer ins Landesinnere vorstießen. Zwar säumten Hunderte von Gräbern ihren Weg, trotzdem erreichten sie schließlich den Cualnge-Gau, wo das Adelsgut von Dare mac Fiachnan lag.

Der Besitzer des Prachtstiers von Ulster war rechtzeitig gewarnt worden; ungeachtet der Krankheit, an der er ebenso wie alle anderen Edlen des Landes litt, hatte er sich samt seiner Familie nach Emain Macha geflüchtet. Den Dond von Cualnge jedoch hatte er nicht mit zur Königsburg genom-

men, sondern ihn einem erfahrenen Hirten namens Forgemen anvertraut. Dieser war mit dem Prachtbullen sowie
fünfzig Kühen in ein abgelegenes Tal hoch im Gebirge gezogen; dort hatten schon in früheren Kriegszeiten wertvolle
Herden Schutz vor Raubhorden gefunden, deshalb hoffte
Forgemen, auch jetzt vor den Kriegern Medbs und Ailills
sicher zu sein.

Tatsächlich forschten die Connaughter, nachdem sie Dares
Gutshof verlassen vorgefunden hatten, lange vergeblich nach
dem Dond. So manche Streifschar geriet dabei mit Cúchulainn aneinander und wurde aufgerieben, aber täglich sandte
Medb neue Trupps aus – und endlich hatte eine dieser Horden, die von einem gewissen Buide mac Ban Blai befehligt
wurde, Erfolg. Die fünfundzwanzig Männer entdeckten das
Hochtal, wo sich Forgemen mit seinen Tieren aufhielt. Eine
enge Klamm, die von dem Hirten bewacht wurde, führte hinein; auf einem weiten Wiesengrund dahinter grasten der
Prachtstier mit dem leuchtend braunen Fell und die übrigen
Rinder.

In der Deckung eines Berggrates führte Buide seine Krieger um das Tal herum, sodann kletterten die Männer über die
Felsen zum rückwärtigen Saum der Weide hinab. Unten angekommen, bildeten sie eine Schlachtreihe und rannten auf die
Herde zu, wobei sie aus Leibeskräften schrien und mit den
Waffen gegen ihre Schilde trommelten. Die Rinder gerieten
in Panik; der Dond voran rasten sie zum Talausgang. Todesmu-
tig versuchte Forgemen, die Tiere aufzuhalten. Vor der Kluft
stellte er sich ihnen mit ausgebreiteten Armen entgegen –
doch der braune Stier schleuderte den Hirten beiseite; einen
Augenblick später zerstampften die nachfolgenden Kühe For-
gemens Körper zu Brei und folgten dem Dond durch die
Klamm.

Außerhalb der Kluft verlangsamte die Herde ihren Lauf
und fiel zuletzt in Schritt. Buides Krieger umringten die Rinder und trieben sie in Richtung des einen halben Tagesmarsch

entfernten Heerlagers der Connaughter; als die Abenddämmerung hereinbrach, hatten sie nicht mehr sonderlich weit bis dorthin. Schon malten sich die Männer aus, welch reiche Belohnung sie von Medb bekommen würden – plötzlich hob Buide, welcher ganz vorne lief, die Hand.

Gleich darauf erblickten auch die anderen Krieger den goldenen Streitwagen, der eine mit Felsblöcken bedeckte Hügelflanke herabfegte. Bis auf drei Pferdelängen preschte Cúchulainn an die Herde heran, unwillkürlich brachten die Connaughter den Dond von Cualnge und die Kühe zum Stehen.

»Gut so«, rief Cúchulainn ihnen zu. »Und nun will ich wissen, mit welchem Recht ihr euch am braunen Stier des Dare mac Fiachnan sowie den fünfzig Rindern vergriffen habt!«

»Mit dem Recht des Stärkeren«, höhnte Buide. »Und wenn du nicht sofort verschwindest, Wahnsinniger von Dun Delgan, wirst du dasselbe Schicksal erleiden wie der Hirte dieser Herde, der von seinen eigenen Tieren zertrampelt wurde.«

»Willst du dich hinter den Rindern verstecken?« gab Cúchulainn zurück. »Oder hast du Ehre genug im Leib, einen Zweikampf zu wagen?«

»Ich werde dir zeigen, wie Buide mac Ban Blai zu kämpfen versteht«, versetzte der Anführer der Connaughtkrieger. »Aber sofern du kein Feigling bist, verzichtest du auf den Vorteil deines Streitwagens.«

»Dies kann gerne geschehen«, erwiderte Cúchulainn und stieg von seinem Gefährt. »Welche Waffe wählst du? Wurfspeer oder Schwert?«

»Speer und Schild«, entschied Buide.

Cúchulainn nahm eine seiner Wurfwaffen aus der Wagenkanzel, barg sie hinter der Schildwehr und deutete auf einen unbebauten Feldstreifen, der ein Stück abseits lag. »Ist es dir dort drüben recht, Buide mac Ban Blai?«

»Es kann dem Acker nur guttun, wenn ich ihn mit deinem Blut dünge«, entgegnete der Connaughter.

Ohne ein weiteres Wort führte der Held von Erinn sein Gespann zum Feldrand, band die Zügel der Hengste an einen Ginsterstrauch und nahm am südlichen Ende der Ackerbreite Aufstellung. Buide ging zum nördlichen Rain, deckte sich hinter seinem Schild, zückte den Speer und rief: »Wer beginnt?«

»Immer der, der fragt«, kam es von Cúchulainn. »Zeig, was du kannst.«

Kraftvoll schleuderte der Connaughter seine Waffe. Der Held von Erinn riß die Wehr hoch – im selben Moment schickte Buide dem Speer einen stählernen Wurfpfeil hinterher, den er in der Schildwölbung verborgen gehalten hatte. Mit knapper Not gelang es Cúchulainn, beide Geschosse abzufangen; einen Lidschlag später bezahlte der Connaughter bitter für seine Tücke. Der Kampfspeer des Helden von Erinn zerspellte Buides Schild und durchbohrte ihm das Herz, sterbend brach der Connaughter in die Knie.

Gleichzeitig rasten der Dond und die Kühe davon; der schmetternde Aufprall von Cúchulainns Speerspitze auf Buides Schildwehr hatte die Tiere erneut in Panik versetzt. Wild brüllend galoppierten die Rinder in Richtung des Heerlagers der Connaughter; die vierundzwanzig Krieger folgten ihnen, so schnell sie konnten.

Cúchulainn rannte zu Buide, riß seine Waffe aus dessen Brust, hastete zum Streitwagen und jagte der Herde nach. Ehe er sie jedoch einzuholen vermochte, fegten mehrere Dutzend Kampfwagen aus dem feindlichen Lager, preschten links und rechts am Pulk der Rinder vorüber und formierten sich zum Angriff auf den Helden von Erinn. Im Nu hatte Cúchulainn etliche der Wagenkrieger durch Stachelkugelwürfe in Caillechs Reich gesandt – dann aber sah er, wie Hunderte von Reitern die Herde umzingelten und sie in den Schutz des Heerlagers trieben.

Damit war die Verfolgung des Dond aussichtslos für den Helden von Erinn. Enttäuscht wendete Cúchulainn

seinen Streitwagen; in gestrecktem Galopp rasten die Hengste
den Weg zurück, den sie gekommen waren, und verschwanden in der jetzt rasch einfallenden Dunkelheit.

Noch nie zuvor hatte Cúchulainn eine Niederlage verwinden
müssen, um so mehr traf ihn der Verlust des Dond von
Cualnge. Medb wiederum hatte das Ziel ihres Feldzuges erreicht; der Prachtstier befand sich in ihrem Besitz, und daher
trat das Heer der Connaughter nun den Heimmarsch an. Ungeschoren freilich gelangten die Kriegerscharen, in deren
Mitte der Dond trabte, nicht zur Grenze, denn der Held von
Erinn nahm fürchterliche Rache für die Schmach, die er nach
dem Zweikampf mit Buide mac Ban Blai erlitten hatte.

Ärger denn je bedrängte Cúchulainn die Feinde durch
seine plötzlichen Überfälle; weder bei Tag noch bei Nacht
gönnte er ihnen Ruhe, neuerlich mußten entlang der Marsch-
route des Heeres zahlreiche Gräber ausgehoben werden.
Schließlich, als die Connaughter ungefähr die halbe Strecke
zur Grenzfurt Ath Gabla hinter sich gebracht hatten, erlebten
sie ein Debakel bislang ungekannten Ausmaßes.

Der Heerbann durchquerte eine tiefeingeschnittene Fels-
klamm, die hundert Mann starke Vorhut ritt einige Pfeilschüsse weit voraus. Im gleichen Augenblick, da der letzte
Reiter dieses Trupps das Ende der Schlucht passiert hatte,
prasselte von deren Höhe eine Geröll-Lawine hernieder und
blockierte die Klamm. Dadurch wurde die berittene Hundertschaft vom Gros des Heeres abgeschnitten – noch ehe die
Krieger ihre erschrockenen Pferde wieder gebändigt hatten,
attackierte Cúchulainn, welcher den Steinschlag ausgelöst
hatte, die Connaughter.

Auf einem Felsgrat stehend schleuderte er einen Hagel
von Steinbrocken gegen die Reiter; zwei Dutzend Krieger
stürzten von ihren Rössern. Die Überlebenden suchten ihr

Heil in der Flucht, doch schon war Cúchulainn in seinen Kampfwagen gesprungen und preschte in halsbrecherischer Fahrt über die Flanke des Grates zu Tal. Gleich einem Wolf, der hinter einer Schafherde her ist, hetzte er die davonstiebenden Connaughter. Einen nach dem anderen machte er nieder, keiner entging seinen Schwerthieben, Kugelwürfen und Speerstößen. Als das Hauptheer endlich durch den Schluchtausgang brach, lagen alle hundert Männer der Vorhut entseelt auf der Erde, und aus der Ferne erscholl der Siegesruf des Helden von Erinn.

Das Königspaar erteilte Befehl, an Ort und Stelle zu lagern; nur so war es möglich, die vielen Toten würdig beizusetzen. Am Abend herrschte in Medbs und Ailills Rundzelt eine zutiefst bedrückte Stimmung. Mit bleichen Gesichtern starrten die Adligen in ihre Trinkgefäße oder flüsterten fassungslos untereinander, schließlich äußerte der König: »Wir müssen darauf gefaßt sein, daß der Wahnsinnige von Dun Delgan weitere derartige Angriffe unternimmt. Und falls er noch einige Male so wütet wie heute, wird uns der Rückmarsch von Cualnge nach Cruachan am Ende eine volle Tausendschaft gekostet haben.«

Medb, welche bei Ailills Worten unwillkürlich an die Prophezeiung Fedelmas gedacht hatte, sagte gepreßt: »Vielleicht sollten wir versuchen, mit Cúchulainn zu verhandeln.«

»Ich fürchte, das wäre sinnlos«, wandte einer der Adelskrieger ein. »Der Schlächter von Dun Delgan kennt nur ein Ziel. Er trachtet danach, möglichst viele von uns zu erschlagen.«

Ein anderer Edler – es war Fergus, welcher dereinst am Grenzfluß den Gabelast aus dem Boden gebrochen hatte – schüttelte den Kopf. »Du hast unrecht, wenn du Cúchulainn als Schlächter bezeichnest. Ganz allein auf sich gestellt verteidigt er sein Land, und dies ist höchst ehrenhaft.«

Medb und Ailill tauschten einen Blick, dann entschied die Königin: »Da du so über unseren Feind denkst, Fergus, bist du der richtige Mann, um als mein und Ailills Unterhändler mit ihm zu sprechen. Erklärst du dich dazu bereit?«

»Ich werde tun, was ich kann«, antwortete Fergus; anschließend beredeten er und das Königspaar die nötigen Einzelheiten.

Zeitig am nächsten Morgen befestigte Fergus ein weißes Banner an seinem Streitwagen, verließ das Heer und fuhr zu einem drei Meilen entfernten Hügel, dessen kahle Kuppe von einem weithin sichtbaren Dolmen gekrönt war. Während der Heerbann davonzog, wartete Fergus bei dem uralten Grabmal – nachdem die Nachhut der Connaughter unter dem westlichen Horizont verschwunden war, tauchte im Osten der goldene Wagen Cúchulainns auf.

Sturmschnell jagte das Gespann heran; am Fuß der Erhebung zügelte der Held von Erinn die Hengste, lenkte sie im Trab die Hügelflanke empor und brachte sie vor dem Dolmen zum Stehen. Forschend musterte Cúchulainn den Boten Medbs und Ailills; dieser stellte seinerseits fest, daß die Kämpfe nicht spurlos an dem Helden vorübergegangen waren. Härteste Entbehrungen hatten tiefe Furchen in Cúchulainns Antlitz gegraben, Schild und Brünne waren vielfach von den Waffen seiner Feinde gezeichnet. Trotzdem strahlte ungebrochener Kampfesmut aus seinen Augen, und seine Stimme klang herausfordernd, als er fragte: »Wer bist du? Was willst du von mir?«

Fergus nannte seinen Namen und fügte hinzu: »Bevor ich dir mein Anliegen vortrage, möchte ich dich auf eine für uns beide bedeutsame Fügung des Schicksals hinweisen. An der Grenzfurt zwischen Ulster und Connaught haben die Götter dein und mein Los verknüpft.«

»Inwiefern?« wollte Cúchulainn wissen.

»Weil du dort den vierfach gegabelten Ast in die Erde bohrtest, ich ihn aber wieder herausriß«, entgegnete Fergus. »Und ein Druide, der sowohl deine als auch meine Tat würdigte, änderte daraufhin den Namen der Furt zum Gedenken an uns beide in Ath Gabla.«

»Wenn es sich so verhält, sind wir in der Tat miteinander verbunden«, bestätigte Cúchulainn. »Außerdem nötigt mir dein Kraftakt Achtung ab, deshalb will ich dir weiter zuhören. – Was begehrst du?«

»Im Auftrag Medbs und Ailills bitte ich dich um Schonung des Heeres von Connaught«, erwiderte Fergus.

Der Held von Erinn runzelte die Stirn. »Ihr seid in Ulster, das wegen der Krankheit seiner Edlen derzeit wehrlos ist, eingefallen. Ihr habt gemordet, geplündert, gebrannt und den Dond von Cualnge geraubt. Warum sollte ich euch da ungehindert heimkehren lassen und auf gerechte Rache verzichten?«

»Das meinte ich nicht, als ich dich ersuchte, unseren Heerbann zu verschonen«, antwortete Fergus. »Vielmehr bietet das Königspaar dir an, künftige Kämpfe nach gewissen Regeln auszutragen.«

»Sprich deutlicher«, verlangte Cúchulainn. »Welche Abmachung haben Medb und Ailill im Sinn?«

»Sie wären bereit, neue Ausschreitungen des Heeres zu verhindern, wenn andererseits du deine Überfälle lassen würdest, um statt dessen in Zweikämpfen gegen ausgewählte Adelskrieger anzutreten«, erklärte Fergus.

»Etwa gegen dich?« fragte der Held von Erinn lächelnd.

»Falls es sein müßte, würde ich mich nicht verweigern«, erwiderte Fergus.

»Aber du legst auch keinen großen Wert darauf, was?« stieß Cúchulainn nach.

»Nein«, bekannte Fergus. »Denn ich achte dich für deine einzigartige Tapferkeit, und daher fühle ich nicht das Bedürfnis, die Waffen mit dir zu kreuzen.«

Der Held von Erinn nickte ihm beinahe freundschaftlich zu, dann sagte er: »Du kannst Medb und Ailill ausrichten, daß ich mit ihrem Vorschlag einverstanden bin. Von morgen an sollen sie mir täglich bei Sonnenaufgang einen Recken senden, der bereit ist, sich mit mir zu messen. Ich werde ihn jeweils eine Meile südlich eures Lagers erwarten, und wenn er ehrlich kämpft, will ich den Heerbann für den Rest des Tages in Frieden lassen. So können wir es halten, bis ihr Cruachan erreicht habt – oder Conchobar, der ja ebenso wie die übrigen Edlen meines Landes irgendwann wieder genesen wird, an der Spitze der Kriegerscharen Ulsters erscheint, um eine Entscheidungsschlacht mit euch zu suchen.«

Fergus neigte den Kopf. »Ich danke dir für deine Großmut.«

Erneut lächelte Cúchulainn. »Es ist mir ein Vergnügen, dir einen Gefallen zu tun.« Gleich darauf wurde seine Miene wieder ernst. »Sollte es Medb und Ailill allerdings einfallen, die Vereinbarung zu brechen und einen hinterhältigen Anschlag gegen mich ins Werk zu setzen, würden sie es bitter bereuen.«

»Kein Zweifel«, versetzte Fergus trocken. »Doch ich glaube, du hast nichts dergleichen zu befürchten.«

»Wollen wir es hoffen«, erwiderte Cúchulainn. »Und jetzt leb wohl.«

Er schnalzte mit der Zunge, sofort galoppierten seine Hengste los und preschten die Hügelflanke hinab. Vom Dolmen aus schaute Fergus dem goldenen Wagen nach; erst als das Gespann des Helden von Erinn außer Sicht war, wendete er seine eigenen Pferde und kehrte zum Heer zurück.

Am folgenden Morgen trat der erste Adelskrieger zum Zweikampf gegen Cúchulainn an. Er hieß Larine und war ein Bruder des Königs Lugaid von Mumu, welcher dereinst wegen seines beschämenden Reinfalls bei der Werbung um Emer von den Barden mit Spott überschüttet worden war. Deshalb hatte Larine allen Grund, den Helden von Erinn zu hassen; als er den Kampfplatz erreichte, ließ er seine Wagenrösser steigen, schoß giftige Blicke auf Cúchulainn und drohte: »Ich werde dich ausdärmen und dich mit deinen eigenen Eingeweiden erwürgen, ehe ich dir den Schädel vom Rumpf trenne!«

»Da hast du dir einiges vorgenommen«, antwortete der Held von Erinn. »Und um Lugaids willen, der mir damals in Luglochta Loga so köstliche Kurzweil verschaffte, will ich es dir ein wenig leichter machen.« Damit stieg er aus der Wagenkanzel und legte seine Waffen ab.

»Bist du verrückt geworden?« schnaubte Larine.

»Keineswegs«, erwiderte Cúchulainn. »Mir ist lediglich nach einem kleinen Ringkampf mit dir zumute.«

»Ich rüstete mich nicht, um Späßchen mit dir zu treiben«, schrie Larine wutentbrannt, zückte seine Lanze und griff an.

Behende wich Cúchulainn dem Stoß aus, packte den Lanzenschaft und riß seinen Gegner vom Streitwagen. Während die Pferde schrill wiehernd davonjagten und Cúchulainn die Stoßwaffe über dem Knie zerbrach, überschlug sich Larine mehrmals – war aber sofort wieder auf den Beinen und attackierte nun mit geschwungenem Schwert.

Cúchulainn fällte Lugaids Bruder durch einen Fausthieb, entwand ihm die Klinge und zerschmetterte sie an einem Stein. Dann wartete er, bis Larine seine Betäubung abgeschüttelt hatte, und stellte fest: »Jetzt, da ich dich entwaffnet habe, du Tölpel, wirst du entweder aufstecken oder endlich mit mir ringen müssen.«

Keuchend vor Zorn ballte Larine die Fäuste, sprang den Helden von Erinn an – und erlebte seine dritte Niederlage. Denn Cúchulainn deckte den Bruder des Königs von Mumu mit hanebüchenen Maulschellen ein, umschlang ihn und preßte ihm die Luft aus den Lungen. Sodann stemmte er den Zappelnden über seinen Kopf, wirbelte ihn dreimal im Kreis und schleuderte ihn in Richtung des Heerlagers der Connaughter.

Neunzig Schritte vom Kampfplatz entfernt landete Larine auf der Heide, sein Körper pflügte beim Aufprall eine tiefe

Furche in den Boden. Eine Weile blieb Cúchulainns Herausforderer reglos liegen, schließlich suchte er kriechend das Weite; lachend rief ihm der Held von Erinn hinterher: »Bestell dem Königspaar von mir, daß ich als nächsten Gegner einen Mann statt eines großmäuligen Knaben erwarte.«

Der Recke, welcher sich am Tag darauf mit Cúchulainn messen wollte, trug den Namen Longh mac Emonis. Medb hatte ihm reiche Belohnung versprochen, falls er den Sieg erringen könnte; solchermaßen beflügelt, lieferte Longh dem Helden von Erinn einen furiosen Schwertkampf. Wild tobte der Streit, schrill klirrten und wimmerten die Klingen; geraume Zeit vermochte keiner der beiden Gegner einen Vorteil zu gewinnen. Am Ende jedoch entschied Cúchulainn den Kampf durch drei blitzschnelle Kernhiebe; der erste zertrümmerte den Schild des Emonissohnes, der zweite raubte ihm den Schwertarm, der letzte enthauptete den Connaughtrecken.

Da er die Tapferkeit des Toten würdigen wollte, verzichtete der Held von Erinn darauf, Longh mac Emonis' Kopf als Trophäe zu behalten. Er bettete die Körperteile des Besiegten auf dessen Streitwagen und führte die Rösser des Emonissohnes bis nahe ans Lager der Feinde. Eine Kriegerschar kam heraus, um den Leichnam entgegenzunehmen; an ihrer Spitze ging ein Hüne, welcher Logh Mor mac Mofebis hieß und ein Halbbruder des Erschlagenen war.

Als er den Toten sah, ergrimmte Logh Mor dermaßen, daß er Cúchulainn anbrüllte: »Schon morgen sollst du dasselbe blutige Schicksal wie dein Opfer erleiden!«

»Ich werde dich erwarten«, erwiderte der Held von Erinn. »Und dann wird sich zeigen, ob du deine Ankündigung wahr machen kannst.«

Bei Sonnenaufgang des folgenden Tages erschien Logh Mor mac Mofebis in einem von zwei riesenhaften Hengsten gezogenen Streitwagen auf dem Kampfplatz. In der Wagenkanzel hatte er ein ganzes Bündel eisenbeschlagener Speere;

nun schwang er einen davon und rief haßerfüllt: »Bist du bereit, zu sterben, Cúchulainn?«

»Ein Krieger muß stets darauf gefaßt sein, unversehens nach Annwn zu reisen«, lautete die Antwort. »Ich hoffe, das ist auch dir bewußt.«

»Genug der Worte!« schrie der Hüne – und sandte seinen Wurfspeer gegen den Helden von Erinn.

Cúchulainn riß die Schildwehr hoch, lenkte das Geschoß ab und schleuderte einen seiner beiden eigenen Speere. Ebenso wie der Held von Erinn deckte sich Logh Mor gut; sodann jagten die Wagen aufeinander zu, und die Recken tauschten Schwertschläge aus. Als der Connaughter merkte, daß er Cúchulainn nicht beikommen konnte, trieb er seine Rösser wieder an, riß sie vierzig Schritt entfernt herum und schnellte abermals einen Eisenspeer nach dem Helden von Erinn. Cúchulainns zweite Wurfwaffe streifte diejenige Loghs und ließ sie seitlich wegwirbeln; das Geschoß des Helden von Erinn hingegen schmetterte auf Logh Mors Schild. Der Hüne taumelte, ungeachtet dessen rief er freudig: »Jetzt bist du im Nachteil, denn einen dritten Speer besitzt du nicht.«

Unmittelbar danach tat der Connaughter einen Doppelwurf. Mit einer Stachelkugel traf Cúchulainn den heransausenden ersten Eisenspeer, der andere jedoch ritzte die Flanke des linken Wagenpferdes. Erschrocken keilte das Roß aus – die Hengste gingen durch. Während sich der Held von Erinn bemühte, die verstörten Tiere zu bemeistern, jagte Logh Mor ihm hinterher und schleuderte weitere Speere. Cúchulainn fing sie mit knapper Not ab – plötzlich aber geriet ein Rad seines Streitwagens in eine steinige Bodenfurche, und das Gefährt kippte um.

Der Held von Erinn flog vom Kampfwagen. Im selben Moment, da sein Körper aufschlug, heulte erneut ein Geschoß des Connaughters durch die Luft – und fand sein Ziel. Die Speerspitze durchbohrte Cúchulainns Brünne und fuhr ihm tief in die Hüfte.

Logh Mor brüllte triumphierend. In voller Fahrt herbeipreschend, zückte er seinen letzten Eisenspeer; schon sah es so aus, als gehörte der Sieg ihm. Doch da blendete ihn ein Silberblitz – die Stahlzähne des Gae Bulga, den Cúchulainn bei seinem Sturz vom Wagen an sich gerissen hatte, zerfleischten das Herz des Hünen.

Unweit der Stelle, wo Cúchulainn auf der Erde kauerte, blieben die Rösser des Connaughters stehen; leblos lag Logh Mor mac Mofebis in der Wagenkanzel. Der Held von Erinn zog das Speerblatt aus seinem Hüftmuskel und preßte die Wundränder zusammen. Mühsam stand er auf und ging zu Logh Mor. Als er sich über den Connaughter beugte, schlug dieser noch einmal die Augen auf und stöhnte: »Gestehe mir zu ... daß ich dich fast ... überwunden hätte.«

»So war es in der Tat«, nickte Cúchulainn. »Du hast dich tapfer geschlagen, und die Barden werden deinen Mut würdigen.«

»Weil du das gesagt hast ... kann ich die Brücke nach Annwn ... beruhigt überqueren«, hauchte Logh Mor mac Mofebis und starb.

Vorsichtig löste Cúchulainn die Zackenklingen des Gae Bulga aus der Brust des Toten und machte die Waffe wieder einsatzbereit. Danach ging er zu seinen Pferden, welche den umgestürzten Streitwagen an den Rand einer Buschinsel auf der Heide geschleift hatten. Er besänftigte die stampfenden Hengste, anschließend verband er seine Wunde und richtete den Wagen auf.

Nachdem das geschafft war, sammelte er seine und Logh Mors Speere ein. Dann lenkte er die Rösser neben das Gefährt des Getöteten und brachte den Kampfwagen mit dem Leichnam zum Lager der Connaughter. Ebenso wie am Tag zuvor kam eine Kriegerschar heraus; der Held von Erinn rief den Männern zu: »Logh Mor mac Mofebis verdient ein ehrenvolles Begräbnis, denn im Streit, den er mit mir austrug, floß nicht nur sein, sondern auch mein Blut.«

Ehe die Connaughter etwas zu erwidern vermochten, galoppierten Cúchulainns Hengste davon. Die Krieger wiederum meldeten dem Königspaar eiligst, daß der Held von Erinn beim Zweikampf mit Logh Mor verletzt worden war.

Während der Nacht, die er in der Ruine eines niedergebrannten Bauernhauses verbrachte, litt Cúchulainn unter heftigen Schmerzen; bald setzte zudem das Wundfieber ein. Trotzdem bestieg der Held von Erinn kurz vor Tagesanbruch den Streitwagen, um den nächsten Waffengang zu bestehen.

Als er auf dem Kampfplatz anlangte, erblickte er dort drei Männer und drei Frauen; alle waren hochgewachsen und trugen wertvolle Umhänge mit druidischen Webmustern. Erstaunt fragte Cúchulainn: »Was hat das zu bedeuten? Warum sandten Medb und Ailill euch statt eines Recken hierher?«

»Weil das Königspaar des Blutvergießens müde ist und Frieden mit dir schließen möchte«, erwiderte eine der Druidinnen.

»Wir wollen dir ein Angebot Medbs und Ailills unterbreiten, das dazu geeignet ist, den unseligen Streit zwischen dir und dem Herrscherpaar noch in dieser Stunde für immer beizulegen«, fügte der neben ihr stehende Große Wissende hinzu.

»Wie lautet dieses Anerbieten?« erkundigte sich Cúchulainn.

»Wenn du vom Wagen steigst und uns so Ehre erweist, wirst du es erfahren«, nahm neuerlich die Druidin das Wort.

Arglos tat der Held von Erinn, was die Große Wissende von ihm verlangt hatte. Er trat zu den Druiden und forderte: »Sagt mir nun, auf welche Weise das Töten beendet werden soll.«

»Indem du selbst stirbst!« scholl es Cúchulainn sechsstimmig entgegen – gleichzeitig rissen die verkleideten Attentäter Schwerter unter ihren Mänteln hervor.

Ein Hieb traf Cúchulainns linke Schulter, ein anderer schnitt seinen rechten Schenkel auf, weitere bissen in die Brünne. Der durch seine Hüftwunde ohnehin geschwächte Held von Erinn brach in die Knie; der nächststehende Meuchelmörder holte zum entscheidenden Schlag aus – doch da zerschlitzte ihm Cúchulainns Sicheldolch die Kehle. Der Mann taumelte zurück; den Körper des tödlich Verletzten als Deckung benutzend, warf sich der Held von Erinn auf einen zweiten Angreifer und fällte ihn durch einen sausenden Schwertstreich.

Der nachfolgende Kampf war heftig, aber kurz. In gerechtem Zorn erschlug Cúchulainn den dritten männlichen Attentäter und die Meuchelmörderinnen. Nachdem das blutige Werk getan war, versorgte der Held von Erinn notdürftig seine Blessuren; anschließend fuhr er auf Hörweite an das Heerlager der Feinde heran.

Vor dem hohen Rundzelt erspähte Cúchulainn das Herrscherpaar sowie dessen Adelsgefolge. Er ließ die Hengste steigen und rief hinüber: »Euer feiger Anschlag ist mißlungen, Medb und Ailill. Ihr könnt die Leichen der sechs falschen Druiden holen lassen; die Götter werden euch für den Frevel bestrafen, den ihr ins Werk setztet. Und was mich angeht, so kündige ich euch das Abkommen auf, das ich mit euch schloß. Ab sofort müßt ihr erneut meine Überfälle fürchten.«

Eben als der Held von Erinn die Rösser wenden wollte, erschien Fergus am Lagertor und schrie: »Ich schwöre, daß ich nichts von dem Hinterhalt ahnte.«

»Dir glaube ich«, erwiderte Cúchulainn. »Doch andere wußten sehr wohl Bescheid und sollen auf der Stelle dafür büßen.«

Damit schleuderte er eine Stachelkugel in Richtung des Königszeltes und brachte es zum Einsturz, vier weitere Würfe töteten ebensoviele Adlige aus dem Gefolge des Herrscherpaares. Im nächsten Moment preschten die Hengste des Helden von Erinn davon: auf eine Gebirgskette zu, die sich südwestlich des Heerlagers erstreckte.

In einer Berghöhle pflegte Cúchulainn seine Wunden; zwei Tage blieb er in dem Versteck, in der darauffolgenden Nacht hielt es ihn nicht länger in der Grotte. In Windeseile trugen seine Rösser ihn dorthin, wo die Connaughter an diesem Abend haltgemacht hatten. Er überwältigte einen Vorpostentrupp, drang ins Lager ein, erschlug ein Dutzend Männer und entrann im Schutz der Dunkelheit. Seine Schwert- und Speerwunden aber waren wieder aufgebrochen; als der Held von Erinn den Streitwagen anhielt, bemerkte er, daß ihm die Brünne am blutbesudelten Leib klebte.

So blieb es auch später; jedesmal, wenn Cúchulainn die Connaughter heimsuchte, bezahlte er mit hohem Blutverlust und immer ärgeren Schmerzen. Einmal, als er nach dem siebten oder achten dieser verzweifelten Kämpfe im Schatten einer heiligen Eibe ausruhte, kam ihm ein Trauerlied in den Sinn; mit schwacher Stimme sang er:

»Roter Tau benetzt meine vielfach zerhauene Rüstung,
ganz allein muß ich hüten die Heimstätten und Herden
                                        Ulsters.
Wann endlich kommt Conchobar an der Spitze seiner
                                        Recken,
wann vernehme ich den erlösenden Klang ihrer
                                        Kriegshörner?
Verlassen und fiebernd liege ich hier auf der Erde,
nicht ewig vermag ich das Connaughtheer zu jagen.
Schon krächzen hungrig die Schwarzkrähen am Himmel,
schon glaube ich die Totenklage in Rath Cimbaeth zu hören.«

Doch trotz seiner Erschöpfung und Pein bedrängte Cúchulainn die Feinde weiterhin. Auch im Verlauf der nächsten Tage und Nächte fielen zahlreiche Connaughtkrieger seinen Stachelkugelwürfen, Speerstößen und Schwerthieben zum Opfer; der Held von Erinn freilich wurde mit jedem dieser Waffengänge mehr zum Schatten seiner selbst.

Zuletzt aber zeigten die Götter ein Einsehen. Am fünften Morgen, nachdem Cúchulainn das Lied gesungen hatte, drang von weitem der ersehnte Hörnerschall an sein Ohr. Der Held von Erinn bestieg den goldenen Wagen, verließ sein Felsversteck auf einer Hügelkuppe und lenkte die Hengste nach Osten. In rascher Fahrt durchquerte er eine Talsenke und dahinter einen Eichenwald, dann erblickte er das Ulsterheer.

Conchobar selbst führte die Vorhut, bei ihm war Conall Cernach. Als die beiden Cúchulainn erspähten, trieben sie ihre Rösser an und jagten ihm entgegen. Überschwenglich begrüßten sie den Freund; gleich darauf jedoch erkannten sie, in welcher Verfassung sich Cúchulainn befand.

Erschrocken stieß Conall hervor: »Du siehst aus, als stündest du bereits mit einem Bein in Annwn.«

»Spurlos gingen die Kämpfe wahrhaftig nicht an mir vorüber«, antwortete Cúchulainn. »Aber jetzt, da ihr gekommen seid, hat meine Not ein Ende.«

Der König drückte die Hand seines Neffen. »Du gabst alles, um Ulster zu verteidigen, während wir anderen krank darniederlagen. Wie soll ich dir das jemals danken?«

»Indem du dafür sorgst, daß wir bald wieder in der großen Halle von Emain Macha beim Wein sitzen«, erwiderte Cúchulainn augenzwinkernd. »Ehe das freilich geschehen kann, müssen die Connaughter besiegt werden. Daher schlage ich vor, nun ohne Verzug weiterzumarschieren.«

»Trotz deiner Verwundungen bist du so ungestüm wie eh und je«, stellte Conall erleichtert fest.

Conchobar nickte dazu, dann wollte er wissen: »Wo befindet sich der Heerbann Medbs und Ailills?«

»Die Feinde lagerten vergangene Nacht zehn Meilen von der Gabelfurt entfernt«, beschied ihn Cúchulainn. »Im Lauf des heutigen Nachmittags werden sie den Fluß überschreiten. Dies wäre eine günstige Gelegenheit zum Angriff.«

»Ein guter Plan«, bestätigte der König und setzte sein Gespann wieder in Bewegung.

Im Eilmarsch rückte das Ulsterheer in Richtung auf Ath Gabla vor. Am späten Vormittag passierten die etwa sechstausend Streitwagenkrieger, Reiter und Fußkämpfer den Platz, wo die Connaughter zuletzt genächtigt hatten; als die Sonne über den Bergen im Südwesten stand, erreichte das Heer den Kamm des Hügelzuges, an dessen Fuß der Grenzfluß mäandrierte.

Ganz wie Cúchulainn vorausgesagt hatte, war der Heerbann Medbs und Ailills soeben dabei, die Gabelfurt zu überqueren. Das Herrscherpaar, die meisten Adligen und ein Teil der Kampfhaufen hatten bereits das westliche Ufer gewonnen; das Gros der Krieger jedoch staute sich noch am östlichen Gestade. Kaum waren die Connaughter des Ulsterheeres ansichtig geworden, gerieten sie in Verwirrung; manche Scharen suchten ihr Heil in regelloser Flucht durch den Fluß, andere bildeten hastig Gefechtsformationen.

Die Kampfverbände von Ulster hingegen handelten schnell und entschlossen. Im Keil preschten die Streitwagen zur Furt; Conchobar, Cúchulainn und Conall hielten die Spitze. Reiterrudel folgten dem Wagenkeil im Galopp, die mehr als fünftausend Fußkämpfer des Ulsterheeres rannten in breiter Front hinterher.

Gleich beim ersten Ansturm durchbrachen die Streitwagen und Berittenen das Zentrum der Connaughter. Hunderte der Feinde wurden niedergemäht, die Überlebenden wichen in wilder Unordnung nach Norden oder Süden aus. Sofort nahmen Conchobars Wagenkrieger und Reiter die Verfolgung auf. Abermals spalteten sie die Scharen der Connaughter; kurz darauf waren die Fußtruppen Ulsters zur Stelle, umzingelten die gegnerischen Haufen und hieben von allen Seiten auf sie ein.

Die Niederlage, welche das Connaughtheer an der Gabelfurt erlitt, war vernichtend. Auf einen Schlag hatten Medb und Ailill zwei Drittel ihrer Kämpfer verloren, dem Herrscherpaar blieb nur die Flucht. Zusammen mit ihrem Adelsgefolge und den restlichen Kriegern eilten Medb und Ailill nach Westen davon; den Dond von Cualnge indessen hatten sie zu retten vermocht, denn er war gleich zu Anfang über die Furt gebracht worden.

Da Conchobar für das Begräbnis der vielen Gefallenen Sorge tragen mußte, verzichtete er vorerst darauf, dem Königspaar von Connaught nachzusetzen. Bei Anbruch des neuen Tages jedoch zogen die Scharen der Ulsterkrieger über den Grenzfluß und holten die feindliche Nachhut am übernächsten Mittag ein.

Allerdings hatte sich der mehrere hundert Mann starke Kampfverband der Connaughter in einem bestens zu verteidigenden Bergpaß verschanzt, so daß die Streitmacht von Ulster geraume Zeit aufgehalten wurde. Erst als Cúchulainn – dessen Wunden dank der Heilkunst einiger beim Heer befindlicher Arztdruiden inzwischen zu vernarben begannen – seine Hengste in halsbrecherischer Fahrt über den Paßweg jagte und dabei einmal mehr Tod und Verderben säte, konnte der Durchbruch erzwungen werden.

Das Ulsterheer aber hatte einen halben Tag verloren, und obwohl es danach erneut in Gewaltmärschen vorrückte, gelang es nicht mehr, Medb und Ailill zu stellen. Unangefochten erreichte das Herrscherpaar die Gegend von Cruachan; kaum freilich waren die Flüchtenden am Saum der Ai-Ebene angelangt, preschten in ihrem Rücken die Kampfwagen Cúchulainns, Conchobars, Conalls und weiterer Adelskrieger aus einem Taleinschnitt. Medb und Ailill stachelten ihre Wagenrösser zu höchster Eile an, um sich in die Felsenfestung Cruachan zu retten; umringt von einer Kriegerschar und immer wieder laut brüllend, raste der Dond hinter dem Königspaar her.

Gerade als die Streitwagen Medbs und Ailills auf den zur Burg emporführenden Pfad einbogen, passierte etwas Erschreckendes. Aus einem Eichenhain am Fuß des Festungsberges preschte der Findbennach hervor. Der schwarzweiß gefleckte Bulle mit dem elfenbeinfarbenen Gehörn hatte das Gebrüll des Dond vernommen; jetzt durchbrach er die Reihen der Krieger, die dem Herrscherpaar folgten, und attackierte den braunen Prachtstier von Ulster.

Donnernd krachten die Schädel der Kolosse gegeneinander. In archaischem Ringen knirschten die weitausladenden Hörner; zorniges Schnauben drang aus den geblähten Nüstern der Bullen, ihre säulenstarken Beine stampften den Boden. Plötzlich wichen beide Tiere zurück, umkreisten sich lauernd, senkten die Köpfe und griffen neuerlich an.

Insgesamt neunmal erschütterte der urgewaltige Zusammenprall der Stiere die Erde, dann warf sich der Findbennach unvermittelt herum und floh.

Der Dond von Cualnge hetzte ihm hinterdrein, dreimal jagte er den Connaughtbullen um den Burghügel. Anschließend trieb er ihn über die Ai–Ebene, jenseits des Flachlandes verschwanden die Stiere in einer ausgedehnten Waldung. Angespannt spähten die Ulsterrecken, welche am Rand der Niederung angehalten hatten, zum Forst hinüber; desgleichen taten Medb und Ailill, die unterdessen auf dem Torwall der Festung standen. Im Wald schien ein Sturmwind zu toben; peitschende Baumwipfel bezeichneten den Weg, welchen die Bullen nahmen. Kreuz und quer rasten die Stiere durch den Forst, in unregelmäßigen Abständen trug der Wind dröhnendes Gebrüll heran.

Auf einmal trat Stille ein. Wenig später jedoch stürzten am Waldsaum Bäume um, und der Dond von Cualnge erschien wieder im Freien. Auf den Hörnern trug er den blutüberströmten Kadaver des Findbennach. Langsamen Schritts schleppte der Dond den toten Connaughtbullen zum Burgberg und ließ ihn dort ins Gras gleiten. Danach trabte der braune Stier zu der Stelle, wo die Gespanne Conchobars und der übrigen Ulsterrecken haltgemacht hatten; beim König befand sich auch Dare mac Fiachnan, der Eigentümer des Dond.

Vor Dares Streitwagen blieb der mächtige Bulle stehen;

Conchobar betrachtete ihn gedankenvoll, sodann fragte er den Besitzer des Prachtstiers: »Gibst du dich damit zufrieden, daß der Dond zu dir zurückgekehrt ist, oder sollen wir Cruachan zur Strafe für den Bullenraub stürmen?«

Kaum war das letzte Wort erklungen, schüttelte der braune Stier den Schädel.

»Ich verzichte auf Rache«, erklärte Dare mac Fiachnan. »Denn es haben schon allzu viele Krieger mit ihrem Leben für Medbs Gier bezahlt.«

»Deine Entscheidung ehrt dich«, kam es von Cúchulainn.

»So ist es«, bekräftigte der König. »Laßt uns nach Ulster heimkehren.«

Wenige Tage später erreichte der Heerbann den Grenzfluß. Den ganzen Weg war der Dond friedlich neben dem Kampfwagen Dares hergelaufen, an der Gabelfurt aber wurde er unruhig. Mit hocherhobenem Kopf und rollenden Augäpfeln witterte der Bulle zum östlichen Ufer hinüber, wo die Gräber der in der Schlacht von Ath Gabla gefallenen Männer lagen. Plötzlich bäumte er sich auf, stieß einen fast menschlichen Klagelaut aus und preschte durch das Gewässer.

In raschem Lauf umrundete der Dond von Cualnge den Cairn, welchen Conchobar inmitten des Grabfeldes hatte errichten lassen; nach der dritten Umkreisung brüllte er erneut seine Trauer heraus. Dann raste er mit ungeheurer Geschwindigkeit davon und war innerhalb kürzester Zeit verschwunden.

»Kein Sterblicher kann den Stier mehr einholen«, rief Dare mac Fiachnan betroffen.

Conchobar warf Cúchulainn einen auffordernden Blick zu. »Nur du wärst dazu imstande.«

Schon jagten die Hengste des Helden von Erinn los, jenseits der Furt trieb Cúchulainn sie mit Hilfe der magischen

355

Beschwörung zu höchster Eile an. Bald waren die Rösser auf Speerwurfweite an den Dond herangekommen, doch nun steigerte der Bulle seine Schnelligkeit derart, daß der Abstand zwischen ihm und dem goldenen Wagen von da an unverändert blieb.

Erst als die Ruinen jenes Dorfes in Sicht kamen, das die Connaughter zu Beginn ihres Feldzuges geplündert und niedergebrannt hatten, wurde der Dond von Cualnge langsamer. Auch Cúchulainn zügelte die Hengste; gleich darauf wurde er Zeuge, wie der Stier dreimal um den verwüsteten Siedelplatz sowie die nahebei liegende Begräbnisstätte der hier getöteten Connaughtkrieger trabte und dabei abermals seine erschütternde Klage anstimmte.

Jetzt begriff der Held von Erinn, was den Dond zu seiner Handlungsweise bewog – und im weiteren Verlauf des Tages erlebte er, wie der Stier an all den Plätzen trauerte, wo Kämpfe stattgefunden hatten.

Bei Sonnenuntergang schließlich langten der Dond und Cúchulainn im Gau von Cualnge an. Dort schleppte sich der braune Bulle, der jetzt zutiefst erschöpft wirkte, einen Hügel empor und schaute über das Land hin, in dem er einst glücklich gewesen war. Auf einmal begannen seine Beine zu zittern; im nächsten Moment ertönte ein berstender Laut, den der Held von Erinn bis ans Lebensende nicht mehr vergessen sollte. Das Herz des Dond von Cualnge war gebrochen, tot stürzte der ehemals so prachtvolle Stier nieder.

Lange verharrte Cúchulainn. Tränen tropften auf seine Brünne; er glaubte, Ströme von Blut über die Erde rinnen zu sehen, und empfand grenzenloses Leid. Schließlich – mittlerweile stand der Mond am Himmel – wendete er das Gespann und fuhr langsam in die Richtung, wo Emain Macha lag. Dort, das wußte er von Conchobar, erwartete ihn Emer; niemals zuvor hatte sich der Held von Erinn so sehr nach ihrer Nähe gesehnt wie in dieser Nacht.

DIE SILBERSCHWÄNE

Eineinhalb Jahre waren seit dem Stierraub von Cualnge vergangen. Nichts hatte in dieser Zeit Cúchulainns und Emers Glück getrübt, nach Beendigung der schrecklichen Kämpfe gegen die Connaughter war dem Paar eine unbeschwerte Zeit des Friedens vergönnt gewesen. Oft hatte Conall Cernach zu Besuch in Dun Delgan geweilt; ebenso waren Cathbad, Findchaem und Amergin häufig auf der Ringburg am Meer zu Gast gewesen, desgleichen wie früher schon Conchobar und die Edlen von Emain Macha.

Auch heute wieder herrschte in der vom Dornenfelsen überragten Festung reges Treiben. Zwei Tage zuvor war der König mit seinem Gefolge eingetroffen; jetzt, am Morgen des Samhain-Festes, machten sich die Adelskrieger und Edelfrauen für eine Fahrt zum Murthemnefeld fertig. Cúchulainn hatte nämlich beschlossen, jenen uralten Brauch wiederzubeleben, von dem ihm einst, kurz vor der Erbauung Dun Delgans, Cathbad erzählt hatte. Von neuem sollten in der Nähe des Steinkreises die besten Wagenlenker Ulsters miteinander wetteifern, um auf diese Weise die Göttin Rhiannon zu ehren.

Nachdem sämtliche Edelleute die Streitwagen bestiegen hatten, gab der inzwischen vierundzwanzigjährige Held von Erinn das Zeichen zum Aufbruch. Die mehr als dreißig Gespanne trabten durch den Torbau, Conchobar und Cúchulainn hielten die Spitze. In der Kanzel des goldenen Wagens stand Emer neben ihrem Gemahl, der König hatte seine derzeitige Geliebte Atencathrech bei sich. Rasch liefen die Pferde nach Westen, bald erreichten sie ihr Ziel. Pluderiger Herbstwind rauschte in den Wipfeln der Eichen, welche in vereinzelten Gruppen auf dem Murthemnefeld wuchsen, und kräuselte das Wasser des nahebei liegenden kleinen Sees.

Unweit der Stelle, wo dreizehn mächtige Bäume den Ring der zwölf schwarzen Buckelsteine mit dem in ihrer Mitte schräg gen Himmel weisenden Menhir behüteten, hielten die

Kampfwagen an. Gemessenen Schritts betraten die Männer und Frauen den Steinkreis; während der König ein Räucherritual vollführte, spürten alle die starken Schwingungen des Platzes.

Schweigend verließen die Ulsterrecken und ihre Gefährtinnen das heilige Rund wieder. Als die Schar zu den ungeduldig mit den Hufen scharrenden Rössern zurückging, spähte Conchobar in die Richtung, in der Dun Tobarce lag, und äußerte: »Ich frage mich, warum Conall Cernach noch nicht hier ist! Er wollte doch unbedingt an dem Rennen teilnehmen und rechtzeitig zu uns stoßen.«

»Womöglich hat der Hirschäugige verschlafen«, scherzte eine Edelfrau. »Schließlich ist Neumond, und dessen Einfluß ermüdete schon so manchen Kämpen – besonders wenn er sich in einer Schwarzmondnacht allzuviel in der Liebe zutraute.«

Lachend würdigten die übrigen den Spaß, dann schlug Emer vor: »Wir könnten uns doch mit Laids unterhalten, bis Conall kommt. Es sind etliche unter uns, die über schöne Stimmen verfügen.«

»Spannender wäre es, wenn der König und dein Gatte ihre Geschicklichkeit beim Fidchell messen würden«, widersprach ein Adelskrieger. »Ich habe ein Brett und Spielfiguren im Wagen.«

»Wärst du dazu aufgelegt?« wandte sich Conchobar an Cúchulainn. »Oder sollen wir Emers Wunsch erfüllen?«

Der Held von Erinn setzte zu einer Antwort an – aber im selben Moment schwirrte ein Schwarm großer, buntgefiederter Vögel über das Murthemnefeld hinweg und wasserte auf dem See. Die Tiere boten einen solch wundersamen Anblick, daß die Frauen in verzückte Rufe ausbrachen; Atencathrech umschlang den König und forderte: »Beweise mir deine Zuneigung! Fang mir zwei der Buntvögel, damit ich sie auf den Schultern tragen kann.«

»Ich wäre schon mit einem einzigen zufrieden«, kam es

von einer anderen Edelfrau. »Doch wenn ich keinen erhalte, ist mir der ganze Tag verdorben.«

Gleich darauf bestürmten alle Frauen ihre Gefährten, die Vögel zu jagen. Die Männer indessen machten Einwände, weil sie nicht wußten, wie sie die in der Seemitte schwimmenden Buntgefiederten unversehrt in ihre Gewalt bekommen konnten.

Zuletzt verschaffte sich Emer Gehör und erklärte: »Sofern es überhaupt jemand vermag, dann mein Gemahl.« Sie schenkte Cúchulainn ein verführerisches Lächeln und fuhr fort: »Ich bitte dich, das Kunststück zu versuchen. Und falls es dir gelingt, die Vögel an Land zu bringen, wäre es reizend von dir, wenn du den ersten mir schenken würdest.«

»Selbstverständlich erhältst du ihn, mein Herz«, erwiderte der Held von Erinn und schritt zu seinem Streitwagen.

Wiehernd galoppierten die Hengste los, preschten um den See herum und fegten jenseits des Gewässers auf die Heide hinaus. Als das Gefährt fünf Pfeilschüsse vom Gestade entfernt war, schwang sich Cúchulainn aus der Kanzel und vollführte den Wagenlenker-Lachssprung. In flachem Bogen und den Schild in beiden Händen haltend sauste er zurück: genau auf die Seemitte zu. Schräg über dem Vogelschwarm wippte er die Schildwehr in schnellem Auf und Ab gegen den Wind. Ein orgelnder Ton erscholl; die Buntvögel erschraken, flatterten hoch und flohen dorthin, wo Cúchulainns Freunde standen. Der Held von Erinn verfolgte die Gefiederten; kurz bevor die Vögel das Ufer erreichten, ging er plötzlich tiefer und ließ den Schild abermals orgeln. Dies bewirkte, daß die völlig verwirrten Buntvögel am Seegestade landeten und sich dort unter den Büschen zu verkriechen versuchten; Conchobar und den übrigen Männern war es infolgedessen ein leichtes, Dutzende der Gefiederten zu ergreifen.

Cúchulainn landete ein Stück hinter dem Steinring. Er wartete, bis das Gespann bei ihm war, und stieg wieder auf den goldenen Wagen. Als er zu den anderen kam, empfing ihn begeisterter Jubel. Lachend nahm der Held von Erinn den Beifall entgegen, sodann vernahm er die Frage des Königs: »Wie sollen die Vögel nun verteilt werden?«

»Das überlasse ich Emer«, antwortete Cúchulainn – wobei er vergaß, daß er seiner Gemahlin das erste Tier versprochen hatte.

Die Kastanienhaarige jedoch ließ sich nichts anmerken, vielmehr bewies sie Großmut. Nicht nur Atencathrech, sondern sämtliche Edelfrauen erhielten je zwei Buntvögel aus ihrer Hand; für Emer selbst aber blieb keiner übrig.

Erst da wurde dem Helden von Erinn sein Versäumnis bewußt. Gesenkten Hauptes trat er vor die Kastanienhaarige hin und sagte: »Wahrscheinlich zürnst du mir, weil ich das Wort brach, welches ich dir gab. Und dies ist vermutlich der Grund, warum du es verschmähtest, einen der Vögel für dich zu behalten.«

Zu Cúchulainns Erstaunen schüttelte Emer den Kopf. »Ich bin dir nicht gram«, beteuerte sie. »Denn auf meine Bitte hin vollbrachtest du einen Cless, wie er niemandem außer dir gelingen würde. Dadurch hast du mich über die Maßen geehrt, und das erfüllt mich mit solch großer Freude, daß ich gerne auf einen Buntvogel verzichte.« Verliebt strahlte sie ihn an. »In dir nämlich besitze ich so unendlich viel mehr, und ich möchte mit keiner Frau auf Erden tauschen.«

Gerührt zog Cúchulainn die Kastanienhaarige in seine Arme. »Für dieses Geständnis sollst du ein besonderes Geschenk bekommen. Ein Paar Vögel, die noch prächtiger sind als die Tiere, welche ich vorhin fing. Irgendwann werden sie mir begegnen, und dann will ich sie für dich jagen.«

Kaum hatte der Held von Erinn geendet, erschienen am westlichen Firmament zwei silberweiße Schwäne. Rauschend teilten ihre Schwingen die Luft, in weitem Bogen umkreisten sie das Murthemnefeld und den See. Als das Schwanenpaar über die am Ufer stehenden Menschen hinwegflog, sahen diese, daß die Hälse der Silbervögel mit einer rotgoldenen

Kette verbunden waren. Wenig später ließen sich die Schwäne weit draußen auf dem Gewässer nieder; eine Weile schienen sie gleich lichtdurchfluteten Wesen aus Tír na n'Og im Rhythmus der Wellen zu tanzen – mit einemmal begannen sie zu singen.

Die magischen Töne des Schwanenliedes betäubten die Männer und Frauen. Sie taumelten, glitten zu Boden und schliefen ein; die Buntvögel gewannen ihre Freiheit zurück. Allein auf Emer und Cúchulainn hatte der Zauber keine Wirkung; beide blieben bei Bewußtsein, doch der Held von Erinn starrte wie gebannt zu dem Schwanenpaar hinüber.

Plötzlich griff er nach dem Arm der Kastanienhaarigen und stieß hervor: »Die Götter haben diese Vögel als Geschenk für dich gesandt.«

»Nein!« versetzte Emer bestürzt. »Du darfst den Schwänen nicht nachstellen, denn sie kommen gewiß aus Annwn.«

»Unsinn«, schnaubte Cúchulainn und hastete zu einem der schlummernden Adelskrieger, welcher eine aus Riemen geflochtene Steinschleuder am Gürtel hängen hatte. Cúchulainn brachte die Waffe an sich, suchte zwei Kiesel und legte einen davon in die Lederlasche der Schleuder. Obwohl Emer ihn anflehte, die Silberschwäne zu verschonen, wirbelte Cúchulainn die Riemenschleuder um den Kopf und schnellte den Rundstein in Richtung des Vogelpaares. Das Geschoß aber ging daneben und schlug ein beträchtliches Stück von den Schwänen entfernt aufs Wasser.

»Mißgünstige Boccanach müssen den Stein abgelenkt haben«, rief Cúchulainn zornig und machte die Schleuder erneut bereit. Doch wieder verfehlte er sein Ziel, worauf er noch wütender wurde. Wie ein Besessener rannte er zu seinem Streitwagen und riß einen stählernen Wurfpfeil aus der Kanzel. Mit mächtigem Schwung sandte er das Geschoß auf den See hinaus, tatsächlich traf er jetzt einen der Silberschwäne. Allerdings streifte der Pfeil den Vogel lediglich an der linken Schwinge – unmittelbar darauf tauchte das Schwanenpaar unter und erschien nicht mehr an der Wasseroberfläche.

»Du hast etwas Furchtbares getan!« klagte Emer. »Bestimmt handelte es sich bei den Silberschwänen um Sídhe in Tiergestalt, nun werden sie dir zürnen.«

»Sei still, du Närrin!« fuhr Cúchulainn seine Gemahlin an.

Als Emer angesichts dieser Beleidigung in Tränen ausbrach, wandte sich Cúchulainn abrupt ab und ging mit seltsam stelzenden Schritten zum Steinring. Je näher er dem Rund der schwarzen Buckelfelsen kam, desto unsicherer wurden seine Bewegungen; kaum war er im Inneren des Kreises, verspürte er eine nie gekannte Schwäche.

Während Cúchulainn dagegen ankämpfte, glaubte er ferne Stimmen zu vernehmen. Eine gehörte der Edelfrau, welche nach dem Räucherritual beim Menhir vom Neumond gesprochen hatte; eine andere erinnerte ihn an Cathbad – und auf einmal schien die Warnung, die der Druide ihm und Emer vor Jahren auf dem Murthemnefeld hatte zukommen lassen, förmlich in seinen Ohren zu dröhnen: »Beachtet stets besondere Vorsicht, wenn ihr dieses dem Schwarzmond zugeordnete Heiligtum betretet. Vor allem in jenen Zeiten, da Arianrhod ihr Antlitz verbirgt, ist es von derartiger Kraft erfüllt, daß ein Mensch innerhalb eines einzigen Lidschlags aus der Diesseitswelt entrückt werden kann.«

Panik stieg in Cúchulainn auf. Ich muß den Steinring schleunigst verlassen, durchfuhr es ihn – aber die magische Macht, die ihn lähmte und sein Verhalten schon seit dem Auftauchen der Schwäne beeinflußt hatte, war stärker. Er vergaß, was er eben noch gedacht hatte, sank neben einem der schwarzen Buckelfelsen nieder, lehnte sein Haupt an den Stein und fiel in tiefen Schlaf.

Zunächst lag der Held von Erinn reglos da; bald jedoch zuckten seine Lider, und sein Atem ging unregelmäßiger. Verwirrende Traumgesichte verfolgten Cúchulainn: fetzenartige Szenen aus den zahllosen Kämpfen, die er bestanden hatte; danach blitzschnell wechselnde Bilder von Gegenden, durch welche er gezogen war. Dann hatte er das Empfinden, in Bruig na Bóinne zu sein; wiederum einen Augenblick später schienen die heiligen Gefilde ins Unendliche zu wachsen und sich dabei umzuwandeln – jetzt wanderte er über eine leuchtende, von blausilbrigen Bergzügen umsäumte Ebene, in der er eine Landschaft von Tír na n'Og zu erkennen vermeinte.

Unweit des Pfades, dem Cúchulainn folgte, wisperte der Wind im Blattwerk eines Birkenhains; irgend etwas zog den Helden von Erinn dorthin. Als Cúchulainn näher kam, vernahm er perlendes Lachen – und zwei junge, überirdisch schöne Frauen traten unter den Bäumen hervor. Die eine war blond und trug einen schilfgrünen Mantel, um ihren linken Oberarm war eine golddurchflochtene Linnenbinde gewunden. Das reiche Haar der anderen schimmerte kupferfarben, ihr Umhang war aus purpurner Wolle gewebt.

Lächelnd gingen die beiden feenhaften Edelfrauen dem Helden von Erinn entgegen, wenige Schritte von ihm entfernt blieben sie stehen. Cúchulainn öffnete den Mund, um sie zu begrüßen, aber die Grüngekleidete kam ihm zuvor und sagte: »Du streiftest meinen Arm mit dem Wurfpfeil, nun will ich dich besser treffen – du unbesiegbarer Held.«

Blitzschnell zog sie einen ellenlangen Silberdorn unter ihrem Mantel hervor und stieß Cúchulainn den Stachel so heftig in die Schulter, daß Blut spritzte. Unmittelbar darauf schlug ihn die Rotgekleidete mit einer kupfernen Gerte. Hageldicht fielen die Hiebe, Cúchulainn schrie vor Pein und brach in die Knie. Zitternd hockte er im Gras, die Gestalten der Frauen verschmolzen mit einer heranflutenden Nebelwand. Nur das Lachen der Sídhe hallte noch aus den silberweißen Schwaden und verspottete den Helden von Erinn, bis er das Bewußtsein verlor.

Die markerschütternden Schreie Cúchulainns hatten Conchobar und dessen Gefolge aus dem Schlaf gerissen. Aufgelöst hatte Emer von der Freveltat ihres Gemahls an den Schwänen berichtet; jetzt trugen der König und drei Adelskrieger den besinnungslosen Helden von Erinn zu einer der Eichen, welche den Steinkreis umgrenzten. Zwischen den Wurzeln des Baumes legten sie Cúchulainn nieder. Als Conchobar und Emer ihn von der Brünne befreiten, um ihm Luft zu verschaffen, sahen sie, daß er aus einer Schulterwunde blutete und sein Körper von Striemen bedeckt war.

»Cúchulainn ist mit andersweltlichen Wesen aneinandergeraten«, murmelte der König betroffen. »Und sein Geist blieb offenbar in Annwn gefangen, von wo auch das Schwanenpaar kam.«

Mit den Tränen kämpfend wand Emer ein Tuch um die Achsel ihres Gatten, dann forderte sie: »Wir müssen Cúchulainn nach Dun Delgan bringen. Hier auf dem Murthemnefeld darf er keinesfalls bleiben.«

»Besser wäre es, ihn ins Tete-Brec-Haus bei Emain Macha zu fahren«, erklang eine Stimme in ihrem Rücken. Sie gehörte Cathbad, der soeben mit Conall Cernach eingetroffen war; nun fügte der Druide hinzu: »Ich will euch begleiten und die Ärzte bei Cúchulainns Heilung unterstützen.«

Dankbar stimmte Emer dem Vorschlag Cathbads zu. Der Held von Erinn wurde in die Kanzel seines Streitwagens gebettet, Emer setzte sich neben ihren Gemahl. Der Druide lenkte die Hengste nach Nordwesten; Conchobar und Conall flankierten das Gespann, die übrigen Wagen folgten.

Während der langen Fahrt, welche den ganzen Tag und den größten Teil der Nacht dauerte, lag Cúchulainn da wie ein Toter; nur ab und zu stöhnte er leise. Endlich erreichte der Wagenzug die Ebene von Emain Macha und hielt auf das Tete-Brec-Haus zu, welches in einem Quellenhain unweit der Königsburg stand.

Als das Gefährt mit dem Kranken vor dem Gebäude anlangte, eilten mehrere Arztdruiden heraus. Nachdem sie erfahren hatten, was auf dem Murthemnefeld geschehen war, trugen sie den Helden von Erinn auf Cathbads Anregung hin in ein Gemach, dessen Fenster gen Osten wiesen. Behutsam hoben die Ärzte den Bewußtlosen aufs Bett und kümmerten sich um seine sichtbaren Verletzungen. Der Druide von Dun Tobarce legte mit Hand an, anschließend beschied er die anderen Großen Wissenden: »Cúchulainn ist Lugh mac Ethnend und damit der Sonne verbunden. Laßt uns also, sobald das erste Morgenlicht auf sein Antlitz fällt, ein Sonnenritual ausführen. Vielleicht genügt das bereits, um ihn von seiner Ohnmacht zu befreien.«

Tatsächlich schien es bei Tagesanbruch so, als hätte Cathbad damit das Richtige getroffen. Kaum waren die Beschwörungen der Druiden verklungen, flatterten Cúchulainns Lider. Gleich darauf öffnete er die Augen; sein verschleierter Blick suchte Emer, deren Lippen lautlos flehten – im nächsten Moment jedoch übermannte ihn die Besinnungslosigkeit von neuem.

Emer begann haltlos zu schluchzen; der König und Conall, die sich ebenfalls im Raum aufhielten, starrten erschüttert auf den Freund. Cathbad versuchte sie zu trösten: »Verzagt nicht! Immerhin zeigte das Sonnenritual eine gewisse Wirkung, und sie könnte sich verstärken, wenn wir die Beschwörungen morgen wiederholen.«

»Zudem gibt es im Tete-Brec-Haus weitere Möglichkeiten, gegen den Bann anzukämpfen«, erklärte eine Arztdruidin. »Daher haben wir wirklich keinen Grund, die Hoffnung vorschnell aufzugeben.«

Aber obwohl sich die Großen Wissenden nach Kräften um den Helden von Erinn bemühten, blieb dessen Zustand unverändert. Elf Tage und Nächte lag Cúchulainn wie gelähmt und totenbleich da. Einzig bei Sonnenaufgang, wenn die Druiden das Ritual vollführten, erwachte er jeweils für einen kurzen Augenblick aus seiner Ohnmacht.

Am zwölften Morgen jedoch trat eine Besserung ein. Diesmal blieb der Kranke wach und flüsterte mit schwerer Zunge: »Gebt mir . . . Wasser.«

Nachdem Cúchulainn einen ganzen Krug geleert hatte, fragte Cathbad: »Was ist dir im Steinkreis, als dein Geist nach Annwn reiste, zugestoßen?«

Cúchulainn wollte antworten, aber er brachte keinen Ton hervor. Lediglich ein hilfloses Keuchen drang aus seiner Kehle; vergeblich quälte er sich, er vermochte kein einziges Wort zu artikulieren.

Als ihn Emer jedoch bat, etwas zu essen, gewann er seine Sprechfähigkeit zurück und stöhnte: »Mehr Wasser . . . Danach Brot . . . «

Cathbad wartete ab, bis der Kranke abermals getrunken und dann gegessen hatte, anschließend versuchte es der ergraute Druide erneut: »Fühlst du dich jetzt imstande, uns Auskunft über deine Fährnisse in der verborgenen Welt zu erteilen?«

Wieder bemühte sich Cúchulainn. Doch ebenso wie zuvor vernahmen die Umstehenden bloß unverständliche Keuchlaute, einen Augenblick später schlief der Kranke erschöpft wieder ein.

Damit war klar, daß der Zauber noch immer wirkte. Betreten stellte Cathbad fest: »Die Mächte, die Cúchulainn für seinen Frevel bestraften, haben nach wie vor ihre eigenen Absichten mit ihm. Wir sollen nicht erfahren, was sie mit ihm anstellten. Deshalb versagt ihm die Stimme, sobald er von seinen Erlebnissen in Annwn berichten will, und nur wenn es um alltägliche Dinge geht, vermag Cúchulainn zu reden.«

»Wird das etwa für den Rest seines Lebens so bleiben?« stieß Emer entsetzt hervor.

Mitleidig griff der grauhaarige Druide nach ihrer Hand. »Oft ist uns rätselhaft, was die Bewohner Tír na n'Ogs durch ihre Handlungsweise bezwecken. Aber sie sind keineswegs unsere Feinde, daher dürfen wir hoffen.«

Diese Hoffnung indessen wurde auf eine harte Probe gestellt, denn während der folgenden Wochen und Monate änderte sich nichts an Cúchulainns Zustand. Apathisch lag er auf seinem Bett; zumeist starrte er geistesabwesend ins Leere, nur selten wechselte er ein paar belanglose Worte mit denen, die ihn pflegten. Herbst und Winter gingen darüber hin; Imbolc und Beltane verstrichen, ohne daß eine Besserung eintrat. Als die Menschen Lughnasad feierten, währte die geheimnisvolle Krankheit des Helden von Erinn bereits ein dreiviertel Jahr; bald darauf rauschten neuerlich die Herbstwinde in den Wipfeln der Bäume, welche das Tete-Brec-Haus umstanden.

Am Vorabend von Samhain saß Conall Cernach im Gemach Cúchulainns. Sorgenvoll betrachtete er seinen Milchbruder, der kurz nach Sonnenuntergang einen Imbiß zu sich genommen hatte und dann eingeschlummert war. Plötzlich vernahm der Hirschäugige ein Geräusch. Als er aufschaute, sah er einen Fremden durch die Tür treten. Der eher kleingewachsene Mann, der einen rot und grün gemusterten Umhang trug, hielt eine Handharfe in der Armbeuge. Mit seltsam schwebenden Schritten kam er näher und ließ seinen Blick über den schlafenden Helden von Erinn schweifen.

»Wer bist du und was suchst du hier?« fragte Conall erstaunt.

»Wie ich heiße, wirst du später erfahren«, erwiderte der Fremde. »Was jedoch den Anlaß für mein Erscheinen betrifft, so solltest du folgendes bedenken: Seit dem letzten Samhain-Fest, da Cúchulainn den Schwan auf dem Murthemnesee mit seinem Wurfpfeil verwundete, sind fast zwölf Monate ins Land gezogen.«

»Wohl wahr«, bestätigte Conall traurig. »Morgen jährt sich der unglückselige Tag, an dem mein Milchbruder den Frevel beging.«

»Und weil dies so ist, will ich einen Laid für Cúchulainn vortragen«, lächelte der Kleine. Er wies auf das Fußende des Krankenbettes. »Ist es erlaubt?«

Nachdem Conall wie traumverloren genickt hatte, nahm der Fremde Platz, entlockte seiner Harfe eine Reihe wundersam perlender Töne und sang:

»Die Zunge lähmt dir, Held von Erinn,
die Zaubermacht der Sídhe.
Siech auf der Lagerstatt liegst du,
voller Sehnsucht nach Liban und Fann,
Aed Abrats liebreizenden Töchtern.
Durch mich senden sie dir Nachricht,
durch mich richten sie eine Bitte an dich.
Trost, Hilfe und Genesung
wünschen sie dir zu schenken,
sofern du vertrauensvoll bereit bist,
die Zeit eines Mondlaufes zu verbringen
auf den Ländereien Labrids.
Dort will dir Fann, die rothaarige Sídh,
Erbarmen, Gnade und Gunst erweisen,
Fann, die Gattin von Mananann mac Lir.
In der heutigen Nacht, der Nacht,
welche dem Samhain-Fest vorangeht,
wird Liban, Fanns goldlockige Schwester,
dich auf dem Murthemnefeld erwarten.
Kommst du offenen Herzens dorthin,
so heilt Liban flugs dein Gebrechen
und geleitet dich sicher in das Land,
wo Fann deiner voll Ungeduld harrt.
Über das Feld von Cruach sollst du
in die Gefilde der Wonne reisen.
Inständig wünscht sich die Sídh,
du mögest ihrer Schwester folgen.«

Mit einem Nachspiel von magischer Anmut verklang der Laid; gebannt lauschte Conall Cernach der letzten, langsam verwehenden Tonkaskade. Als der Fremde im rotgrünen Mantel die Harfe sinken ließ, tat Conall einen tiefen Atemzug, sodann sagte er: »Du bist ein begnadeter Barde, mein Freund. Und ich bitte dich nochmals, mir deinen Namen zu nennen, damit ich ihn überall in Ulster preisen kann.«

Der Sänger stand von der Bettkante auf. »In meiner Heimat, wohin ich nunmehr zurückkehre, kennt man mich als Oengus, den Sohn des Aed Abrat.«

»So bist du Libans und Fanns Bruder«, rief Conall aus. »Und stammst aus dem Reich der Sídhe.«

»Ja«, nickte Oengus – im nächsten Moment wurde seine Gestalt durchscheinend und zerfloß wie Rauch vor Conall Cernachs Augen.

Verblüfft starrte Conall, plötzlich vernahm er Cúchulainns Stimme: »War nicht gerade ein Sendbote aus Annwn hier im Raum?«

Als Conall herumfuhr, sah er, daß sein Milchbruder aufrecht dasaß. Mehr noch: Cúchulainn war offensichtlich hellwach, denn jetzt sprudelte es förmlich aus ihm heraus: »Doch, ich weiß es genau. Der Barde, der den Laid vortrug, hieß Oengus mac Aed Abrat. Er kam aus Labrids Fürstentum, wo auch Fann und Liban leben, die Sídhefrauen, welche sich im Schwanenkleid zeigten. Vermessen schleuderte ich den Wurfpfeil auf sie und verletzte Liban an der Schwinge. Meine Strafe freilich folgte sofort. Die Macht der Sídhe zwang mich in den Steinkreis und entrückte meinen Geist in ein Tal von Tír na n'Og…«

»Was passierte dort?« unterbrach Conall den Freund.

Daraufhin berichtete Cúchulainn in allen Einzelheiten, was ihm auf seiner unfreiwilligen Reise nach Annwn zugestoßen war; zuletzt erkundigte er sich: »Wie lange liege ich schon im Tete-Brec-Haus?«

Nachdem Conall ihm Auskunft gegeben hatte, erbleichte er und stammelte: »Zwölf Monate… Eben noch zählte ich vierundzwanzig Jahre, nun fünfundzwanzig… Es ist kaum zu glauben…« Rasch aber faßte er sich wieder und fragte: »Was rätst du mir? Soll ich Oengus' Einladung folgen und zum Murthemnefeld zurückkehren?«

»Aed Abrats Sohn verkündete, daß es gleich diese Nacht geschehen müßte«, murmelte Conall.

»Wann denn sonst?« schnappte Cúchulainn. »Nur in der Samhainnacht stehen die Tore nach Tír na n'Og weit offen. Deshalb darf ich mit meiner Entscheidung nicht lange zögern.«

»Trotzdem solltest du gründlich bedenken, was du tust«, mahnte der Hirschäugige. »Zwar versprach Oengus dir dauernde Heilung von deinem Gebrechen, sofern du dich im Steinkreis mit Liban triffst. Ungewiß ist allerdings, ob du die notwendigerweise sturmschnelle Fahrt dorthin bei deinem geschwächten Zustand überhaupt schaffst. Du könntest unterwegs verunglücken, vielleicht sogar den Tod finden – und was wäre damit gewonnen? Andererseits jedoch droht die Gefahr, daß die Sídhe dir abermals zürnen, wenn du ihren Wunsch abschlägst. Womöglich nehmen sie dann schlimmere Rache denn je an dir, und du . . .«

»Ich will hören, was Cathbad dazu sagt«, fiel ihm Cúchulainn ins Wort. »Hol ihn her. Auch Emer und Conchobar sollen kommen.«

»Das ist am vernünftigsten«, pflichtete Conall ihm bei. »Ich werde zur Burg laufen, um die drei zu verständigen.«

Der Hirschäugige schritt zur Tür; kaum war Conall draußen, fiel Cúchulainns Blick auf einen Schragen im Hintergrund des Gemachs. Über dem Balkengerüst hing die Brünne des Helden von Erinn, daneben lehnten seine Waffen. Cúchulainn konnte nicht widerstehen; er sprang aus dem Bett, legte die Rüstung an und gürtete das Schwert. Tief sog er die Luft in die Lungen, ging zu einem der Fenster und öffnete die Läden. Am nächtlichen Firmament funkelten Myriaden Sterne; ihr flirrendes Licht lockte Cúchulainn, lockte ihn immer stärker. Auf einmal schienen zärtliche Frauenstimmen seinen Namen zu flüstern – gleich darauf wurde dieses verführerische Raunen von Hengstwiehern überlagert: dem Ruf der Wagenrösser Cúchulainns.

Der Held von Erinn vergaß, was er mit Conall abgemacht hatte. Er griff nach seinem Schild und den Speeren, rannte aus dem Raum, verließ das Tete-Brec-Haus und hastete zu der Stallung am Rand des Quellenhains, wo sich die Hengste und der Streitwagen befanden. Die Rösser begrüßten ihren Herrn schnaubend und stampfend, im Nu hatte Cúchulainn sie vor den Kampfwagen geschirrt. Als er das Gespann ins Freie lenkte, kamen ihm aufgestörte Arztdruiden entgegen. Einer rief ihm etwas zu, aber der Held von Erinn achtete nicht darauf. Er ließ die Hengste angaloppieren – ein Stück vom Hain entfernt verdreifachten die Rösser ihre Geschwindigkeit und preschten wie auf den Flügeln des Sturmwindes nach Südosten.

Zwischen Mitternacht und Morgengrauen erreichte Cúchulainn das Murthemnefeld, schweigend lagen der Steinkreis und der See unterm sternenübersäten Himmel da. Im selben Moment, da die Hengste in den Ring der Buckelfelsen trabten, erschien vor dem schräg aufragenden Menhir ein Nebelstreif und verwandelte sich in eine weibliche Gestalt. Es war Liban, die blonde Sídh im schilfgrünen Umhang.

Cúchulainn zügelte die Rösser, lächelnd trat Liban an den goldenen Wagen heran und sagte: »Ich danke dir von Herzen, daß du gekommen bist.«

»Da du so freundlich bist, trägst du mir meinen Pfeilwurf offenbar nicht länger nach«, erwiderte Cúchulainn halb im Ernst, halb im Scherz.

»Du hast dafür gebüßt«, antwortete die Sídh. »Und was deine Fertigkeit im Umgang mit Wurfpfeilen und anderen Waffen angeht, so könntest du sie nunmehr für einen besseren Zweck als vor einem Jahr unter Beweis stellen.«

»Inwiefern?« fragte Cúchulainn.

»Fürst Labrid, mein Gemahl, wird von drei gefährlichen Feinden bedrängt, welche ihm die Herrschaft über einen Teil seines Reiches streitig machen«, beschied ihn Liban. »Diese Adligen heißen Eochaid Iuil, Senach Siburte und Eogan Inbir, und sofern du bereit bist, einen Tag lang gegen sie zu kämpfen, sollst du zum Lohn die Zuwendung Fanns genießen dürfen.«

»Ist deine Schwester denn nicht die Gattin des Sídhekönigs und Meergottes Mananann mac Lir?« versetzte Cúchulainn.

»Doch«, erklärte Liban. »Aber nach einem Streit verließ sie ihn und begab sich unter Labrids Schutz. Seit mehr als einem Jahr lebt Fann bei uns; am vergangenen Samhain-Fest zogen wir in Schwanengestalt aus, um einen Geliebten für sie zu suchen. Als Fann dich hier auf dem Murthemnefeld sah, entbrannte sie sofort in Leidenschaft zu dir; du jedoch benahmst dich töricht, so daß uns nichts anderes übrigblieb, als dich in deine Schranken zu weisen. Jetzt freilich, da dein Frevel gesühnt ist, kann Fann es gar nicht mehr erwarten, dich in die Arme zu schließen. Daher bitte ich dich nicht nur in Labrids, sondern auch in ihrem Namen: Begleite mich nach Tír na n'Og, wo Fann dich vergessen lassen möchte, was du während der letzten zwölf Monate erlitten hast.«

Cúchulainn rang mit sich; vor allem bedrückte ihn der Gedanke an Emer, deswegen wandte er ein: »Gerade erst erhob ich mich vom Krankenlager, nun soll ich gegen drei Sídherecken streiten und überdies meinen Mann bei deiner Schwester stehen. Dies, so fürchte ich, verträgt sich nicht mit der Schwäche, die ich noch immer in meinen Gliedern spüre.«

»Sobald du mir erlaubst, zu dir in die Wagenkanzel zu steigen, kehrt deine frühere Kraft zurück«, versprach Liban. »Dein Heldenmut aber wird sogar größer sein als bisher, und ich denke, das ist ein Angebot, das du nicht ausschlagen kannst. Denn schließlich wurdest du geboren, um einzigartige Ruhmestaten zu vollbringen.«

»Du verstehst es meisterhaft, mir den Ausflug nach Tír na n'Og schmackhaft zu machen«, bekannte Cúchulainn. »Doch bevor wir die Fahrt antreten, würde ich gerne ein wenig mehr über unser Ziel wissen.«

Mit schwingender Bewegung ließ die Blonde ihre Hände durch die Luft gleiten. Aus dem Nichts heraus entstanden die Umrisse einer Harfe, die Konturen verdichteten sich und wurden zu einem prächtigen Instrument aus Ebenholz und Elfenbein. Liban griff in die Saiten, sodann vernahm der Held von Erinn einen zauberhaften Laid:

»Von fein verzierten Silbersäulen getragen,
steht Labrids Haus in den Gefilden der Wonne.
Die bronzenen Schindeln des Daches
spiegeln sich im traumblauen Fluten der See.
Am Gestade der Insel wandeln feenschöne Frauen,
goldenen Kronen gleicht ihr reiches Haar,
ihre Augen strahlen wie Tau in der Morgensonne.
Sehnsüchtig öffnen Aed Abrats Töchter die Arme
und begrüßen frohlockend den Fürsten Labrid.
Auf rotgoldenem Kampfwagen jagt der Edle
über die rollenden Wogen des Meeres,
in rasender Eile preschen die Schimmel dahin,
die schaumweißen Rosse im funkelnden Zaumzeug.
In den Krieg zieht der kühne Sídhefürst,
gleich Rotlaub im Herbst sind seine Wangen gefärbt,
wie süßer Weinduft entströmt der Atem seinem Mund.
Tapfere Kriegerscharen in schimmernder Wehr
folgen Labrid über die Wellen aufs Schlachtfeld.
Wölfische drohen dort, wütend die Rachen aufgerissen,
der Fürst aber erlegt die Feinde mit blitzendem Speer.
So beschützt Labrid die Schönen des Eilands,
und seligen Lohn empfängt der siegreiche Fürst
auf dem weichen Lager seiner Gemahlin,
die ihn mit heißer Ungeduld erwartet.«

Während Liban den letzten Vers sang, vermeinte Cúchulainn, die liebreizende Fann im Schmuck ihres reichen, kupferfarbenen Haares vor sich zu sehen. Das verführerische Bild blieb auch dann noch vor seinem inneren Auge bestehen, als die Umrisse der Harfe sich wieder auflösten; kaum war das Instrument verschwunden, drängte der Held von Erinn: »Steig in den Wagen, Liban, damit wir nach Tír na n'Og reisen können.«

Geschmeidig glitt die Sídh an Cúchulainns Seite. Dreimal umrundete der Streitwagen den Menhir in Richtung des Sonnenlaufes; nach der dritten Umkreisung wurde der schräg aufragende Hohe Stein zu einer ins Verborgene führenden Brücke, und die Hengste galoppierten über den magischen Pfad davon.

(ŊANANANNS (ŊANTEL

Fassungslos starrte Emer auf die Arztdruiden vor dem Portal des Tete-Brec-Hauses, welche ihr und ihren Begleitern soeben mitgeteilt hatten, daß Cúchulainn im Kampfwagen nach Südosten gerast war. Vergeblich rang die Kastanienhaarige nach Worten, schließlich stieß sie außer sich hervor: »Wie konntet ihr das zulassen? Ihr habt eure Pflichten gröblichst verletzt!«

»Es war uns unmöglich, deinen Gemahl aufzuhalten«, widersprach einer der Heilkundigen. »Hätten wir es versucht, wäre uns das sehr übel bekommen, denn Cúchulainn erweckte den Eindruck eines Besessenen.«

»Er stand ganz offensichtlich noch immer unter dem Bann des Laid, den Oengus mac Aed Abrat vortrug«, äußerte Cathbad. »Die Magie des Sídhebarden zwang Cúchulainn, die Fahrt zum Murthemnefeld anzutreten, und wenn die Kräfte von Annwn im Spiel sind, ist menschlicher Wille zumeist machtlos.«

Conall und Conchobar nickten, der Hirschäugige zog

Emer tröstend an seine Brust. »Sorge dich nicht um Cúchulainn. Er hat schon so viele Herausforderungen bestanden und wird gewiß auch diese meistern. Bald kehrt er zu uns zurück, danach werdet ihr beiden wieder glücklich in Dun Delgan leben.«

»Wichtig ist doch im Grunde nur, daß Cúchulainn seine Krankheit überwunden hat«, fügte der König hinzu. »Ein volles Jahr litt er unter der schrecklichen Schwäche, jetzt tummelt er neuerlich seine Rosse, und das allein zählt.«

Emer riß sich von Conall Cernach los. »Aber der Preis, den die Sídhe für seine Genesung fordern, ist grausam hoch.« Wütend stampfte sie mit dem Fuß auf. »Zumindest für mich. Vorhin in der Burg erfuhren wir ja aus deinem Mund, Conall, wovon Oengus im einzelnen sang. Und wenn ich mich recht erinnere, hieß es in dem verfluchten Lied doch wohl, Fann harre meines Gatten voller Ungeduld in den Gefilden der Wonne!«

»Vielleicht solltest du das nicht allzu wörtlich nehmen«, murmelte Conchobar.

»Und ob ich das tue!« rief Emer. »Was der tückische Barde damit meinte, ist mir völlig klar. Wenn ich könnte, würde ich Cúchulainn folgen, um die Schwester dieses hinterhältigen Oengus daran zu hindern, meinen Gemahl mit ihren verworfenen Zauberkünsten zu verführen.«

»Dieser Weg ist dir verwehrt«, erklärte Cathbad mit ernster Miene. »Du wirst dich in dein Schicksal fügen und abwarten müssen, bis Cúchulainn heimkehrt.«

»Das weiß ich selbst«, fauchte Emer, drehte sich um und rannte in Richtung der Festung davon.

Betreten schauten die Männer ihr nach; als die Kastanienhaarige in der Dunkelheit verschwunden war, sagte der König: »Wir können bloß hoffen, daß sie wieder zur Vernunft kommt.«

»Bestimmt wird sie das«, erwiderte Conall; auf Cathbads Antlitz allerdings malten sich Zweifel.

Tatsächlich fand Emer die ganze Nacht keine Ruhe. Bis zum Morgengrauen lief sie rastlos in ihrem Gemach auf und ab; von Zeit zu Zeit vernahm die zu ihrer Bedienung abgestellte Magd, welche im Vorraum auf ihrem Bett lag, wildes Schluchzen. Bei Sonnenaufgang dann schnürte Emer ihr Bündel und verließ Emain Macha. Sie wollte zurück nach Dun Delgan; ihre Freunde hatten nicht vermocht, sie umzustimmen.

Eben noch war der goldene Wagen durch samtige, sternenlose Nacht gefegt, jetzt plötzlich wich die Finsternis Kaskaden strahlenden Lichts. Geblendet hob Cúchulainn die Hand vors Gesicht; als seine Augen sich an die Helligkeit gewöhnt hatten, gewahrte er, daß die Rösser über eine weich geschwungene, von feinem Weißsand bedeckte Landzunge galoppierten – und jenseits dieser Nehrung sah Cúchulainn einen Archipel von traumhafter Schönheit.

Dutzende Inseln wuchsen aus der tiefblauen See empor; manche Eilande waren locker bewaldet, die Klippen und Felsbastionen anderer bildeten bizarre Formationen. Zwischen einigen der Inseln zogen, obwohl Windstille herrschte, Barken mit geschwellten Purpursegeln ihre Bahn. Nachdem der Wagen am Ende der Landzunge zum Stehen gekommen war, deutete Cúchulainn auf eines dieser Schiffe und fragte Liban: »Werden auch wir eine solche Barke benutzen, um zur Wohnstätte deines Gemahls zu gelangen?«

»Sofern du mir die Zügel überläßt, haben wir das nicht nötig«, antwortete die blonde Sídh.

Cúchulainn reichte ihr die Leitriemen; die Hengste zogen erneut an – und trabten aufs Meer hinaus. Funkelnde Gischt spritzte unter den Hufen der Rösser auf; die Räder des Streitwagens rauschten, kaum eine Handspanne einsinkend, über die Wogen. Als Liban die Pferde losgaloppieren ließ, entstand hinter dem Gespann ein fünfzehnfarbiger Regenbogen.

Die Sídh lenkte die Hengste an einer Reihe von Eilanden vorbei; während der goldene Wagen sie passierte, glaubte Cúchulainn inmitten von Hainen oder hoch auf Felstürmen prächtige Bauwerke zu erkennen. Dann hielt das Gespann auf eine Insel mit weitem, sichelmondförmigem Sandstrand zu – und dort, direkt am Wasser, erblickte der Held von Erinn den Palast, welchen Liban in ihrem Laid besungen hatte.

Der Wohnsitz des Sídhefürsten Labrid bestand aus fünf Gruppen von jeweils drei prächtigen, hallengroßen Rundhäusern. Die Gebäude ruhten auf silbernen Pfeilern, alle diese Säulen waren kunstvoll mit Spiralmustern, verflochtenen Ranken oder Knotenwerk verziert. Um einige der Pfeiler wanden sich filigrane Wendeltreppen, ebenfalls aus Mondmetall, die zu schwerelos wirkenden Arkadenbrücken führten, welche die einzelnen Häuser in luftiger Höhe miteinander verbanden. Die Wände der Wohngebäude waren fachwerkartig aus schwarzem Edelholz und Silberbalken gefügt, die haubenförmigen Dächer mit rötlich glänzenden Bronzeschindeln gedeckt; in den ovalen Fensteröffnungen der Rundhäuser schimmerten Butzenscheiben aus weißem, rotem und nachtblauem Glas.

Langsam ließ Liban die Rösser um den Palast traben, damit Cúchulainn Gelegenheit fand, das Bauwerk zu bewundern. Als das Gespann wieder an seinem Ausgangspunkt ankam, schollen dem Helden von Erinn und seiner Begleiterin fröhliche Begrüßungsrufe entgegen. Am Meeresgestade hatten sich die Bewohner des Fürstenpalastes versammelt: Hunderte in voller Jugendkraft stehende Frauen und Männer, die in kostbare Gewänder gekleidet waren.

Cúchulainn stieg vom Streitwagen; gleichzeitig teilte sich die Schar der Sídhe, und durch das sich so bildende Spalier schritten Labrid und Fann auf den Helden von Erinn zu. Die kupferhaarige Schwester Libans war noch schöner, als Cúchulainn sie in Erinnerung hatte; Fanns überaus reizvolles Antlitz und ihr verführerischer Leib, der von einem Kleid aus roter Meerseide umschmeichelt wurde, lösten jähes, fast schmerzliches Verlangen in ihm aus. Fürst Labrid war hochgewachsen; Haar und Bart leuchteten weißblond, er trug eine mit funkelnden Kristallschuppen und bronzenen Drachenornamenten besetzte Brünne.

Labrid umarmte den Helden von Erinn wie einen vertrauten Freund, gab ihn wieder frei und sagte: »Sei willkommen in meinem Reich, Lugh mac Ethnend. Deine Ankunft ehrt alle, die hier leben – insbesondere aber diejenige, die du an meiner Seite siehst.«

Fann schenkte Cúchulainn ein bezauberndes Lächeln. »Ich hoffe inständig, du trägst mir gewisse Dinge nicht nach.«

Für einen Moment verlor sich der Held von Erinn in ihren smaragdgrünen Augen, dann erwiderte er: »An mir ist es, dich um Verzeihung zu bitten. Was ich dir und deiner Schwester damals auf dem Murthemnefeld antat, war...«

»Es ist vergeben und vergessen«, unterbrach ihn Fann. Sie trat an Cúchulainns Seite, hakte ihn unter und fuhr fort: »Doch nun erlaube, daß ich dich zu Tisch geleite.« Sie wies zum Strand. »Dort drüben wird gerade die Festtafel gedeckt.«

Der Held von Erinn schaute in die angegebene Richtung und wurde Zeuge eines wundersamen Geschehens. Wo eben noch eine leere Sandfläche gewesen war, stand jetzt ein Goldtisch mit vier hochlehnigen Sesseln – und über die See schwebten silberne Schüsseln, Teller, Krüge, Pokale und Besteckteile heran. Ganz von selbst ordnete sich das Geschirr auf der Tafel; als Cúchulainn zusammen mit Fann, Labrid und Liban näher schritt, roch er den Duft erlesener Speisen und Getränke.

Die beiden Paare nahmen Platz, eigenhändig füllte der Sídhefürst die Becher. Nie zuvor hatte Cúchulainn solch köstlichen Wein getrunken; niemals Leckerbissen gegessen, wie Fann sie ihm danach vorlegte. Unbeschreiblich schmackhaftes

Wildfleisch, in pikante Soßen getunkte Geflügelhappen und zarter Fisch zergingen ihm auf der Zunge; er schlürfte saftige Muscheln aus phantastisch geformten, mit edelsteinartigen Krusten überzogenen Schalen, genoß aromatisches Meeresgemüse und fremdartige Früchte, wie sie nur in Tír na n'Og gediehen. Während des Festmahls führten die Gefolgsleute Labrids Tänze vor oder veranstalteten heitere Wettspiele, zwischendurch sang eine Gruppe von Sídhefrauen betörende Lieder.

Stunden verstrichen auf diese Weise wie im Fluge. Zunächst erzählten der Held von Erinn und Labrid abwechselnd von ihren Kriegszügen und Waffentaten; später gaben Fann und Liban romantische Liebesgeschichten zum besten, die sich entweder in Annwn oder in der Diesseitswelt zugetragen hatten. Erst als der Sonnenball hinter den östlichen Eilanden des Archipels ins Meer tauchte, endete das Mahl.

Hand in Hand folgten Fann und Cúchulainn dem Fürstenpaar zum Palast. Sie stiegen eine der Wendeltreppen hinauf; unter dem Portal des prunkvollsten Rundhauses verabschiedeten sich Labrid und Liban, die blondhaarige Sídh küßte den Helden von Erinn auf die Wange und raunte ihm zu: »Nun wird dir meine Schwester das für dich bestimmte Gemach zeigen.«

Fann führte Cúchulainn entlang einer mit Bernsteinmosaiken geschmückten Galerie zu einem Raum, der mit verschwenderischer Pracht ausgestattet war. Edle Rotbaumdielen bedeckten den Fußboden, die Ebenholzmöbel trugen Elfenbeinbeschläge. An den Wänden hingen goldumrahmte Gobelins, die gestickten Bilder zeigten Szenen aus dem Leben des Helden von Erinn; unter anderem waren seine siegreichen Zweikämpfe gegen Goll und Garb, den Bärenrecken auf Scathachs Burg, die drei besten Krieger Aifes, die Amazone selbst sowie gegen verschiedene Connaughtkämpen dargestellt.

Die Kupferhaarige ließ Cúchulainn Zeit, die Bildwerke zu betrachten, sodann deutete sie auf einen thronartigen Lehnsessel und erklärte: »Dies ist ein Wunschstuhl. Was immer du dir ersehnst, wenn du dort sitzt, nimmt sofort Gestalt an.«

Cúchulainn zog Fann in seine Arme. »Ich wünsche mir nur eines.«

Die wunderschöne Sídh gab ihm nach; leidenschaftlich küßten sie sich – aber als Cúchulainn Anstalten machte, Fanns Brüste zu entblößen, hinderte sie ihn daran. »Noch nicht...«, flüsterte sie. »Noch nicht diese Nacht...«

»Warum?« stieß Cúchulainn hervor.

»Weil du eine Abmachung mit meiner Schwester trafst«, antwortete Fann. »Du versprachst Liban, einen Tag lang gegen Labrids Feinde Eochaid Iuil, Senach Siburte und Eogan Inbir zu kämpfen, um auf diese Weise den Lohn zu erringen, den einzig ich dir geben kann.«

»Jetzt, da wir einander so nahe sind, will es mir scheinen, als hätte ich mich allzu leichtfertig zu diesem Versprechen hinreißen lassen«, erwiderte Cúchulainn mit rauher Stimme.

»Scheust du etwa den Waffenstreit?« neckte ihn Fann mit entzückendem Augenaufschlag. »Du, der Unbezwingbare?«

»Du weißt genau, was ich meinte.« Noch einmal suchte Cúchulainn die Lippen der Kupferhaarigen, dann löste er sich von ihr und versetzte: »Doch du kannst gewiß sein, daß ich mein Schwert siegreich in die Scheide stoßen werde – und zwar nicht nur dort, wo Eochaid, Senach und Eogan herrschen.«

»Das hoffe ich inständig.« Fanns verheißungsvolles Lächeln raubte Cúchulainn beinahe den Verstand, im nächsten Moment vernahm er ihre Frage: »Wann willst du zum Kampf gegen Labrids Feinde ausziehen?«

»Morgen früh«, antwortete der Held von Erinn. »Nun aber, ich bitte dich flehentlich, solltest du mich allein lassen...«

Kaum fingerten die ersten Sonnenstrahlen des neuen Tages von Westen her über die See, bestieg Cúchulainn seinen Streitwagen. Während Fürst Labrid ihm den Weg beschrieb, den er nehmen mußte, befestigten Fann und Liban ein goldenes Seepferdchen an der Spitze der Wagendeichsel.

»Wir verrieten dir vorhin, welche Zauberkraft der Figur innewohnt«, rief Fann dem Helden von Erinn zu, als er die Hengste antrieb. »Jetzt hab Vertrauen in diese Macht.«

»Ich werde nicht zaudern«, erwiderte Cúchulainn; gleich darauf galoppierten die Rösser zum Strand, preschten über die Flutlinie – und fegten auf der Wasseroberfläche davon.

Draußen auf dem Meer lenkte Cúchulainn die Hengste nach Norden: einer Insel entgegen, welche fern unter der Kimmung lag. Meile um Meile brachte der Kampfwagen, eine schimmernde Gischtspur ziehend, hinter sich; schließlich vermochte der Held von Erinn Einzelheiten auf dem Eiland auszumachen. Die Insel bestand aus schwarzem, zerklüftetem Basaltgestein; da und dort ragten erloschene Vulkankegel empor, zwischen schroffen Felsflanken gab es tiefeingeschnittene Schluchten. Dunkle Wolkenfetzen trieben über die Berggipfel hinweg; wild donnerten Brecher gegen die Steilküste, bedrohlich gurgelte die See in verborgenen Höhlen.

Einen Speerwurf von dem Eiland entfernt zügelte Cúchulainn die Rösser. Während die Hengste das Wasser stampften und an Land ein Rabenschwarm hochstob, erscholl die Stimme des Helden von Erinn: »Zeigt euch, Eochaid Iuil, Senach Siburte und Eogan Inbir.«

Noch war das letzte Wort nicht verklungen, da rasten drei Streitwagen aus einer Klamm. Drei in Schwarzerz gepanzerte Recken standen in den Kanzeln, der vorderste schrie: »Wer bist du, daß du es wagst, hierher zu kommen?«

Cúchulainn nannte seinen Namen und fügte hinzu: »Als Sterblicher überquerte ich die Brücke nach Annwn, um dich, Eochaid, sowie deine Gefährten Senach und Eogan zum Waffenstreit zu fordern.«

»Den Kampf kannst du haben, Menschenwurm«, brüllte Eochaid Iuil. »Doch es wird dein letzter sein. Denn derweil Senach Siburte den Strand hütet, werden ich und Eogan Inbir dir klarmachen, wie sterblich du in der Tat bist.«

»Versucht es«, erwiderte der Held von Erinn. »Kommt heran und gebt meinem Schwert Sídheblut zu kosten.«

»Unsere Speereisen sollen vermessenes Menschenblut saufen«, schrie Eochaid und schleuderte, ebenso wie Eogan, eine seiner mächtigen Wurfwaffen. Die Speere röhrten über die See und krachten gegen Cúchulainns Schild; der doppelte Aufprall war so hart, daß der goldene Wagen um ein Haar umgeschlagen wäre. Cúchulainns Pferde, ohnehin unruhig, scheuten und gingen durch. Vergeblich versuchte der Held von Erinn, sie zu bemeistern; Eochaid und Eogan wiederum ließen nun ihre Rösser aufs Meer hinauspreschen.

Weitere heranheulende Speere und Wurfkugeln brachten Cúchulainn noch ärger in Bedrängnis; da seine Hengste sich immer toller gebärdeten, fand er keine Gelegenheit zur Verteidigung. Ungefähr eine Meile jagten ihn die Sídherecken auf die offene See, dann sandten sowohl Eochaid als auch Eogan je zwei basaltschwarze Kugelsteine über seinen Kopf hinweg. Hart vor Cúchulainns Gespann pflügten die vier Geschosse mit derartiger Gewalt ins Meer, daß sich eine strudelnde Kluft im Wasser öffnete – die Rösser des Helden von Erinn rasten hinein, gleich darauf schlug die See über den Hengsten und dem Streitwagen zusammen.

Schon wollte sich Cúchulainn aus der Wagenkanzel schnellen, um schwimmend zurück an die Meeresoberfläche zu gelangen; plötzlich wurde ihm klar: Er konnte auch im Wasser atmen. Dasselbe galt für die Rösser; mit unverminderter Geschwindigkeit setzten sie ihren Lauf fort, kamen dabei aber tiefer und tiefer. Anfangs waren die Fluten, welche das Gespann umrauschten, noch hellblau; bald jedoch wurden sie dunkler, zuletzt erreichten die Hengste den Meeresgrund.

Geheimnisvolles Zwielicht herrschte dort unten; trotzdem glaubte der Held von Erinn, zur Linken einen smaragdgrünen Palastbau zu erkennen. Ein Stück weiter wiegte die Strömung die fiedrigen Baumkronen und Äste eines Waldes; Fischschwärme schwirrten zwischen den hin- und herschwingenden Zweigen, und ein Delphinreiter ergriff beim Herannahen des Wagens die Flucht. Kurz darauf geriet das Gefährt in ein von violettem Schein durchwebtes Grottengefilde; aus zackig geformten Höhleneingängen glotzten Schädel von Ungeheuern, die halb Riesenmuräne, halb Drache zu sein schienen. Cúchulainn, dem die Rösser mittlerweile keine Schwierigkeiten mehr machten, hielt einen seiner Speere stoßbereit, aber die Seebestien blieben friedlich.

Nach einer Weile jedoch – der Kampfwagen passierte jetzt ein Feld kristallener Cairns, in dessen Zentrum sich etliche, mit silbernen Tangbärten behangene Dolmen erhoben – bemerkte der Held von Erinn, daß eine andere Gefahr drohte. Die Hengste nämlich wurden deutlich langsamer, offenkundig zehrte der Galopp über den Meeresboden allzusehr an ihren Kräften. Die Rösser brechen zusammen, wenn ich nicht rasch handle, durchfuhr es Cúchulainn. Kaum hatte er es gedacht, verwahrte er den Wurfspeer, hob den Schild vor die Brust, hieb mit den Zügelenden auf die Kruppen der Hengste ein und schwang sich über den Rand der Wagenkanzel.

Cúchulainns Fuß fand die richtige Radspeiche, der Wagenlenker-Lachssprung gelang. Den Rössern voran schoß der Held von Erinn durchs Wasser; mit Hilfe seiner Schildwehr, die er gleich einer Pflugschar einsetzte, teilte Cúchulainn die Fluten: erst im Flachflug, dann schräg empor. Mit geblähten Nüstern und weit aufgerissenen Augen folgten ihm die Hengste auf seiner Bahn; schließlich erreichten der Held von Erinn und unmittelbar hinter ihm das Gespann die Meeresoberfläche.

Im nächsten Moment stand Cúchulainn wieder im Streitwagen. Er schaute sich um und erkannte, daß die Insel, vor deren Küste er im Waffenstreit gegen Eochaid und Eogan den kürzeren gezogen hatte, viele Meilen entfernt lag. Von den Sídherecken war weit und breit nichts mehr zu sehen; zweifellos waren sie in der Meinung, einen endgültigen Sieg errungen zu haben, zum Felseneiland zurückgekehrt.

Der Held von Erinn besänftigte seine verstört über die Wogen kapriolenden Pferde und lenkte sie nach Süden. Kurz bevor die Sonne ihren Mittagsstand erreicht hatte, langte das Gespann auf Labrids Insel an. Am Strand erwarteten der Fürst, Fann, Liban sowie zahlreiche Gefolgsleute Labrids den goldenen Wagen.

Ohne Umschweife berichtete Cúchulainn, was ihm widerfahren war, und schloß: »Zum ersten Mal in meinem Leben geriet ich ins Hintertreffen, doch ich werde die Scharte auswetzen. Noch heute will ich die See erneut überqueren, um die Schwarzgepanzerten abermals herauszufordern.«

»Vielleicht sollte ich dir dazu mein Rossegespann überlassen«, schlug der Sídhefürst vor. »Denn es war eindeutig die Unerfahrenheit deiner Hengste auf dem Wasser, welche dich in Bedrängnis brachte.«

»Dein Angebot ehrt mich«, erwiderte der Held von Erinn. »Da ich allerdings nicht nochmals auf dem Meer zu kämpfen gedenke, werden mir meine eigenen Rösser genügen.«

»Was hast du vor?« erkundigte sich Fann.

»Das würde ich euch gerne bei einem Becher Wein erläutern«, antwortete Cúchulainn. »Seid so gut und kommt mit in mein Gemach.«

Neugierig begleiteten Labrid und die beiden Frauen den Helden von Erinn in den Palast. Nachdem er die Pokale gefüllt und den anderen Bescheid getan hatte, erklärte Cúchulainn: »Ich will Eochaid, Senach und Eogan unversehens auf festem Boden überraschen – und zwar an einem Ort und zu einer Zeit, wo sie es am wenigsten erwarten.«

»Kein schlechter Plan«, äußerte der Sídhefürst. »Fragt sich nur, wie er in die Tat umzusetzen ist.«

»Der Wagenlenker-Lachssprung wird es mir ermöglichen, die Feinde zu überrumpeln«, beschied ihn Cúchulainn. »Freilich bräuchte ich jemanden, der mit mir zur Felseninsel fährt und die Hengste draußen auf See im Zaum hält, während ich den Waffenstreit austrage.«

»Laß mich dich begleiten«, bat Liban. »Ich lenkte deine Rösser schon gestern und weiß, wie ich mit ihnen umzugehen habe.«

»Abgemacht«, nickte Cúchulainn. »Und nun wollen wir Zeitpunkt und Örtlichkeit meines Überraschungsangriffs festlegen.«

Der Held von Erinn reichte Fann seinen Weinbecher, schritt zu dem Wunschstuhl, in dessen Geheimnis ihn die Kupferhaarige am Vorabend eingeweiht hatte, und nahm Platz. Die Hände auf den Armlehnen, konzentrierte sich Cúchulainn – und bewirkte damit eine erstaunliche Verwandlung des Raumes. Eine der gobelinbedeckten Wände verschwand, dahinter erschien das Eiland mit den Vulkankegeln. Im nächsten Moment wurden verschiedene, langsam vorbeigleitende Bereiche der Insel sichtbar: Strandabschnitte, Bachläufe, Talsenken, Bergflanken. Jede Einzelheit war auszumachen – auch die drei von einem Rabenschwarm umflatterten Schwarzgepanzerten, welche im Söller ihrer auf einem Gebirgsgrat aufragenden Basaltburg saßen und soeben das Mittagsmahl einnahmen.

Kaum hatte sich Cúchulainn gewünscht, Eochaid Iuil, Senach Siburte und Eogan Inbir aus der Nähe betrachten zu können, wurden ihre Gestalten lebensgroß. Wiederum ein paar Herzschläge später beeinflußte der Held von Erinn den Zeitablauf; jetzt beleuchtete die Nachmittagssonne den leeren Burgsöller, die Schwarzgepanzerten übten Bogenschießen unten im Festungshof. Cúchulainn ließ den Sonnenball ruckweise tiefer sinken; zuletzt glühte er rötlich über den Bergen im Osten, und nun verließen Eochaid, Senach und Eogan die Basaltburg. Sie wanderten zu einem Talkessel unweit der Festung, dessen Zugang von drei Menhiren bewacht wurde.

Im selben Augenblick, da die Schwarzgepanzerten den Platz mit den Steinsetzungen erreichten, verwich das Bild. Der Held von Erinn war aufgesprungen, jetzt rief er: »Das ist die Gelegenheit, auf die ich hoffte.«

Labrid erbleichte. »Du willst die drei Recken ausgerechnet an diesem Ort...«

»Nirgendwo sonst«, fiel ihm Cúchulainn ins Wort. »Heute in der Abenddämmerung werden Eochaid Iuil, Senach Siburte und Eogan Inbir das Rundtal aufsuchen. Zwischen den steilen Felswänden kann ich sie stellen, und dann wird sich zeigen, ob sie an Land ebenso kampftüchtig sind wie auf dem Meer.«

Fann gab dem Helden von Erinn seinen Pokal zurück, hob den eigenen Becher und sagte mit belegter Stimme: »Laßt uns den Göttern ein Trankopfer darbringen. Denn du wirst ihre Hilfe nötig haben, Cúchulainn.«

Mit ernsten Mienen pflichteten der Fürst und Liban ihr bei, danach sprengten alle vier einen Guß Wein auf die Bodendielen. Anschließend besprachen sie bei einem Imbiß verschiedene Einzelheiten des Schlachtplans; in der Nachmittagsmitte sodann wurde es für den Helden von Erinn und Liban Zeit, sich zum Aufbruch fertigzumachen.

Labrids Gefolgsleute jubelten, als Cúchulainn in Begleitung der blondhaarigen Sídh übers Wasser davonfuhr; der Fürst und Fann jedoch standen schweigend am Strand. Rasch gewann der goldene Wagen die offene See; draußen bogen die Hengste nach Norden ab, und Liban lenkte sie mit sicherer Hand in Richtung der fernen Vulkaninsel.

Kurz vor Sonnenuntergang erreichte das Gespann sein Ziel. Blutrot leuchteten die Berggipfel und östlichen Gesteinsflanken des Eilands; nachdem die Rösser um ein schroff ins Meer vorspringendes Kap galoppiert waren, erspähte Cúchulainn ein Stück weiter vorne die Basaltburg. Der Held von Erinn barg seine Wurfspeere hinter der Schildwehr, Liban trieb die Hengste zu sturmschnellem Lauf an und ließ sie bis auf Pfeilschußweite an das Inselgestade unterhalb der Festung heranpreschen. Im selben Moment, da die Sídh das Gespann herumriß, um nicht auf den mit Felstrümmern übersäten Strand zu geraten, schwang sich Cúchulainn aus der Wagenkanzel.

In steilem Bogen flog er empor, sauste über die Burg hinweg und landete jenseits der Basaltfestung am Zugang des bewußten Talkessels. Erschrocken krächzend flatterten die Raben weg, welche die drei Menhire als Wächter der Klamm umkreist hatten; der Held von Erinn eilte an den Hohen Steinen vorbei – und erblickte seine Feinde.

Eochaid Iuil, Senach Siburte und Eogan Inbir standen mit entblößten Oberkörpern und erhobenen Armen wie anbetend vor einer Felswand, aus der ein weißer, ein roter und ein schwarzer Quell entsprangen. Die Rinnsale mündeten jeweils in einen Teich von gleicher Farbe wie die Quellströme; dünne magische Nebel, die da und dort verwirrende Muster bildeten, waberten über den Weihern. Im Heranrennen nahm Cúchulainn dieses Bild in sich auf; einen Lidschlag später hörten Eochaid, Senach und Eogan seine Schritte und fuhren herum.

Der Held von Erinn zückte einen Speer und rief den Sídherecken zu: »Heute morgen trugt ihr Erzpanzer, nun aber seid ihr wehrlos. Mit Leichtigkeit könnte ich euch töten, doch dies ist nicht meine Art. Vielmehr will ich abwarten, bis ihr eure Brünnen wieder angelegt habt. Dann erst sollt ihr euch in Einzelkämpfen mit mir messen.«

Wortlos gingen Eochaid, Senach und Eogan zu einem Platz abseits der Felswand, wo ihre Brustpanzer und Waffen lagen. Nachdem sie sich gerüstet hatten, schoß Eochaid Iuil einen grimmigen Blick auf Cúchulainn, der unterdessen nahe bei den drei Teichen Aufstellung genommen hatte, und fragte: »Ist es dir recht, Menschenwurm, wenn ich dir als erster gegenübertrete?«

»Komm heran«, erwiderte der Held von Erinn. »Aber

nimm dich in acht, denn auf festem Boden blieb ich bislang unbesiegt.«

»Wenn es sich so verhält, werde ich dich wohl erneut ins Wasser jagen müssen«, versetzte Eochaid mit seltsamem Grinsen – und schleuderte seinen Wurfspeer.

Der Aufprall auf Cúchulainns Schild war dermaßen hart, daß der Held von Erinn drei Schritte in Richtung des mit Schwarzwasser gefüllten Weihers zurücktaumelte; kaum jedoch hatte Cúchulainn wieder festen Fuß gefaßt, zerschmetterte sein Speer den Erzbuckel von Eochaids Schildwehr. Der Sídherecke stieß einen Wutschrei aus, riß das Schwert aus der Scheide und griff Cúchulainn mit der Klinge an. Wild tobte der Nahkampf inmitten der Teiche; rasch wurde dem Helden von Erinn klar, daß Eochaid ihn tatsächlich in den Schwarzwasserweiher zu treiben versuchte.

Zunächst vereitelte Cúchulainn diese Absicht; dann aber mußte er unter einem Hagel fürchterlicher Hiebe dennoch bis an den Rand des Teiches weichen – und jetzt änderte der Sídherecke seine Taktik. Unvermittelt unterlief er den Helden von Erinn und riß ihn nieder. Cúchulainn prallte mit dem Hinterkopf gegen einen Stein und blieb benommen liegen; Eochaid trat ihm das Schwert aus der Hand, packte Cúchulainn an den Haaren und zerrte ihn zum Wasser.

Plötzlich jedoch bäumte sich der Held von Erinn auf und führte mit seinem zweiten Speer, den er hinter dem Schild gehalten hatte, einen Stoß gegen den Sídherecken. Eochaids Brustpanzer barst, Herzblut quoll aus der Scharte im Erz. Sterbend stürzte der Sídherecke ins flache Schwarzwasser – dort ging eine schreckliche Veränderung mit ihm vor. Eochaids Antlitz vergreiste, sein Körper fiel ein; einen Augenblick später umspülten die Wellen einen mumienartigen Leichnam, der nur noch Haut und Knochen war.

Cúchulainn überwand seinen Abscheu, hakte die Speerspitze unter die Rüstung des Toten und zog ihn vorsichtig an Land. Danach brachte er sein Schwert sowie die zweite Wurfwaffe wieder an sich und forderte die beiden anderen, wie erstarrt dastehenden Sídherecken auf: »Entscheidet, wer den nächsten Kampf wagen will.«

Eogan Inbir schüttelte seine Lähmung ab. »Ich werde Eochaid fürchterlich rächen«, brüllte er.

»Drohen kannst du mir damit«, erwiderte Cúchulainn. »Ob du deine Ankündigung freilich wahrzumachen vermagst, ist die Frage. Und nun zeig, was du im Waffenstreit leistest.«

Eogan schleuderte drei Kugelsteine hintereinander auf den Helden von Erinn, aber Cúchulainn fing sie allesamt mit der Schildwehr ab. Ebenso blieb ein Speerangriff des Sídherecken wirkungslos, denn der Held von Erinn zerspellte den Schaft der Wurfwaffe in der Luft. Daraufhin maßen die beiden Gegner ihre Kräfte im Schwertkampf. Eogan mied dabei die Nähe des schwarzen Teiches und bemühte sich, Cúchulainn zum Weißwasserweiher zu drängen. Mehrmals machte der Held von Erinn dieses Vorhaben zunichte; nach einer Weile jedoch schienen seine Kräfte zu erlahmen, Eogan wiederum verdoppelte seine Anstrengungen.

Bald tobte der Zweikampf direkt am Ufer des Teiches, dort aber blockierte Cúchulainn Eogans Klinge unversehens zwischen Schild und Schwert. Während der Sídherecke versuchte, seine Waffe wieder freizubekommen, stieß Cúchulainn hervor: »Die Macht des Schwarzweihers lernte ich kennen. Jetzt will ich das Rätsel des Weißteichs lösen.«

Jäh löste er sich von Eogan, sofort attackierte der Sídherecke von neuem – und dies war sein Ende. Ein sausender Schwertstreich Cúchulainns trennte Eogans Haupt vom Rumpf; der Körper des Sídherecken kippte ins Wasser, sein Kopf flog hoch in die Luft. Cúchulainn fing den Schädel mit der Speerspitze und rammte den Schaft der schauerlich gekrönten Waffe in die Erde, dann blickte er auf den weißen Weiher.

Der Held von Erinn sah, wie Eogan Inbirs Leib zusammenschrumpfte: immer mehr, bis der zuletzt fast ganz im

Brustpanzer verschwundene Körper nur noch Kindesgröße besaß. Aus nächster Nähe hatte Cúchulainn die entsetzliche Verwandlung beobachtet; nun zog er das, was von Eogan übriggeblieben war, mit Hilfe seines zweiten Speers aufs Trockene.

Nachdem er es geschafft hatte, schwang Cúchulainn die Wurfwaffe in Richtung des dritten Sídherecken und rief: »Jetzt bist du an der Reihe, Senach Siburte. Mach dich bereit, denselben Weg wie Eochaid Iuil und Eogan Inbir zu gehen.«

»Nein!« heulte Senach auf und wandte sich zur Flucht. Blitzschnell rannte er in den hinteren Teil des Talkessels, erklomm dort die Felswand und verschwand in einer Gesteinsspalte.

Es dauerte eine Weile, ehe der Held von Erinn seine Verblüffung überwunden hatte. Dann folgte er Senach Siburte und machte Anstalten, die Steilwand ebenfalls zu ersteigen. Kaum jedoch war er ein kleines Stück emporgeklettert, erfolgte ein tückischer Angriff Senachs. Aus dem Schutz der Spalte heraus warf der Feigling Basaltbrocken auf Cúchulainn; einen Lidschlag später wurden Kopf und Oberkörper Senachs sichtbar, nun schleuderte er einen Wurfpfeil. Das Geschoß prallte gegen den Schild des Helden von Erinn, gleichzeitig erscholl ein gurgelnder Schrei Senach Siburtes. Cúchulainns Speer hatte ihn durchbohrt, blutüberströmt stürzte Senach in die Tiefe und landete im Gesteinsschutt am Fuß der Felswand.

Der Held von Erinn schleppte den Toten zurück zu den drei Teichen und legte ihn am Rand des roten Weihers nieder. Danach trug er den mumienhaften Leichnam Eochaid Iuils dorthin; zuletzt holte er den winzigen Leib Eogan Inbirs sowie den Wurfspeer herbei, auf dessen Spitze Eogans Kopf stak. Nachdenklich betrachtete Cúchulainn die besiegten Feinde, schließlich murmelte er: »Schwarzwasser und Weißwasser zeigten ihre Kraft. Die Macht des Rotwassers erahne ich. Sie soll den Getöteten jetzt zugute kommen.«

Behutsam umfaßte der Held von Erinn den zerbrechlichen Körper Eochaids und ließ ihn in den Teich gleiten. Langsam gewann der Leib seine frühere Form zurück; am Ende schlug der Sídherecke die Augen auf, erhob sich, stieg gesenkten Hauptes aus dem Wasser und blieb ein Stück abseits stehen. Nunmehr zog Cúchulainn Eogan Inbirs kindlichen Torso in den roten Weiher und fügte Eogans Schädel an den Körper. Erneut geschah das Wunder; der Leib wuchs und verband sich mit dem Kopf, sodann verließ auch der zweite Sídherecke den Teich und trat neben Eochaid Iuil. Zuletzt schleifte der Held von Erinn Senach Siburte ins Rotwasser. Rasch vernarbte dessen Wunde; kaum war Senach wieder auf den Beinen, hastete er mit beschämter Miene zu seinen Gefährten.

Schmunzelnd musterte Cúchulainn die drei Sídherecken und äußerte: »Wie ihr zugeben müßt, blieb ich Sieger in unserem Waffenstreit. Dies berechtigt mich, eine Forderung an euch zu stellen, die ihr mir nicht abschlagen dürft.«

»Wir werden alles tun, was du verlangst«, versicherte Senach Siburte beflissen.

»Aber zunächst möchten wir dir danken, denn du hast außerordentliche Großmut bewiesen«, sagte Eogan Inbir mit bewegter Stimme.

»Die Götter sind Zeugen für die Wahrheit dieser Worte«, fiel Eochaid Iuil ein. »Als du hier im heiligen Tal erschienst, bereiteten wir uns gerade auf eine Waschung im roten Quellbach vor, wie wir sie jeden Abend durchführen, um auf diese Weise die Fülle unserer Kraft zu bewahren und das Altern zu vermeiden. Dann jedoch nahmst du uns unversehens das Leben und löschtest damit etwas aus, das schon Äonen gewährt hatte. Unser Geist verwich in sehr ferne Sphären und hätte lange dort verweilen müssen, wenn du nicht so hochherzig gewesen wärst, uns im Rotwasserteich zu neuem Dasein auf diesem Eiland zu erwecken. Dadurch hast du unsere Freundschaft gewonnen, und aus diesem Grund wird es uns Freude bereiten, jeden deiner Wünsche zu erfüllen.«

»Ich bitte euch einzig um Frieden«, erwiderte der Held von Erinn. »Begrabt den Streit mit Labrid und erkennt die Oberhoheit des Fürsten in diesem Teil von Tír na n'Og an.«

»Wir werden die Waffen nie wieder gegen unseren Herrn erheben«, beteuerte Eochaid; mit ernsten Gesichtern nickten Eogan Inbir und Senach Siburte dazu.

»Da wir das nunmehr vereinbart haben, kann ich bedeutend froheren Sinnes als heute mittag in Labrids Palast zurückkehren«, erklärte Cúchulainn augenzwinkernd.

»Die bezaubernden Edelfrauen dort werden deiner wohl bereits sehnsüchtig harren«, scherzte Eogan.

»Eine erwartet mich sogar vor der Küste dieser Insel«, antwortete der Held von Erinn lächelnd und eilte leichtfüßig in Richtung des Strandes davon.

Als er am Gestade anlangte, sank der Sonnenball soeben ins Meer; auf rotgoldenem Wellenpfad lenkte Liban die Rösser heran. Cúchulainn sprang in die Wagenkanzel; während die Hengste nach Süden galoppierten, berichtete er der blondhaarigen Sídh, was auf der Vulkaninsel geschehen war. Nachdem sie alles erfahren hatte, umarmte Liban den Helden von Erinn und versprach ihm: »Den Lohn für deine Tapferkeit wirst du noch heute nacht von meiner Schwester bekommen.«

Im Verlauf der folgenden Stunden, in denen der Streitwagen seine Bahn über die nächtliche, vom Sternenlicht versilberte See zog, dachte Cúchulainn ununterbrochen an Fann. Endlich tauchte die Silhouette von Labrids Eiland auf; wenig später erreichten die Rösser den sichelmondförmigen Sandstrand – im selben Moment schien das Firmament zu bersten.

Fürst Labrid hatte den Dreifachsieg des Helden von Erinn aus dem abendlichen Vogelflug herausgelesen und danach Sorge getragen, daß Cúchulainn mit Sídhefeuer empfangen werden konnte. Jetzt zersprühten magisch strahlende Funkengarben am Himmel und wurden zu langsam herniederströmenden Kaskaden in Farben, wie der Held von Erinn sie nie zuvor erschaut hatte. Gleich darauf fegten kometen- und sternschnuppenartige Leuchtkörper rings um die Insel, beschrieben Knoten- oder Spiralfiguren und erhellten das Meer bis zum Horizont. Während ihr Schein die Umrisse Dutzender anderer Eilande aus der Dunkelheit schälte, begann der Palast in überirdischem Licht zu flimmern. Es war, als würde silbrig flirrende Schwerelosigkeit ihn umhüllen und ihn über die Insel erheben; schließlich verwich der Zaubernebel langsam wieder. Aber ein tiefrot pulsierender, portalförmiger Bogen hoch oben vor dem größten Palastgebäude blieb, und dort zeigten sich nun Labrid und Libans Schwester.

Fann winkte Cúchulainn zu; er stieg vom Wagen – schon stand er vor der Kupferhaarigen und dem Fürsten. Wie aus weiter Ferne vernahm Cúchulainn die Dankesworte Labrids; er vermochte den Blick nicht von Fanns berückend schönem Antlitz zu lösen, dann spürte er ihre Berührung und hörte sie sagen: »Laß mich dich in dein Gemach begleiten.«

Als er an der Seite der Kupferhaarigen in den kostbar ausgestatteten Raum trat, wurde Cúchulainns Kopf klarer. Erstaunt bemerkte er, daß an einer der Wände ein Bildteppich hinzugekommen war. Der Gobelin zeigte seine Kämpfe gegen Eochaid Iuil, Eogan Inbir und Senach Siburte; ebenso war festgehalten, wie er die drei Sídherecken von den Toten erweckt hatte.

Fann ließ ihm Zeit, die Darstellungen zu betrachten; nach einer Weile schmiegte sie sich an ihn, deutete auf den Wunschstuhl und flüsterte: »Du weißt, welche Macht dem Sessel innewohnt. Nutze sie, was mich angeht, ganz nach deinem Belieben.«

Cúchulainn nahm Platz; im selben Moment hatte er das Empfinden, als würde sich ihm Fanns Innerstes öffnen. Er las ihre Gedanken und gehorchte ihnen; er sah, wie ihr das Meerseidekleid, das sie auch in dieser Nacht wieder trug, vom Leib schmolz. Nackt stand die Kupferhaarige da; Cúchulainn sah und spürte, wie sein grenzenloses Verlangen sie erregte. Er sah, wie zarte Röte ihre Haut übergoß; dann, als seine Begierde fast unerträglich wurde, kam sie zu ihm. Vor Liebesglut brennend, glitt Fann auf seinen Schoß, umschlang ihn und raunte ihm ins Ohr: »In schier endloser Liebesnacht will ich dir alles schenken, was du dir wünschst.«

Wunschlos glücklich erwachte Cúchulainn am nächsten Morgen, während der folgenden Tage und Wochen lebte er wie in einem seligen Traum. Labrid und Liban richteten rauschende Feste für den Helden von Erinn aus, zwischendurch entführte ihn Fann im goldenen Wagen zu anderen zauberhaften Eilanden Tír na n'Ogs. In den Nächten verloren sich Cúchulainn und die kupferhaarige Sídh in leidenschaftlichen Umarmungen; sie bereiteten einander unbeschreibliche Freuden, und die Höhepunkte ihrer Lust waren von göttlicher Ekstase erfüllt.

Auf diese Weise verstrich ein Monat. Dann, beim Morgenmahl des dreißigsten Tages nach Cúchulainns Ankunft in Annwn, schlug Fann ihm einmal mehr einen Ausflug vor. Gerne stimmte der Held von Erinn zu; wenig später ging er im vollen Schmuck seiner Waffen zusammen mit der Kupferhaarigen zum Strand, wo bereits das Rossegespann wartete.

Eben als das Paar in die Wagenkanzel steigen wollte, erschienen Fürst Labrid und seine Gemahlin. Cúchulainn bemerkte, daß ihre Gesichter ernster als sonst wirkten; besorgt erkundigte er sich: »Ist etwas Unangenehmes geschehen? Bedrohen euch etwa erneut irgendwelche Feinde?«

»Nein«, beruhigte ihn Labrid. »In Tír na n'Og herrscht tiefer Friede.«

Liban fügte dunkel hinzu: »Es ist nur ein Abschied, welcher uns heute bedrückt. Der Abschied von jemandem, den wir sehr zu schätzen gelernt haben.«

»Wen meinst du damit?« fragte der Held von Erinn erstaunt.

Statt zu antworten, zog die blondhaarige Sídh Cúchulainn an ihre Brust; Labrid tat desgleichen. Unmittelbar danach rief Fann, die mittlerweile auf dem Kampfwagen stand: »Vergiß, was Liban sagte, und komm!«

Wie benommen gehorchte Cúchulainn. Kaum war der goldene Wagen draußen auf dem Meer, erinnerte er sich nicht mehr an das kurze Gespräch mit dem fürstlichen Paar. Statt dessen mußte er jäh an seine Freunde in der irdischen Welt denken: an Conall, Conchobar und Cathbad; inständiger noch an Emer. Doch auch davon wurde er rasch wieder abgelenkt, denn jetzt erklang aus Fanns Mund ein magischer Spruch. Sturmschnell preschten die Hengste nach Osten davon, zugleich veränderte sich der Zeitablauf.

Innerhalb weniger Augenblicke wirbelte die Sonne zum Zenit empor, erreichte den Gipfelpunkt ihrer Bahn und sank wieder. Erst als sie hart über dem Horizont angelangt war, stockte ihre Bewegung – und im Schein der Abenddämmerung hielt der Streitwagen auf eine weich geschwungene, von feinem Weißsand bedeckte Landzunge zu.

Es war dieselbe Nehrung, von der aus Cúchulainn einen Monat zuvor erstmals den Archipel von Tír na n'Og erschaut hatte. Nun galoppierten die Rösser über das Kap der Halbinsel und durch wabernde Nebelschwaden weiter landeinwärts. Schließlich tauchte eine uralte Eibe aus dem Dunst auf, Fann zügelte die Hengste und brachte sie unter der Krone des mächtigen Baumes zum Stehen.

»Irgendwoher kenne ich diesen Ort«, stieß Cúchulainn hervor.

»Wir befinden uns am Eibenbaum von Cenn-Trachta«, erklärte die Sídh. »Und ich brachte dich zu ihm, weil eine Entscheidung getroffen werden muß.« Sie wies auf eine der gewaltigen Wurzeln der Eibe, deren Verschlingungen drei Mulden bildeten. »Dort wollen wir uns niederlassen.«

Der Held von Erinn stieg vom Wagen und setzte sich in die östliche Vertiefung, Fann nahm in der westlichen Platz. Schweigend starrte Cúchulainn auf die mittlere Wurzelmulde, plötzlich brach es aus ihm heraus: »Allzu lange blieb ich denen, die mir in Ulster nahestehen, schon fern. Gewiß beklagen die Gefährten meine Abwesenheit, zweifellos verzehrt sich Emer in Sorge um mich.«

Fann streckte ihre Hand aus und umfaßte die seine. »Heißt das, du möchtest in die irdische Welt heimkehren?«

»Ja«, stöhnte Cúchulainn. »Und trotzdem nein. Denn wie sollte ich es über mich bringen, dich zu verlassen?«

Liebevoll lächelte ihn die Kupferhaarige an, dann sprach sie auf bardische Art:

»Aufgestört stoben die Raben empor
am Gestade des finsteren Eilands.
Krächzend verrieten die Dunkelgefiederten
den Schwarzgepanzerten dein Kommen.
Wütend bemühten sich Eochaid und Eogan,
dich auf den Wogen der See zu erjagen.
Du aber, Held von Erinn, entwichst
in verwegener Fahrt über den Meeresgrund.
Im Abendrot schritten die Sídherecken
zum Kessel der magischen Teiche.
Dort schwirrten erneut erschrockene Raben
an Eochaid, Senach und Eogan vorbei.
Dein Speer fällte Eochaid Iuil, dein Schwert
Eogan Inbir, vom Fels stürzte Senach Siburte.
Dich jedoch, den Siegreichen, brachte Liban
im goldenen Wagen zurück zu Labrids Palast.
Keine der schönen Sídhefrauen auf der Insel
hätte dir in jener Nacht ihre Gunst verweigert.
Du aber, Held von Erinn, sehntest dich
einzig nach der Liebe meines Leibes.
Mit der Glut meiner Lenden lohnte

ich dir deine tapferen Waffentaten.
Meinen Gatten Mananann mac Lir vergaß ich
im Rausch der Lust, die uns vereinte.
Einen verzauberten Monat lang schenkten
wir einander unbeschreibliche Freuden.
Wonnen, die wir niemals vergessen werden –
und solche Liebeslust kann von neuem erblühen,
sobald du heißen Herzens nach mir rufst.«

Nachdem die Kupferhaarige geendet hatte, herrschte eine
Weile Schweigen. Schließlich sagte Cúchulainn gepreßt: »Offenbar willst du mir zu verstehen geben, daß wir Abschied
nehmen müssen. Doch andererseits versprichst du mir ein
Wiedersehen.«

Fanns Finger verflochten sich mit seinen und lösten sich
wieder. »Die Zeit, welche dir in Tír na n'Og zugemessen war,
ist abgelaufen. Deine Pflichten rufen dich heim in Conchobars Reich, deshalb ist unsere Trennung unausweichlich. Aber
wenn deine Sehnsucht allzu groß wird und du mir das mit-
teilst, will ich zu dir kommen.«

»Wie kann ich dir eine Botschaft senden?« fragte Cúchulainn leise.

Die Sídh deutete auf eine muschelförmige Höhlung im
Stamm der Eibe. »Flüstere meinen Namen dort hinein. Ich
werde es in Tír na n'Og hören und augenblicklich hier unter
diesem Baum erscheinen.« Fann erhob sich, Cúchulainn tat es
ihr nach, dann fuhr die Sídh fort: »Sofern jedoch ich von un-
bezähmbarem Verlangen ergriffen werde, will ich dir meiner-
seits ein Zeichen geben. In diesem Fall wird ein Silberschwan,
der klagende Schreie ausstößt, über deinem Haupt kreisen,
und wenn das geschieht, weißt du, daß ich dich beim Eibenbaum von Cenn-Trachta erwarte.«

Damit umarmte Fann ihren Geliebten ein letztes Mal.
Sehr zärtlich küßte sie ihn – im nächsten Moment wurde
ihre Gestalt durchscheinend, wehte gleich einem Nebelstreif

davon und verschmolz mit den Schatten der Abenddämmerung.

Rauhes Schluchzen drang aus Cúchulainns Kehle. Wie gelähmt stand er da, endlich ging er zum Streitwagen und bestieg das Gefährt. In östlicher Richtung trabten die Rösser an der Eibe vorbei; kaum war das Gespann ein Stück jenseits des uralten Baumes, verwandelte sich unvermittelt die Landschaft.

Aus der flachen Halbinsel wurde ein zerklüfteter Berggrat. Auf seiner höchsten Erhebung ragte die gewaltige Eibe gen Himmel; Herbstwind wühlte in ihren Ästen, über Krone und Stamm flirrte das Licht der Morgensonne. Tief unten am Fuß des Gebirgszuges glitzerten die Wellen des Murthemnesees, und dahinter konnte Cúchulainn Dun Delgan ausmachen.

Frostig war der Empfang, den Emer ihrem Gemahl bereitete. Sie ahnte, was in Tír na n'Og zwischen ihm und Fann geschehen war; vor Eifersucht außer sich, quälte sie Cúchulainn nächtelang mit bohrenden Fragen und Vorwürfen. Schließlich vermochte der Held von Erinn ihre Anschuldigungen nicht länger zu ertragen. Er fuhr nach Dun Tobarce, um ein Wiedersehen mit Conall, Cathbad, Findchaem und Amergin zu feiern.

Von dort aus brachen Cúchulainn und der Hirschäugige einige Tage später nach Emain Macha auf. Conchobar und dessen Gefolgsleute freuten sich ungemein über die Heimkehr und zudem die völlige Genesung des Helden von Erinn. In der großen Halle ließ der König ein Fest für seinen Schwestersohn ausrichten; hingerissen lauschten Conchobar, die Adelskrieger und Edelfrauen den Worten Cúchulainns, als dieser von den Kämpfen gegen Eochaid Iuil, Eogan Inbir und Senach Siburte erzählte. Zuletzt lobte der Herrscher von Emain Macha seinen Neffen: »Jetzt hast du deine Unbesiegbarkeit sogar in Annwn unter Beweis gestellt, und die Barden werden es wahrlich nicht leicht haben, Gesänge zu dichten, welche deiner Siege über die Sídherecken würdig sind.«

Nach dem Ende des Festgelages freilich nahm Conchobar seinen Schwestersohn beiseite und ermahnte ihn: »Du mußt dich bemühen, mit Emer ins reine zu kommen.«

Der Held von Erinn versprach es – dann aber tat die Kastanienhaarige den ersten Schritt. Überraschend erschien Emer in Emain Macha; Laeg mac Riangabir, ein Wagenkrieger aus Dun Delgan, der sowohl ihr als auch Cúchulainn freundschaftlich verbunden war, hatte sie zur Königsfestung gebracht.

Die Kastanienhaarige war blaß und wirkte in sich gekehrt. Nachdem sie mit Cúchulainn in jenem Gemach allein war, wo beide ihre Hochzeitsnacht verbracht hatten, gestand Emer: »Ich mußte dich aufsuchen, sonst wäre mein Seelenschmerz unerträglich geworden. Auch wenn du mich betrogen hast, kann ich nicht von dir lassen. Ich liebe dich maßlos, deshalb vergebe ich dir und will vergessen, was in Tír na n'Og geschah.«

»Danke«, flüsterte Cúchulainn und zog Emer in seine Arme. Leidenschaftlich küßte sie ihn; ihr wildes Begehren riß ihn mit, so daß er sie hochhob und zum Bett trug. Im Rausch der gemeinsamen Lust fanden sie einander wieder; danach, noch halb benommen, beteuerte Cúchulainn: »Nur dir gehört mein Herz. Nie mehr werde ich dir ein Leid zufügen.«

In der Tat hatte die Kastanienhaarige im Verlauf der folgenden Wochen und Monate keinen Anlaß, an der neuerwachten Zuneigung ihres Gemahls zu zweifeln. Bis zu den Feierlichkeiten anläßlich der Wintersonnenwende blieb das Paar in Emain Macha; hingebungsvoll bemühte sich Cúchulainn in dieser Zeit um Emer, und auch nachdem beide in Conalls und Laegs Begleitung auf ihre eigene Ringburg zurückgekehrt waren, las Cúchulainn seiner Gattin jeden Wunsch von den Augen ab.

So verstrich die kalte Jahreszeit; Imbolc kam und ging vorüber, dann zog allmählich der Frühling ins Land. Kaum einen Tag waren der Held von Erinn und Emer in diesen Monaten getrennt gewesen; zwei Wochen vor Beltane jedoch preschte ein berittener Bote Conalls durchs Tor von Dun Delgan und meldete, daß sich im Süden räuberische Horden gezeigt hätten.

Sofort brach Cúchulainn zusammen mit Laeg mac Riangabir und einem Dutzend weiterer Krieger auf, um Conall im Kampf gegen die Feinde beizustehen. Zehn Tage währten die Scharmützel im Grenzgebiet; endlich war auch der letzte Haufe des Raub- und Mordgesindels überwältigt, und Cúchulainns Schar konnte den Heimweg antreten. Auf dem Rückmarsch, die Sonnenscheibe hing bereits tief im Westen, kam der Trupp am Murthemnefeld vorbei – plötzlich zeigte sich am Himmel ein Schwan mit silberweißem Gefieder, beschrieb einen Kreis und schrie dabei klagend.

Hart zügelte der Held von Erinn die Hengste, gebannt starrte er zum Firmament empor. Nun flog der Silberschwan in Richtung der Eibe von Cenn-Trachta davon, gleich darauf war er wie durch Zauber wieder verschwunden.

Laeg, der seine Rösser neben Cúchulainns Streitwagen zum Stehen gebracht hatte, stieß verblüfft hervor: »Was war das?«

»Ein Zeichen derer, die im Steinrund von Murthemne wohnen«, versetzte der Held von Erinn. Einen Moment schien er mit sich zu ringen, dann fügte er hinzu: »Ich glaube, sie verlangen zum Dank für den Sieg, den sie uns schenkten, ein Opfer von mir. Deshalb werde ich die Nacht hier draußen auf heiligem Boden verbringen, um ihrem Wunsch Genüge zu tun. Ihr anderen aber braucht nicht zu verweilen. Zieht vielmehr unverzüglich weiter, damit ihr bis Einbruch der Dunkelheit in Dun Delgan seid.«

»Ich werde Emer ausrichten, daß du ein Ritual vollführen willst und erst morgen eintreffen wirst«, versprach Laeg.

Cúchulainn nickte; sodann wartete er ab, bis die Kriegerschar außer Sicht war. Im nächsten Moment trieb er die

Hengste an und ließ sie zum Fuß des nahen Gebirgszuges jagen. Im letzten Tageslicht galoppierten die Rösser über den Berggrat, auf dessen höchster Erhebung der gewaltige Eibenbaum stand. Als der Held von Erinn dort vom Wagen sprang, war er auf kaum noch erträgliche Weise zwischen seinen Schuldgefühlen gegenüber Emer und brennendem Verlangen nach Fann hin- und hergerissen. Von schrecklichen Gewissensbissen geplagt, trat er unter die Eibe – unmittelbar darauf jedoch vergaß er seine Gemahlin.

Aus einem Nebelstreif heraus erschien die Sídh. Ihr Anblick ließ Cúchulainn vor Begierde aufstöhnen, er sank vor Fann auf die Knie und vergrub sein Gesicht in ihrem Schoß. Fanns Hände wühlten in seinen Locken, irgendwann hörte er sie raunen: »Diese Nacht gehört uns, uns allein... Und wir wollen einander all das im Übermaß schenken, was wir so lange entbehrten...«

Im Morgengrauen schlief Cúchulainn kurz ein. Als er wieder erwachte, bemerkte er, daß die Sídh verschwunden war; augenblicklich befielen ihn seine Seelenqualen erneut. Bedrückt stieg er in die Wagenkanzel und lenkte die Hengste nach Dun Delgan.

Unter dem Torbau der Ringburg erwartete Emer ihren Gatten. Cúchulainn heuchelte Wiedersehensfreude; auf die Frage der Kastanienhaarigen, ob während seines nächtlichen Aufenthalts im Heiligtum von Murthemne etwas Besonderes geschehen sei, schüttelte er lediglich den Kopf. Instinktiv spürte Emer, daß Cúchulainn ihr ausweichen wollte; sie ließ sich aber nichts anmerken und spielte ihrerseits die über seine Rückkehr glückliche Ehefrau.

Emers Mißtrauen indessen war geweckt; daher bewog sie verschiedene, ihr verpflichtete Hirten und Bauern dazu, ihren Gemahl heimlich zu beobachten. Sechs Wochen nach Beltane

dann blieb Cúchulainn der Festung anläßlich eines Jagdaus-
flugs neuerlich für eine Nacht fern. Als er am späten Morgen
wieder auf der Burg eintraf, zeigte er Emer einen prächtigen
Damhirsch, den er erlegt hatte, und beschied der Kastanienhaarigen: »Das Tier lockte mich sehr weit von Dun Delgan
weg, erst in der Abenddämmerung vermochte ich es zu töten.
Und weil meine Pferde, die jetzt allmählich in die Jahre kommen, von der Hetzjagd ermüdet waren, hielt ich es für besser,
an Ort und Stelle zu lagern.«

Mit dieser Auskunft gab sich Emer scheinbar zufrieden;
bald jedoch erfuhr sie von einem Schafhirten, was wirklich
geschehen war. Am Vorabend hatte der Mann gesehen, wie
Cúchulainn, den Hirsch im Streitwagen, nahe des Murthemnefeldes aufgetaucht war. Plötzlich hatte sich am Firmament
ein Silberschwan gezeigt; daraufhin hatte Cúchulainn seine
Rösser zu rasendem Galopp angespornt und war dem Schwan
hinterdrein ins Gebirge geprescht, wo er auch die Nacht verbracht hatte.

Die Kastanienhaarige begriff sofort, warum ihr Gatte sie be-
logen hatte; sie empfand bittere Enttäuschung und wilden
Zorn. Aber sie schwieg Cúchulainn gegenüber und wartete ab.
Acht Tage nach dem Jagdausflug sodann verließ der Held von
Erinn Dun Delgan, weil Conchobar ihn an seinen Hof gerufen
hatte. Kaum war Cúchulainn fort, suchte Emer den Schmied
der Festung auf und befahl ihm, fünfzig Dolche anzufertigen.

Eine knappe Woche später brachte ihr der Burgschmied
die Klingen. Noch in derselben Stunde ließ die Kastanienhaarige alle Frauen der Burg zu sich kommen und schärfte vor
deren Augen eine der Dolchschneiden mit dem Wetzstein
nach. Anschließend mußte jede der Burgfrauen, insgesamt
neunundzwanzig an der Zahl, jeweils eine weitere Waffe
schleifen, so daß Emer nun dreißig von weiblicher Hand
nachgeschärfte Dolche besaß. Die restlichen zwanzig Klingen
wurden im Lauf der folgenden Tage von ebensovielen Bauers-
frauen aus der Umgebung Dun Delgans geschliffen.

Als Emer die letzte der fünfzig Waffen zu den übrigen in eine Truhe aus schwarzem Holz legte, zischelte sie: »Der Tag kommt, an dem diese Dolche benutzt werden.«

Vorerst allerdings blieben die Stichwaffen in der Schwarzholztruhe verborgen. Bis kurz vor Lughnasad weilte Cúchulainn auf der Königsfestung von Emain Macha; nachdem er zurückgekehrt war, tat er alles, um seine Gemahlin für die lange Trennung zu entschädigen. Zusammen mit der Kastanienhaarigen führte er die Tänze anläßlich des Sommerfestes an, und in der Lughnasadnacht liebte er Emer leidenschaftlich. Am nächsten Morgen schlug er seiner Gattin einen Besuch in Dun Tobarce vor; beim Gastmahl, das Conall dort für sie ausrichtete, überhäufte Cúchulainn Emer mit Komplimenten.

Auch während der folgenden beiden Wochen trug der Held von Erinn die Kastanienhaarige auf Händen – dann jedoch änderte sich Cúchulainns Verhalten völlig. Jetzt mied er Emers Gegenwart; statt dessen wanderte er nunmehr stundenlang auf den Wällen herum und starrte zwischendurch wie geistesabwesend in die Ferne. An anderen Tagen wieder übte er verbissen mit den Waffen oder hetzte die Hengste über Land, bis sie völlig erschöpft waren; in den Nächten stöhnte er oft im Schlaf, als würden ihn Alpträume quälen.

Schweigend ertrug Emer diese Heimsuchungen; sie ahnte, was ihren Gemahl peinigte – und eines Spätnachmittags im ausgehenden Sommer bekam sie Gewißheit. Cúchulainn saß unter dem Dornenfelsen, welcher den Innenhof der Ringburg überragte, und schnitzte am halbfertigen Schaft eines Wurfpfeils herum – plötzlich sprang er auf und rannte zur Roßstallung. Dort schirrte er die Hengste vor seinen Streitwagen; als das Gespann ins Freie trabte, stellte sich Emer den Pferden in den Weg.

»Wohin willst du?« fuhr sie ihren Gatten an.

»Auf die Jagd«, antwortete Cúchulainn unwirsch.

»Zu dieser Stunde?« schnappte die Kastanienhaarige.

»So manche Beute erlegt man nur bei Nacht«, kam es von Cúchulainn. »Und jetzt laß mich fahren.«

Erbleichend trat Emer beiseite. Die Rösser galoppierten durchs Burgtor, preschten die Hügelflanke hinab und rasten in Richtung des Murthemnefeldes davon.

Vom Torbau aus blickte die Kastanienhaarige dem Gespann nach. Mit brennenden Augen verfolgte sie den goldenen Wagen, bis er am Horizont verschwunden war. Dann eilte sie in ihr Gemach und öffnete den Deckel der Schwarzholztruhe, in welcher die fünfzig Dolche lagen.

Innig umschlungen schlummerten die Sídh und ihr Geliebter unter der Eibe von Cenn-Trachta. Erstes zartes Morgenlicht hüllte den uralten Baum in seinen rötlichen Schein; um die muschelförmige Höhlung im Eibenstamm, in die Cúchulainn am Abend zuvor Fanns Namen geflüstert hatte, bildeten die Sonnenstrahlen magisch flirrende Wirbel.

Jetzt seufzte die Sídh im Schlaf, schmiegte sich wie schutzsuchend noch enger an ihren Liebhaber und vergrub das Gesicht in seiner Achselhöhle. Cúchulainns Hand glitt Fanns Rücken entlang zur Hüfte, dann lag das Paar erneut reglos da.

Nach einer Weile strich ein Schwarm Wildtauben heran. Hoch oben im Geäst der Eibe begannen die Vögel zu turteln, unvermittelt aber flatterten die Tauben wieder weg. Die schwirrenden Flügelschläge weckten das Liebespaar – als Cúchulainn die Lider aufschlug, sah er eine Horde Frauen herbeistürmen.

An ihrer Spitze lief Emer; in der Rechten hielt sie einen Dolch, auch die anderen Weiber waren mit Stoßklingen bewaffnet. Blitzschnell hatten die Frauen Cúchulainn und die Sídh umzingelt; Emer trat vor das Paar hin, haßerfüllt fauchte sie Fann an: »Du hast mir meinen Mann gestohlen! Nun wirst du dafür büßen. Fünfzig Dolchklingen sollen dir den lüsternen Leib zerfleischen.«

»Flieh!« drängte Cúchulainn die Sídh – doch Fann verharrte wie gelähmt.

Emer lachte gellend auf. »Deine Schuld bannt dich, Sídhemetze. Die Götter selbst geben dich in meine Hand.« Sie zückte den Dolch und herrschte die übrigen Weiber an: »Bestraft die Dirne für all das Leid, das durch sie und ihresgleichen über uns anständige Frauen kommt. Stecht zu!«

Fann stieß einen angstvollen Schrei aus; nackt wie er war, versuchte Cúchulainn sie zu schützen – mit dem nächsten Herzschlag erdröhnte die Erde.

Von Rossen mit tanggrünem Fell gezogen, preschte ein mächtiger Kampfwagen heran. Zwischen der Sídh und Emer kam das Gefährt zum Stehen; ein Peitschenknall des Gottes in der Wagenkanzel ließ die fünfzig Dolchklingen, die Fann bedrohten, zerspringen.

»Mananann mac Lir...«, stammelte Cúchulainn.

Der Sídhekönig und Meergott, der einen dunklen, aus Tiefseealgen gewirkten Mantel trug, zwinkerte ihm zu; sodann wandte er sich an seine Gemahlin Fann: »Du hast mich gerufen, obwohl wir vor zwei Jahren im Streit voneinander schieden. Willst du nun etwa Frieden mit mir schließen und an meiner Seite nach Tír na n'Og heimkehren?«

»Ja«, erwiderte die Sídh. »Ich werde mit dir gehen, sofern du mir einen Wunsch erfüllst.«

»Welchen?« wollte Mananann wissen.

Fann reckte sich zu ihrem Gatten empor und raunte ihm etwas ins Ohr.

Mananann mac Lir nickte zustimmend. Dann, während die Sídh einen letzten sehnsuchtsvollen Blick auf den Helden von Erinn richtete, nahm der Gott seinen Meeralgenmantel ab und schwenkte ihn dreimal durch die Luft. Kaum war es geschehen, starrten Cúchulainn, Emer und die neunundvierzig Frauen Fann wie eine Fremde an; die Sídh wiederum machte plötzlich den Eindruck, als hätte sie den Helden von Erinn nie zuvor gesehen.

»Ihr habt das Geschenk des Vergessens von mir erhalten«, verkündete der Sídhekönig und Meergott. »Was geschah, ist in eurer Erinnerung ausgelöscht. Ihr, Fann und Cúchulainn, seid euch nicht länger verfallen; du, Emer, weißt nichts mehr von deiner Eifersucht.«

Damit hob Mananann mac Lir seine Gemahlin auf den Streitwagen; die Rösser jagten nach Westen, jenseits der Eibe von Cenn-Trachta verschwand das Gefährt in einem Strudel gleißenden Lichts. Dann, als sich der Taubenschwarm, der vorhin geflohen war, neuerlich im Geäst des Eibenbaumes niederließ, tastete der Held von Erinn nach Emers Hand und flüsterte: »Sagte ich dir eigentlich heute schon, daß ich dich liebe?«

DER ERZENE CURRAGH

Dank der Weisheit und Barmherzigkeit Mananann mac Lirs verbrachten der Held von Erinn und Emer die folgenden Wochen in ungetrübtem Glück. Zu Herbstbeginn, als Cúchulainn seinen sechsundzwanzigsten Geburtstag feierte, überraschte die Kastanienhaarige ihren Ehemann mit einem wundervoll gearbeiteten Pokal, den Laeg mac Riangabir bei einem Goldschmied in Emain Macha für sie besorgt hatte. Die Zierflächen des Trinkgefäßes zeigten Szenen aus Cúchulainns und Emers gemeinsamem Leben: ihre erste Begegnung im Apfelgarten von Luglochta Loga, die Entführung der Kastanienhaarigen durch den Helden von Erinn aus der väterlichen Burg, die Hochzeit in der großen Halle von Conchobars Königssitz; dazu die Fahrt zusammen mit Cathbad zum Dornenfelsen an der Meeresküste, wo das Paar sodann seine eigene Ringburg errichtet hatte.

Cúchulainn freute sich von Herzen über Emers wertvolle Gabe. Zum Dank unternahm er eine Reise mit der Kastanien-haarigen; während die Wälder Ulsters im leuchtenden Herbst-schmuck prangten, besuchten der Held von Erinn und seine Gemahlin die schönsten Orte des Landes. Im goldenen Wagen fuhren sie Bergpfade mit atemberaubender Aussicht entlang, am Gestade der See entdeckten sie verzauberte Buchten; dann wieder trabten die Rösser durch gewisse verwunschene For-ste, wo Begegnungen mit Leprechauns oder wundersamem Getier nicht ungewöhnlich waren.

Erst als die Nächte frostig wurden, kehrte das Paar nach einem abschließenden Besuch bei Cúchulainns Mutter Dech-tire und ihrem Gatten Sualtach mac Roich ins heimatliche Dun Delgan zurück. Den Spätherbst und Winter über stieg dort so manch fröhliches Gelage; oft saß Conall mit an der Ta-fel, einige Male auch Findchaem, Amergin und Cathbad. An Imbolc des neuen Jahres weilten der Held von Erinn und Emer in Emain Macha, ebenso waren sie dort anläßlich der Beltanefeiern zu Gast.

Am Mittag nach dem Frühjahrsfest verabschiedete sich Conchobar unter dem Weltenbaum von seinem Schwester-sohn und dessen Gemahlin, dabei kündigte er ihnen an: »In der Woche, die auf Lughnasad folgt, will ich eine Zusammen-kunft der Edlen von Ulster im Hain von Tracht Eisi ausrich-ten. Während des Drunemetons sollen Rituale und Waffen-spiele zu Ehren des Sonnengottes stattfinden, aber auch wichtige, das Wohl meines Reiches betreffende Angelegenhei-ten beraten werden.«

»Emer und ich werden kommen«, versprach Cúchulainn. »Und falls du mich aus irgendeinem Grund früher benötigst, brauchst du nur Botschaft nach Dun Delgan zu senden, das weißt du.«

»Ich hoffe, daß die nächsten Monate so friedlich bleiben

wie die vergangenen«, antwortete der König. »Sollten jedoch
Feinde in Ulster einfallen, bist du der erste, den ich verständigen lasse – und das weißt wiederum du.«

Der Held von Erinn nickte, dann bestiegen er und Emer
den goldenen Wagen. Auf der Heimfahrt schonte Cúchulainn
die mittlerweile zwölfjährigen Hengste, auf diese Weise
konnte das Paar in der Wagenkanzel Licht und Wärme des
Frühlings genießen. Ähnlich geruhsam verlief die folgende
Zeit in Dun Delgan. Allmählich drehte sich das Frühjahr in
den Sommer, auf den Feldern reiften die Früchte heran;
schließlich graute der Morgen, an dem der Held von Erinn
und die Kastanienhaarige zur Zusammenkunft in Tracht Eisi
aufbrachen.

Die Eichen des heiligen Hains ragten zwei Tagesreisen nord-
östlich von Emain Macha auf einer Hügelkuppe direkt über
dem Meeresstrand gen Himmel. Etwa zehn Meilen weiter
nördlich lag das Fischerdorf, von dem aus Cúchulainn, Conchobar und Conall damals ihre Seereise nach Alba angetreten
hatten.

Als der Held von Erinn und Emer am Abend vor Beginn
des Drunemetons in Tracht Eisi eintrafen, waren die meisten
Edelleute bereits anwesend. Mit Hochrufen hießen sie Cúchulainn willkommen; allen übrigen voran eilten der König und Conall dem goldenen Wagen entgegen. Conchobar
half der Kastanienhaarigen beim Absteigen und lobte ihre
Schönheit mit wohlgesetzten Worten, danach umarmten die
Freunde einander.

Gleich darauf fiel der Blick des Königs auf die Rösser seines Neffen. Sinnend betrachtete er die von der langen Fahrt
sichtlich mitgenommenen Tiere, dann sagte er: »Schon an Beltane hatte ich den Eindruck, daß deine Hengste steif geworden sind, Cúchulainn. Seit vielen Jahren dienen sie dir nun,

und vielleicht solltest du langsam daran denken, sie durch ein junges, feurigeres Gespann zu ersetzen.«

»Du hast recht«, stimmte ihm der Held von Erinn zu. »Bei Gelegenheit will ich deinem Rat folgen und mir, wenn du erlaubst, ein neues Rossepaar in deinem berühmten Gestüt aussuchen. Die alten Hengste aber, die mich nie im Stich ließen, werden das Gnadenbrot in Dun Delgan erhalten.«

»Das ist die beste Lösung«, erwiderte Conchobar. »Doch jetzt genug von den Pferden. Dort drüben steht mein Zelt, und ich habe Amphoren mit gallischem Wein in der See kühlen lassen, damit wir unser Wiedersehen würdig begießen können.«

Im Verlauf der Nacht wurde so mancher Pokal geleert; bei Sonnenaufgang des nächsten Tages zelebrierte der König vor einer hohen, Lugh geweihten Felssäule im Zentrum des Eichenhains ein Ritual. Anschließend zeigten die jüngeren Adelskrieger ihre Waffenkünste, indem sie Zweikämpfe mit Schwert und Schild austrugen oder im Speerwurf wetteiferten; am Nachmittag sodann begannen die Beratungen.

Kaum aber hatte Conchobar die einleitenden Sätze gesprochen, erscholl vom Rand des Haines her, wo Wächter standen, der Ruf: »Ein seltsamer Curragh, wie ihn keines Menschen Auge je sah, nähert sich der Küste!«

Der König und die Edelleute sprangen auf und liefen den Hügel hinunter zum Strand. Als sie dort anlangten, war das Boot bis auf Pfeilschußweite herangekommen. Sein Rumpf bestand aus schimmernden, wie Schuppen übereinanderliegenden Erzplatten; am hochgeschwungenen Vordersteven hing ein rabenschwarzer Schild, das schwere Heckruder glänzte golden und wurde von einem prachtvoll gewachsenen, mit Brünne und Helm gerüsteten Jüngling bedient.

Nun legte der Jungkrieger das Ruder herum. Der erzene Curragh beschrieb einen Halbbogen, verlor an Fahrt und begann auf den Wellen zu tanzen. Möwen schossen herbei; heisere Schreie ausstoßend umkreisten sie das Boot – plötzlich schwang der Jüngling eine Steinschleuder. In rascher Folge schnellte er sieben Kiesel gegen ebensoviele weiße Vögel und traf die Möwen allesamt tödlich, so daß sie mit blutüberströmtem Gefieder ins Wasser fielen.

Die Männer und Frauen am Ufer staunten über das ungewöhnliche Kunststück, gleich darauf verblüffte der Jungkrieger sie von neuem. Diesmal ließ er einen Speer flach ins Meer zischen; die Waffe zog eine blitzende, zauberisch gewundene Bahn durch die Fluten, bohrte sich am Gestade in ein Stück Treibholz – und entlang des Speerschaftes waren sieben armlange Fische aufgereiht.

Die Gefolgsleute Conchobars sparten nicht mit Beifall, daraufhin nahm der Jüngling sieben Wurfpfeile zur Hand und sandte sie zum Himmel empor. Flirrend verschwanden die Geschosse in einer über das Firmament treibenden Wolke; wenig später erschien dort oben ein dunkler Punkt, wuchs, wurde als trudelnder Adler kenntlich – und stürzte, die sieben Pfeile des Jungkriegers in der Brust, vor den Füßen des Königs auf den Geröllstrand.

»Dieser Fremde beherrscht die Waffenkünste wahrhaft meisterlich«, stellte Cúchulainn anerkennend fest.

»Er scheint dir in der Tat beinahe ebenbürtig zu sein«, erklärte Conchobar. »Daher würde ich ihn gerne näher kennenlernen.« Er winkte dem Jüngling im erzenen Curragh zu, dann wandte er sich an einen Adligen namens Condere und befahl ihm: »Erkundige dich, wie der Fremdling heißt und von wo er kommt.«

Condere überquerte den Strand, watete ein Stück in die See hinaus und rief: »Der König von Ulster möchte wissen, wer du bist.«

»Eine derartige Auskunft magst du zwar verlangen, doch du wirst sie nicht erhalten«, lautete die Antwort.

»Wieso?« fragte Condere verdutzt.

»Weil ich mich weigere, sie dir zu geben«, scholl es über das Wasser.

Beleidigt drehte sich Condere um, kehrte zu Conchobar zurück und sagte mit gepreßter Stimme: »Du hast erlebt, wie der unflätige Kerl mich behandelte. Und das, obwohl er noch bartlos ist und höchstens achtzehn Jahre zählt.«

»Immerhin kennen wir jetzt sein Alter«, äußerte Conall Cernach spöttisch.

»Falls dir das nicht genügt, kannst du ja dein Glück versuchen«, schnappte Condere.

»Eine gute Idee«, nickte der König und deutete aufs Meer. »Es scheint, als ob unser Freund an Land gehen wollte. Also nutze deine Chance, Conall.«

Wirklich steuerte der Fremde das Boot nunmehr ans Ufer, ließ es auflaufen und sprang heraus. Mit verschränkten Armen wartete der Jüngling ab, bis der Hirschäugige bei ihm war, sodann fragte er grinsend: »Wie heißt du?«

»Du wirst es erfahren, sobald du mir deinen Namen genannt hast«, beschied ihn Conall.

Das Grinsen des Jungkriegers wurde noch breiter. »Ich vermute fast, du möchtest dich mit mir anlegen.«

»Wenn es keinen anderen Weg gibt, um dich zur Vernunft zu bringen, werden wir wohl ein Tänzchen wagen müssen«, erwiderte der Hirschäugige. »Was wäre dir lieber? Schwert oder Speer?«

»Für dich genügt mir ein einfacher Stein«, versetzte der Jüngling. »Beispielsweise der da . . .«

Er bückte sich und hob einen kantigen Felsbrocken von der Größe eines Stierschädels auf. Hastig wich Conall beiseite – im nächsten Moment schleuderte der Jungkrieger den Brocken mit derartiger Gewalt und in solch rasendem Wirbel empor, daß es in der Luft wie von Donner grollte. Jäher Schreck zwang den Hirschäugigen zu Boden; der Jüngling fing den Steinbrocken wieder und warf ihn erneut. Jetzt röhrte das Geschoß landeinwärts, krachte hundert Schritte entfernt gegen eine Klippe und ließ deren Spitze in tausend Splitter zerbersten.

411

»Besser, wir beenden unser Gespräch«, stieß Conall hervor und floh.

Als er bei Conchobar anlangte, runzelte dieser die Stirn und tadelte den Hirschäugigen: »Wüßte ich nicht, wie tapfer du auf zahlreichen Schlachtfeldern gekämpft hast, müßte ich dich für einen Feigling halten.«

»Der Fremde ist zweifellos von fomorischen Dämonen besessen«, verteidigte sich Conall. »Vor solchen Mächten aber pflege ich mich wohlweislich zu hüten – und deshalb solltest du einen anderen als mich zu dem Unhold senden, sofern du noch immer Wert darauf legst, seinen Namen herauszufinden.«

»Und ob ich das will!« schnaubte der König.

»Ebenso bin nunmehr ich höchst neugierig auf den Burschen geworden«, mischte sich Cúchulainn ein. »Mir, denke ich, wird er Rede und Antwort stehen müssen.« Er rückte seinen Schwertgurt zurecht, hob den Schild vor die Brust und wollte zum Wasser schreiten – doch da vertrat ihm Emer den Weg.

»Bleib hier!« bat sie. »Eine innere Stimme sagt mir, daß du dich nicht mit diesem Jüngling anlegen darfst.«

»Unsinn«, wehrte der Held von Erinn ab.

»Bitte glaube mir!« beharrte die Kastanienhaarige. »Es könnte ein fürchterliches Unglück geben, wenn es zwischen dir und diesem Fremden zu einem Streit käme.«

»Nachdem ich angekündigt habe, den Burschen zur Vernunft zu bringen, wäre es ehrlos von mir, jetzt wegen deiner Unkenrufe zu kneifen«, erwiderte Cúchulainn schroff. »Und nun laß mich gehen!«

Damit schob er Emer beiseite und eilte zu dem Platz, wo der Jungkrieger neben seinem erzenen Curragh stand. Scharf musterte der Held von Erinn den Jüngling; als dieser sich lächelnd verneigte, glaubte Cúchulainn, er hätte gewonnen, und sagte: »Wie ich sehe, erweist du mir Achtung. Das läßt mich auf eine gütliche Einigung in der bewußten Angelegenheit hoffen.«

»Ich verbeugte mich, weil ich in dir einen Recken erkenne, der sich nicht wie jener Dunkeläugige durch einen Steinwurf vertreiben ließe«, antwortete der Jungkrieger. »Was allerdings die Auskunft betrifft, die du haben möchtest, so muß ich dir kundtun, daß ich meinen Namen auch dir nicht nennen will.«

»Weißt du denn, mit wem du es zu tun hast?« fuhr Cúchulainn auf. »Die Feinde, die ich fällte, zählen nach Hunderten!«

»In meiner Heimat jenseits des Meeres erschlug ich ebenfalls schon so manchen schlachtenerprobten Mann«, erwiderte der Jüngling. »Und in den Bardengesängen, die über mich gedichtet wurden, heißt es, es gäbe von einer Küste meines Landes zur anderen keinen Kämpen wie mich.«

»Angesichts dessen könnte es dir doch nur Ehre eintragen, wenn du mir verrietest, wer du bist«, versetzte Cúchulainn.

»Mit Speck fängt man Mäuse«, grinste der Jungkrieger – und kickte mit dem Fuß so geschickt gegen einen Kiesel, daß der Stein mitten auf Cúchulainns Schildwehr knallte.

Zornesröte malte sich auf dem Antlitz des Helden von Erinn; zum Schwert greifend, rief er aus: »Du legst es offenbar auf einen Zweikampf an!«

Der Jüngling nahm den rabenschwarzen Schild vom Vordersteven des Bootes und zog seine Klinge. »Endlich hast du verstanden. Zeig, was du kannst.«

Cúchulainn riß das Schwert aus der Scheide und führte einen gewaltigen Streich. Der Jungkrieger aber parierte den Hieb ohne Schwierigkeiten, im nächsten Moment war der Kampf in vollem Gange. Hageldicht fielen die Schläge; einmal schien der Held von Erinn im Vorteil zu sein, dann wieder der Jüngling – plötzlich jedoch durchbrach der Jungkrieger die Deckung Cúchulainns. In sausendem Schwung streifte die Klinge des Jünglings den Scheitel des helmlosen Helden von Erinn und schor ihm ein Büschel Haare vom Kopf.

Einen Wutschrei ausstoßend, warf Cúchulainn Schwert und Schildwehr weg und duckte sich, um seinen Gegner anzuspringen. Sofort ließ auch dieser seine Waffen fallen, gleich darauf entbrannte ein mörderischer Ringkampf. Zuerst sah es so aus, als könnte der Held von Erinn den Jungkrieger zu Boden zwingen; bald freilich wendete sich das Blatt, zuletzt kniete der Jüngling auf Cúchulainns Brust und hielt dessen Arme mit eisernem Griff fest.

»Einmal hast du mich überwältigt, aber ein weiteres Mal wird es dir nicht gelingen«, stöhnte der Held von Erinn.

»Du nimmst den Mund noch immer sehr voll«, feixte der Jungkrieger und gab Cúchulainn frei.

Der Held von Erinn schnellte hoch; erneut griff er den Jüngling an, doch wiederum gelang es diesem, Cúchulainn zu überwinden. Genauso endete der dritte Kampf, den der Jungkrieger dem Helden von Erinn zugestand. Nachdem er abermals besiegt unter seinem Gegner lag, keuchte Cúchulainn, der sich um keinen Preis geschlagen geben wollte: »Laß sehen, ob du mir auch im Wasser überlegen bist.«

Der Jüngling sprang auf, rückte Brünne und Helm zurecht und watete ein Stück in die See hinaus. Der Held von Erinn folgte ihm; bis zu den Hüften in der Flut stehend, begannen beide zu ringen. Wieder erwies sich der Jungkrieger als der Stärkere. Zweimal hintereinander brachte er Cúchulainn zu Fall und drückte ihm den Kopf so lange unter Wasser, bis der Widerstand des Helden von Erinn erlahmte.

Nach dem zweiten Mal kam Cúchulainn nur noch taumelnd auf die Beine. Seine Augäpfel waren rot unterlaufen, die Gesichtszüge in ohnmächtigem Zorn verzerrt. Der Jüngling wich einige Schritte zurück und rief: »Gesteh endlich ein, daß du in mir deinen Meister gefunden hast.«

»Niemals!« stieß der Held von Erinn mit erstickter Stimme hervor. »Ich ergebe … mich keinem.«

»Mir wirst du dich beugen!« rief der Jungkrieger und schnellte sich auf Cúchulainn. Er nahm seinen Gegner in den Würgegriff und zwang ihn unerbittlich nieder; verzweifelt kämpfte der Held von Erinn, doch schon schlug die See neuerlich über ihm zusammen.

Cúchulainn schluckte Salzwasser; die Luft wurde ihm knapp, er verspürte Todesangst. In äußerster Not warf er sich herum und kam auf den Rücken zu liegen. Etwas Hartes preßte sich zwischen seine Schulterblätter; dumpf wurde Cúchulainn bewußt, was es war. Mit einer letzten Kraftanstrengung brachte er die Rechte unter der linken Achsel hindurch, zerrte am Verschluß des Schwarzholzköchers – und riß den Gae Bulga heraus.

Das magische Geschoß fauchte aus der Silberröhre, zerfetzte die Brünne des Jünglings und fraß sich in dessen Brust. Ein Blutstrom färbte die Wellen – als Cúchulainn den Jungkrieger an Land schleppte, empfand er unsäglichen Seelenschmerz. Es war ihm, als hätten die Stahlzähne des Gae Bulga einen Teil seines eigenen Wesens zerfleischt; er fühlte Trauer, wie er sie nie zuvor gekannt hatte.

Der Held von Erinn bettete den Leblosen auf den Strand und beugte sich über ihn – plötzlich erstarrte er vor Entsetzen. Ein Goldreif, den der Jüngling am Schildarm trug, war schuld daran. Cúchulainn kannte den Schmuck. Einst hatte der Reif ihm selbst gehört – und jetzt, da er ihn wiedersah, standen ihm jäh ein Steinkreis in Alba und eine berückend schöne Amazone mit rabenschwarzem Haar vor Augen.

Cúchulainn erinnerte sich, wie Aife damals von ihm verlangt hatte, seinem ungeborenen Sohn einen Namen zu geben. Die Hand auf ihrem Leib hatte er ihr gesagt, daß der Knabe, den sie zur Welt bringen würde, Conlai heißen sollte. Danach hatte er den Goldreif abgestreift und ihn der Amazone mit den Worten überreicht: »Dieser Schmuck ist für Conlai. An ihm werde ich meinen Sohn erkennen, wenn er mich dereinst aufsucht.«

Völlig verwirrt kniete der Held von Erinn neben dem blutüberströmten Jungkrieger; als Conchobar, Emer und Conall herbeikamen, stammelte er: »Abgrundtief böse Mächte trieben ihr Spiel mit mir... Dieser Fremde war mir nicht fremd... Es muß Conlai sein, den ich mit Aife zeugte...«

»Ausgeschlossen, Cúchulainn«, widersprach der König. »Seit du in Alba weiltest, sind erst sieben Jahre verstrichen. Der Jüngling aber ist ungefähr achtzehn.«

Der Held von Erinn wollte etwas entgegnen – da jedoch regte sich der tödlich verwundete Jungkrieger, öffnete noch einmal die Lider und flüsterte: »Ich vernahm den Namen ... meines Vaters Cúchulainn... Fiel ich denn ... durch seine Hand?«

»Ja...«, schluchzte der Held von Erinn. »Aber ich begreife nicht, wie du, der du noch ein Kind sein müßtest...«

Mühsam richtete der Sterbende seinen Blick auf Cúchulainn. »Ich bin erst sechsjährig... Doch bei meiner Zeugung verströmtest du ... deinen Samen dreimal in meiner Mutter Schoß... Deshalb wuchs ich dreimal schneller als andere heran...«

»Mein Sohn!« Cúchulainn zog den Jüngling in seine Arme. »Du mußt leben! Ich lasse nicht zu, daß du...«

»Ich werde nach Annwn reisen...«, röchelte Conlai. »Aber ich gehe ehrenvoll... Denn du warst es, der mich fällte... Du, der ruhmvollste Recke Erinns und Albas... Dies erfüllt mich mit Stolz... Und auch Aife kann stolz auf mich sein... Weil ich ihrem Gebot gehorchte...«

»Welchem Gebot?« fragte Conchobar.

»Meine Herkunft nicht preiszugeben...«, hauchte Conlai. »Sie nicht preiszugeben ... bis mein Vater mich von sich aus ... erkennen würde...« Ein Blutschwall quoll aus Conlais Mund, im selben Moment trat der Tod ein.

Cúchulainn brach über dem Leichnam zusammen. Das Bewußtsein der grauenhaften Schuld, welche er auf sich geladen hatte, raubte ihm fast den Verstand. Dann auf einmal glaubte er, wie aus weiter Ferne Aifes Stimme zu hören: »Wenn Conlai alt genug ist, werde ich ihm eröffnen, wer sein Vater ist. Und sobald er ersten Waffenruhm erworben hat, will ich ihn zu dir nach Erinn senden.«

Ein Zittern befiel Cúchulainn, er begann das Ungeheuerliche in seinem vollen Ausmaß zu begreifen – einen Augenblick später hatte er eine Vision. Sein Geist raste sieben Jahre in der Zeit zurück; er sah sich von Aife Abschied nehmen und die Festung der Amazone verlassen. Aife, die ihm tags zuvor den Gae Bulga geschenkt hatte, schaute ihm vom Wall aus nach; als sein Streitwagen verschwunden war, ging eine erschreckende Veränderung mit der Amazone vor. Ihr Antlitz verzerrte sich vor Haß, aus ihrer Kehle drang ein heiseres Fauchen.

Gleich darauf erblickte er Aife in einem Boot; sie hatte einen schwarzen, von fahlweißen fomorischen Symbolen bedeckten Ledersack bei sich. Die Amazone ruderte zu jener Insel, die Schauplatz des Gedenkrituals für die drei Recken gewesen war, welche er, Cúchulainn, in den Zweikämpfen vor Dugalls Dun besiegt hatte. Beim Cairn auf dem Eiland öffnete Aife den Sack, nahm drei Schädel heraus, pflanzte die Häupter auf den Steinkegel und beschwor sie: »Die Rache an dem, der euch tötete und mich zur schändlichen Unterwerfung zwang, ist ins Werk gesetzt. Das Unheil, welches ihn treffen wird, reift heran. Ich habe das meinige getan, um fürchterliche Vergeltung an ihm zu üben; tut ihr, aus den verborgenen Gefilden wirkend, das eurige.«

Der Cairn erbebte; die Lippen der Schädel zuckten, als wollten sie der Amazone ein schauerliches Versprechen geben. Aife wartete ab, bis der gespenstische Aufruhr vorüber war, dann schob sie die Köpfe zurück in den Sack und zischelte: »Du kannst deinem Verhängnis nicht entrinnen, Cúchulainn – auch wenn Jahre verstreichen werden, ehe es dich trifft.«

Mit einem gellenden Schrei kam der Held von Erinn wieder zu sich. Er starrte nach Osten, wo Alba lag, dann stieß er hervor: »Der Friede, den Aife damals mit mir schloß, war Lug und Trug. Von allem Anfang an plante die Verfluchte das Verbrechen an Conlai und mir. Deswegen verführte sie mich im magischen Steinrund, deswegen schenkte sie mir den Gae Bulga. Deswegen erlegte sie meinem Sohn das Schweigegebot auf und sandte ihn nach Ulster, damit ich in ihm mich selbst erschlagen sollte und trotzdem weiterleben muß – ganz so, wie Scathach es mir prophezeite.«

Cúchulainns Faust umkrampfte einen Stein, knirschend zerbrach der Brocken. Der Held von Erinn schleuderte die Stücke weg und fuhr fort:»Aber ich werde Rache an Aife, dieser Bestie in Frauengestalt, nehmen. Eine Ausgeburt des Weißen Drachen ist sie; eine seiner Kreaturen, die stets nur Unheil und Leid über die Erde bringen. Schon vor sieben Jahren hätte ich das schwarzhaarige Ungeheuer hinschlachten sollen, doch nun wird Aife ihre Strafe bekommen. Noch heute breche ich nach Alba auf, und ich schwöre beim Blut Conlais, daß . . .«

»Halt ein, Lugh mac Ethnend!« Die hallende Stimme erklang vom erzenen Curragh her. Als Cúchulainn und die anderen ihre Blicke dorthin richteten, wurden sie Zeugen, wie Cathbad aus dem hochgeschwungenen Vordersteven des Bootes heraus erschien. Mit dem nächsten Lidschlag stand der Druide vor dem Helden von Erinn, legte ihm die Hand auf die Schulter und sprach weiter:»Bezähme deinen gerechten Zorn. Übe keine Vergeltung an der Amazone mit dem Rabenhaar. Denn was geschah, sollte geschehen – so wollten es die Götter.«

»Das kann ich nie und nimmer glauben!« begehrte Cúchulainn auf.

»Du bist Lugh mac Ethnend, der Menschengestalt annahm, daher wirst du begreifen«, erwiderte Cathbad. »Und damit du verstehst, mußt du mir eine Frage beantworten.« Der Druide wartete, bis Cúchulainn verwirrt nickte, sodann wollte er wissen:»Wer kommt in der irdischen Welt zu Ehren, wenn der alte König stirbt?«

»Der junge Herrscher«, entgegnete Cúchulainn.

»Richtig«, bestätigte Cathbad. »Der Sohn folgt dem Vater, dies ist unverbrüchliche Gesetzmäßigkeit in den diesseitigen Gefilden. Für dich aber, der du sowohl Mensch als auch Gott bist, kann sie nicht gelten. Dir, dem Einzigartigen auf Erden, war es aufgegeben, das scheinbar Unabänderliche außer Kraft zu setzen. Du mußtest das Prinzip überwinden, wonach der junge Held den alten ablöst. Hätte Conlai dich besiegt und wäre er an deine Stelle getreten, so hättest du deine Einmaligkeit verloren. Aus diesem Grunde erwählten sich die Götter Aife zu ihrem Werkzeug und zwangen dich mit Hilfe der Amazone, deinen eigenen Sohn zu töten. Es geschah, damit nach dir, dem König der Krieger, kein junger Kriegerkönig erscheinen kann.«

»Es ist so unendlich grausam«, stöhnte Cúchulainn.

»Das Grauenhafte, das du heute erlebtest, ist ein äußerst bitterer, jedoch noch nicht der letzte Preis, den du für deine Unsterblichkeit bezahlen mußt«, erwiderte der Druide. »Seit jenem Tag vor beinahe zwei Jahrzehnten, da du meine Weissagung vernahmst, wonach dein Ruhm bis in die fernsten Zeiten überdauern würde, und du Conchobar dazu brachtest, dir die Waffen zu übergeben, führte dein Weg zu diesem Ziel.«

Lange sann der Held von Erinn den Worten Cathbads nach, schließlich bat er den Druiden und die Umstehenden: »Laßt mich mit Conlai allein.«

Bis Einbruch der Nacht hielt Cúchulainn stumme Zwiesprache mit dem Toten. Als die Dämmerung ihre Schatten über Land und Meer breitete, trug der Held von Erinn die Leiche seines Sohnes zum Eichenhain. Am Fuß der dort aufragenden Felssäule, welche Lugh geweiht war, hob Cúchulainn mit Hilfe seines Schwerts das Grab für Conlai aus. Nachdem er den Leichnam sowie die Waffen des Toten in die Grube gelegt und mit Erde bedeckt hatte, kamen Cathbad, Conchobar, Emer und Conall herbei. Der Druide besänftigte Conlais Geist durch ein Trauerritual, sodann hielten die vier Männer und die Kastanienhaarige bis Sonnenaufgang des neuen Tages die Totenwache.

Später am Morgen fand ein weiteres Ritual statt. Cúchulainn, Cathbad, Conchobar und Conall brachten den erzenen

Curragh zu der Stelle in der See, wo Conlai gefallen war. Unter Beschwörungen füllten sie das Boot mit Felsbrocken und versenkten es auf diese Weise; einzig der Tote sollte den Curragh künftig noch benutzen können, wenn er über die Meere von Annwn fahren wollte.

Wieder an Land, verkündete der König den Edlen von Ulster: »Angesichts des tiefen Leids meines Schwestersohnes, welches auch unseres ist, beende ich das Drunemeton. Die notwendigen Beratungen allerdings müssen trotzdem durchgeführt werden. Dies kann in Emain Macha geschehen, und ich bitte euch, mir noch in dieser Stunde dorthin zu folgen.«

Nach bewegtem Abschied von Cúchulainn zog Conchobar an der Spitze der Adelskrieger und Edelfrauen in südwestlicher Richtung davon. Der Held von Erinn aber blieb zusammen mit Emer, Cathbad und Conall zurück. Während der folgenden drei Tage und Nächte trauerte Cúchulainn an der Grabstätte seines Sohnes. Er nahm weder Speise noch Trank zu sich und litt ungeachtet dessen, was der Druide ihm eröffnet hatte, über die Maßen.

Cathbad, Conall und Emer – die Kastanienhaarige verschloß den eigenen schrecklichen Schmerz über die Untreue ihres Gemahls im Herzen – harrten bei ihm aus. Erst am vierten Morgen nach dem Begräbnis war Cúchulainn bereit, den Hain von Tracht Eisi zu verlassen. Langsam trabten die Wagenrösser gen Süden; auf der Fahrt nach Dun Delgan blieb Cúchulainn schweigsam und wirkte geistesabwesend, auch nach der Ankunft in der vom Dornenfelsen gekrönten Festung änderte sich nichts daran.

Eine Woche verweilten Cathbad und der Hirschäugige in Dun Delgan und sprachen Cúchulainn Trost zu, so gut sie konnten. Dann, nachdem der Druide den Helden von Erinn nochmals ermahnt hatte, den Ratschluß der Götter hinzunehmen, kehrten die beiden nach Dun Tobarce heim. Von nun an oblag es Emer allein, ihrem Gatten Stütze zu sein. Die Kastanienhaarige gab sich alle Mühe, Cúchulainn aufzumuntern, doch es verstrich fast ein Monat, ehe er erstmals wieder gequält lächelte.

Einige Tage später, am siebenundzwanzigsten Geburtstag des Helden von Erinn, erschien überraschend Conchobar in Dun Delgan. Der König kam ohne jegliche Begleitung, dafür aber liefen zwei prachtvolle junge Hengste an langen Zügeln neben seinem Streitwagen her. Das Fell des einen schimmerte ebenholzschwarz, das des anderen silbergrau. Als Cúchulainn an Conchobars Wagen herantrat, um den König zu begrüßen, wieherten ihm der Rappe und der Graue freudig entgegen.

»Die Rösser erkennen ihren neuen Herrn«, erklärte Conchobar schmunzelnd und umarmte seinen Neffen. Gleich darauf, weil er die tiefen Falten bemerkte, die sich während der vergangenen Wochen in Cúchulainns Antlitz eingefurcht hatten, wurde seine Miene ernst, und er fügte hinzu: »Ich dachte mir, wenn etwas dein Leid lindern kann, dann sind es diese Hengste, die ich dir zum Geschenk machen möchte. Künftig sollen sie deinen Kampfwagen ziehen, und ihr feuriges Ungestüm wird auch dir wieder frischen Mut geben.«

»Ich danke dir für deine Fürsorge und die wertvolle Gabe«, antwortete der Held von Erinn. Er klopfte die Hälse der Rösser. »Die Hengste sind wahrhaft von edelstem Blut.«

»Das will ich meinen«, erwiderte der König. »Wie du an der dunkelroten und schneeweißen Fellzeichnung um ihre Nüstern sehen kannst, stammen sie von den Kopfschecken ab, welche du am Tag der Waffenübergabe von mir bekamst.« Conchobar löste die Zaumriemen der Rösser vom Streitwagen, übergab die Zügel Cúchulainn und fuhr fort: »Der Schwarze heißt Sainglend, der Name des Grauen lautet Liath Macha.«

»Gleich morgen werde ich die Hengste erproben«, versprach der Held von Erinn. »Doch heute wollen wir unser Wiedersehen feiern.«

»Dies auch – vor allem aber kam ich, um anläßlich deines

Wiegenfestes mit dir, deiner Gemahlin und euren Gefolgsleuten zu tafeln«, entgegnete Conchobar.

»Mein Geburtstag, ja...«, murmelte Cúchulainn. Er wühlte die Finger in Sainglends dunkle Mähne, für einen Moment schien er seine Umgebung zu vergessen. Dann jedoch ermannte er sich und sagte: »Laß uns die Rösser zur Stallung bringen, damit Emer, die im Hallenhaus gewiß schon dabei ist, alles für deinen Empfang vorzubereiten, nicht länger auf uns warten muß.«

Bis tief in die Nacht hinein dauerte das Fest. Freilich ging es an der Tafel weniger ausgelassen zu als bei früheren Gelegenheiten. Vielmehr brachte der Held von Erinn das Gespräch immer wieder auf vergangene Zeiten; das Unglück hingegen, das in Tracht Eisi geschehen war, erwähnte er mit keinem Wort.

Am nächsten Vormittag nahm der König wieder Abschied. Cúchulainn blickte dem Streitwagen Conchobars vom Torbau aus nach, bis das Gefährt in einem Eibenwald nördlich der Ringburg verschwand. Sodann rief er seinen Vertrauten Laeg mac Riangabir zu sich und eröffnete ihm: »Ich will die erste Ausfahrt mit Sainglend und Liath Macha unternehmen. Dich bitte ich, mitzukommen, denn du sollst dich ebenfalls mit den Hengsten vertraut machen.«

»Wieso das?« fragte Laeg verwundert.

»In letzter Zeit fühle ich mich nicht mehr so kräftig wie früher«, beschied ihn der Held von Erinn. »Deshalb könnte ich dich, falls irgendwann neue Kämpfe ausbrechen, als Wagenlenker benötigen.«

»Du bliebst stets unbesiegt und wirst nie jemanden brauchen, der dir im Waffenstreit zur Seite steht«, beteuerte Laeg. »Aber deine Einladung, die Rösser gemeinsam mit dir zu erproben, ehrt mich, daher begleite ich dich mit Vergnügen.«

Stundenlang tummelten Cúchulainn und Laeg mac Riangabir die Hengste; dem Helden von Erinn machten die Rösser keinerlei Schwierigkeiten, doch Laeg hatte Mühe mit ihnen. Im Lauf der folgenden Wochen aber gewöhnten sich der Rappe und der Graue zunehmend auch an seine Zügelführung, und bald gehorchten sie Laeg mac Riangabir genauso willig wie Cúchulainn.

Den Herbst und Winter hindurch unternahmen der Held von Erinn und sein Vertrauter häufig Jagdausflüge; zumeist lenkte Laeg jetzt den goldenen Wagen, und Cúchulainn schleuderte seine Speere oder Wurfpfeile auf das flüchtige Wild. Manchmal, wenn die Beute besonders reich ausfiel, konnte es geschehen, daß der Held von Erinn so unbeschwert wie früher wirkte. Zu anderen Zeiten hingegen, besonders an solchen Tagen, da Regen- oder Schneestürme über Dun Delgan hinwegfegten, befiel ihn neuerlich quälende Schwermut; dann vermochte niemand ihm zu helfen, nicht einmal die Kastanienhaarige.

Als schließlich ab Imbolc die ersten Anzeichen des Frühjahrs spürbar wurden, bestieg Cúchulainn öfter den nördlichen Burgwall und spähte in die Richtung, wo Emain Macha lag. Es war, als erwartete er etwas, das von dort kommen würde, und wenn er so auf dem Wall stand, lag ein Ausdruck beinahe überirdischer Entrücktheit auf seinem Antlitz.

Das seltsame Verhalten ihres Gemahls bedrückte Emer. Lange schwieg sie verängstigt; eines Tages aber überwand sie sich, folgte Cúchulainn auf den Festungswall und wollte wissen: »Wonach hältst du denn Ausschau?«

Der Held von Erinn jedoch gab ihr keine wirkliche Antwort; ohne die Kastanienhaarige anzusehen, flüsterte er nur: »Ich fühle, wie es herannaht . . .«

Der Cloghafarmore

Genau einen Monat nach Imbolc traf ein Königsbote aus
Emain Macha ein. Der Krieger hatte sein Pferd auf dem Weg
nach Dun Delgan beinahe zuschanden geritten und brachte erschreckende Nachrichten. »Ein starkes Feindheer bedroht den
Südwesten Ulsters«, teilte er Cúchulainn mit. »Augenscheinlich
haben sich die Connaughter mit Stämmen aus Mide verbündet. Raubend und mordend brachen die Kriegshaufen über die
Grenzgebiete herein, Flüchtlinge berichteten von entsetzlichen Greueltaten. Conchobar zog sofort los, um sich den blut-
rünstigen Horden entgegenzuwerfen. Dich und Conall Cernach bittet er, so rasch wie möglich zu ihm zu stoßen.«

»Mein ganzes Leben habe ich, der ich ein Recke des Roten Drachen bin, gegen die Bösartigkeit des Weißen Drachen
gekämpft«, erwiderte Cúchulainn. »Auch diesmal werde ich
jene, die dem Ungeheuer dienen, zu Paaren treiben; nicht anders wird der Hirschäugige handeln.« Er winkte einen Knecht
heran. »Reite du anstelle des erschöpften Boten nach Dun Tobarce und verständige Conall. Sage ihm, daß ich mit meinen
Männern unverzüglich losmarschiert bin. Er soll mir mit seiner Schar nach Westen folgen, im Heerlager des Königs werden wir zusammentreffen.«

Noch in derselben Stunde verließen der Held von Erinn
und seine Fußkrieger die Ringburg. Bleich, das Schluchzen
nur mühsam unterdrückend, schaute Emer dem kleinen
Trupp nach, an dessen Spitze ihr Gemahl und Laeg mac Riangabir im goldenen Wagen fuhren.

In Eilmärschen führte Cúchulainn seine Kampfschar ins
Landesinnere. Am dritten Tag sahen die Männer aus Dun Delgan jenseits eines Hügelrückens einen großen Schwarm
Schwarzvögel kreisen. Der Held von Erinn befahl seinem Wagenlenker, die Hengste in Galopp zu setzen; schnell wie der
Wind preschten Sainglend und Liath Macha los. Als das Gespann um die Hügelflanke bog, erblickten Cúchulainn und

Laeg ungefähr zwei Dutzend Ulsterkrieger, die mit einer doppelt so starken Streifschar von Connaughtern aneinandergeraten waren und sich nun verzweifelt gegen die Übermacht verteidigten.

Ein Hagel von Stachelkugelwürfen Cúchulainns verschaffte den Bedrängten Luft, gleich darauf wütete das Schwert des Helden von Erinn unter den Connaughtkriegern. Im Nu war das Scharmützel entschieden; kopflos versuchten die überlebenden Feinde zu fliehen, wurden aber von Cúchulainns Fußkämpfern, die jetzt ebenfalls heran waren, aufgerieben.

Die Ulsterkrieger dankten ihrem Retter; sodann begleiteten sie die Schar aus Dun Delgan zum Feldlager Conchobars, das einen halben Tagesmarsch entfernt lag. Mit sichtlicher Erleichterung begrüßte der König seinen Neffen; bei einer anschließenden Besprechung, an welcher die Befehlshaber der verschiedenen Kampfverbände des Ulsterheeres teilnahmen, erfuhr Cúchulainn, daß sich die Lage während der vergangenen Tage noch verschlimmert hatte.

»Ursprünglich plante ich, unsere Gegner zu einer raschen Entscheidungsschlacht zu zwingen«, erklärte Conchobar. »Doch die feindlichen Anführer – es sind Erc, der nichtswürdige Sohn des Königs Cairbre Niafer von Mide, Medbs und Ailills Sohn Mane sowie die gefürchteten Mordbrenner Luchaidd mac Curoi und Ross mac Ruad – haben meine Absicht offenbar durchschaut. Um zu vermeiden, daß wir sie stellen und vernichten können, teilten sie ihren Heerbann in zahlreiche Kampfhaufen auf. Diese Rotten schlagen überraschend zu; sie stürmen hier einen Dun, richten dort ein Blutbad in einem Dorf an – danach verschwinden sie wieder und attackieren anderswo erneut.«

»Das macht es in der Tat schwer, die Feinde zu packen«, äußerte der Held von Erinn. »Im Grunde bleibt uns bloß eine einzige Chance. Wir müssen unsere Kampfweise der ihrigen anpassen.«

»So denken die meisten von uns«, nickte ein Adliger. »Allerdings könnten sich die Kriegshandlungen, da die Kräfteverhältnisse ausgeglichen sind, dann viele Monate hinziehen, und zuletzt wäre wohl ganz Ulster verwüstet.«

Neuerlich ergriff der König das Wort: »Nur du, Cúchulainn, wärst imstande, die Kämpfe schneller zu beenden. Aber in diesem Fall müßtest du, ganz wie damals, als die Connaughter den Dond von Cualnge raubten, Übermenschliches leisten.«

»Im Einklang mit dem Willen der Götter bin ich in die Diesseitswelt gekommen, um das Böse auszurotten«, erwiderte der Held von Erinn. »Deshalb werde ich tun, was du von mir verlangst, Conchobar.«

Kaum graute der nächste Morgen, jagten Cúchulainn und Laeg mac Riangabir im goldenen Wagen nach Südwesten davon. Die Gefolgsleute des Helden von Erinn blieben zurück; sie sollten das Königsheer verstärken, bei dem in der Nacht auch Conall Cernach mit seinen Männern eingetroffen war. Conchobars Streitmacht, so war vereinbart worden, würde sich im Lauf des Tages in Dutzende kleiner Heerhaufen aufspalten, die in weit auseinandergezogener Formation ebenfalls ins Grenzgebiet vordringen und die Gegner, wo immer möglich, schwächen sollten. Die Hauptlast jedoch würden Cúchulainn und sein Wagenlenker zu tragen haben; auf sich allein gestellt, wollten sie die feindlichen Kriegsscharen hetzen und unablässig bedrängen.

Vier Jahre zuvor, während seines heroischen Einzelkampfes gegen die Connaughter, hatte der Held von Erinn das Letzte gegeben; nicht anders war es diesmal. Jeder Tag brachte neue lebensgefährliche Herausforderungen, wieder und wieder blickten Cúchulainn und Laeg dem Tod ins Auge. Sie legten Hinterhalte in Hohlwegen oder Gebirgspässen, griffen unversehens aus dem Schutz eines Waldstücks heraus an oder fielen nächtens über die Lagerplätze der Krieger aus Connaught und Mide her. Manchmal auch lockten sie die wegeunkundigen Raub- und Mordbanden in tückische Sümpfe, um sie dort, wo es kein Entkommen mehr gab, niederzumachen.

Zumeist schliefen der Held von Erinn und sein Wagenlenker in ihren blutverkrusteten Brünnen auf der nackten Erde; häufig bekamen sie im vom Krieg verwüsteten Grenzland nichts anderes als Baumrinde, Wurzeln oder eine Handvoll halbverkohlter Getreidekörner, die sie in irgendeinem niedergebrannten Gehöft fanden, zwischen die Zähne. Auf diese Weise verstrichen Wochen; bald waren die beiden Männer bis auf die Knochen abgemagert, dasselbe galt für die Rösser, denen Laeg tagtäglich das Äußerste abverlangen mußte.

Unbeschreibliches leisteten Mensch und Tier; endlich, Beltane war schon nahe, begannen die gegnerischen Heerhaufen zu weichen. Nunmehr hätten Cúchulainn und Laeg ihren einsamen Kampf einstellen und zum Gros des Ulsterheeres zurückkehren können, aber der Held von Erinn entschied anders. Nie hatte sich ihm in den fast zwei Monaten seit Kriegsbeginn die Gelegenheit geboten, einem der feindlichen Anführer Auge in Auge gegenüberzutreten; jetzt wollte Cúchulainn die Waffen um jeden Preis mit Erc von Mide, Medbs und Ailills Sohn Mane, Luchaidd mac Curoi und Ross mac Ruad kreuzen.

Daher blieben der Held von Erinn und Laeg den Abziehenden auf den Fersen und verfolgten sie weit in den Süden bis zum Fluß Rurthech – dort schien es so, als würde Cúchulainn seine Chance bekommen. Von einem Hügelkamm aus beobachteten der Held von Erinn und sein Gefährte, wie sich das Feindheer an einer Furt staute. Auf einmal erspähten sie ein Langboot, das etwas unterhalb des Flußübergangs vom Ufer abstieß und mit mehreren Ruderknechten sowie vier Männern in wertvollen Rüstungen besetzt war; vier Reitpferde, die an Leitseilen gehalten wurden, schwammen dem Boot hinterher.

»Erc und seine Verbündeten!« rief Cúchulainn aus – einen Herzschlag später preschten die Rösser los. In halsbrecherischer Fahrt raste der goldene Wagen die Hügelflanke hinab; als das Gespann auf Pfeilschußweite an den Heerbann herangekommen war, deckte der Held von Erinn sich und Laeg mit dem Schild gegen die heranpfeifenden Geschosse und warf Stachelkugeln. Dann, fünfzig Schritt vom Rurthech entfernt, schwang Cúchulainn einen Speer, um ihn in Richtung des Ruderbootes zu senden, das unterdessen in der Flußmitte trieb.

Im selben Moment jedoch bäumten sich die Hengste unter schrillem Wiehern auf, versuchten seitlich auszubrechen – und versanken gleich darauf bis zu den Bäuchen in einer Treibsandbank, die Laeg nicht bemerkt hatte. Beide Männer sprangen vom Wagen. Laeg zerrte an den Zäumen der Rösser, Cúchulainn packte die Wagendeichsel; mit gewaltiger Kraftanstrengung gelang es ihm, das Gespann wieder auf festen Grund zu bringen.

Kaum aber war es geschafft, jagten an die vierzig feindliche Streitwagen herbei. Zwischen ihnen rannten Bogenschützen und Speerwerfer, draußen auf dem Fluß hatte das Boot gewendet und näherte sich mit schäumender Bugwelle.

»Fort!« schrie Laeg und flankte zurück in die Wagenkanzel. »Die Übermacht ist zu groß.«

Mit einem Satz stand Cúchulainn neben ihm; Laeg wendete die Hengste, die Rösser fielen in Galopp – doch da stieß der Held von Erinn hervor: »Wir bleiben und kämpfen!«

Schon schleuderte Cúchulainn erneut Stachelkugeln – plötzlich aber durchbohrte ein Pfeil seinen rechten Unterarm. Unmittelbar danach wurde er von zwei Speeren getroffen; der eine drang ihm unter dem Schlüsselbein in die linke Brustseite, der andere fuhr in seinen rechten Oberschenkel.

Blutüberströmt brach der Held von Erinn in der Kanzel des goldenen Wagens zusammen. Zu Tode erschrocken hielt

Laeg ihn fest und trieb die Hengste zu äußerster Schnelligkeit an; nur ein Gedanke beherrschte ihn: Cúchulainn nicht in die Gewalt seiner Feinde fallen zu lassen. Deren Wagenkrieger wiederum nahmen augenblicklich die Verfolgung auf. Die Hetzjagd führte ins Hügelland nördlich des Rurthech; dort wurden Sainglend und Liath Macha, von den monatelangen Strapazen erschöpft, zusehends langsamer.

Es ist nur noch eine Frage der Zeit, durchfuhr es Laeg – eben als er es dachte, wendete sich das Blatt. Berittene Ulsterkrieger tauchten auf und attackierten die Streitwagen aus Connaught und Mide. Während die ersten Todesschreie erschollen, ließ vielhundertfacher Hufschlag die Erde erdröhnen, und die Kampfwagen des Ulsterheeres erschienen. Conchobar und Conall Cernach hielten die Spitze; rasch wurden die meisten der ohnehin schon schwer bedrängten feindlichen Krieger niedergemacht, der Rest floh.

Die Männer aus Ulster umringten den goldenen Wagen, den Laeg unter einer Föhrengruppe zum Stehen gebracht hatte. Zutiefst besorgt beugten sich der König und Conall über den zusammengekrümmt in der Kanzel liegenden Helden von Erinn. Nach wie vor steckten die Speere und der Pfeil in Cúchulainns Fleisch; seine Lider waren geschlossen, der Atem ging stoßweise, und auf den Lippen des Schwerverwundeten stand blutiger Schaum.

»Er stirbt!« flüsterte Conall.

Entgeistert starrte Conchobar ihn an, dann fuhr er herum und befahl einem der Reiter: »Hol die Arztdruiden vom Troß des Hauptheeres. Schnell!«

Der Krieger sprengte davon; als der König den Blick wieder auf seinen Neffen richtete, sah er, daß Cúchulainn die Augen noch einmal geöffnet hatte. »Kümmert euch nicht ... um mich«, röchelte der Held von Erinn. »Setzt den ... Feinden nach. Erringt ... unten am Rurthech ... den Sieg.«

Trotz der tödlichen Schwäche Cúchulainns lag etwas unendlich Zwingendes in seinen Worten. Weder Conchobar noch Conall vermochten sich der Macht seines Willens zu entziehen. Mit bleichen, wie versteinert wirkenden Gesichtern bestiegen sie ihre Streitwagen und preschten in Richtung des Flusses. Die übrigen Kampfwagenkrieger und die Berittenen folgten ihnen, zudem kamen nun auch die Fußkämpferscharen des Ulsterheeres heran.

Die Schlacht am Rurthech war heftig, aber kurz. Die Kriegshaufen aus Connaught und Mide, die sich noch am Nordufer befanden, wurden vernichtend geschlagen. Jene, welche die Furt bereits überquert hatten, suchten schleunigst das Weite; allen voran die vier Anführer, die im Boot ans südliche Gestade gelangt waren und sich dort wieder beritten gemacht hatten.

Es wäre dem Ulsterheer ein leichtes gewesen, die Flüchtigen zu verfolgen und auch diese Scharen aufzureiben, doch der König verzichtete darauf. Die brennende Sorge um Cúchulainn trieb Conchobar, Conall und die übrigen Adelskrieger zurück ins Hügelland. Als sie bei der Föhrengruppe eintrafen, wo der goldene Wagen stand, erschraken sie bis aufs Blut. Denn der Held von Erinn lag nun ausgestreckt auf der Erde, bei ihm knieten mehrere Arztdruiden und Laeg mac Riangabir.

Die Druiden raunten rituelle Beschwörungen und nahmen keinerlei Notiz vom König und dessen Begleitern, nachdem diese herangetreten waren. Laeg aber schaute auf; das Gesicht des Wagenlenkers war tränenüberströmt, tonlos sagte er: »Der Wurfspeer, welcher Cúchulainn in die Brust traf, streifte sein Herz. Wir müssen das Schlimmste befürchten.«

Mit schwerelosen Bewegungen schritt der Held von Erinn über eine sanft geschwungene Brücke aus strahlendem Licht. In der Ferne glaubte er die Gefilde von Tír na n'Og zu erkennen: zauberisch schöne Eilande im azurblauen Meer, von denen der Wind leisen, unbeschreiblich anmutigen Sídhegesang herantrug. Cúchulainns Sehnsucht, zu den Inseln zu gelangen, wurde unwiderstehlich; er ging schneller – plötzlich brach die Lichtbrücke ein.

Schreiend stürzte der Held von Erinn in die Tiefe. Brodelnde Finsternis umgab ihn; grauenhafte Schwärze, in der gräßliche Ungeheuer lauerten, die nach ihm schnappten und tatzten. Panik packte Cúchulainn, wild schlug und trat er um sich; dann fegten die bedrohlichen Phantome ins Nirgendwo davon, und der Held von Erinn landete auf weichem Untergrund. Etwas Rötliches glühte in der Dunkelheit, wuchs und wurde zu einer flackernden Fackel; in ihrem Schein erkannte Cúchulainn das Antlitz einer jungen Frau, welches ihm vertraut war: das Gesicht Emers.

Als die neben dem Bett sitzende Kastanienhaarige bemerkte, daß ihr Gemahl aus seiner Besinnungslosigkeit erwacht war, drang ein Schluchzen aus ihrer Kehle. Gleich darauf tastete sie nach seiner Hand und flüsterte: »Endlich haben die Götter mein Flehen erhört.«

»Wo ... bin ich?« fragte Cúchulainn mit schwacher Stimme.

»Du befindest dich im Tete-Brec-Haus«, beschied ihn Emer.

»Im Tete-Brec-Haus ...«, wiederholte Cúchulainn ungläubig. »Die Geschosse der Feinde ... fällten mich doch am Rurthech. Wie kam ich ... hierher?«

Emer rückte näher an ihren Gatten heran und strich ihm das verschwitzte Haar aus der Stirn; sodann berichtete sie, was seit der Schlacht an der Rurthechfurt geschehen war: »Drei Tage und Nächte kämpften die Arztdruiden, nachdem sie die Speere und den Pfeil aus deinem Körper entfernt hatten, unter den Föhren um dein Leben. Das gesamte Heer nahm Anteil; alle fürchteten, du würdest nach Annwn reisen, denn einer der Wurfspeere hatte dein Herz geritzt. Aber zuletzt gelang es den Druiden, die Blutung in deiner Brust zu stillen. Als dies

geglückt war, entschieden die Ärzte, daß du auf deinen Streitwagen gebettet und unter ihrer Aufsicht ins Tete-Brec-Haus
gebracht werden solltest. In langsamer Fahrt lenkte Laeg das
Gespann nordwärts; eine volle Woche wart ihr unterwegs, die
ganze Zeit bliebst du ohne Bewußtsein. Vier weitere Tage lagst
du, obwohl die Druiden alles menschenmögliche für dich taten, ohnmächtig in diesem Raum; erst jetzt zeigten die Götter
ein Einsehen.«

Cúchulainn brauchte eine Weile, um das Gehörte zu verar-
beiten; schließlich wollte er wissen: »Wie gelangtest du her?«

»Der König sandte mir Nachricht«, antwortete Emer.
»Und Cathbad, den Conchobar ebenfalls verständigen ließ,
begleitete mich nach Emain Macha.«

»Wäre es mit mir zu Ende gegangen, hätte der Druide von
Dun Tobarce das Totenritual geleitet«, murmelte Cúchulainn.

»So darfst du nicht reden!« stieß die Kastanienhaarige hervor. »Vielmehr mußt du jetzt an deine Genesung denken.«

»Du hast recht«, nickte Cúchulainn. »Ich verspreche dir,
daß ich bald wieder auf die Beine kommen werde.«

Tatsächlich konnte der Held von Erinn das Krankenbett
und damit das Tete-Brec-Haus eineinhalb Wochen später verlassen. Zusammen mit Emer bezog er jenes Gemach in der
Königsburg, das dem Paar bereits bei früheren Gelegenheiten
zur Wohnung gedient hatte. Conchobar richtete ein Freuden-
fest aus; auch Cathbad, Conall, Laeg und all die anderen
Freunde des Helden von Erinn waren überglücklich, Cúchulainn selbst freilich fühlte sich noch immer schwach. Obwohl
seine Brustwunde mittlerweile fast verheilt war, wurde sein
Herzschlag manchmal unregelmäßig oder rasend; außerdem
bereiteten ihm die Verletzungen an Schwertarm und Oberschenkel nach wie vor Beschwerden.

Erst im Hochsommer war der Held von Erinn so weit genesen, daß er zusammen mit dem König, Conall und Laeg
einen Jagdausflug in die Umgebung der Festung zu unternehmen vermochte. Mit Pfeil und Bogen erlegte Cúchulainn

einen Rehbock; als das Tier tot niederstürzte, äußerte er: »Von nun an müssen sich die Feinde Ulsters wieder vor mir hüten.«

»Wollen wir hoffen, daß uns der Friede, den wir im Frühjahr so hart erkämpften, erhalten bleibt«, erwiderte Conchobar.

»Das wünschte ich auch, doch ich glaube nicht daran«, entgegnete der Held von Erinn. Geistesabwesend starrte er auf den reglos daliegenden Bock, dann fügte er hinzu: »Noch vor Ende des Sommers, so fürchte ich, wird es zu neuen Heimsuchungen kommen.«

Damit aber hatte Cúchulainn eine Weissagung gesprochen, denn schon in der Woche nach Lughnasad sollten sich seine Worte bewahrheiten.

In tiefem, jedoch unruhigem Schlaf lag der Held von Erinn da. Auch Emer atmete schwer und stöhnte zwischendurch unterdrückt, als würde sie von Alpträumen gequält. Plötzlich warf sich Cúchulainn herum; gleichzeitig erklang von der Wand her, wo das Schwert des Helden von Erinn an einem Zapfen hing, ein Knirschen – im nächsten Moment fiel die Waffe mit lautem Krach zu Boden.

Cúchulainn und die Kastanienhaarige erwachten, einen Herzschlag später wurde die Tür aufgerissen. Eine blakende Fackel in der Hand, stürzte die greise Ovatin Leborcham ins Gemach, deutete auf das Schwert und rief dem Helden von Erinn zu: »Ein böses Vorzeichen, Cúchulainn! Deine Klinge tanzte vor Durst. Ich sehe, wie Heide, See und Stein jenseits des Sliab Fuaid mit Blut getränkt sind.«

Ehe der Held von Erinn etwas zu erwidern vermochte, drang Lärm aus dem Burghof in den Raum. Cúchulainn sprang vom Ruhelager, griff nach seinem Umhang, warf ihn über die Schultern – und schrie vor Schmerz auf. Die Verschlußspange des Mantels hatte sich aus dem Stoff gelöst, und der Held von Erinn war auf den Fibeldorn getreten, so daß dieser seine Fußsohle durchbohrt hatte.

»Ein weiteres schlimmes Omen«, murmelte Leborcham.

Cúchulainn riß die Nadel heraus und eilte ins Freie. Draußen im Festungshof, der ins fahle Licht des abnehmenden Mondes getaucht war, traf er auf Conchobar und Conall. Vom Torbau kamen Wächter heran; sie umringten einen Reiter, der auf dem Rücken eines abgehetzten Pferdes saß.

Als der Mann unbeholfen aus dem Sattel glitt, erkannte ihn der Held von Erinn. Es handelte sich um einen Bauern, der in der Nähe Dun Delgans lebte; sein Gewand war zerrissen, sein Gesicht zeigte Spuren brutaler Mißhandlungen.

»Wer hat dir das angetan?« stieß Cúchulainn hervor.

»Jene, die am Rurthech besiegt wurden und nach Süden flohen«, lautete die Antwort. »Jetzt sind Erc von Mide, Mane von Connaught, Luchaidd mac Curoi und Ross mac Ruad mit ihren Heerhaufen zurückgekehrt und verwüsten dein Herrschaftsgebiet. Überall brennen die Gehöfte, Männer werden hingeschlachtet, Frauen geschändet. Verzweifelt verteidigen deine Krieger und andere, denen es gelang, nach Dun Delgan zu entrinnen, die Ringburg. Auch ich befand mich unter ihnen, vor einigen Tagen aber geriet ich in die Gewalt der Feinde.«

»Du warst gefangen und entkamst wieder?« fragte Conchobar.

Betreten schüttelte der Bauer den Kopf. »Zuerst folterten Mane, Erc und ihre Spießgesellen mich sowie weitere Unglückliche so lange, bis einer schwach wurde und deinen Aufenthaltsort verriet, Cúchulainn. Danach gaben sie mir das Roß und befahlen mir, nach Emain Macha zu reiten, um dir eine Botschaft zu überbringen.«

»Welche Botschaft?« wollte der Held von Erinn wissen.

»Die vier Verfluchten lassen dir mitteilen, daß sie das Morden und Rauben beenden wollen, wenn du dich ihrem Heer allein, nur von Laeg mac Riangabir begleitet, zum Kampf stellst«, entgegnete der Bauer. »Sie erwarten dich auf dem Cloghafarmore-Feld, welches einen halben Tagesmarsch zu Pferd südlich des Sliab Fuaid liegt.«

»Ein solches Unternehmen wäre Wahnsinn!« rief Conall aus.

»Laeg und ich fochten auch im Frühjahr ohne Hilfe«, wies ihn Cúchulainn zurecht, dann erkundigte er sich bei dem Boten: »Sollst du mir sonst noch etwas ausrichten?«

Der Mann zögerte, bevor er gepreßt erwiderte: »Ich schäme mich, es dir zu sagen... Deine Feinde bezweifelten, ob du ihre Herausforderung annehmen würdest. Unter dem Gelächter der übrigen erklärte Luchaidd mac Curoi, du wärst womöglich zu feige dazu, nachdem du an der Rurthechfurt um ein Haar ins Gras gebissen hättest.«

»Die Kreaturen des Weißen Drachen werden meinen Mut zu spüren bekommen!« fuhr der Held von Erinn auf.

»Besinne dich!« warnte Conchobar erschrocken. »Es ist sonnenklar, welche Falle die Feinde dir stellen wollen.«

»Sie haben mich in meiner Ehre angegriffen, und dafür werden sie bezahlen«, versetzte Cúchulainn.

Emer, die unterdessen ebenfalls zur Stelle war, umklammerte seinen Arm. »Ich flehe dich an, hierzubleiben. Du hast deine frühere Kraft noch längst nicht zurückgewonnen.«

Der Held von Erinn strich ihr sanft über die kastanienbraunen Locken, sodann richtete er den Blick auf den Weltenbaum. Der mächtige, mit reichem Schnitzwerk bedeckte Eichenstamm begann zu beben und zu knarren; seltsam hallend erklang Cúchulainns Stimme: »Wollte ich mich diesem Kampf verweigern, würde ich dem Ratschluß der Götter zuwiderhandeln.«

Wild schluchzte Emer auf; im selben Moment trat Cathbad aus dem Weltenbaum und sprach: »Es ist in der Tat der Wille derer, die sowohl in Tír na n'Og als auch im Diesseits herrschen, daß du nach Süden und von dort aus nach Westen fahren sollst, Cúchulainn.«

Stumm nickte der Held von Erinn, winkte Laeg mac Riangabir herbei und bat ihn: »Sei so gut und spanne die Hengste an.«

Als Laeg gegangen war, ersuchte Cúchulainn den König und Conall, ihm Brünne und Waffen zu holen. Bis die beiden wiederkamen, redete der Held von Erinn tröstend auf seine weinende Gemahlin ein. Nachdem Cúchulainn sich gerüstet hatte, schritt er zur Stallung. Eben als er das Gebäude erreichte, erschien Laeg unter dem Portal und eröffnete ihm: »Der Graue versagt mir den Gehorsam. Ich vermag Liath Macha beim besten Willen nicht an die Wagendeichsel zu bringen.«

Cúchulainn betrat das Stallgebäude. Der Rappe Sainglend war angeschirrt und stand reglos neben der Deichsel des Streitwagens, das graue Roß befand sich in seinem Verschlag. Der Held von Erinn wollte Liath Machas Zaum ergreifen, doch schrill wiehernd wich der Hengst zurück. Dreimal versuchte Cúchulainn vergeblich, das Roß auf den Stallgang zu führen; jedesmal vereitelte der Graue seine Absicht und drehte ihm dabei die linke Flanke zu.

Nach dem dritten Mal raunte Leborcham, die sich mittlerweile zusammen mit Cathbad, Conchobar, Emer und Conall eingefunden hatte: »Das ist abermals ein unheilvolles Zeichen.«

Kaum waren diese Worte gefallen, ließ Liath Macha ein klagendes Schnauben vernehmen und duldete, daß Cúchulainn seine Nüstern mit beiden Händen umfaßte. Der Held von Erinn flüsterte dem Grauen etwas ins Ohr; wie zuvor klagte Liath Macha auf beinahe menschliche Weise, dann lief er zum goldenen Wagen, und Cúchulainn konnte ihm das Joch überstreifen.

Danach, während nunmehr auch Laeg mac Riangabir Brünne und Waffen anlegte, nahm der Held von Erinn Abschied von seiner Gemahlin und den anderen, die ihm lieb waren. Schließlich bestiegen er und Laeg den Kampfwagen, mit feuchten Augen drängte Cúchulainn seinen Gefährten: »Mach zu! Treib die Hengste an.«

Der goldene Wagen rollte auf den Festungshof, draußen fielen die Rösser von selbst in Stechtrab. Nachdem sie den Torbau passiert hatten, setzte Laeg die Hengste in Galopp. Das Gespann preschte den Burgberg hinab; im gleichen Moment, da es die Ebene von Emain Macha erreichte, färbte der erste Schein der Morgendämmerung die nebelbedeckten Hügelkuppen im Osten auf gespenstische Art fahlweiß.

Stunde um Stunde jagten die Rösser nach Süden; am Spätnachmittag, als der tief am Horizont hängende Sonnenball die Heide in purpurnes Licht tauchte, kamen der Held von Erinn und Laeg mac Riangabir zum Sliab Fuaid. Die Hengste folgten einem Pfad, der über die Westflanke des Bergmassivs führte – plötzlich brachen die Pferde aus und galoppierten zu einem Cairn, welcher sich ein Stück höher am Hang erhob.

Erst direkt vor dem Steinkegel vermochte Laeg die Rösser zu zügeln; kaum standen die Hengste still, traten drei Frauen hinter dem Cairn hervor. Die erste, fast noch ein Mädchen, war weiß gekleidet; die zweite, welche mütterlich wirkte, trug ein blutrotes Gewand; die dritte, eine Greisin, war in einen schwarzen Umhang gehüllt. Forschend ruhten ihre Blicke auf den beiden Männern, dann sprach die Alte: »Wir erwarteten, erkennen und grüßen dich, Lugh mac Ethnend. Dasselbe gilt für dich, Laeg mac Riangabir. Jetzt steigt vom Streitwagen und begleitet meine Schwestern und mich zu unserem Lagerplatz, wo der Kessel bereits über der Glut hängt.«

Die Feuerstelle befand sich jenseits des Steinmals; weiße, rote und schwarze Flammen umzüngelten den Bronzekessel, dessen Oberfläche mit den Symbolen der Dreifachen Göttin verziert war. Cúchulainn und Laeg nahmen die Plätze ein, welche die Frauen ihnen zuwiesen; nachdem sich auch die Hüterinnen des Kessels gesetzt hatten, wollte der Held von Erinn wissen: »Was für eine Speise kocht ihr im heiligen Gefäß?«

»Das Fleisch eines heldenhaften Kampfhundes, Hund des Culann«, beschied ihn die Greisin. »Begreifst du die Bedeutung unseres Tuns?«

»Wer im Tod in Ceridwens Kessel eingeht, wird aus ihm wiedergeboren werden«, entgegnete der Held von Erinn.

»Dies ist der Weg allen Lebens von Ewigkeit zu Ewigkeit«, antworteten die drei Frauen im Chor.

Sodann spießte die Alte zwei dampfende Fleischstücke auf zugespitzte Ebereschenzweige, reichte sie den beiden Männern und sagte: »Nun eßt.«

Kaum hatte Cúchulainn den letzten Bissen verschluckt, spürte er, wie ein Teil seiner Kraft aus Schildarm und linkem Bein wich; gleichzeitig vernahm er die Stimme der Greisin: »Jetzt hast du deine Unbesiegbarkeit verloren und bist damit bereit, den dunklen, zu strahlender Helligkeit führenden Pfad zu beschreiten. Doch ehe du zu deinem Ziel aufbrichst, muß noch ein Geis über dich verhängt werden.«

»Wie lautet das Gebot, welches Ceridwen mir auferlegt?« fragte der Held von Erinn.

Abermals sprachen die Frauen im Chor: »Hüte dich, deine Speere den Bittenden zu geben, die auf dich zukommen werden. Hüte dich, einen jener Bittsteller mit der Speerspitze zu töten. Hüte dich, diesen Geis zu brechen, denn sonst kann sich dein Schicksal nicht erfüllen.«

Cúchulainn neigte das Haupt. »Es wird sich vollenden.«

Dreifaches Lächeln dankte ihm – gleich darauf wurden die Gestalten der drei Frauen zu einer und verschwanden ebenso wie der Kessel und das Feuer.

Wiederum ein paar Herzschläge später glitt jäh die Nachtschwärze über den Sliab Fuaid. Unwiderstehliche Müdigkeit befiel den Helden von Erinn und Laeg mac Riangabir, beide sanken nieder und schliefen ein.

Als Cúchulainn in der Morgendämmerung erwachte, waren seine Wangen tränenfeucht. Er hatte von Conlai geträumt; nun wurde ihm bewußt, daß sein Sohn auf den Tag genau vor einem Jahr gestorben war. Auch in dieser Hinsicht schließt sich ein Kreis, dachte der Held von Erinn, dann weckte er Laeg.

Neuerlich preschten Sainglend und Liath Macha nach Süden, bald lag der Sliab Fuaid weit hinter dem goldenen Wagen. Um die Mittagszeit wurde fern am südöstlichen Horizont der Gebirgszug sichtbar, auf dem die uralte Eibe von Cenn-Trachta stand; einige Meilen westlich des Massivs und bedeutend näher stiegen inmitten eines ausgedehnten Talbodens dünne Rauchfäden gen Himmel.

Laeg deutete hinüber. »Die Lagerfeuer der Feinde.«

»Kein Zweifel«, bestätigte Cúchulainn. »Erc und die anderen erwarten uns auf dem Cloghafarmore-Feld, ganz wie der Bote sagte.«

Einem langgestreckten Hügelkamm folgend, galoppierten die Hengste in Richtung der Talebene; nach einer Weile erkannten der Held von Erinn und sein Gefährte Einzelheiten. Das etwa tausend Köpfe zählende Heer hatte seine Zelte am Nordufer eines kleinen Sees aufgeschlagen; unweit des Gewässers ragte ein Menhir empor: der Cloghafarmore, welcher dem Ort seinen Namen gab.

Jetzt, da die Krieger aus Connaught und Mide den heranfegenden Streitwagen gewahrten, bildeten sie einen vierfach gestaffelten Schildwall. An drei Stellen jedoch blieben schmale Öffnungen frei; Cúchulainn und Laeg sahen, daß dort jeweils zwei schwerbewaffnete Kämpfer sowie ein Mann, der einen schreiend gelben Mantel trug, Position bezogen.

»Ich frage mich, welch infames Spiel die Schurken mit uns treiben wollen!« rief Laeg mac Riangabir.

»Laß uns angreifen, damit wir es herausfinden«, gab der Held von Erinn zurück.

In schrägem Winkel rasten die Rösser auf die Schildmauer zu; Cúchulainns Stachelkugeln fällten Dutzende der in vorderster Front stehenden Krieger, dann zog der Held von Erinn das Schwert. Im Vorbeijagen säte seine Klinge Tod und

439

Verderben unter den Feinden – bis der goldene Wagen zur ersten Lücke im Schildwall vorgestoßen war und Laeg die Hengste unwillkürlich zügelte.

Die beiden Schwerbewaffneten nämlich, die hier gestanden hatten, trugen nunmehr einen Scheinkampf aus. In grotesken Sätzen hin und her springend, hieben sie mit ihren Schwertern aufeinander ein; der Mann im gelben Umhang schnitt Grimassen dazu.

Jetzt plötzlich schlug der Gelbgekleidete ein Rad, kam zehn Schritte vor Cúchulainn wieder auf die Beine und verspottete den Helden von Erinn: »Ich nehme an, du bist zu feige, in den Streit dieser Recken einzugreifen. Deshalb würde ich es gerne statt deiner tun, aber dummerweise besitze ich keine Waffe. Daher fordere ich dich auf, mir einen deiner Kampfspeere zu überlassen.«

Cúchulainn erinnerte sich an die Warnung, die er am Sliab Fuaid erhalten hatte. »Du bittest also um meinen Speer?« stieß er mit rauher Stimme hervor.

»Ja«, feixte der Mann.

»Dieses Ansinnen verweigere ich dir«, erklärte der Held von Erinn. »Denn ich stehe hier allein mit meinem Wagenlenker gegen tausend Feinde und habe die Waffe nötiger als du.«

»Deine Worte entlarven dich als Memme«, grinste der Gelbgekleidete. »Du wagst es nicht, mir den Kampfspeer zu geben, weil du fürchtest, daß ich womöglich dir damit gefährlich werden könnte. Für diese Hasenherzigkeit jedoch sollst du deinen Lohn bekommen. Überall im Lande will ich an den Fürstenhöfen berichten, wie du vor mir, einem namenlosen Possenreißer, den Schwanz einzogst.«

Wutentbrannt packte Cúchulainn einen seiner Speere. Eingedenk des Geis aber, dem er unterworfen war, schleuderte er die Wurfwaffe mit dem stumpfen Ende gegen den Spötter, so daß dieser nicht von der Speerspitze durchbohrt wurde, sondern der Schaft den Schädel des Mannes zerschmetterte.

Der Gelbgekleidete brach zusammen, Sainglend und Liath

Macha setzten über seine Leiche hinweg; Cúchulainn schwang die Klinge gegen die Schwerbewaffneten, welche zum Schein in der Öffnung der Schildmauer gefochten hatten. Nach kurzem Kampf verloren beide Krieger ihr Leben; Laeg zog die Rösser herum, um den Streitwagen zu wenden – da erblickten er und Cúchulainn einen der vier Anführer des Feindheeres, welcher sich bislang verborgen gehalten hatte.

Es war Luchaidd mac Curoi. Er stand dort, wo der Spötter gestorben war, und hatte den Wurfspeer ergriffen, mit dem der Held von Erinn den Gelbgekleideten getötet hatte. Nun wog er die Waffe in der Rechten und schrie: »Wer soll durch diesen Speer fallen?«

»Einer, der glaubt, König der Schlachtfelder zu sein«, brüllte Erc von Mide, der jetzt in der nächsten Lücke des Schildwalls erschien.

Grölend nahm das Heer den Ruf auf, mit aller Kraft sandte Luchaidd die Wurfwaffe in Richtung des goldenen Wagens. Der Speer war scharf gezielt und hätte Cúchulainn unweigerlich getroffen, doch plötzlich geriet er in einen Luftwirbel, irrte ab – und durchbohrte Laegs Brust.

Sterbend stürzte Laeg mac Riangabir aus der Wagenkanzel; während Cúchulainn erschrocken verharrte, schrie Luchaidd triumphierend: »Einer, der sich für den König der Rosselenker hielt, mußte den Tod schmecken.«

Cúchulainn umklammerte den Speerschaft und riß die Spitze aus Laegs Herz; für einen Moment sah es so aus, als wollte er Luchaidd mac Curoi angreifen. Dann aber jagten die Hengste dorthin, wo Erc wartete – der jedoch wich beim Herannahen des Helden von Erinn in die Öffnung der Schildmauer zurück.

Erneut versperrten ein Spötter und zwei herumkapriolende Schwerbewaffnete Cúchulainn den Weg; der Gelbgekleidete verhöhnte ihn: »Bitte überlaß mir deinen Wurfspeer, den du ohnehin nicht sonderlich gut zu führen verstehst, da du ihn ja vorhin verlorst.«

Zornig schleuderte Cúchulainn den Speer mit dem Ende voran auf den Spötter. Der Schädel des Mannes barst, die Waffe fuhr ein Stück hinter ihm in die Erde. Mit einem Satz war Erc von Mide zur Stelle, packte die Wurfwaffe, zückte sie gegen den goldenen Wagen und brüllte: »Wer soll durch diesen Speer fallen?«

»Einer, der glaubt, König der Schlachtfelder zu sein«, riefen Mane von Connaught und Ross mac Ruad, welche nun ebenfalls herbeieilten; wie zuvor stimmte das Heer ein.

Erc schnellte den Wurfspeer in Richtung Cúchulainns, aber die Waffe geriet neuerlich in einen Luftwirbel und traf Liath Macha. Mit schrillem Wiehern bäumte sich der graue Hengst auf, zerbrach im Todeskampf die Wagendeichsel und blieb neben dem verstört stampfenden Sainglend in einer Blutlache liegen.

»Ein Fahlhengst, von dem es hieß, er sei ein König unter den Kriegsrossen, mußte ins Gras beißen«, jubelte Erc.

»Und jetzt soll derjenige, den so viele irrtümlich für unbesiegbar hielten, dasselbe Schicksal erleiden«, schrie Luchaidd mac Curoi im Heranrennen. »Schlachtet den Hund des Culann, ihr Kämpfer aus Connaught und Mide.«

Von allen Seiten drangen die Krieger auf den Helden von Erinn ein. Mit äußerster Tapferkeit hielt Cúchulainn stand; trotz der Schwäche, die seinen Schildarm und das linke Bein lähmte, erschlug er mehrere Dutzend Feinde. Dann auf einmal gab Erc einen Befehl, sofort machten die Krieger Platz für das dritte Paar Scheinkämpfer und einen weiteren Spötter.

Gleich Narren tollten die beiden Schwerbewaffneten herum; der Gelbgekleidete stellte den Fuß auf Liath Machas Hals, grinste Cúchulainn bösartig an und höhnte: »Ist es Sitte in Ulster, von einem Streitwagen aus zu fechten, vor den ein verendetes und ein lebendes Pferd gespannt sind? Dein Gefährt ist nutzlos für dich geworden, das mußt du einsehen, du Irrer. Und weil dies so ist, kannst du auch leicht auf deine Waffen verzichten. Ich hätte bedeutend bessere Verwendung für sie – deshalb bitte ich dich flehentlich, mir zumindest den Speer zu überlassen, der im Kadaver deiner Schindmähre steckt.«

Wutschäumend riß der Held von Erinn die Wurfwaffe aus Liath Machas Körper und schleuderte sie mit derartiger Gewalt gegen den Spötter, daß der Schaft in voller Länge durch dessen Kopf fuhr. Augenblicklich attackierten die Feinde erneut, hageldicht fielen die Schwerthiebe; plötzlich geriet Sainglend in Panik und versuchte mit verzweifelter Kraftanstrengung zu fliehen. Der Rappe zerrte den Kampfwagen samt dem toten Grauen ein Stück weit mit – bis die Zugriemen barsten. Befreit galoppierte Sainglend davon; der goldene Wagen aber kippte um, und Cúchulainn stürzte aus der Kanzel.

Der Held von Erinn rollte sich ab, kam wieder auf die Beine, entleibte in blitzschnellem Angriff zu Fuß ein halbes Dutzend Gegner – dann hetzte Luchaidd mac Curoi herbei. Er schwang die Wurfwaffe, mit der Cúchulainn die drei Spötter nach Annwn gesandt hatte, und schrie: »Einer, der glaubt, König der Schlachtfelder zu sein, soll durch diesen Speer fallen.«

Haßerfüllt brüllten die Krieger Beifall, Luchaidd schnellte die schwere Waffe gegen den Helden von Erinn. Cúchulainn wollte Deckung hinter seiner Schildwehr nehmen, doch der linke Arm versagte ihm den Dienst. Mit dem nächsten Herzschlag zerfetzte der Wurfspeer seine Brünne und schlitzte ihm den Bauch auf; der Held von Erinn verlor den Schild und brach in die Knie, aus der Wunde quollen die Gedärme.

»Derjenige, der glaubte, König der Schlachtfelder zu sein, wurde durch meine Hand gefällt«, heulte Luchaidd mac Curoi; beim letzten Wort überschlug sich seine Stimme in wahnsinnigem Triumph.

»Er ist gefallen«, erscholl es aus tausend Kehlen; gleich darauf hatten Luchaidd, Erc von Mide, Mane von Connaught und Ross mac Ruad den Schwerverletzten umringt.

»Hast du noch einen Wunsch, bevor wir dich abschädeln?«
fragte Erc feixend.

»Ja . . .«, stöhnte Cúchulainn. »Laßt mich zum See gehen . . .
damit ich meinen brennenden Durst stillen kann . . . Danach
wollen wir sehen . . . ob ihr imstande seid . . . mir das Haupt . . .
bei lebendigem Leib zu nehmen.«

Die vier Todfeinde des Helden von Erinn flüsterten untereinander, schließlich erklärte Luchaidd: »Deine letzte Bitte sei
dir gewährt.«

Mühsam erhob sich Cúchulainn, preßte die Eingeweide in
die Bauchhöhle zurück und wankte, auf seine Klinge gestützt,
zum Ufer des Gewässers. Nachdem er getrunken hatte,
schleppte er sich zu dem etwas mehr als mannshohen Menhir,
welcher unweit des Sees aufragte. Beim Cloghafarmore angelangt, stieß der Held von Erinn seine Waffe in den Boden, löste den Schwertgurt, schlang ihn um den Hohen Stein
und seine Brust und band sich auf diese Weise am Menhir
fest.

Als Cúchulainn es geschafft hatte, nahm er die Klinge wieder in die Rechte und rief den Anführern des Heeres zu:
»Kommt heran. Wie ihr seht, erwarte ich euch stehend. Und
ihr werdet nicht verhindern können, daß ich aufrecht sterbe.«

Erc von Mide, Luchaidd mac Curoi, Mane von Connaught
und Ross mac Ruad rannten zum Cloghafarmore. Ruhig
schaute der Held von Erinn ihnen entgegen, um seine Lippen
spielte ein entrücktes Lächeln. Dann ließ er den Kopf langsam
nach unten sinken, und das lange Stirnhaar verhüllte sein Antlitz.

Luchaidd, welcher den Menhir als erster erreichte, hob die
Schildwehr und zückte das Schwert – aber Cúchulainn
machte keinerlei Anstalten, sich zu verteidigen.

»Feigling«, schrie Mane von Connaught, der jetzt ebenfalls
zur Stelle war. Ross mac Ruad drängte ihn beiseite, seine
Klinge ritzte Cúchulainns linke Schulter, doch wiederum
zeigte der Held von Erinn nicht die geringste Reaktion.

»Fast will es mir scheinen, als hätte er sein Leben ausgehaucht«, äußerte Erc.

»Möglicherweise will er uns täuschen«, warnte Luchaidd.

Nach kurzem Zögern trat Erc an Cúchulainn heran, preßte ihm die Schwertspitze gegen die Kehle und forderte Luchaidd mac Curoi auf: »Untersuche ihn.«

Vorsichtig schob Luchaidd das Haar des Helden von Erinn beiseite. Er blickte in die starren Augen eines Toten; als er nach der Halsschlagader tastete, fühlte er keinen Puls mehr.

»Culanns Hund ist wahrhaftig hinüber«, rief Luchaidd mac Curoi frohlockend aus. »Und da ich uns Gewißheit verschaffte, gehört mir auch sein Schädel.«

Erc senkte das Schwert. »Nimm ihn dir.«

Luchaidd schwang seine Klinge und schlug Cúchulainns Haupt vom Rumpf. Der Kopf fiel vor die Füße des Helden von Erinn; Luchaidd mac Curoi bückte sich, um das Haupt aufzuheben. Im selben Moment glitt Cúchulainns Schwert aus dessen Faust, und die scharfe Klinge trennte Luchaidds ausgestreckte Hand vom Unterarm.

»Diese Heimtücke des Hundsfotts heischt Rache«, versetzte Erc. Mit einem sausenden Streich schlug er die Rechte des Helden von Erinn ab, spießte sie auf seine Schwertspitze und zeigte sie den grölend herbeieilenden Kriegern.

Daraufhin verloren auch Mane und Ross ihre letzten Hemmungen. Sie beraubten den Toten seiner Brünne und der Waffen, die sie noch bei ihm fanden.

Der halbnackte Körper Cúchulainns blieb am Hohen Stein liegen, auch den Streitwagen mit der zerbrochenen Deichsel ließ das wenig später rasch abziehende Heer zurück. Im Triumph jedoch führten die vier Befehlshaber Haupt, Hand, Rüstung und Kampfwaffen des Helden von Erinn mit sich.

Prahlend kosteten Erc von Mide, Luchaidd mac Curoi, Mane von Connaught und Ross mac Ruad auf dem Ritt nach Süden ihren Sieg über Cúchulainn aus – sie ahnten nicht, daß kurz nach dem Verschwinden des Heerbannes Rabenscharen um den Menhir zu kreisen begannen und Rudel von schwarzfelligen Hirschen über die Hügelkämme nördlich des Cloghafarmore-Feldes stoben.

EPILOG

CONALL CERNACHS TOTENGABE

Sainglend und ein Schimmelhengst zogen den goldenen Wagen von Emain Macha nach Rath Cimbaeth; Conall Cernach führte das Gespann. Conchobar, Emer, Cathbad und Leborcham, dazu Cúchulainns Mutter Dechtire mit ihrem Gatten Sualtach sowie Findchaem und Amergin schritten hinter dem Gefährt her. Ihnen folgten die Adelskrieger und Edelfrauen aus der Königsfestung sowie der Schmied Culann und die Burgleute von Dun Delgan; um die tausend Bauern, Hirten und Handwerker mit ihren Familien schlossen sich an.

Als die Trauerprozession den Toreinschnitt im Ringwall der Begräbnisstätte passierte, stoben ein weißer, ein roter und ein schwarzer Vogelschwarm empor. Cathbad griff nach Emers Hand und raunte: »Ceridwen ist bei der Grablegung deines Gemahls gegenwärtig.«

Im Inneren des mächtigen Erdwerks bewegte sich der Zug den mehrfach umlaufenden, von Steinsetzungen gesäumten heiligen Pfad entlang und erreichte das Zentrum der Anlage. Hier gähnten die dunklen Öffnungen der Felsgrüfte, wo die verstorbenen Könige und hochgeborenen Helden Ulsters ruhten. Auf dem weiten Areal um die Grufteingänge nahmen die Trauernden im Kreis Aufstellung und wurden Zeugen, wie Conchobar, Conall, Cathbad und Amergin die Bahre mit den

447

sterblichen Überresten Cúchulainns vom Streitwagen hoben. Dann, während die Menge schweigend verharrte, betraten die vier Bahrenträger und diejenigen, welche Cúchulainn am nächsten gestanden hatten, die für die Beisetzung vorgesehene Grabkammer.

Der unterirdische, von Mistelfackeln erleuchtete Raum war aus schweren Basaltblöcken gefügt; die mit magischen Zeichen bedeckten Quader bildeten eine Kuppel, in deren Mitte der Stamm einer uralten, versteinerten Eibe aufragte. Ein Stück seitlich des Baumes hatten die Druiden bereits in der Nacht eine flache, mit Schieferplatten ausgekleidete Grube vorbereitet. Nun stellten Conchobar, Conall, Cathbad und Amergin die Leichenbahre dort ab und warteten, bis die Trauergäste zur Ruhe gekommen waren.

Nachdem Stille herrschte, bückte sich der König und entfernte das purpurne Tuch, das den Toten verhüllte. In seiner schimmernden Brünne und im vollen Waffenschmuck lag Cúchulainn da. Ein goldener Torc verbarg seine Halswunde; die Rechte, um deren Gelenk ein breiter Spiralreif aus Mondmetall lief, umfaßte den Schwertgriff.

Jetzt trat Emer neben Conchobar. Sie kniete nieder, legte ein Blumengebinde auf die Brust ihres Gatten und hielt noch einmal stumme Zwiesprache mit ihm. Danach vollführten die Druiden unter Cathbads Leitung das Begräbnisritual; während die Beschwörungen erklangen und der Duft von Räucherkräutern durch das Gewölbe zog, war allen die Gegenwart der göttlichen Mächte bewußt.

Schließlich senkten der König, Cathbad, Amergin und Conall die Bahre mit Cúchulainns Leichnam ins Grab und verschlossen die Grube mit einer Felsplatte.

Sodann sprach Conchobar: »Mein Schwestersohn, den ich über alles liebte, lebt nunmehr von neuem in Annwn, seiner wahren Heimat. Und in jener Welt trägt er den Namen, der von Ewigkeit zu Ewigkeit sowohl die Gefilde von Tír na n'Og als auch die diesseitige Finsternis erleuchtet: Lugh mac Ethnend. Dieses Wissen aber soll uns trösten; uns, die wir das Teuerste verloren, was wir auf Erden besaßen.«

Mit tränenfeuchten Augen nickten die Trauernden; im Innersten berührt, sannen sie den Sätzen des Königs nach – bis Conall Cernach das Wort ergriff: »Trost wurde jedoch auch meinem Milchbruder, denn er blieb nicht ungerächt.«

Damit nahm Conall einen Ledersack aus dem Geäst der versteinerten Eibe, öffnete ihn, holte vier Köpfe heraus, setzte sie auf die Gruftplatte und sagte: »Hier seht ihr meine Totengabe für den Helden von Erinn. Einen Tagesmarsch südlich des Cloghafarmore-Feldes, wo ich den haupt- und handlosen Leib Cúchulainns fand und Laeg mac Riangabir sowie Liath Macha begrub, erntete ich diese Schädel. Freilich ging dem ein harter Kampf zwischen dem Ulsterheer, das ich anführte, und den Mordbanden aus Connaught und Mide voraus. Doch am Ende gelang es mir, jene vier Nichtswürdigen zu stellen und zu töten, deren Köpfe ihr jetzt auf der Grabstätte meines Milchbruders erblickt.«

Conall Cernach deutete auf den ersten Schädel und fuhr fort: »Dieses Haupt gehörte Erc von Mide. Er war der Hinterhältigste unter Cúchulainns Feinden; Erc ersann die Falle, in die mein Milchbruder gelockt wurde. Seine Spießgesellen aber hetzte er in seiner unersättlichen Machtgier auf, in Cúchulainns Herrschaftsgebiet einzufallen, um es an sich zu reißen.«

Der Hirschäugige wies auf den zweiten Schädel. »Dies ist das Haupt des Mane von Connaught, Medbs und Aïlills Sohn. In seiner abscheulichen Grausamkeit genoß er es über die Maßen, Hilflose abzuschlachten oder diejenigen, die in seine Gewalt geraten waren, zu foltern; nun bekam er seinen gerechten Lohn.«

Auf den dritten Schädel deutend, erklärte Conall: »Maßlose Habgier kennzeichnete das Wesen Ross mac Ruads. Obwohl er über reiche Ländereien gebot, kannte seine Raffsucht keine Grenzen. Deshalb scheute er nicht davor zurück, das verderbliche Bündnis mit den anderen Schurken einzugehen; jetzt allerdings muß er sich mit dem Erdloch zufriedengeben, in dem sein Körper verscharrt wurde.«

Mit äußerster Verachtung musterte der Hirschäugige den vierten Schädel. »Luchaidd mac Curoi, dessen Speerwurf meinen Milchbruder tötete«, stieß er hervor. »Er vereinigte die schlechten Eigenschaften der drei übrigen in seinem falschen Herzen und brüstete sich darüber hinaus mit dem Haupt Cúchulainns. Doch letztlich mußte er es wieder herausgeben, und dasselbe gilt für die Schwerthand und die Waffen des Helden von Erinn, die ich ebenso wie den goldenen Wagen und den Rappen Sainglend nach Emain Macha heimbrachte.«

Der König umarmte Conall. »Wir alle danken dir dafür. Und die Barden werden deine Verdienste im Kampf gegen Cúchulainns Erzfeinde noch in fernen Jahrhunderten preisen.«

»Ungleich höheren Ruhm errang Lugh mac Ethnend«, erwiderte der Hirschäugige. »Was er in menschlicher Gestalt vollbrachte, machte ihn unsterblich unter den Irdischen, und sollte er eines Tages erneut auf Erden wandeln, so wird er überall dem Nachhall seiner einzigartigen Taten begegnen.«

»Daran besteht kein Zweifel«, bekräftigte Conchobar.

Sodann verließen die Trauergäste das Gruftgewölbe und kehrten ans Tageslicht zurück. An der Spitze der tausendköpfigen Prozession zogen die Edlen zur Königsburg, und nie hatte die große Halle dort eine würdigere Totenfeier als die für den Helden von Erinn gesehen.

NACHWORT

Dank zweier Quellen aus dem mittelalterlichen Irland wird Cúchulainn als historische Person greifbar. Im »Buch von Ballymote« heißt es über ihn: »Zwei Jahre nach Christi Geburt starb Cúchulainn, und siebenundzwanzig Jahre war er bis dahin.« Die »Annalen des Tigernach« wiederum vermelden unter dem Jahr 39 n. Chr.: »Tod Cúchulainns, des außergewöhnlich tapferen Helden. [...] Sieben Jahre war sein Alter, als er die Waffen nahm [...] siebenundzwanzig, als er starb.«

Hinsichtlich Cúchulainns Todesalter decken sich die beiden Quellen, sein Todesjahr indessen wird unterschiedlich angegeben; in beiden Fällen aber wäre Cúchulainn ein Zeitgenosse Jesu gewesen. Dem widerspricht jedoch eine Passage des Cúchulainn-Epos selbst. Als nämlich Emers Vater Forgall Monach in Emain Macha auftaucht, um seine Intrige gegen Cúchulainn einzufädeln, gibt er sich als gallischer Kaufmann aus – äußert sich aber nicht über die politischen Verhältnisse in Gallien. Und dies deutet darauf hin, daß der Besuch Forgalls am Königshof von Ulster vor der römischen Eroberung Galliens (58 bis 51 v. Chr.) stattgefunden haben muß. Würde die Episode später spielen, als die gallischen Kelten auf brutalste Weise von den Römern unterdrückt wurden, so hätte dieser Umstand bestimmt Erwähnung gefunden. Daher vermute ich, daß Cúchulainn in der ersten Hälfte des letzten vorchristlichen Jahrhunderts geboren wurde; entsprechend habe ich die Handlungszeit des Romans angesetzt.

Zweifellos wurden Cúchulainns Taten schon zu seinen Lebzeiten von den Barden – den keltischen Dichtern, Sängern und Historikern – gepriesen. Nach seinem Tod dann erfolgte die poetische Verklärung von Cúchulainns heldenhaftem Leben, und es entstanden offenbar vier verschiedene Erzählzyklen. Im ersten Zyklus wurde Cúchulainns Geburt und Kindheit geschildert, im zweiten seine Werbung um Emer sowie die abenteuerliche Reise nach Alba; im dritten Cúchulainns Erlebnisse in Tír na n'Og, im vierten schließlich sein tragischer Kampf gegen Conlai und Cúchulainns eigenes Sterben.

Aufgrund der bardischen Gepflogenheiten wurden diese Erzählzyklen, die zusammen das Cúchulainn-Epos bildeten, jedoch niemals schriftlich niedergelegt, sondern über viele Generationen hinweg ausschließlich mündlich tradiert. Die irischen Barden trugen Teile des Epos oder auch die gesamte Dichtung an Königs- und Adelshöfen vor, ebenso vermutlich bei den keltischen Jahreskreisfesten. Während der ersten Jahrhunderte nach Cúchulainns Tod geschah dies noch in einer heidnischen Gesellschaft, welche den im Druidenrang stehenden Barden höchste Achtung entgegenbrachte. Als Irland dann aber im frühen Mittelalter christianisiert wurde und das Land in der Folge zunehmend unter römisch-katholischen Einfluß geriet, verloren die Barden ihren einst so herausragenden Status. Die druidischen Traditionen wurden geächtet, die Bardenschulen geschlossen – und das traurige Ergebnis war, daß die bardische Erzählkunst verkümmerte.

Im Hochmittelalter versetzte der englische König Heinrich II. Irland einen weiteren verheerenden Schlag. 1171 eroberte er die Insel und vergab einen Großteil des Landes an seine Barone, welche der Bevölkerung ihre grausame Feudalherrschaft aufzwangen. In den Klöstern allerdings konnten sich die Mönche gewisse Freiräume bewahren – und um ihre irische Identität zu verteidigen, besannen sich einzelne Kleriker nun auf die ehrwürdigen Epen der Grünen Insel. In den Skriptorien der Abteien entstanden schriftliche Fassungen der uralten bardischen Texte, darunter auch solche der vier Erzählzyklen des Cúchulainn-Epos. Allerdings erreichten diese Niederschriften längst nicht die poetische Qualität der vorchristlichen Bardendichtung, denn die Texte waren über einen langen Zeitraum hinweg nur noch auf niedrigem Erzählniveau und dazu teils bruchstückhaft tradiert worden.

Weitere Verflachungen oder gar Verfälschungen des heidnischen Cúchulainn-Epos sind aufgrund des christlichen Weltbildes der Skribenten zu beklagen. Zwar wurde die Herkunft Cúchulainns aus dem Pantheon der keltischen Götter nicht geleugnet; er durfte auch in den hochmittelalterlichen Textversionen Lugh mac Ethnend und damit der menschgewordene Gott Lugh bleiben – andererseits wurde zum Beispiel die Dreifache Göttin Ceridwen, die am Ende meiner Fassung des Epos in Gestalt dreier Frauen erscheint, um Cúchulainn auf den Tod vorzubereiten, in der mönchischen Niederschrift zu einer Triade häßlicher und bösartiger Hexen verzerrt.

Bei der Erarbeitung des Romans war es mein Bestreben, solch eindeutig christliche Verfälschungen auszumerzen; darüber hinaus bemühte ich mich, aus den verschiedenen mittelalterlichen Erzählfragmenten wieder ein möglichst geschlossenes und stringentes Ganzes zu machen. Meine Aufgabe bestand also quasi darin, ein »Gemälde«, das im Lauf der Jahrhunderte in vielen Details zerstört und anderswo gezielt übermalt und verändert worden war, zu rekonstruieren.

Daß ein solches Vorhaben nur dann legitim und sinnvoll sein kann, wenn es aus keltisch-heidnischem Geist und fundierter Kenntnis keltischer Geschichte, Religion, Philosophie, Mentalität und Metaphorik heraus erfolgt, ist klar. Wo immer ich eigene Erzählteile einfügte, um Lücken in den mittelalterlichen Texten zu schließen – etwa in der Geschichte vom Drachenmenschen Garb –, geschah dies sozusagen aus bardischem Denkansatz heraus. Wenn Garb also für seine Vermessenheit, der Natur ins Handwerk gepfuscht zu haben, büßt, dann entspricht dies der tiefen Achtung vor der Natur, wie sie für das heidnische Keltentum typisch ist. Ebenso habe ich beispielsweise die Gestalt und den letzten Kampf des Bärenrecken

Scathachs (der in der mönchischen Erzählfassung lediglich sang- und klanglos von Cúchulainn getötet wird) so geschildert, wie die keltische Mythologie es anderswo vorgibt.

Ergänzungen wie die hier aufgezeigten mußten vor allem im Romanteil »Die Amazonen von Alba« vorgenommen werden. In den übrigen Buchteilen konnte ich mich auf kleinere Eingriffe beschränken, um Geist und Handlungsfortgang der ursprünglichen Bardendichtung wieder herauszuarbeiten; im Kapitel »Der Stierraub von Cualnge« allerdings fielen einzelne Passagen weg, da sie mit der eigentlichen Erzählung wenig zu tun hatten. Was die Laids und lyrischen Texte angeht, die im Romanteil »Im Reich der Sídhe« auftauchen, so habe ich eigene deutsche Übertragungen erarbeitet und – um der inhaltlichen Verständlichkeit willen – gewisse Kürzungen vorgenommen.

Ein Problem war schließlich bezüglich des Begräbnisortes von Cúchulainn zu lösen, denn die mittelalterlichen Quellen geben hier drei verschiedene Möglichkeiten an: Tara, Dun Delgan und Emain Macha. Ich habe mich für die Grabanlage von Rath Cimbaeth bei Emain Macha entschieden, weil mir dies im Kontext der Geschichte am ehesten nachvollziehbar erschien.

Mit der modernen Romanausgabe des Cúchulainn-Epos liegt nunmehr nach vielen Jahrhunderten erstmals wieder eine geschlossene Fassung dieser großartigen keltischen Dichtung vor – eines Epos, das den Vergleich mit Homers »Ilias« und »Odyssee« oder dem »Nibelungenlied« keineswegs zu scheuen braucht. Und wenn ich dem Buch weite Verbreitung wünsche, dann deshalb, weil ich davon überzeugt bin, daß die Wiedergeburt des keltischen Geistes sich äußerst befruchtend auf Europa auswirken könnte.

Im Spätsommer 2002
zwischen Lughnasad und Samhain

Manfred Böckl

GLOSSAR

Aed Abrat: Ein Fürst der → Sídhe.

Alba: Keltische Bezeichnung für Schottland.

Annwn: Die keltische Anderswelt, wo die → Sídhe und andere übernatürliche Wesen leben. Die Anderswelt ist mit der Diesseitswelt auf geheimnisvolle Weise verflochten; an bestimmten Orten und zu bestimmten Zeiten wie etwa an → Samhain werden die Grenzen durchlässig.

Ard Rhi: Keltischer Hochkönig. Der Sitz des Hochkönigs von Irland befand sich in → Tara.

Arianrhod: Die Mondgöttin der Kelten; ihr Name bedeutet: Silbernes Rad.

Baile Átha Cliath: Ort am Weg über das Wasser. Keltischer Name Dublins; ursprünglich die Bezeichnung für den Platz, wo später die irische Hauptstadt entstand.

Barde: Keltischer Dichter, Sänger und Historiker im Druidenrang.

Beltane: Keltisches Frühlingsfest am 1. Mai.

Boand: Irische Quell- und Muttergöttin. Eine der Erscheinungsformen der Dreifachen Göttin → Ceridwen.

Boccanach und Geniti Glinni: Böse Wind- und Sturmdämonen.

Bóinne: Der Fluß Boyne, der nach → Boand benannt ist.

Bolg mac Buain: Ein Druide, der in der iroschottischen Mythologie als »Wächter der Quelle der Wissenschaft« wirkt, beziehungsweise an der Quelle des Wissens sitzt.

Bruig na Bóinne: Megalithfriedhof mit dem berühmten Steinkammergrab von Newgrange in der Nähe des irischen Hochkönigssitzes von → Tara (nordwestlich Dublins).

Caillech: Die Todesgöttin der irischen Kelten, zugleich dritte Erscheinungsform der Dreifachen Göttin → Ceridwen.

Cairn: Steinpyramide. Wegzeichen, Gedenkstätte oder sakraler Ort.

Cenn-Trachta: Metapher für einen Brückenort zwischen Diesseits- und Anderswelt. Der Ausdruck bedeutet wörtlich: Ende des Strandes (von → Tír na n'Og).

Ceridwen: Die Dreifache Göttin der Kelten, die als junge, mütterliche und alte Frau erscheint. Auf diese Weise verkörpert sie den Lebenskreislauf von der Geburt über die Reife bis zum Tod sowie die Wiedergeburt. Ihre Farben sind in der Folge ihrer Erscheinungsformen Weiß, Rot und Schwarz. → Farben der keltischen Mythologie.

Cernunnos: Der mit dem Geweih, der Gehörnte. Keltischer Gott, dessen Attribut ein Hirschgeweih ist. Er ist unter anderem der Gott des Wachstums, der Fruchtbarkeit, der Weisheit und der Verflechtung der verschiedenen Lebensformen.

Cer–Taran: Konstruktion des Autors aus den beiden keltischen Wörtern für Geweih und Stier, also Geweih-Stier.

Cless: Kunstvoller Kampfsprung.

Cloghafarmore: Der etwa zwei Meter hohe Menhir steht in der heutigen Grafschaft Louth nahe des Dorfes Knockbridge.

Colmen: Keltische Bezeichnung für einen schlanken Menhir. Wörtlich: Dünner Stein.

Connaught: Das nordwestliche der fünf irischen Königreiche in keltischer Zeit.

Cornueille: Cornwall.

Cromlech: Steinkreis.

Cruach (Feld von): Poetische Bezeichnung für das Land, in dem die → Sídhe leben.

Cruachan: Königsburg von → Connaught, Sitz des Herrscherpaares Ailill und Medb. Die Festung lag in der Nähe des heutigen Ortes Rathcroghan nördlich von Roscommon.

Curragh: Keltisches Boot mit hölzernem Gerippe und Lederbespannung.

Danu (auch Dana, Ana): Irische Muttergöttin, die wiederum eine Erscheinungsform der Dreifachen Göttin → Ceridwen ist.

Dolmen: Steinkammergrab.

Dond von Cualnge: Prachtstier von Ulster. Der Name bedeutet: Der Braune von Cualnge.

Donnerkeil: Versteinerter Stachelschwanz eines im Erdmittelalter lebenden Belemniten (tintenfischähnlicher Kopffüßer). In der Mythologie tauchen Donnerkeile oft als Wurfgeschosse der Götter auf.

Dornoll Olldronai: Der Beiname Olldronai bedeutet: Großfaust.

Drachen: Ein roter und ein weißer Drache spielen im keltischen Weltbild eine besondere Rolle. Der rote Drache steht für das Positive, der weiße für das Negative. Nach druidischer Lehre wird der rote Drache nach jahrtausendelangen Kämpfen den weißen besiegen.

Drunemeton: Große Zusammenkunft politischer und/oder spiritueller Art.

Dun: Festung; in der eigentlichen Wortbedeutung: Erdwall.

Dun Delgan: Festung des Dorns. Die Ringburg Cúchulainns lag auf dem Gebiet der heutigen Stadt Dundalk im Nordosten Irlands.

Dun Taran: Der Name dieser »Festung des Stiers« ist fiktiv.

Dun Tobarce: Historische Hügelfestung bei der heutigen Stadt Dundalk.

Ebene von Ai: Teil des Herrschaftsgebiets der Königin Medb von Connaught.

Eheformen der Kelten: Das keltische Recht kannte verschiedene Variationen der Ehe. Es waren kurze Verbindungen zur Probe möglich, ebenso konnte ein Eheabkommen auf eine Anzahl von Jahren befristet sein, oder aber die Partner entschieden sich für eine lebenslange Bindung. Die Entscheidung darüber trafen Mann und Frau gleichberechtigt; kam es zur Zerrüttung der Ehe, war eine Scheidung kein Problem. So konnte sich ein Paar beispielsweise trennen, indem beide einen Ringwall aufsuchten, sich Rücken an Rücken aufstellten und den Platz durch gegenüberliegende Ausgänge wieder verließen.

Ehrenportion: Wenn keltische Krieger nach einem Kampf beim Festmahl saßen, war es Brauch, daß der Tapferste mit dem besten Bratenstück geehrt wurde. Über die Frage, wer die Ehrenportion verdiente, konnte es jedoch auch zum Streit kommen. Dann entschieden entweder die Waffen im Zweikampf − oder aber es setzte sich derjenige durch, der seine eigenen Taten durch ausufernde Prahlreden am eindrucksvollsten darzustellen wußte.

Emain Macha: Schon in der Bronzezeit bestehender Königssitz des alten Reiches von Ulster im Nordosten Irlands nahe der heutigen Stadt Armagh. Der Ort ist nach der Göttin → Macha benannt.

Erinn: Der keltische Name für Irland.

Eryri Gwyn: Weißer Adler. Keltische Bezeichnung für das Snowdonia-Massiv in Nordwales.

Ethne: Eine Erscheinungsform der Göttin → Boand.

Farben der keltischen Mythologie: Weiß, Rot und Schwarz (manchmal auch Blau) sind die Farben der Dreifachen Göttin →Ceridwen und damit heilig. Dennoch kann vor allem die

Farbe Weiß bzw. Grau manchmal auch negative Bedeutung haben; besonders wenn sie in Verbindung mit → Drachen, Schlangen oder anderen gefährlichen Tieren beziehungsweise bösartigen Menschen auftaucht.

Fidchell: Keltisches Brettspiel, das eine gewisse Ähnlichkeit mit Schach hatte. Fidchell bedeutet: Klugheit des Holzes (der hölzernen Spielfiguren).

Findbennach: Prachtstier des Königs Ailill von Connaught. Der Name bedeutet: Der Weißgehörnte.

Fomorier: Wesen des Chaos und des Dunklen.

Gae Bulga: Gae bedeutet Speer; Bulga heißt Bauch, Sack oder Hülle. Der Name von Cúchulainns geheimnisvoller Waffe kann also mit Speer aus der Hülle beziehungsweise aus dem Hohlschaft übersetzt werden. – Der Überlieferung nach faltete sich die Speerspitze des Gae Bulga beim Aufprall fächerförmig in dreißig kleine Klingen auf und riß auf diese Weise eine tödliche Wunde.

Geis: Von Druiden ausgesprochenes Tabu, das niemand übertreten durfte.

Hu-He-Su: Keltischer Gott, der sich in der ersten Astgabel eines Baumes manifestiert, auch mit Misteln verbunden ist und das verborgene Geheimnis des Lebens behütet.

Imbolc: Keltisches Fest der wiedererstarkenden Sonne am 1. Februar.

Kessel der Ceridwen: Das keltische Gefäß der Wiedergeburt. Der Kessel steht für den Schoß der Göttin → Ceridwen und damit für die unerschöpfliche Lebenskraft der Mutter Erde, welche aus dem Absterbenden immer wieder neues Leben hervorbringt.

Kimmerien/kimmerisch: Wales/walisisch.

Labrid: Ein Fürst der → Sídhe.

Laid: Keltische Lieddichtung.

Leprechaun: Zwergenhaftes andersweltliches Wesen.

Lough Neagh: Großer See westlich von Belfast.

Lugh: Keltischer Sonnengott, zudem Meister aller Künste, Hellseher und göttlicher Krieger. Seine Begleittiere sind die Raben.

Lughnasad: Keltisches Sommerfest am 1. August.

Luglochta Loga: Hügelfestung des Forgall Monach bei Lusk (nahe Rush) nördlich von Dublin.

Mac: Sohn.

Macha: Keltische Göttin, die den Menschen über den Tod zur Wiedergeburt führt und damit eine Emanation der Dreifachen Göttin → Ceridwen ist.

Mag Breg: Landschaft zwischen Dublin und Dundalk.

Mananann mac Lir: Göttlicher Hochkönig, der über das Reich der → Sídhe herrscht. Ebenso ist Mananann als Sohn des Lir (Meer) der irische Meergott.

Meerseide (Byssus): Seidenartiger, sehr kostbarer Stoff, der in Antike und Mittelalter aus den Drüsen der Pinna nobilis (Mittelmeermuschel) gewonnen wurde.

Metheglyn: Met.

Mide: Der heutige irische Landesteil Meath bzw. Leinster im östlichen Mittelirland.

Mondmetall: Silber.

Mumu: Der heutige Landesteil Munster im Südwesten Irlands.

Oengus mac Aed Abrat: Ein Barde und Fürst der → Sídhe.

Ogham–Schrift: Keltische Schrift, die aus Strichgruppen oberhalb und unterhalb bzw. links und rechts einer Linie besteht.

Ovate: Prophet, Zukunftsdeuter. Keltische Ovaten und Ovatinnen standen im Druidenrang.

Pikten: Präkeltische Ureinwohner Schottlands.

Rasenerz: Brauneisenstein, der sich durch Abscheiden aus Sumpf- oder Grundwasser bildet. Das Rasenerz war der Rohstoff für die Eisenverhüttung der Kelten im → Rennofen.

Rath Cimbaeth: Archäologisch nachgewiesenes Heiligtum und Begräbnisstätte in der Nähe von → Emain Macha. In Rath Cimbaeth wurden Gebeine von riesenhaften Tieren, darunter das Skelett des größten vorgeschichtlichen Hundes Irlands und Britanniens entdeckt.

Rennofen: Einfacher Schmelzofen, in dem bei relativ niedrigen Temperaturen durch Ausglühen und Sintern Eisen aus → Rasenerz gewonnen werden kann. Als erste Europäer perfektionierten die Kelten diese Methode der Erzgewinnung.

Rhiannon: Eine Erscheinungsform der Dreifachen Göttin → Ceridwen, welche in Gestalt einer edlen Stute auftritt. Rhiannon ist die Schutzgöttin der Barden, aber auch der berittenen Krieger und Wagenkämpfer. Als Rhi Annwn (Königin der Anderswelt) korrespondiert Rhiannon zudem mit → Caillech und führt die Menschen über den Tod zur Wiedergeburt.

Ruheinig: Römer. Die römischen Legionen schickten sich zur Handlungszeit des Romans in der Mitte des letzten vorchristlichen Jahrhunderts gerade an, Gallien zu erobern, und bedrohten auch schon Britannien.

Rurthech: Der Fluß Liffey, welcher bei Dublin ins Meer mündet.

Sainreth/Sainrethtochter: Der Name Sainreth ist rein mythologisch und bedeutet: Besonderheit. Die Sainrethtochter ist also eine Frau, die aus dem Besonderen, nämlich der Anderswelt stammt und dadurch als → Sídh gekennzeichnet ist. In der Originalfassung der Sage trägt sie auch den Namen → Macha und korrespondiert dadurch auf gewisse Weise mit der gleichnamigen Göttin.

Samhain: Herbstfest der Kelten, das in der Nacht zum 1. November (Samhainnacht) beginnt und den folgenden Tag über andauert. An Samhain sind die Grenzen zwischen Diesseits- und Anderswelt durchlässig, so daß die Toten im Diesseits erscheinen können.

Schlangenei: Geheimnisvolles Gebilde aus miteinander verschlungenen Strängen, das die enge Verflechtung von Diesseits- und Anderswelt symbolisiert und nur von Druiden getragen werden durfte.

Schmiede: In der keltischen Welt waren diese Handwerker hochgeachtet. Sie stellten nicht nur sehr gute Eisenwaffen, sondern auch Sakralgegenstände und Schmuck aus Edelmetall oder Bronze her. Ihr Gott war → Lugh, der in der keltischen Mythologie auch als Meister aller Handwerkskünste bezeichnet wird.

Schwarzmond: Neumond.

Sídh/Sídhe: Fee/Feen, ebenso Elfe/Elfen oder Albe/Alben. Die Sídhe können vielerlei Gestalten annehmen; sie leben in der irdischen Welt zumeist in heiligen Hügeln, die nach ihnen ebenfalls als Sídhe bezeichnet werden, aber auch in besonderen Grabstätten oder Höhlen. Ihre eigentliche Heimat jedoch ist → Tír na n'Og.

Sliab Fuaid: Berg in der nordostirischen Grafschaft Armagh bei Newton Hamilton mit berühmten → Cairns.

Sobarche: Das heutige Dunseverick in der Grafschaft Antrim.

Tara: Sitz der Hochkönige Irlands, nordwestlich von Dublin gelegen.

Taranis: Stier- und Donnergott. Herr der himmlischen Elemente und der Zeit.

Tete-Brec-Haus: Ein Krankenhaus, wie sie in der keltischen Gesellschaft von hervorragend ausgebildeten Arztdruiden betrieben wurden. Die Archäologen haben nachgewiesen, daß die Druiden unter anderem die Kunst der Schädeltrepanation beherrschten. Die Behandlung und Verpflegung in Häusern wie Tete Brec war für alle Patienten kostenlos und wurde von den Wohlhabenden finanziert.

Tír na n'Og: Land des Westens. Anderswelt.

Torc/Torques: Keltischer Halsring aus Edelmetall, den nur Druiden, Barden, Adlige und herausragende Krieger tragen durften.

Tracht Eisi: Örtlichkeit in Ulster, die nicht mehr zu identifizieren ist, jedoch entsprechend der Darstellung im Cúchulainn-Epos direkt an der Ostküste des Landes gelegen haben muß.

Tuatha dé Danann: Das → Sídhevolk der Göttin → Danu.

Turloch Caille: Der Ort liegt nördlich des heutigen Knowth in der Grafschaft Meath.

Ulster: Das nordöstliche der fünf irischen Königreiche in keltischer Zeit.

Vielfraß: Riesenmarder, heute in Europa fast ausgestorben.

Weltenbaum von Emain Macha: Dieser zwölf Meter hohe Eichenstamm, der in der Mitte der Festung stand, ist archäologisch nachgewiesen. Er stellte wohl eine Verbindung zwischen Diesseits- und Anderswelt her.

Zahlen der keltischen Mythologie: Die Drei steht für die Dreifache Göttin → Ceridwen; die Neun für deren kosmische Dimension und damit für absolute Vollendung. Die Vier symbolisiert die Elemente Erde, Luft, Wasser und Feuer, ebenso das Weitausgreifende, Ferne. Die Fünf ist die Druidenzahl; sie steht für druidische Weisheit und eine fünfdimensionale Kosmologie der Großen Wissenden, welche die dreidimensionale Diesseitswelt, die Anderswelt sowie eine alles umfassende fünfte Dimension beinhaltet. Die Dreizehn ordneten die Kelten entsprechend den dreizehn Mondmonaten eines Jahres dem Mond und damit der Gottheit → Arianrhod zu.

Klett-Cotta
© J. G. Cotta'sche Buchhandlung Nachfolger GmbH, gegr. 1659,
Stuttgart 2003
Alle Rechte vorbehalten
Fotomechanische Wiedergabe nur mit Genehmigung
des Verlags
Printed in Germany
Schutzumschlag: Dietrich Ebert, Reutlingen
Gesetzt aus der 11 Punkt Bembo von Kösel, Kempten
Auf säure- und holzfreiem Werkdruckpapier gedruckt
und gebunden von Kösel, Kempten
ISBN 3-608-93572-X

Die Brautprinzessin
S. Morgensterns klassische Erzählung von wahrer Liebe und edlen Abenteuern. Die Ausgabe der »spannenden Teile«, gekürzt und bearbeitet von William Goldman. Und das erste Kapitel der lange verschollenen Fortsetzung »Butterblumes Baby«

Aus dem Englischen von Wolfgang Krege
420 Seiten, gebunden, zweifarbiger Druck, ISBN 3-608-93226-7

Worum geht es in diesem Buch? – Fechten. Ringkämpfe. Folter. Gift. Wahre Liebe. Haß. Rache. Riesen. Jäger. Böse Menschen. Gute Menschen. Bildschöne Damen. Schlangen. Spinnen. Wilde Tiere jeder Art und in mannigfaltigster Beschreibung. Schmerzen. Tod. Tapfere Männer. Feige Männer. Bärenstarke Männer. Verfolgungsjagden. Entkommen. Lügen. Wahrheiten. Leidenschaften. Wunder.

»...ein wahrer Leckerbissen für die Freunde des schwarzen Humors.«
Frankfurter Allgemeine Zeitung

»...da steht alles drin, was man über Liebe, Leidenschaft, Sehnsucht wissen muß.«
Campino, Die Toten Hosen

Joy Chant:
Roter Mond und Schwarzer Berg
Aus dem Englischen von Hans J. Schütz
356 Seiten, gebunden, ISBN 3-608-93199-6

Unvermutet stolpern Oliver, Nicolas und Penny durch ein Zeittor – und finden sich in einer Welt, in der Fabelmächte sich bekriegen. In einem dramatischen, gespenstischen Kampf der Weißen Adler mit den Schwarzen Adlern kulminiert diese dichte Abenteuererzählung. Was als Sturz nach draußen, in eine prähistorisch anmutende Fremde beginnt, erscheint am Ende als notwendiger und beglückender Gang durch das eigene Innere.

Klett-Cotta

Ricardo Pinto:
Der Steinkreis des Chamäleons

Die Auserwählten
Aus dem Englischen von Wolfgang Krege
603 Seiten, gebunden, Lesebändchen, Karten und Illustrationen,
ISBN 3-608-93241-0

Verborgen in einem Vulkankrater liegt das paradiesische Osrakum.
Dort ist das Herz der Drei Lande – ein riesiges Reich, über das die
Grausamen Gebieter herrschen. Der junge Karneol wuchs auf einer
Insel auf, umsorgt und geliebt. Der Pomp und die blutigen Rituale
der Gebieter sind ihm fremd.
Als ein Schiff übers stürmische Eismeer kommt, zerbricht Karneols
Welt. Das unheimliche Schiff bringt drei Gebieter.
Sie tragen rituelle Goldmasken und bitten Karneols Vater
zurückzukehren, um an der Wahl des Gottkaisers teilzunehmen.
Zu Karneols Erstaunen kann sein Vater die Bitte nicht abschlagen.
Und so treten sie die weite, gefahrvolle Reise nach Osrakum an.
In den hohen Hallen, im Verwehrten Garten lernt Karneol das
gefährliche Spiel von Macht und Intrigen kennen. Und er lernt die
Spielregeln. Ohne es zu wissen, setzt er eine viertausend Jahre alte
Überlieferung wieder in Gang, die sein Schicksal bestimmen soll...

Die Ausgestoßenen
Aus dem Englischen von Wolfgang Krege
624 Seiten, gebunden, Lesebändchen, Karten und Illustrationen,
ISBN 3-608-93242-9

Im zweiten Band, »Die Ausgestoßenen«, entgehen Karneol und
sein Freund Osidian um Haaresbreite dem Schicksal, lebendig
begraben zu werden. Osidian, ein menschliches Raubtier, das in
den Perlschnur-Archiven von Osakrum die zynischen Geheimnisse
der Staats- und Kriegskunst erforscht hat, kann nicht vergessen,
wer er in Osrakum gewesen ist, und er bereitet seine Rückkehr
vor – mit Feuer und Schwert und mit allen Tücken planender
Intelligenz.

Klett-Cotta